8150

Das 18. Jahrhundert gilt gemeinhin als die Zeit der großen Dramatiker. Daneben ist die bedeutende Erzählkunst dieser literarischen Epoche nahezu unbeachtet geblieben. Die vorliegende Anthologie will zur Wiederentdeckung dieses vernachlässigten Teils der deutschen Literaturgeschichte einladen.

Darin enthalten sind novellistische Meisterstücke wie Goethes ›Märchen‹ und Jean Pauls ›Schulmeisterlein Wuz‹, aber auch fast vergessene Erzählungen von Gottsched, Schnabel und Wieland.

Alle Erzählungen wurden nach den Erstdrucken in behutsamer Modernisierung ediert; im Anhang finden sich grundlegende Informationen zu Autor und Werk.

Literatur · Philosophie · Wissenschaft

Deutsche Erzählungen des 18. Jahrhunderts

Von Gottsched bis Goethe

Herausgegeben und kommentiert von
Heide Hollmer, Christine Lubkoll,
Albert Meier, Wolfgang Proß und
Friedrich Vollhardt

Deutscher Taschenbuch Verlag

Die Texte des Bandes wurden für diese Ausgabe eingerichtet und folgen den Erstdrucken der Erzählungen. Sie wurden – unter Wahrung aller Besonderheiten des Autors – behutsam modernisiert. Groß- und Kleinschreibung, Getrennt- und Zusammenschreibung sowie die Zeichensetzung wurden unverändert übernommen. Hervorhebungen wurden beibehalten, sie erscheinen jedoch einheitlich in Kursivdruck.

Im Deutschen Taschenbuch Verlag sind erschienen:

Deutsche Erzählungen des 19. Jahrhunderts (2099)
Meistererzählungen der deutschen Romantik (2147)

Originalausgabe
Juni 1988
Deutscher Taschenbuch Verlag GmbH & Co. KG,
München
Umschlaggestaltung: Celestino Piatti unter Verwendung eines
Gemäldeausschnitts von Jean-Baptiste S. Chardin
Gesamtherstellung: C. H. Beck'sche Buchdruckerei,
Nördlingen
Printed in Germany · ISBN 3-423-02195-0

INHALT

Johann Christoph Gottsched:
>Die gute Ehefrau<   7
Johann Gottfried Schnabel:
>Virgilia van Cattmers<   28
Johann Jacob Bodmer/Salomon Gessner:
Inkel und Yariko   43
Christoph Martin Wieland:
Musarion oder Die Philosophie der Griechen   52
Jakob Michael Reinhold Lenz:
Der Waldbruder   89
Friedrich Schiller:
Verbrecher aus Infamie   118
Jean Paul:
Leben des vergnügten Schulmeisterleins Wuz in Auenthal   139
Johann Wolfgang Goethe:
Das Märchen   173
Wilhelm Heinrich Wackenroder:
Das merkwürdige musikalische Leben des Tonkünstlers
    Berglinger   200

ANHANG

Johann Christoph Gottsched (W. Proß)   219
Johann Gottfried Schnabel (W. Proß)   227
Johann Jacob Bodmer/Salomon Gessner (F. Vollhardt)   233
Christoph Martin Wieland (A. Meier)   243
Jakob Michael Reinhold Lenz (F. Vollhardt)   258
Friedrich Schiller (A. Meier)   269
Jean Paul (W. Proß)   276
Johann Wolfgang Goethe (Ch. Lubkoll)   296
Wilhelm Heinrich Wackenroder (H. Hollmer)   305

Nachwort von Wolfgang Proß   315

JOHANN CHRISTOPH GOTTSCHED
›Die gute Ehefrau‹

BESSER
Ein treuverknüpftes Paar, das sich von Hertzen meinet,
was ist's? des Himmels-Bild, da Mond und Sonne scheinet.

Euphrosyne ist die würdige Ehegattin meines Freundes, eine Matrone, die ihrer guten Eigenschaften halber eines solchen rechtschaffenen Mannes wert ist. Sophroniscus hat sie bloß aus Liebe geheiratet; aber diese Liebe ist weniger eine Wirkung ihrer guten Gestalt, als ihres wohlgearteten Gemütes gewesen. Ein Frauenzimmer, so im äußerlichen was angenehmes an sich hat, reizet die Augen der Männer, mehr auf sie, als auf andre zu sehen. Dieses ist der Vorteil wohlgebildeter Personen; der ihnen aber oft zum Schaden gereichet: wenn ihre böse Gemütsart diejenige Zuneigung wieder vernichtet, die ihre Schönheit ihnen zuwegegebracht hatte. Euphrosyne hatte das Glück einen liebenswürdigen Körper von der Natur erhalten zu haben: Doch sie verlangte nicht, bloß um einer so unbeständigen Sache halber, geliebet zu werden. Die Reizungen ihrer guten Bildung, waren gleichsam nur die Lockspeise, dadurch der redliche Sophroniscus bewogen ward, die Bekanntschaft dieses jungen Frauenzimmers zu suchen, und dabei zu erfahren: ob auch ihre Seele eben soviel Hochachtung verdiene, als ihre Gestalt? Er fand dieses in der Tat. Ihr Verstand war von großer Fähigkeit, und durch eine gute Auferziehung mit keinen Vorurteilen angefüllet. Ihr Witz war lebhaft und geistreich, weswegen ihr Umgang ihm überaus angenehm ward. Ihr Herz endlich war zur strengesten Tugend geneigt, und zu keinen verkehrten Leidenschaften verwöhnet. Bei dem allen sahe sie wohl, daß Sophroniscus ein redlicher, vernünftiger und begüterter Mann war, der durch seine guten Eigenschaften ihre Hochachtung würde verdienet haben; wenn er ihr gleich nicht mit Liebe zugetan gewesen wäre. Es fiel also gar nicht schwer, zu ihrem beiderseitigen Vergnügen, die Bewilligung ihrer Eltern zu erlangen: und die Hochzeit ward ohne viele Weitläuftigkeiten vollenzogen.

Ich kann nicht unterlassen einen merkwürdigen Umstand von dieser Heirat zu erzählen. Als mein Freund seine Liebste genugsam zu kennen vermeinte, und deutlich genug spürte, daß sie ihm nicht abhold wäre, brachte er sein Wort bei ihren Eltern an. Diese, als wohlhabende Leute, dachten nicht anders, als daß der Freier bei seiner Anwerbung, auch zugleich wegen des Brautschatzes eine Forderung tun würde: Allein sie erfuhren mit vieler Verwunderung, daß er mit keinem Worte daran gedachte. Man ließ ihn durch gute Freunde von weitem erinnern: daß er eine so gewöhnliche und erlaubte Sache nicht ins Vergessen stellen sollte; und unter der Hand versichern, daß die Eltern, aus Liebe zu ihrem Kinde, und in Betrachtung seiner Verdienste, alles mögliche tun würden: Doch alles umsonst. Sophroniscus sagte zu diesen Unterhändlern: Wenn ich nach Gelde gefreiet hätte; so wäre es mir leicht gewesen eine viel reichere Partei zu finden; als diese ist: Aber mir hat Euphrosyne, und nicht das Vermögen ihrer Eltern gefallen. Ich würde sie lieben, wenn ich gleich keinen Taler mit ihr zu gewarten hätte. Wie angenehm diese vernünftige Antwort den Schwieger-Eltern gewesen; kann man sich leicht einbilden: Sie zeigten aber auch von ihrer Seiten, daß sie mit redlichen Leuten redlich umzugehen wüßten, und verschrieben ihrem künftigen Tochtermanne, nicht nur ein ansehnliches Gut; sondern versprachen ihm auch, jährlich ein Stücke Geld in seine Haushaltung zu geben. Dieses nahm er mit einer gleichgültigen Dankbarkeit an, gab aber, indem er seine Verlobte umarmete, zur Antwort: Dieses lebendige Geschenke ist mir tausendmal lieber, als wenn mir meine wertesten Eltern ihr ganzes Vermögen abgetreten hätten.

Doch ich verliere Euphrosynen aus dem Gesichte. Dieses kluge Frauenzimmer legte keine geringere Proben ihrer Tugend ab, als es diejenige Eitelkeit überwand, die sonst dem Frauenzimmer, in dergleichen Umständen, so schwer zu überwinden ist. Sophroniscus sollte sie als seine Braut beschenken, und die Gewohnheit des Landes würde vor etliche hundert ja tausend Taler Geschmeide dazu erfordert haben. Allein wie er sich durch die eingerißnen Vorurteile niemals Gesetze vorschreiben läßt; so tat ers auch in diesem Falle nicht. Er nahm 100 Ducaten und verfügte sich zu seiner Geliebten. Mein Schatz, sprach er, hier bringe ich ihr die Kosten zu einem kleinen Brautschmucke. Hoffet sie nun meinen Augen besser zu gefallen, wenn sie mit vielen Perlen und Edelgesteinen behangen sein wird; als itzo: so kann sie dieselben nach Belieben erhandeln. Dünket ihr diese kleine Summe zu wenig; so versichere ich, daß es mir selbst zu wenig ist: Denn alles Meinige gehört ihr zu, ja ich selbst bin ihr eigen. Euphrosyne lächelte bei dieser Anrede und gab zur Antwort: Wenn ich ihm, mein Geliebter, in Perlen und Diamanten besser zu gefallen dächte, als ohne dieselben: so hätten meine Eltern schon soviel Vermögen, mich reichlich genug damit zu behängen. Nun hoffe ich aber eines fremden Schmuckes in dieser Absicht nicht benötiget zu sein. Das überreichte Geschenk nehme ich an; bitte ihn aber, mir dasselbe an eben dem Orte ferner aufzuheben, wo es bisher verwahret gelegen.

Was zwischen einem so vernünftigen Braut-Paare vor ein vergnügter Ehestand erfolget sei, wird sich ein jeder selbst einigermaßen vorstellen können. Ihr Haus ist zwanzig Jahre her einem aufgeheiterten Himmel ähnlich gewesen, an welchem keine schwarze Wolke zu sehen ist. Sechs wohlgebildete Kinder sind die Früchte ihrer ehelichen Liebe: und eben soviel Abdrücke ihrer vereinbarten Eigenschaften sehen sie vor Augen. Euphrosyne hat alle ihre Kinder selbst genähret: weil sie es vor unnatürlich gehalten, die Quellen zu verstopfen, die der weise Schöpfer zur Verpflegung zarter Säuglinge fließen läßt; sobald sie ans Licht der Welt treten. Ihr Ehegatte ist auch um desto mehr damit zufrieden gewesen: da er wohl schwerlich Säugammen würde gefunden haben, die seinen Kindern eine so gute Gemütsart eingeflößet hätten, als seine tugendhafte Ehegattin tun können. Sie hat also den ersten Grund, zur guten Auferziehung ihrer Jugend selbst geleget: denn sie wußte wohl, wieviel darauf ankommt, wenn die erste Kindheit verwahrloset wird. Ihre Kinder haben sie auch um desto lieber; da sonst Zuneigung derselben, mehr auf die Ammen zu fallen pflegt. Sie hat dieselben allezeit um und neben sich: ausgenommen die Söhne, welche schon der Unterweisung eines geschickten Lehrmeisters, den Sophroniscus im Hause hält, übergeben sind. Also gibt sie allezeit selbst auf die Ihrigen acht, unterdrücket ihre bösen Neigungen in der ersten Blüte, und bringet ihnen eine Gewohnheit im Guten bei; ehe sie selbst noch verstehen was rechts oder links ist.

Außer dieser Kinderstube, hat sie noch ein geputztes Zimmer, vor sich und ihre beiden Töchter, die schon ziemlich heran gewachsen sind. An den artigen Verzierungen desselben, kann man eine Probe von ihrem guten Geschmacke sehen. Es ist mit keinem Überflusse von Gläsern oder Porzellan-Aufsätzen enge gemacht; man siehet kein halbes Dutzend Spiegel darin hangen; die Nachttische prangen auch mit keinen übermäßigen Kostbarkeiten: doch ist alles sauber und nett; so daß niemand der zum erstenmale herein tritt, sich ohne ein sonderbares Vergnügen umsehen kann. Die Wände sind mit einem wöllenen vielfarbigen Zeuge behangen, welches sie selbst in ihrem Hause weben lassen. Zween Spiegel, in Rahmen von einem schönen Holze, hängen über soviel kleinen Tischen. Zwölf Stühle stehen rings herum, daran sie mit ihren

Töchtern den Überzug selbst genähet haben. Sonst hängen noch vier Gemälde in diesem Zimmer, davon Sara und Abigail aus der biblischen, Penelope und Lucretia aber aus der weltlichen Historie bekannt sind. In diesem Gemache empfängt sie diejenigen Freundinnen, die ihr zuweilen aus der Nachbarschaft einen Besuch abstatten.

Wie sie sich die Zeit zu vertreiben gewohnt sei, darf ich wohl nicht sagen; weil es aus dem vorhergehenden sattsam wird zu ersehen sein. Doch muß ich noch hinzusetzen, daß sie bei allen ihren Hausgeschäften und bei alle der Mühe, so ihre Kinderzucht erfordert, doch nicht unterlasse, zuweilen ein gutes Buch zu lesen. Sie liest aber lauter solche Schriften, daraus sie diejenigen Pflichten, die ihr als Hausfrau, Ehegattin und Mutter obliegen, desto besser beobachten lernen kann. Noch neulich fand ich sie über einer solchen Arbeit beschäftiget, als ich ohngefähr in ihr Zimmer trat. Sie war so eifrig im Lesen, daß sie mich nicht einmal wahrnahm: zumal sie mit dem Rücken nach der Tür gekehret saß. Ich wollte sie mit Fleiß nicht stören, und winkte den Anwesenden, stille zu sein, bis sie selber aufhören würde. Dieses geschah endlich, und zwar mit einem tiefen Seufzer, daraus ich leichte schließen konnte; daß es recht was bewegliches gewesen sein müßte. Kaum hatte sie mich wahrgenommen und bewillkommet, als ich sie ersuchte meine Neugierigkeit zu befriedigen, und mir entweder das Buch und die Stelle zu zeigen, darinnen sie gelesen hätte: oder mir selbst kürzlich zu sagen, was sie diesmal so sehr gerühret hätte. Wie sie mit mir, als einem alten Freunde ihres Mannes, kein Wesen macht; also erwählte sie das Letztere, und erzählte mir folgende Geschicht.

Carl der Achte, König in Frankreich, sprach sie, schickte einen vornehmen Hofbedienten nach Deutschland, gewisse Reichs-Angelegenheiten zu besorgen. Die Reise ward sehr geschwinde fortgesetzt, und der Gesandte schonte sogar der Nacht nicht, den Befehl seines Herrn desto schleuniger zu vollenziehen. Einen Abend kam er ganz spät, an das Schloß eines Land-Junkers, bei welchem er um Herberge bat. Es kostete viel Mühe, ehe er eingelassen ward; doch da der Edelmann hörete, daß es ein Bedienter seines Königes wäre; kam er ihm entgegen, und entschuldigte die Grobheit seiner Leute: setzte aber hinzu, daß er um einiger übelgesinnten Anverwandten halber, von Seiten seiner Ehegattin, dergleichen Vorsichtigkeit vonnöten hätte. Hierauf führte er den Gast herein, und nahm ihn mit aller möglichen Ehrenbezeigung auf. Als es Essenszeit war, führte der Wirt diesen Fremden in einen schönen tapezierten Saal. Man trug auf, und alsbald kam unter den Tapeten das schönste Frauenzimmer von der Welt hervorgetreten; aber mit einem kahlbeschornen Haupte, und in einem nach deutscher Manier gemachten schwarzen Trauer-Kleide. Man brachte das Handbecken, und als der Gast und Wirt sich gewaschen hatten, reichte man es dieser Dame, welche sich auch wusch, und ohne ein Wort zu sprechen, noch von jemanden angeredet zu werden, sich am Ende des Tisches niederließ. Der Fremde sahe sie oft an, und fand, daß sie bei ihrer großen Schönheit, doch sehr blaß und ganz niedergeschlagen war.

Als sie etwas gegessen hatte, forderte sie zu trinken: Ein Bedienter brachte ihr solches, aber in einem Gefäße von wunderbarer Gestalt. Es war die Hirnschale von einem Menschen, darinnen die Augenlöcher mit silbernen Blechen vermachet waren. Sie trank zwei oder dreimal daraus; und als sie satt war, stund sie auf, wusch wieder die Hände, machte dem Haus-Herrn einen Reverenz, und verfügte sich wieder hinter die Tapeten, ohn ein einziges Wort zu sagen. Über einen so seltsamen Anblick ward der Fremde ganz traurig und voller Gedanken. Der Wirt merkte dieses und sprach: Ich sehe wohl, daß dasjenige, was ihr an meinem Tische gesehen, euch sehr Wunder nimmt; aber weil ich einen redlichen Mann an euch finde, will ich euch nichts verhehlen, damit ihr mich nicht vor grausam halten möget. Dieses Frauenzimmer, so ihr gesehen habt, ist meine Ehegattin, die ich zärtlicher geliebt habe, als jemals ein Mann seine Frau lieben können: Denn ihrer habhaft zu werden, habe ich alle Furcht aus dem Sinne geschlagen, und sie wider ihrer Eltern Willen hieher gebracht. Sie bezeigte auch soviel Liebe gegen mich, daß ich mein Leben, nicht einmal, sondern zehentausendmal vor sie gewaget hätte. Wir haben auch eine zeitlang so vergnügt miteinander gelebt, daß ich mich vor den glücklichsten Edelmann von ganz Europa gehalten. Aber als ich einsmals auf einer Reise begriffen war, dazu mich meine Ehre verpflichtete, setzte sie die Ihrige so sehr aus den Augen, und vergaß ihres Gewissens und der Liebe gegen mich so gar; daß sie sich in einen jungen Edelmann verliebte, den ich viele Jahre erhalten hatte. Sobald ich zurücke kam, merkte ich zwar etwas von dieser Liebe, trauete aber meinem Argwohne nicht eher, bis mir die Erfahrung selbst die Augen öffnete: Und dadurch ward alle meine vorige Liebe in Raserei und Verzweifelung verwandelt. Diese nun mit rechtem Nachdrucke auszulassen, stellte ich mich an, als ob ich verreisete; versteckte mich aber in eben dem Zimmer, darinnen sie itzo ist: wohin sie auch, gleich nach meiner vermeinten Abreise, ihren Buhler kommen ließ. Ich sahe ihn mit einer solchen Freiheit zu ihr herein treten, die mir allein gegen sie zukam; da er sich aber zu ihr ins Bette machen wollte, sprang ich hervor, ergriff ihn in ihren Armen und erstach ihn auf der Stelle. Meiner Ehegattin wäre es nicht besser gegangen; weil aber ihr Laster viel zu groß war, als daß es durch einen solchen Tod sattsam hätte bestrafet werden können: So habe ich ihr eine andre Strafe auferlegt, die mir schwerer als der Tod selbst zu sein dünket. Ich halte sie in der Kammer verschlossen, darinne sie damals ihre größte Belustigung genießen wollte; und zwar in Gesellschaft dessen, den sie mehr als mich liebete. Ich habe nämlich den toten Körper desselben jungen Edelmanns in einen Schrank gehänget; und sie gleichsam zur Bewahrerin dieser Kostbarkeit bestellet. Ja damit sie ihres Geliebten niemals vergessen möge, so lasse ich ihr auch bei Tische den Schädel dieses Bösewichts als ein Trinkgeschirr vorsetzen, damit sie also erstlich denjenigen lebendig vor Augen sehen müsse, den sie sich durch ihr Laster zum Todfeinde gemacht: zugleich aber auch denjenigen, dessen Freundschaft sie der meinigen vorgezogen.

Dieses erzählte Euphrosyne mit einer solchen Artigkeit, daß ich und alle gegenwärtige Hausgenossen in das heftigste Erstaunen gesetzet wurden. Die Fortsetzung dieser Geschicht, soll ehestens folgen.

2

BOILEAU
A leurs fameux Epoux vos Ayeules fidelles,
Aux douceurs des galans furent toujours rebelles.

Es schien, als wenn Euphrosyne in ihrer neulichen Erzählung nur deswegen innegehalten hätte; damit wir desto begieriger werden möchten, den Ausgang einer so merkwürdigen Geschichte zu vernehmen. Und in der Tat war niemand zugegen, der nicht ein sonderbares Verlangen bezeiget hätte, den völligen Verlauf dieser traurigen Begebenheiten von ihr anzuhören. Sie stillte dasselbe mit eben der Geschicklichkeit, womit sie es erreget hatte; indem sie folgender gestalt wieder anfing.

Der Edelmann, sagte sie, fuhr weiter fort, sein Verfahren zu rechtfertigen, und seinem Gaste von allen Umständen Nachricht zu geben. Die Haare, sprach er, habe ich ihr deswegen abgeschoren; weil eine Ehebrecherin dieses Schmuckes ganz unwert ist. Denn ihr kahler Kopf gibt itzo zu verstehen, daß sie durch ihr Laster, Zucht, Scham und Ehre verloren habe. Wollt ihr euch etwa bemühen, mein Herr, und sie in ihrem Zimmer besuchen: so wird euch der Augenschein selbst, von allem was ich euch gesagt habe, überführen. Dem Fremden war nichts lieber, als dieses Anerbieten: denn wie er sich in soviel seltsame Dinge gar nicht zu finden wußte; so wünschte er nichts mehr, als eine vollkommene Überzeugung, von der Wahrheit aller Umstände, zu erlangen. Er folgte also seinem Wirte: Sie kamen in ein schönes Zimmer, und fanden die Dame ganz allein, vor einem Camin-Feuer sitzen. Der Edelmann zog einen Vorhang weg: und siehe, da hing das Toten-Gerippe ohne Kopf, davon er vorhin geredet hatte. Der Gast erstaunete fast darüber, sahe aber noch weit begieriger nach dem Frauenzimmer, welches aus Ehrerbietung aufgestanden war; doch vor Scham die Augen nicht in die Höhe schlagen dorfte. So gern er sie angeredet hätte; so unterließ er es doch, aus Furcht vor dem gegenwärtigen Edelmanne; als welcher noch kein Wort gesprochen hatte. So bald dieser solches merkete; sprach er: Wollt ihr mit ihr reden, mein Herr, so werdet ihr hören, was vor eine Sprache sie hat, und wie sie sich auszudrücken weiß. Mehr brauchte es nicht, als diese Erlaubnis. Madame, sprach der Fremde, wenn sie soviel Geduld besitzen, als Marter sie bisher empfunden haben: so sind sie das glücklichste Frauenzimmer von der Welt. Mein Herr, erwiderte die Dame, mit tränenden Augen und der demütigsten Miene die nur zu erdenken ist; ich gestehe es, mein Verbrechen ist so groß, daß alle Qual, die mir mein Herr (denn ich bin nicht wert ihn meinen Ehgatten zu nennen) antun könnte, gegen die Reue so ich darüber empfinde, vor gar nichts zu rechnen ist. Denn nichts martert mich empfindlicher, als wenn ich bedenke, daß ich den zärtlichsten und liebreichesten Mann von der Welt so gröblich beleidiget habe. Und indem sie dieses sagte, brachen ihr die Tränen so häufig aus den Augen, daß sie Stromweise die Wangen herunter liefen, und sie vor bitterlichem Weinen kein Wort mehr hervor bringen konnte. Der mitleidige Fremde ward so sehr dadurch gerühret, daß ihm die Augen gleichfalls voll Wasser liefen: und die Wehmut würde bei ihm vollends ausgebrochen sein; wenn ihn der Edelmann nicht beim Arme ergriffen, und ihn sogleich wieder hinausgeführet hätte.

Mit was vor Gedanken er diese ganze Nacht hingebracht, ist leichter zu denken als zu erzählen. Früh morgens, als er seine Reise wieder antreten und von dem Landjunker Abschied nehmen wollte; konnte er sich nicht enthalten, ihm von wegen seiner Ehegattin zuzureden, und vor sie zu bitten. Mein Herr, sprach er, die Liebe so ich zu euch trage, und die Höflichkeit, so ihr mir erwiesen habt, verbindet mich, euch meine Gedanken mit mehrerer Freiheit zu eröffnen, als ich gegen einen andern tun würde. Mich dünket, ihr solltet eurer Ehegattin Barmherzigkeit widerfahren lassen. Ihr sehet ja wohl, wie sehr sie ihren Fehler bereuet. Entschuldigen mag ich denselben nicht; um euch nicht noch mehr zu erzürnen. Erwäget aber nur, daß ihr noch jung seid, und keine Erben habt. Wäre es nun nicht ewig schade, daß ein so schöner Hof und ein so einträgliches Rittergut, als das eurige ist, dermaleins in fremde Hände geraten, oder lachenden Erben anheim fallen sollte? Vergebet eurer Frauen ein Vergehen, welches sie vielleicht aus Übereilung begangen hat, und gewiß niemals wiederholen würde; wenn sie nach einer so empfindlichen Strafe, eure Liebe wieder schmekken sollte.

Wiewohl sich der Edelmann fest vorgesetzet hatte, seine untreue Ehegattin lebenslang in diesem traurigen Zustande zu lassen: so machte ihm doch dieses Zureden des Königlichen Gesandten keinen geringen Eindruck. Er stund eine Weile in Gedanken, ohne ein einziges Wort zurücke zu sagen. Endlich fand er, daß ihm freilich sein Gast nichts unrechtes geraten hatte: und darum versprach er, sich seiner Frauen wieder zu erbarmen; dafern sie noch eine zeitlang in solcher Reue verharren würde. Hierauf reisete der Fremde ab, verrichtete seine Gesandschaft, und langte nach einiger Zeit wiederum am Königlichen Französischen Hofe an. Er erzählte daselbst dem Könige unter andern auch diese seltsame Begebenheit, die er in dem Schlosse eines Landjunkers, wo er übernachtet war, teils gehöret, teils selbst gesehen hätte. Dabei wußte er die Schönheit dieser unglücklichen Dame so vollkommen zu beschreiben, daß der König seinen Hofmaler dahin abschickte, dieselbe nach dem Leben zu schildern, und ihm das Gemälde nach Hofe zu bringen. Ohngeachtet sie noch ihr Gefängnis hüten mußte, so erlaubte doch der Edelmann dem Maler, dieselbe dem Königlichen Befehle gemäß, in ihrem Trauerhabite abzuschildern. Vielleicht trug auch die Betrachtung, daß der Hof selbst von seinem Verfahren schon Nachricht hätte, nicht wenig bei, daß er sie bald darauf zu Gnaden annahm. Alles vorige ward von beiden Teilen vergessen. Das Gerippe ward vergraben, das Trinkgeschirr abgeschafft, und alle andre Merkmale ihrer ausgestandenen Strafe wurden gänzlich vertilget. Sie liebten nachmals einander mit vollkommener Treue, und es schien, als wenn diese heftige Erbitterung bloß zur Vergrößerung ihrer ehelichen Zärtlichkeit gedienet hätte. Kurz, sie schienen ein neuvermähltes Paar zu sein, und hatten das Vergnügen, in einem fruchtbaren Ehstande alt und grau zu werden; ja fast zu gleicher Zeit wohl betagt und Lebenssatt, ihre Augen zu schließen.

Was dünkt ihnen von dieser Historie? fragte mich die kluge Euphrosyne, nachdem sie ihre Erzählung dergestalt zum Ende gebracht hatte. Würden sich wohl viele Trinkgeschirre in Toten-Köpfe verwandeln müssen, wenn alle ungetreue Weiber auf gleiche Weise bestrafet werden sollten? Wir wollen hoffen, gab ich zur Antwort, daß ihrer nicht gar zu viele sein würden. Doch was dünkt ihnen von diesem strengen Ehmanne? Seine Rache kommt mir so unerhört vor, daß ich sie eher eine Grausamkeit, als eine gerechte Strafe nennen wollte. Durchaus keine Grausamkeit, erwiderte Euphrosyne. Eine Frau die von ihrem Manne zärtlich und getreu geliebet wird, und dem ungeachtet ihre Pflicht aus den Augen setzet, kann durch keine Marter sattsam bestrafet werden. Der Edelmann hätte noch schärfer mit ihr verfahren können, ohne den geringsten Tadel zu verdienen. Er hätte ihr das Fleisch ihres ermordeten Buhlers stückweise vorlegen, und sie durch Hunger nötigen sollen, dasselbe bis auf den letzten Bissen zu verzehren. Er hätte seine Knochen zu Pulver machen und in ihr tägliches Getränke mischen sollen, bis sie ein lebendiges Grab ihres unzüchtigen Liebhabers geworden wäre. Und wer hätte ihm diesen billigen Eifer mit gutem Grunde verargen können? Behüte Gott! liebe Frau Nachbarin; versetzte ich: Sie sind gar zu strenge gegen die Fehler ihrer Mitschwestern; und man müßte sie nicht zu einer Richterin über dergleichen Laster bestellen. Meines Erachtens, wäre vielmehr der junge Edelmann einer empfindlichern Strafe wert gewesen. Ein plötzlicher Tod, war diesem verwegenen Bösewichte eine viel zu gelinde Vergeltung seiner Undankbarkeit. Was war schändlicher und gröber als seine frevelhafte Übeltat, dadurch er seinen Wohltäter, der ihn etliche Jahre her erhalten hatte, auf das Schrecklichste beleidigte! Ohne Zweifel, wird er auch mehr Schuld gehabt haben, als die Dame selbst, die durch seine Nachstellungen und Schmeicheleien, vielleicht zu etwas gebracht worden, daran sie sonst nimmermehr gedacht haben würde.

Ich gestehe es, gab Euphrosyne zur Antwort; auch diesem Ehebrecher würde ich eine schmerzlichere Todesart ersonnen haben, wenn ich an des Edelmannes Stelle gewesen wäre. Doch auf denselben kann die Schuld allein nicht fallen. Gesetzt, daß er die Dame zuerst zur Untreue gegen ihren Mann gereizet: Warum hat sie ihm Gehör gegeben? Nein, ich kann sie nicht freisprechen. Es hätte ihr nur ein Wort gekostet, aller seiner Nachstellungen los zu werden. Allein man siehet es wohl, sie hat zum wenigsten eben so viel böse Lust im Herzen gehabt, als ihr Liebhaber. Kurz sie hat es nicht rechtschaffen mit ihrem Manne gemeinet, und also wohl verdienet, daß sie so nachdrücklich bestrafet worden. Es sei dann also, erwiderte ich darauf, daß sie solcher langwierigen Strafe wohl wert gewesen: Muß man denn aber nicht zuweilen die Gelindigkeit dem Rechte vorziehen? Fürwahr, bei wohlgearteten Gemütern, dergleichen allen Umständen nach dieses Frauenzimmer gehabt, richtet man mehrenteils mit Sanftmut mehr aus, als mit Schärfe. Vielleicht hätte es kommen können, daß die grausame Rachgier des Edelmannes, das Herz seiner so sehr gemarterten Ehegattin, gänzlich gegen ihn erbittert hätte? Man weiß, daß oft die ernstlichste Reue, wenn sie nicht Vergebung findet, sich in eine Raserei verwandelt, und nachmals durch kein Mittel mehr gedämpfet werden kann. Zum wenigsten hätte der eifernde Landjunker sich eher sollen besänftigen lassen: Und ich lobe den vernünftigen und mitleidigen Hofbedienten, daß er durch seine Vorbitte, die Aussöhnung dieses uneinigen Paares, so viel ihm möglich gewesen, befördert hat.

Dieses war vor dasmal meine Unterredung mit Euphrosynen, bei Gelegenheit der Geschicht, so sie gelesen hatte. Und dergleichen Gespräche sind unter uns nichts seltsames. An Veranlassung dazu kann es uns nicht leicht fehlen; indem entweder sie, oder ich etwas vorzubringen weiß, was zu guten Untersuchungen und Betrachtungen leitet. Eins von ihren Büchern, was sie sehr hoch hält, ist des Französischen Paters *du Bosc* Tractat *L'honnête Femme,* oder das *rechtschaffene Frauenzimmer,* genannt, darinnen von allen Tugenden und Lastern des weiblichen Geschlechts auf eine angenehme und erbauliche Art gehandelt wird. Sie hat es selbst etlichemal vor sich durchgelesen, und itzo läßt sie sich noch täglich von ihren Töchtern wechselsweise ein Kapitel vorlesen: dabei sie denn allezeit Gelegenheit nimmt, dieselben durch mündlich hinzugesetzte Erinnerungen und Lehren zum Guten zu ziehen. Diejenigen Schriften die von der Haushaltung, dem Gartenbaue, der Auferziehung der Kinder, und sonderlich der Töchter handeln, will ich voritzo nicht gedenken; als davon ihr so leicht keine einzige unbekannt sein wird.

So glücklich ich meinen Freund Sophroniscus, einer so tugendhaften und verständigen Ehegattin halber schätze: so habe ich doch, um vieler Ursachen, halber den ehlosen Stand vor mich zuträglicher befunden. Zum wenigsten war ich ungewiß, ob es mir im Heiraten eben so gut, als ihm gelingen würde. Ich vergnüge mich indessen, so oft ich das ordentliche Hauswesen dieser vernünftigen Eheleute überlege, und die ruhige Glückseligkeit betrachte, darinnen Eltern, Kinder und Gesinde leben. Ich bringe oft halbe, ja ganze Tage in dieser wohlgearteten Familie zu: welches ich deswegen ohne die geringste Versäumnis meiner eigenen Geschäfte tun kann; weil ich selber mein Gütchen verpachtet, und mir nur ein paar Zimmer meines Hauses, zu meinem Aufenthalte ausgedungen habe. Dergestalt lebe ich in Ruhe: Helfe aber, bald meinem Pachter, bald meinem Freunde, die Aufsicht über ihren Akkerbau und die übrige Haushaltung führen: als wodurch ich mein Bücherlesen und das itzige Schreiben abzuwechseln gewohnt bin.

3

FONTENELLE Poes. Past.
Quels pieges tend l'amour à ce qui Vous ressemble!

Euphrosyne, die Ehegattin meines Freundes, ist sehr sorgfältig in Auferziehung ihrer Töchter; und läßt sich nichts mehr angelegen sein, als dieselben in ihrer angebornen Unschuld und Tugend zu bekräftigen. Diesen ihren Endzweck zu erhalten, bedient sie sich keiner äußerlichen strengen Zucht, auch keiner außerordentlichen Schärfe. Sie weiß, daß aller Zwang der Eltern nicht zureichend ist, die bösen Neigungen der Kinder zu unterdrücken: und daß alle Aufsicht der Mütter vergebens ist, wenn eine Tochter selbst zu Ausschweifungen Lust hat. Hiernächst erkennet sie auch, daß eine erzwungene Keuschheit keine Tugend ist: weil man das Gute freiwillig und mit Lust tun muß, wenn man Lob verdienen will. Sie sucht also vielmehr die Gemüter ihrer Kinder in einen rechten Stand zu setzen. Sie bemüht sich, ihren Herzen eine solche Liebe zur Schamhaftigkeit und Zucht einzupflanzen, daß sie hernach keiner fremden Aufsicht in ihrer Aufführung benötiget sein mögen. Eine jede von denselben soll ihre eigene Aufseherin werden, und sich vor niemanden so sehr, als vor ihrem eigenen Gewissen fürchten, dessen Gegenwart ihr gewiß allezeit unvermeidlich sein wird.

Zu diesem Ende hat sie sich ohn Unterlaß bemühet, den Verstand derselben wohl zu unterrichten. Sie hat demselben diejenigen Grundsätze beigebracht, die nachmals zur Richtschnur ihres Wandels dienen können. Dahin gehört diese wohlgegründete Lehre, daß eines jungen Frauenzimmers ganze Ehre in ihrer Zucht und Unschuld bestehe. Diese herrliche Wahrheit hat sie denenselben nicht nur oft vorgesagt; sondern bei allen vorfallenden Gelegenheiten mit deutlichen Gründen und Exempeln lebendiger Personen dargetan. Daß sie aber auch die Historien alter Zeiten zu diesem Ende geschickt angewendet, habe ich nur neulich aus einer augenscheinlichen Probe gesehen. Bei einem Besuche, den ich dieser klugen Hausfrauen abstattete, als eben mein Sophroniscus durch andere Geschäfte genötiget ward, mich eine Stunde von sich zu lassen, fand ich ihre beide Töchter bei einem Buche sitzen, daraus ihnen ihre vernünftige Mutter etliche Blätter zu lesen vorgeschlagen hatte. Indessen daß ich mit Euphrosynen etliche Worte gewechselt hatte, waren jene mit ihrer Historie zum Ende, und dankten ihrer Mama vor die gütige Anweisung einer so schönen Geschicht. Ich konnte mich nicht enthalten nachzufragen: Was es denn vor eine merkwürdige Begebenheit wäre, die sie durchgelesen hätten; und ob es sich nicht tun ließe, mir dieselbe zu erzählen? Die Antwort fiel hierauf: Was sie beide gelesen hätten, wäre zwar kein Geheimnis, und ich könnte es gar wohl wissen: allein daß sie mir solches erzählen sollten, das würde sich nicht wohl schicken. Ich merkte sogleich daß eine löbliche Schamhaftigkeit es diesen artigen Kindern nicht erlaubte, mir zu willfahren: und wie man dieselbe allezeit zu erhalten Ursache hat, also nötigte ich sie nicht ferner, etwas zu tun, was ihnen so bedenklich vorkam: bat mir aber selbst das Buch aus, trat eine Weile ans Fenster und las die folgende Historie. Ich rücke sie aber aus keiner andern Ursache in meine Blätter, als weil ich mir dieselbe Wirkung bei meinen Leserinnen davon verspreche, die bei den Töchtern Euphrosynens bereits gespüret worden.

In einer der besten Städte, so in der französischen Provinz Touraine liegen, war ein junger Prinz, aus einem sehr guten Geschlechte, von Jugend auf erzogen worden. Von der guten Gestalt, Anmut und Artigkeit, und andern Vollkommenheiten desselben darf man nichts mehr sagen, als daß er damals seines gleichen nicht gehabt. In seinem funfzehnten und sechzehnten Jahre war die Jagd sein bester Zeitvertreib; so gar, daß er Hunde, Pferde und wilde Tiere weit lieber, als das schönste Weibesbild von der Welt ansahe. So brachte er seine Zeit zu, bis er ohngefähr eines Frauenzimmers ansichtig ward, die vormals in seinem Schlosse erzogen worden, aber nach dem Tode ihrer Mutter, nebst ihrem Vater und Bruder in eine andre angrenzende Landschaft gewichen, und daselbst völlig erwachsen war. Charlotte, so hieß diese Jungfer, hatte eine unehlige Halbschwester, die ihr Vater überaus geliebet, und an einen Küchenschreiber des oberwähnten Prinzen verheiratet hatte. So bald ihr Vater gestorben war, fiel ihr das wenige Vermögen zu, was derselbe in der vorhin gedachten Stadt besessen; und sie begab sich nach seinem Tode wieder dahin, wo ihre Güter lagen. Es war nicht ratsam, daß sie als ein junges wohlgebildetes Frauenzimmer, welches schon im Stande war zu heiraten, in einem eigenen Hause allein wohnen sollte: derowegen begab sie sich zu ihrer Schwester, der Küchenschreiberin, ins Haus, als zu welcher sie ein gutes Vertrauen hatte. Der Prinz sahe nun, wie gedacht, diese wohlgestalte Brunette mit ganz andern Augen an, als er bis dahin alles andre Frauenzimmer angesehen hatte. Ihre Annehmlichkeiten schienen ihm ihren Stand zu übertreffen, denn man hätte sie eher vor ein Fräulein oder eine Prinzessin, als vor ein Bürgermädchen ansehen sollen. Da er noch niemals geliebet hatte, so empfand er bei diesem Anblicke ein ganz ungewöhnliches Vergnügen; und als er nachfragte, wer sie wäre, vernahm er, daß es eben dasjenige Mädchen wäre, das in seiner Kindheit mit seiner Schwester im Schlosse oftmals gespielet hätte. Er tat dieses der Prinzessin alsbald zu wissen, mit dem Ansinnen, die alte Bekanntschaft mit dieser Schönen wieder zu erneuern. Das geschah auch in der Tat; Charlotte ward zur Schwester des Prinzen gerufen und überaus wohl aufgenommen, auch gebeten dieselbe öfters zu besuchen. So oft also einige Lustbarkeiten bei Hofe vorgingen, so oft war Charlotte mit dabei, und je öfter sie der Prinz sahe, desto mehr gefiel sie ihm: bis endlich seine Liebe in eine solche Flamme geriet, daß sie nicht anders als auf eine verbotene Weise gestillet werden konnte. Denn da diese Schöne von weit schlechterm Herkommen war, als daß er eine eheliche Zuneigung zu ihr hätte haben sollen; so ward seine Begierde allmählich ein Feuer, welches nicht anders als durch Schande und Laster auszubrechen drohete.

Ein vertrauter Edelmann des Prinzen, mußte dem ehrlichen Kinde den Vortrag tun, den sein Herr selbst anzubringen keine Gelegenheit finden konnte. Die tugendhafte Charlotte hörte denselben mit Zittern und Entsetzen an, und gab dem verdrüßlichen Boten mit der bescheidensten Miene zur Antwort: Sie könnte sichs nicht einbilden, daß ein so schöner und wackerer Prinz sich die Mühe nehmen sollte, nach einem so ungestalten Mädchen zu sehen. Er hätte ja in seinem Schlosse eine solche Menge vollkommener Schönheiten, daß er es nicht nötig hätte, dergleichen anderwärts zu suchen. Sie hielte also davor, daß er ihr diesen Antrag von sich selbst und ohne das Vorwissen seines Herrn getan hätte. Als der

Prinz diese Antwort vernahm, ward seine vorige Liebe um desto heftiger, und diese spornte ihn an, keine Mühe zu sparen, bis er sein Unternehmen zum Stande gebracht hätte. Er setzte sich also hin, und verfertigte ein Schreiben an seine Geliebte, darinnen er sie aufs zärtlichste bat, alles dasjenige zu glauben, was sein Bedienter ihr von seinetwegen sagen würde. Ohngeachtet es ihr sehr leicht gewesen wäre, diesen Brief schriftlich zu beantworten: so war doch alles Bitten des Überbringers nicht vermögend, solches von ihr zu erlangen. Ihr Vorwand war; es schicke sich vor Personen von so schlechtem Stande nicht, an Prinzen Briefe zu schreiben, und dabei ersuchte sie den Edelmann, sie nicht vor so töricht anzusehen, daß sie sich einbilden sollte, der Prinz wäre ihr in der Tat so gewogen, als er sie bereden wollen. Dächte er aber, in Betrachtung ihres armseligen Zustandes, sie bloß zu seinem Vergnügen zu mißbrauchen; so betröge er sich sehr in seiner Meinung. Sie hätte nämlich ein so tugendhaftes Herz als die größte Prinzessin von der Welt, und schätzte nichts so hoch als ihre Ehre und ein unbeflecktes Gewissen. Sie bäte ihn also, es ihr zu erlauben, daß sie diesen Schatz lebenslang erhalten, und mit sich ins Grab nehmen möchte: denn sie wolle viel lieber sterben als diese ihre Gedanken ändern, und ihrer Tugend zum Nachteil, der Liebe vornehmer Herren Gehör geben.

Eine so strenge Antwort konnte dem verliebten Prinzen nicht sonderlich gefallen: doch ließ seine Neigung nicht nach, und er sann auf Mittel, dieselbe zu vergnügen. So oft man, nach Gewohnheit ihrer Kirche, in die Messe ging, fand er sich nahe bei ihrem Stuhle ein, und sahe sie weit eifriger an, als der andächtigste Verehrer seinen Heiligen. Kaum ward sie solches inne; so änderte sie ihren Stand, ging auch endlich gar in ganz andere und weit entlegenere Kirchen, als sie sonst gewohnt war. Nicht etwa, als wenn sie vor der Person des Prinzen einen Abscheu gehabt hätte: Nein, so närrisch war sie nicht, daß sie seine angenehme Gestalt ohne Vergnügen hätte ansehen sollen. Sie wollte nur von ihm nicht gesehen werden; und da sie unfähig war, auf eine ehrliche und eheliche Weise von ihm geliebet zu werden; so wollte sie auch auf keine andre Art, aus Torheit und Üppigkeit, seiner Zuneigung genießen. Sie entzog sich sogar den öffentlichen Lustbarkeiten des Hofes, und wenn sie gleich allezeit dazu eingeladen ward, so war sie recht sinnreich, die wahrscheinlichsten Entschuldigungen zu erfinden, womit sie ihr Außenbleiben beschönigte. Als nun der Prinz sahe, daß er alle Mühe vergebens anwenden würde, wenn ihm nicht jemand zu seinem Vorhaben behülflich sein möchte:

machte er sich an seinen Küchenschreiber, bei welchem Charlotte im Hause war. Dieser machte sich ein Vergnügen, seinem Herrn in einer so angenehmen Sache zu dienen. Er erzählte ihm täglich, was seine Schöne zu Hause gesagt oder getan hätte, und unterhielte dadurch nicht nur seine Neigung gegen dieselbe, sondern machte ihm auch mehr und mehr Hoffnung, durch seinen Beistand die Früchte derselben zu genießen.

Es mangelte nur an einer Gelegenheit, dabei der Prinz sich bequem in sein Haus begeben und seine Geliebte daselbst allein sprechen könnte. Daran konnte es aber nicht lange fehlen, weil insgemein nichts so reich an Erfindungen ist, als die Liebe. Eines Tages ließ der Prinz seine beste Stall-Pferde aufreiten, und machte sich selbst das Vergnügen, auf etlichen der mutigsten Hengste, seine Geschicklichkeit in der Reit-Kunst zu zeigen. Er galoppierte durch die vornehmsten Gassen der Stadt, und als er vor die Tür seines Küchenschreibers kam, wußte er sein Pferd zu regieren, daß es einen Seitensprung tat, er aber, wiewohl ganz gemächlich, in eine ziemliche Pfütze fiel, und also seine Kleider mehr, als seinen Cörper beschädigte. Niemand wußte, daß dieses mit Fleiß geschehen wäre; darum lief ein jeder zu, dem Prinzen zu helfen. Er selbst stellte sich erschrockener, als er war, und als man ihm etliche Häuser in der Gegend vorschlug, wo er seiner Bequemlichkeit genießen und sich anders ankleiden könnte: wählte er das Haus seines Küchenschreibers, welches das Gelegenste zu sein schien. Man führte ihn hinein; man wies ihm ein Zimmer an, und er legte sich, nach geschehener Auskleidung, in ein für ihn zubereitetes sauberes Bette. So bald die Bedienten davon gegangen waren, ihm eine reine Kleidung zu holen, rief er den Wirt und die Wirtin zu sich, und fragte, wo Charlotte wäre? Es war aber fast nicht möglich, dieselbe zu finden; wiewohl man alle Winkel des Hauses durchsuchte. Sobald der Prinz ins Haus gebracht worden, hatte ihrs ihr Herz schon gesagt, daß diese ganze Begebenheit ihrentwegen angestellet wäre: deswegen hatte sie sich auf dem obersten Boden an einem ganz heimlichen Orte versteckt. Endlich fand man sie doch; und ihre Schwester ermahnte und bat sie, einem so tugendhaften und wackern Prinzen, der sie zu sprechen verlangte, ohne alles Bedenken ihre Aufwartung zu machen. Wie? meine Schwester, versetzte Charlotte, wollt ihr, die ich doch vor meine Mutter halte, mirs selbst zumuten, daß ich mit einem Prinzen sprechen soll, dessen Absichten leicht zu erraten sind? Doch ihre Schwester tat ihr so viel Versicherungen und soviel Verheißungen, sie nicht alleine zu lassen, daß die unschuldige Kreatur sich endlich bereden ließ, mit ihr zu gehen. Sie trat also zum Prinzen ins Zimmer, aber mit einer Miene, die eher Mitleiden, als Begierde zu erwecken geschickt war.

Als sie der Prinz vor seinem Bette sahe, faßte er sie bei der Hand, die vor Schrecken bebete und ganz eiskalt war. Charlotte, sprach er, haltet ihr mich denn vor einen so grausamen Unmenschen, daß ich ein Frauenzimmer durch meinen Anblick ermorden werde? Warum scheuet ihr euch vor demjenigen, der doch nur euren Vorteil und eure Ehre suchet? Ihr wisset, daß ich an unzähligen Orten, und auf alle mögliche Weise, mit euch zu sprechen, Gelegenheit gesuchet habe; welches mir aber bis diese Stunde nicht möglich gewesen. Denn ihr seid allezeit vor mir geflohen, und habt mir nicht einmal in der Kirche das Vergnügen gönnen wollen, euch zu sehen; geschweige denn mit euch zu reden Gelegenheit finden lassen. Allein seht das alles hat doch nichts geholfen. Ich habe mich nicht zufrieden gegeben, bis ich hieher gekommen bin. Ihr wisset wohl, durch was vor Mittel solches geschehen. Ich habe mich in die Gefahr begeben, den Hals zu brechen, indem ich mich vom Pferde stürzete, bloß in der Absicht euch zu sprechen. Da ich nun durch soviel Mühe endlich so weit gekommen bin, daß ich euch hier nach Wunsche angetroffen: so laßt doch dieses alles nicht vergebens sein, sondern erlaubt es, daß ich durch meine so große Liebe gegen Euch, auch die Eurige gewinnen möge.

Das übrige soll ehestens folgen.

4

NEUKIRCH
Voll göttlicher Bewegung
Die alles niederschlägt was nach der Wollust schmeckt,
Zur Tugend aber Lust und Mut und Kraft erweckt
Dem Guten nachzugehn.

Charlotte, so lautet die Fortsetzung der neulichen Geschicht, hatte vor dem Bette des Prinzen ihre tränenden Augen noch nicht in die Höhe geschlagen. Er hatte zwar aufgehöret zu reden: sie gab ihm aber keine Antwort. Er dachte sie derowegen durch Liebkosungen zu gewinnen: und wie er sie so lange bei der Hand gehalten hatte; also zog er sie itzo allmählich näher zu sich, und bemühte sich, sie küssend zu umarmen. Allein vergebens. Sie stieß ihn mit beiden Händen von sich und sprach: Nicht so, mein Prinz, nicht so: Was Sie suchen, das finden Sie hier nicht. Denn bin ich gleich gegen Sie nur vor einen Erdenwurm zu achten; so liebe ich doch meine Ehre so sehr, daß ich lieber sterben, als dieselbe schmälern wollte. Auch die aller empfindlichste Belustigung soll mich nicht dazu bewegen. Deswegen zittere und bebe ich eben, weil vielleicht alle, die Sie haben in dies Haus kommen sehen, an diesem meinem festen Vorsatze zweifeln werden. Da es Ihnen aber beliebt, mir die Gnade zu tun, und mit mir zu sprechen; so werden Sie mirs auch vergeben, wenn ich Ihnen so antworte, wie meine Ehre es erfordert. So dumm und blind bin ich nicht, Gnädigster Herr, daß ich die Schönheit und Annehmlichkeit die GOtt Ihnen verliehen hat, nicht sehen und erkennen sollte. Nein, ich halte diejenige vor das glücklichste Frauenzimmer von der Welt, die einmal der Liebe eines solchen Prinzen genießen wird. Allein was ist mir damit geholfen, da dieses Glück vor mich, und vor Personen meines Standes, gewiß nicht aufgehoben ist? Wenn ich mir nur ein Verlangen darnach in den Sinn kommen ließe: so beginge ich schon die allergrößte Torheit. Was kann ich mir also wohl vor eine andre Ursache einbilden, die Sie bewogen hat, sich eben zu mir zu wenden, als diese; daß dero Hofdamen, welche unfehlbar von Ihnen geliebet werden müssen, wo Sie nur Schönheit und Anmut lieben, so tugendhaft sind, daß Sie von Ihnen dasjenige nicht einmal fordern, geschweige denn vermuten dörfen, wozu mein niedriger Stand Ihnen Hoffnung macht. Ich bin fest versichert, wenn Sie bei Personen meinesgleichen Ihres Wunsches teilhaftig würden, so bekämen Sie eben dadurch eine neue Materie, Ihre Gebieterin ein paar Stunden von dero Siegen zu unterhalten, die Sie zum Schaden solcher ohnmächtigen Creaturen davon getragen. Aber ich bitte Ihre Durchlauchten, zu erwägen, daß ich von der Gattung gar nicht bin. Ich bin in einem Hause erzogen, wo ich gelernet habe, was die Liebe ist. Mein Vater und meine Mutter sind dero treue Bediente gewesen: Weil mich also GOtt zu keiner Prinzessin gemacht hat, daß Sie mich zu Ihrer Freundin und Gemahlin machen könnten; so ersuche ich Sie untertänigst, mich nicht unter die Zahl der armseligen Weibsbilder zu setzen, die Ihre Ehre in die Schanze geschlagen. Sein Sie doch zufrieden, daß ich Sie hochschätze, und von Herzen wünsche, daß Sie der glücklichste Prinz in der ganzen Christenheit sein mögen. Wollen Sie aber Personen von meinem Stande zu Ihrem Zeitvertreibe haben: O Sie werden in unsrer Stadt unzähliche antreffen, die ohne Zweifel viel schöner sind als ich, und sich doch bei weitem nicht so lange werden bitten lassen. Halten Sie sich an solche Buhldirnen; denen es ein Vergnügen sein wird, ihre Ehre zu verkaufen; und beunruhigen Sie diejenige nicht mehr, die mehr Sie, als sich selbst liebet. Denn wenn es GOtt heute gefallen sollte, entweder Ihr Leben, oder das meinige zu fordern: so würde ich mich glücklich schätzen, das meinige vor das Ihrige hinzugeben. Daß ich dero Gegenwart fliehe, geschicht gar nicht aus Mangel der Liebe: Nein es kommt bloß daher, weil ich unser beider Gewissen gar zu sehr liebe. Ich bitte mir lebenslang dero Gnade aus, mein Prinz; wenn Sie mich anders derselben würdigen wollen: und ich werde GOtt vor dero hohes Wohlsein und Gesundheit unaufhörlich anrufen. Es ist wahr, daß die Ehre, so Sie mir itzo angetan haben, mir unter meines gleichen Hochachtung genug zuwege bringen wird. Allein, welche Mannsperson von meinem Stande, werde ich wohl künftig eines Anblickes würdigen, nachdem ich Sie mein Prinz gesehen habe? Dergestalt wird mein Herz in Freiheit bleiben; und von keiner andern Pflicht was wissen, als die mir auferlegt, vor dero Wohlfahrt zu beten: denn, gnädigster Herr, dieses ist die einzige Gattung von Gehorsam, die ich Ihnen jemals leisten kann.

Eine so tugendhafte Antwort dieses liebenswürdigen Frauenzimmers war zwar dem Prinzen nicht nach seinem Sinne: doch die beängstigte Unschuld, die ihr aus allen Mienen und Gebärden hervor leuchtete, und die holdseligen Augen, die ihr in währender Antwort ganz voller Wasser stunden, ja zuweilen einige Tropfen die Wangen hinunter laufen ließen, rührten ihm dergestalt das Herz, daß er sich nicht enthalten konnte, sie so hoch zu schätzen als sie es verdienete. Er tat zwar alles Mögliche, sie zu überreden, daß er niemals eine andre, als sie lieben würde: allein sie war so unbeweglich in ihrer Zucht und Schamhaftigkeit; daß eine so unanständige Liebe ihr durchaus nicht gefallen konnte. Indessen waren die Bedienten des Prinzen mit seiner Kleidung aus dem Schlosse zurücke gekommen: und ob sich dieselben gleich etliche mal melden ließen; so befahl er doch allezeit ihnen zurücke zu sagen, daß er schliefe: so angenehm waren ihm Charlottens Unterredungen. Diese daureten nun so lange, bis die Zeit des Abendessens heran kam; welches er aufm Schlosse durchaus nicht versäumen dorfte: weil seine Frau Mutter eine sehr ordentliche und scharfe Dame war. Also verließ der Prinz das Haus seines Küchenschreibers, mit der größten Hochachtung vor die Ehrbarkeit und Tugend dieses Frauenzimmers. Sie lag ihm unaufhörlich in Gedanken, und er redete mit seinem vertrauten Edelmanne fast alle Augenblicke davon. Und da derselbe, ihm zur Gesellschaft, in seiner Kammer zu schlafen pflegte: so gingen bisweilen halbe Nächte darüber hin; denn er verlangte von ihm immer neue Anschläge zu hören, wie er endlich zu seinem Zwecke gelangen könnte.

Geld wird mehr ausrichten als die Liebe: dachte dieser verschmitzte Ratgeber, daher riet er dem verliebten Prinzen, ihr eine gute Summe anbieten zu lassen. Der Vorschlag gefiel dem Prinzen zwar, es schien ihm aber sehr schwer zu sein denselben ins Werk zu richten. Er hatte sehr wenig Geld in Händen; denn seine Frau Mutter verwaltete noch alle seine Einkünfte. Doch entzog er seinen kleinen Belustigungen soviel er konnte; und entwendete sogar seiner strengen Aufseherin so viel, als es sich tun ließ. Er hatte endlich eine Summe von fünfhundert Talern zusammen gebracht, und diese gab er seinem Vertrauten, mit der inständigsten Bitte, keinen Fleiß, keine Mühe zu sparen, bis er Charlotten dadurch gewonnen hätte. Der Edelmann hatte selbst den Anschlag gegeben; also ermangelte er nicht, alle seine Künste anzuwenden. Er sprach das Frauenzimmer so bald es sich tun ließ. Er eröffnete ihr des Prinzen beständige Zuneigung; er zeigte ihr das ansehnliche Geschenk, so er ihr von seinentwegen zu überbringen hatte. Aber alles umsonst. Mein Herr, sprach Charlotte, ich bitte dem Prinzen zu sagen; mein Herz sei so züchtig und ehrliebend, daß; wenn es jemals durch Versuchungen überwunden werden könnte; so müßte es allbereits durch seine Schönheit und Annehmlichkeit überwältigt worden sein. Wo aber dieselben nichts haben ausrichten können, da würden gewiß aller Welt Schätze nicht zureichen, etwas zu erlangen. Bringen sie ihm also dieses Geschenk wieder zurücke; denn eine ehrliche Armut ist mir tausendmal lieber, als alle Reichtümer, die ich mir bei dem Verluste meines guten Namens erwerben könnte.

Diese Härte ihrer unüberwindlichen Tugend, brachte den Edelmann auf die Gedanken, sie durch Drohungen und Furcht zu bewegen. Er stellte ihr derowegen die Macht und Gewalt seines Prinzen vor, der sie, als eine seiner Untertanen, sich gar nicht würde widersetzen dörfen. Hierzu aber lachte sie nur und sagte: Dadurch mögen sie andre erschrecken, mein Herr, die den Prinzen gar nicht kennen: denn ich weiß, daß derselbe viel zu tugendhaft und ehrliebend ist, als daß dergleichen Vorstellungen von ihm herrühren sollten. Ja ich bin versichert, daß er sie ganz verwerfen wird, wenn sie ihm was davon erzählen werden. Aber gesetzt, es verhielte sich so, wie Sie vorgeben: So ist doch keine Marter, ja kein Tod zu ersinnen, der mich auf andre Gedanken bringen soll.

Denn da, wie ich bereits erwähnet habe, die Liebe gegen ihn, mein Herz nicht geändert hat; so sollen hinfort alle Belohnungen und Strafen, die man mir vorhalten kann, mich keinen Fuß breit von dem Wege ablenken, den ich mir einmal erwählet habe.

Man kann leicht denken, mit was vor Verdruß der Kammerjunker des Prinzen, seinem Herrn die Antwort unsrer, seiner Meinung nach, so hartnäckigten Charlotten, werde hinterbracht haben. Er hielte sichs selbst vor eine Schande, daß er durch alle seine Mühe ihre Halsstarrigkeit nicht überwinden können: und würde also aus Rachgier, dem Prinzen die gewaltsamsten Mittel anzuwenden geraten haben; wenn es bloß darauf angekommen wäre. Allein zum Teil, wollte derselbe von keiner unvergönnten Art sie zu überwinden, was hören: zum Teil mußte er besorgen, daß eine solche Gewalttätigkeit viel Aufsehens machen, und gar seiner strengen Frau Mutter zu Ohren kommen möchte; deren Unwillen gegen sich zu erwecken, er billig ein Bedenken trug. Er unterstund sich also ferner nicht das geringste zu unternehmen: bis ihm sein verschlagener Bedienter einmal ein so leichtes Mittel vorschlug, davon er sich nichts anders einbildete, als daß es ihm unmöglich fehl schlagen könnte. Der vorhingedachte Küchenschreiber sollte hier wiederum hülfliche Hand leisten. Es hatte derselbe vor der Stadt einen Weinberg, und neben demselben ein angenehmes Sommerhaus, welches nahe an einem kleinen Lustwäldgen gelegen war. Auf Anstiften des Edelmannes, nötigte er seine Ehegattin nebst ihrer Schwester, sich ein Vergnügen zu machen, und der bevorstehenden Weinlese beizuwohnen: wozu dann beide gar leicht zu bereden waren. Als der Tag herankam, tat der Kammerjunker solches seinem Herrn zu wissen: und dieser fassete voller Freuden den Entschluß, sich mit demselben ganz allein hinaus zu machen, und daselbst Charlottens Liebe nach Wunsche zu genießen.

Die Maulesel wurden fertig gehalten, um zu bestimmter Zeit heimlich davon zu reiten. Allein von ohngefähr trug sichs zu, daß sich die Fürstin im Schlosse ein gewisses Vergnügen machte, wobei sie alle ihre Kinder zugegen haben wollte. Dadurch ward der Prinz wider seinen Willen so lange aufgehalten, bis die abgeredte Stunde verlaufen war. Der Küchenschreiber, dem draußen die Zeit lang werden mochte, suchte sich indessen mehr und mehr aufzuhalten. Seine Frau hatte sich zu Hause krank anstellen müssen, so daß sie den Augenblick, als man schon aufsitzen wollen, ihm Nachricht geben lassen, daß sie unmöglich würde mitfahren können. Dergestalt war er mit Charlotten ganz allein draußen, und es fehlte an nichts, als an der Ankunft des Prinzen. Doch als es Abend werden wollte, und derselbe sich nicht einfand, sprach der Küchenschreiber zu seiner Gefährtin: Wir werden uns wohl wieder in die Stadt begeben können. Wer hindert uns daran, versetzte Charlotte? Ich dachte der Prinz würde etwan heraus kommen, erwiderte der erste; weil er mirs versprochen hatte. Auf den dörfet ihr nicht länger warten, mein Bruder, gab sie zur Antwort: denn ich weiß gewiß, daß er heute nicht kommen wird. Das glaubte der Küchenschreiber, und also fuhren sie zurücke.

Kaum waren sie zu Hause angelanget, als Charlotte ihn seiner Gottlosigkeit halber auf das schärfeste zur Rede setzte. Sie verwies ihm sein boshaftes Gemüt, welches sich um eines schnöden Gewinstes willen, zu einer so niederträchtigen Kuppelei hätte gebrauchen lassen; zumal sie versichert wäre, daß alles auf sein und des Kammerjunkers Angeben, ohne die Schuld des Prinzen wäre angestellet worden. Ja von Stund an räumte sie sein Haus, als in welchem sich ihre Tugend hinfüro nicht sicher sahe. Sie tat ihrem Bruder den ganzen Handel zu wissen, welcher auch kommen und sie mit sich in seine Provinz nehmen mußte. So war aber dem Prinzen auch der letzte Anschlag mißlungen; und ob es ihn wohl anfänglich sehr schmerzete; so daß er sie auch vor ihrer Abreise in einer Gesellschaft noch einmal deswegen zur Rede setzete, und es ihr verwies, daß sie ihren Schwestermann verlassen wollte: So gab er sich doch endlich zu frieden, und beschloß, einer so tugendhaften Person nicht ferner nachzustellen.

Alle diese Proben einer so beständigen Zucht und Ehrbarkeit, waren indessen einem von den Hofbedienten des Prinzen bekannt geworden, und hatten ihm so wohl gefallen, daß er in kurzer Zeit diese tugendhafte Charlotte heiratete. Ohngeachtet sie wider ihren Freier nichts einzuwenden hatte: so wollte sie doch ihr Wort nicht ohne des Prinzen Erlaubnis von sich geben. Diese war nun leicht zu erhalten; und durch diese Heirat geriet sie in den glücklichsten Ehstand, den sie sich hätte wünschen können: zumal sie darinnen von dem Prinzen, eine besondre Gnade und vielfältige Zeichen einer fürstlichen Wohlgewogenheit lebenslang genossen.

Im Jahr Christi 1647 bin ich, von Jugend auf sehr Unglückselige,
nunmehro aber da ich dieses auf der Insul Felsenburg schreibe,
sehr, ja vollkommen vergnügte *Virgilia van Cattmers* zur Welt geboren worden. Mein Vater war ein Rechts-Gelehrter und *Procura-
tor* zu Rotterdam, der wegen seiner besondern Gelehrsamkeit, die
Kundschaft der vornehmsten Leute, um ihnen in ihren Streit-Sa-
chen beizustehen erlangt, und Hoffnung gehabt, mit ehesten eine
vornehmere Bedienung zu bekommen. Allein, er wurde eines
Abends auf freier Straße Meuchelmördischer Weise, mit 9 Dolch-
Stichen ums Leben gebracht, und zwar eben um die Zeit, da meine
Mutter 5 Tage vorher abermals einer jungen Tochter genesen war.
Ich bin damals 4 Jahr und 6 Monat alt gewesen, weiß mich aber
noch wohl zu erinnern, wie jämmerlich es aussahe: Da der annoch
stark blutende Körper meines Vaters, von darzu bestellten Personen besichtiget, und dabei öffentlich gesagt wurde, daß diesen
Mord kein anderer Mensch angestellet hätte, als ein Gewissenloser
reicher Mann, gegen welchen er tags vorhero einen rechtlichen
Process zum Ende gebracht, der mehr als hundert tausend Taler
anbetroffen, und worbei mein Vater vor seine Mühe sogleich auf
der Stelle 2000 Taler bekommen hatte.

Vor meine Person war es unglücklich genung zu schätzen, einen
treuen Vater solchergestalt zu verlieren, allein das unerforschliche
Schicksal hatte noch ein mehreres über mich beschlossen, denn
zwölf Tage hernach starb auch meine liebe Mutter, und nahm ihr
jüngst gebornes Töchterlein, welches nur 4 Stunden vorher verschieden, zugleich mit in das Grab. Indem ich nun die einzige
Erbin von meiner Eltern Verlassenschaft war, so fand sich gar bald
ein wohlhabender Kaufmann, der meiner Mutter wegen, mein
naher Vetter war, und also nebst meinem zu Gelde geschlagenen
Erbteile, die Vormundschaft übernahm. Mein Vermögen belief
sich etwa auf 18000 Tlr. ohne den Schmuck, Kleider-Werk und
schönen Haus-Rat, den mir meine Mutter in ihrer wohlbestellten
Haushaltung zurück gelassen hatte. Allein die Frau meines Pflege-
Vaters war, nebst andern Lastern, dem schändlichen Geize dermaßen ergeben, daß sie meine schönsten Sachen unter ihre drei Töchter verteilete, denen ich bei zunehmenden Jahren als eine Magd
aufwarten, und nur zufrieden sein mußte, wenn mich Mutter und

Töchter nicht täglich aufs erbärmlichste mit Schlägen *tractierten*. Wem wollte ich mein Elend klagen, da ich in der ganzen Stadt sonst keinen Anverwandten hatte, frembden Leuten aber durfte mein Herz nicht eröffnen, weil meine Aufrichtigkeit schon öfters übel angekommen war, und von denen 4 Furien desto übler belohnet wurde.

Solchergestalt ertrug ich mein Elend bis ins 14 Jahr mit größter Geduld, und wuchs zu aller Leute Verwunderung, und bei schlechter Verpflegung dennoch stark in die Höhe. Meiner Pflege-Mutter allergrößter Verdruß aber bestund darinne, daß die meisten Leute von meiner Gesichts-Bildung, Leibes-Gestalt und ganzen Wesen mehr Wesens und Rühmens machten als von ihren eigenen Töchtern, welche nicht allein von Natur ziemlich häßlich gebildet, sondern auch einer geilen und leichtfertigen Lebens-Art gewohnt waren. Ich mußte dieserwegen viele Schmach-Reden und Verdrießlichkeiten erdulden, war aber bereits dermaßen im Elende abgehärtet, daß mich fast nicht mehr darum bekümmerte.

Mittlerweile bekam ich ohnvermutet einen Liebhaber an dem vornehmsten Handels-Diener meines Pflege-Vaters, dieses war ein Mensch von etliche 20 Jahren, und konnte täglich mit Augen ansehen, wie unbillig und schändlich ich arme Waise, vor mein Geld, welches mein Pflege-Vater in seinen Nutzen verwendet hatte, *tractieret* wurde, weiln ihm aber alle Gelegenheit abgeschnitten war, mit mir ein vertrautes Gespräch zu halten, steckte er mir eines Tages einen kleinen Brief in die Hand, worinnen nicht allein sein heftiges Mitleiden wegen meines Zustandes, sondern auch die Ursachen desselben, nebst dem Antrage seiner treuen Liebe befindlich, mit dem Versprechen: Daß, wo ich mich entschließen wollte eine Heirat mit ihm zu treffen; er meine Person ehester Tages aus diesem Jammer-Stande erlösen, und mir zu meinem väter- und mütterlichen Erbteile verhelfen wolle, um welches es ohnedem itzo sehr gefährlich stünde, da mein Pfleg-Vater, allem Ansehen nach, in kurzer Zeit *banquerot* werden müßte.

Ich armes unschuldiges Kind wußte mir einen schlechten Begriff von allen diesen Vorstellungen zu machen, und war noch darzu so unglücklich, diesen aufrichtigen Brief zu verlieren, ehe ich denselben weder schriftlich noch mündlich beantworten konnte. Meine Pflege-Mutter hatte denselben gefunden, ließ sich aber nicht das geringste gegen mich merken, außerdem daß ich nicht aus meiner Kammer gehen durfte, und solcher gestalt als eine Gefangene leben mußte, wenig Tage hernach aber erfuhr ich, daß man diesen Handels-Diener früh in seinem Bette tot gefunden hätte, und wäre er allen Umständen nach an einem Steck-Flusse gestorben.

Der Himmel wird am besten wissen, ob dieser redliche Mensch nicht, seiner zu mir tragenden Liebe wegen, von meiner bösen Pflege-Mutter mit Gift hingerichtet worden, denn wie jung ich auch damals war, so konnte doch leichtlich einsehen, was vor eine ruchlose Lebens-Art, zumalen in Abwesenheit meines Pflege-Vaters im Hause vorging. Immittelst traf dennoch ein, was der verstorbene Handels-Diener vorher geweissaget hatte, denn wenig Monate hernach machte sich mein Vetter oder Pflege-Vater aus dem Staube und überließ seinen Gläubigern ein ziemlich ausgeleertes Nest, dessen Frau aber behielt dennoch ihr Haus nebst andern zu ihm gebrachten Sachen, so daß dieselbe mit ihren Kindern annoch ihr gutes Auskommen haben konnte. Ich vor meine Person mußte zwar bei ihr bleiben, durfte mich aber niemals unterstehen zu fragen, wie es um mein Vermögen stünde, bis endlich ihr ältester Sohn aus Ost-Indien zurück kam, und sich über das verkehrte Haus-Wesen seiner Eltern nicht wenig verwunderte. Er mochte von vertrauten Freunden gar bald erfahren haben, daß nicht so wohl seines Vaters Nachlässigkeit als die üble Wirtschaft seiner Mutter und Schwestern an diesem Unglück Schuld habe, derowegen fing er als ein tugendhafter und verständiger Mensch gar bald an, ihnen ihr übles Leben anfänglich ziemlich sanftmütig, hernach aber desto ernstlicher zu Gemüte zu führen, allein die 4 Furien bissen sich weidlich mit ihm herum, mußten aber doch zuletzt ziemlich nachgeben, weil sie nicht unrecht vermuten konnten, daß er durch seinen erworbenen *Credit* und großes Gut, ihr verfallenes Glück wiederum herzustellen vermögend sei. So bald ich dieses merkte, nahm ich auch keinen fernern Aufschub, diesem redlichen Manne meine Not zu klagen, und da es sich eben schickte, daß ich ihm eines Tages auf Befehl seiner Mutter ein Körbgen mit sauberer Wäsche überbringen mußte, gab solches die beste Gelegenheit ihm meines Herzens-Gedanken zu offenbaren. Er schien mir diesen Tag etwas aufgeräumter und freundlicher als wohl sonsten gewöhnlich, nachdem ich ihm also meinen Gruß abgestattet, und die Wäsche eingehändiget hatte, sprach er: Es ist keine gute Anzeigung vor mich, artige *Virgilia,* daß ihr das erste mal auf meiner Stube mit einem Körbgen erscheinet, gewiß dieses sollte mich fast abschrecken, euch einen Vortrag meiner aufrichtigen und ehrlichen Liebe zu tun. Ich schlug auf diese Reden meine Augen zur Erden nieder, aus welchen alsofort die hellen Tränen fielen, und gab mit gebrochenen ängstlichen Worten so viel darauf. Ach mein Herr! Nehmet euch nicht vor, mit einer unglückseligen Person zu scherzen, erbarmet euch vielmehr einer armen von aller Welt verlassenen Waise, die nach ihren ziemlichen Erbteil, nicht ein mal fragen darf, über dieses vor ihr eigen Geld als die geringste Magd dienen, und wie von Jugend auf, so noch bis diesen Tag, die erbärmlichsten Schläge von eurer Mutter und Schwestern erdulden muß. Wie? Was hör ich? gab er mir zur Antwort, ich vermeine euer Geld sei in *Banco* getan, und die Meinigen berechnen euch die Zinsen davon? Ach mein Herr! versetzte ich, nichts weniger als dieses, euer Vater hat das *Capital* nebst Zinsen, und allen meinen andern Sachen an sich genommen, wo es aber hingekommen ist, darnach habe ich bis auf diese Stunde noch nicht fragen dürfen, wenn ich nicht die erbärmlichsten Martern erdulden wollen. Das sei dem Himmel geklagt! schrie hierauf *Ambrosius van Keelen,* denn also war sein Name, schlug anbei die Hände über dem Kopfe zusammen, und saß eine lange Zeit auf dem Stuhle in tiefen Gedanken. Ich wußte solchergestalt nicht wie ich mit ihm daran war, fuhr derowegen im Weinen fort, fiel endlich nieder, umfassete seine Knie und sagte: Ich bitte euch um GOttes willen mein Herr, nehmet es nicht übel, daß ich euch mein Elend geklagt habe, verschaffet nur daß mir eure Mutter, auf meine ganze gerechte Forderung, etwa zwei oder drei hundert Taler zahle, so soll das übrige gänzlich vergessen sein, ich aber will mich alsobald aus ihrem Hause hinweg begeben und andere Dienste suchen, vielleicht ist der Himmel so gnädig, mir etwa mit der Zeit einen ehrbaren Handwerks-Mann zuzuführen, der mich zur Ehe nimmt, und auf meine Lebens Zeit ernähret, denn ich kann die Tyrannei eurer Mutter und Schwestern ohnmöglich länger ertragen. Der gute Mensch konnte sich solchergestalt der Tränen selbst nicht enthalten, hub mich aber sehr liebreich von der Erden auf, drückte einen keuschen Kuß auf meine Stirn, und sagte: Gebt euch zufrieden meine Freundin, ich schwöre zu GOTT! daß mein ganzes Vermögen, bis auf diese wenigen Kleider so ich auf meinem Leibe trage, zu eurer Beruhigung bereit sein soll, denn ich müßte befürchten, daß GOTT, bei so gestallten Sachen, die Mißhandlung meiner Eltern an mir heimsuchte, indessen gehet hin und lasset euch diesen Tag über, weder gegen meine Mutter noch Geschwister nicht das geringste merken, ich aber will noch vor Abends eures Anliegens wegen mit ihnen sprechen, und gleich morgendes Tages Anstalt machen, daß ihr standesmäßig gekleidet und gehalten werdet.

Ich trocknete demnach meine Augen, ging mit getrösteten Herzen von ihm, er aber besuchte gute Freunde, und nahm noch selbigen Abend Gelegenheit mit seiner Mutter und Schwestern meinetwegen zu sprechen. Wiewohl nun dieselben mich auf sein Begehren, um sein Gespräch nicht mit anzuhören, beiseits geschafft hatten, so habe doch nachhero vernommen, daß er ihnen das Gesetz ungemein scharf geprediget, und sonderlich dieses vorgeworfen hat: Wie es zu verantworten stünde, daß sie meine Gelder durchgebracht, Kleider und Geschmeide unter sich geteilet, und über dieses alles, so jämmerlich gepeiniget hätten? Allein auf solche Art wurde die ganze Hölle auf einmal angezündet, denn nachdem *Ambrosius* wieder auf seine Stube gegangen, ich aber meinen Henkern nur entgegen getreten war, redete mich die Alte mit funkelnden Augen also an: Was hastu verfluchter Findling vor ein geheimes Verständnis mit meinem Sohne? und weswegen wilstu mir denselben auf den Hals hetzen? Ich hatte meinen Mund noch nicht einmal zur Rechtfertigung aufgetan, da alle 4 Furien über mich herfielen und recht mörderisch mit mir umgingen, denn außerdem, daß mir die hälfte meiner Haupt-Haare ausgerauft, das Gesichte zerkratzt, auch Maul und Nase blutrünstig geschlagen wurden, trat mich die Alte etliche mal dergestalt heftig auf den Unter-Leib und Magen, daß ich unter ihren Mörder-Klauen ohnmächtig, ja mehr als halb tot liegen blieb. Eine alte Dienst-Magd die dergleichen Mord-Spiel weder verwehren, noch in die Länge ansehen kann, lauft alsobald und ruft den *Ambrosius* zu Hülfe. Dieser kömmt nebst seinem Diener eiligst herzu, und findet mich in dem allererbärmlichsten Zustande, läßt derowegen seinem gerechten Eifer den Zügel schießen, und zerprügelt seine 3 leiblichen Schwestern dergestalt, daß sie in vielen Wochen nicht aus dem Betten steigen können, mich halb tote Kreatur aber, trägt er auf den Armen in sein eigenes Bette, lässet nebst einem verständigen Arzte, zwei Wart-Frauen holen, machte also zu meiner besten Verpflegung und *Cur* die herrlichsten Anstalten. Ich erkannte sein redliches Gemüte mehr als zu wohl, indem er sich fast niemals zu meinem Bette nahete, oder sich meines Zustandes erkundigte, daß ihm nicht die hellen Tränen von den Wangen herab gelaufen wären, so bald er auch merkte, daß es mir unmöglich wäre, in diesem vor mich unglückseligen Hause einige Ruhe zu genießen, vielweniger auf meine Genesung zu hoffen, ließ er mich in ein anderes, nächst dem seinen gelegenes Haus bringen, allwo in dem einsamen Hinter-Gebäue eine schöne Gelegenheit zu meiner desto bessern Verpflegung bereitet war.

Er ließ es also an nichts fehlen meine Genesung aufs eiligste zu beförderen, und besuchte mich täglich sehr öfters, allein meine Krankheit schien von Tage zu Tage gefährlicher zu werden, weilen die Fuß-Tritte meiner alten Pflege-Mutter eine starke Geschwulst in meinem Unterleibe verursacht hatten, welche mit einem schlimmen Fieber vergesellschaftet war, so, daß der *Medicus* nachdem er über drei Monat an mir *curieret* hatte, endlich zu vernehmen gab: es müsse sich irgendwo ein Geschwür im Leibe angesetzt haben, welches, nachdem es zum Aufbrechen gediehen, mir entweder einen plötzlichen Tod, oder baldige Genesung verursachen könnte.

Ambrosius stellete sich hierbei ganz trostlos an, zumalen da ihm sein *Compagnon* aus Amsterdam berichtete: wie die Spanier ein Holländisches Schiff angehalten hätten, worauf sich von ihren gemeinschaftlichen Waren allein, noch mehr als 20000 Tlr. Wert befänden, demnach müsse sich *Ambrosius* in aller Eil dahin begeben, um selbiges Schiff zu lösen, weiln er, nämlich der *Compagnon,* wegen eines Bein-Bruchs ohnmöglich solche Reise antreten könnte.

Er hatte mir dieses kaum eröffnet, da ich ihn umständig bat, um meiner Person wegen dergleichen wichtiges Geschäfte nicht zu verabsäumen, indem ich die stärkste Hoffnung zu GOTT hätte, daß mich derselbe binnen der Zeit seines Abwesens, vielleicht gesund herstellen würde, sollte ich aber ja sterben, so bäte mir nichts anders aus, als vorhero die Verfügung zu machen, daß ich ehrlich begraben, und hinkünftig dann und wann seines guten Andenkens gewürdiget würde. Ach! sprach er hierauf mit weinenden Augen, sterbt ihr meine allerliebste *Virgilia,* so stirbt mit euch alles mein künftiges Vergnügen, denn wisset: Daß ich eure Person einzig und allein zu meinem Ehe-Gemahl erwählet habe, soferne ich aber euch verlieren sollte, ist mein Vorsatz, nimmermehr zu Heiraten, saget derowegen, ob ihr nach wieder erlangter Gesundheit meine getreue Liebe mit völliger Gegen-Liebe belohnen wollet? Ich stelle, gab ich hierauf zur Antwort, meine Ehre, zeitliches Glück und alles was an mir ist, in eure Hände, glaubet demnach, daß ich als eine arme Waise euch gänzlich eigen bin, und machet mit mir, was ihr bei GOTT, eurem guten Gewissen und der ehrbaren Welt verantworten könnet. Über diese Erklärung zeigte sich *Ambrosius* dermaßen vergnügt, daß er fast kein Wort vorzubringen wußte, jedoch erkühnete er sich einen feurigen Kuß auf meine Lippen zu drücken, und weiln dieses der erste war, den ich meines wissens von einer Manns-Person auf meinen Mund empfangen, ging es ohne sonderbare Beschämung nicht ab, jedoch nachdem er mir seine beständige Treue aufs heiligste zugeschworen hatte, konnte ich ihm nicht verwehren, dergleichen auf meinen blassen Wangen, Lippen und Händen noch öfter zu wiederholen. Wir brachten also fast einen halben Tag mit den treuherzigsten Gesprächen hin, und endlich gelückte es mir ihn zu bereden, daß er gleich Morgendes Tages die Reise nach Spanien vornahm, nachdem er von mir den allerzärtlichsten Abschied genommen, 1000 Stück *Ducaten* zu meiner Verpflegung zurück gelassen, und sonsten meinetwegen die eifrigste Sorgfalt vorgekehret hatte.

Etwa einen Monat nach meines werten *Ambrosii* Abreise, brach das Geschwür in meinem Leibe, welches sich des Arzts, und meiner eigenen Meinung nach, am Magen und Zwerchfell angesetzt hatte, in der Nacht plötzlich auf, weswegen etliche Tage nach einander eine erstaunliche Menge Eiter durch den Stuhlgang zum Vorschein kam, hierauf begunte mein dicker Leib allmählig zu fallen, das Fieber nachzulassen, mithin die Hoffnung, meiner volligen Genesung wegen, immer mehr und mehr zuzunehmen. Allein das Unglück, welches mich von Jugend an so grausam verfolget, hatte sich schon wieder aufs neue gerüstet, mir den allerempfindlichsten Streich zu spielen, denn da ich einst um Mitternacht im süßen Schlummer lag, wurde meine Tür von den Gerichts-Dienern plötzlich eröffnet, ich, nebst meiner Wart-Frau in das gemeine Stadt-Gefängnis gebracht, und meiner großen Schwachheit ohngeacht, mit schweren Ketten belegt, ohne zu wissen aus was Ursachen man also grausam mit mir umginge. Gleich folgendes Tages aber erfuhr ich mehr als zu klar, in was vor bösen Verdacht ich arme unschuldige Kreatur gehalten wurde, denn es kamen etliche ansehnliche Männer im Gefängnisse bei mir an, welche, nach weitläuftiger Erkundigung wegen meines Lebens und Wandels, endlich eine rot angestrichene Schachtel herbei bringen ließen, und mich befragten: Ob diese Schachtel mir zugehörete, oder sonsten etwa kenntlich sei? Ich konnte mit guten Gewissen und freien Mute Nein darzu sagen, so bald aber dieselbe eröffnet und mir ein halb verfaultes Kind darinnen gezeiget wurde, entsetzte ich mich dergestalt über diesen ekelhaften Anblick, daß mir augenblicklich eine Ohnmacht zustieß. Nachdem man meine entwichenen Geister aber wiederum in einige Ordnung gebracht, wurde ich aufs neue befragt: Ob dieses Kind nicht von mir zur Welt geboren, nachhero ermordet und hinweg geworfen worden? Ich erfüllete das ganze Gemach mit meinem Geschrei, und bezeugte meine Unschuld nicht allein mit heftigen Tränen, sondern auch mit den nachdrücklichsten Reden, allein alles dieses fand keine statt, denn es wurden zwei, mit meiner seligen Mutter Namen bezeichnete Teller-Tüchlein, zwar als stumme, doch der Richter Meinung nach, allergewisseste Zeugen dargelegt, in welche das Kind gewickelt gewesen, ich aber konnte nicht leugnen, daß unter meinem wenigen weißen Zeuge, eben dergleichen Teller-Tücher befindlich wären. Es wurde mir über dieses auferlegt mich von zwei Weh-Müttern besichtigen zu lassen, da nun nicht anders gedachte, es würde, durch dieses höchst empfindliche Mittel, meine Unschuld völlig an Tag kommen, so mußte doch zu meinem allergrößten Schmerzen erfahren, wie diese ohne allen Scheu bekräftigten, daß ich, allen Umständen nach, vor weniger Zeit ein Kind zur Welt geboren haben müsse. Ich berufte mich hierbei auf meinen bisherigen Arzt so wohl, als auf meine zwei Wart-Frauen, allein der Arzt hatte die Schultern gezuckt und bekennet, daß er nicht eigentlich sagen könne, wie es mit mir beschaffen gewesen, ob er mich gleich auf ein innerliches Magen-Geschwür *curieret* hätte, die eine Wart-Frau aber zog ihren Kopf aus der Schlinge und sagte: Sie wisse von meinem Zustande wenig zu sagen, weil sie zwar öfters bei Tage, selten aber des Nachts bei mir gewesen wäre, schob hiermit alles auf die andere Wart-Frau, die so wohl als ich in Ketten und Banden lag.

O du barmherziger GOTT! rief ich aus, wie kanstu zugeben, daß sich alle ängstlichen Umstände mit der Bosheit der Menschen vereinigen müssen, einer höchst unschuldigen armen Waise Unglück zu befördern. O ihr Richter, schrie ich, übereilet euch nicht zu meinem Verderben, sondern höret mich an, auf daß euch GOtt wiederum höre. Hiermit erzählete ich ihnen meinen von Kindes Beinen an geführten Jammer-Stand deutlich genung, allein da es zum Ende kam, hatte ich tauben Ohren geprediget und sonsten kein ander Lob davon, als daß ich eine sehr gewitzigte Metze und gute Rednerin sei, dem allen ohngeacht aber sollte ich mir nur keine Hoffnung machen sie zu verwirren, sondern nur bei Zeiten mein Verbrechen in der Güte gestehen, widrigenfalls würde ehester Tage Anstalt zu meiner *Tortur* gemacht werden. Dieses war der Bescheid, welchen mir die allzuernsthaften *Inquisiteurs* hinterließen, ich armes von aller Welt verlassenes Mägdlein wußte mir weder zu helfen noch zu raten, zumalen, da ich von neuen in ein solches hitziges Fieber verfiel, welches meinen Verstand bis in die 4te Woche ganz verrückte. So bald mich aber durch die gereichten guten Arzeneien nur in etwas wiederum erholet hatte, verhöreten mich die *Inquisiteurs* aufs neue, bekamen aber, Seiten meiner, keine andere Erklärung als vormals, weswegen sie mir noch drei Tage Bedenk-Zeit gaben, nach deren Verlauf aber in Gesellschaft des

Scharf-Richters erschienen, der sein peinliches Werkzeug vor meine Augen legte, und mit grimmigen Gebärden sagte: Daß er mich in kurzer Zeit zur bessern Bekenntnis meiner Bosheiten bringen wolle.

Bei dem Anblicke so gestallter Sachen veränderte sich meine ganze Natur dergestalt, daß ich auf einmal Lust bekam, ehe tausendmal den Tod, als dergleichen Pein zu erleiden, demnach sprach ich mit größter Herzhaftigkeit dieses zu meinen Richtern: Wohlan! ich spüre, daß ich meines zeitlichen Glücks, Ehre und Lebens wegen, von GOTT und aller Welt verlassen bin, auch der schmählichen *Tortur* auf keine andere Art entgehen kann, als wenn ich alles dasjenige, was ihr an mir sucht, eingestehe und verrichtet zu haben auf mich nehme, derowegen verschonet mich nur mit unnötiger Marter, und erfraget von mir was euch beliebt, so will ich euch nach euren Belieben antworten, es mag mir nun zu meinem zeitlichen Glück und Leben nützlich oder schädlich sein. Hierauf taten sie eine klägliche Ermahnung an mich, GOtte, wie auch der Obrigkeit ein wahrhaftiges Bekenntnis abzustatten, und fingen an, mir mehr als 30 Fragen vorzulegen, allein so bald ich nur ein oder andere mit guten Gewissen und der Wahrheit nach verneinen, und etwas gewisses zu meiner Entschuldigung vorbringen wollte, wurde alsobald der Scharf-Richter mit seinen Marter-*Instrumenten* näher zu treten ermahnet, weswegen ich aus Angst augenblicklich meinen Sinn änderte und so antwortete, wie es meine *Inquisiteurs* gerne hören und haben wollten. Kurz zu melden, es kam so viel heraus, daß ich das mir unbekannte halb verfaulte Kind von *Ambrosio* empfangen, zur Welt geboren, selbst ermordet, und solches durch meine Wart-Frau in einen *Canal* werfen lassen, woran doch in der Tat *Ambrosius* und die Wart-Frau, so wohl als ich vor GOTT und allen heiligen Engeln unschuldig waren.

Solchergestalt vermeinten nun meine *Inquisiteurs* ihr Amt an mir rechtschaffener Weise verwaltet zu haben, ließen derowen das Gerüchte durch die ganze Stadt erschallen, daß ich nunmehro in der Güte ohne alle Marter den Kinder-Mord nebst allen behörigen Umständen solchergestalt bekennet, daß niemand daran zu zweifeln Ursach haben könnte, demnach war nichts mehr übrig als zu bestimmen, auf was vor Art und welchen Tag die arme *Virgilia* vom Leben zum Tode gebracht werden sollte. Immittelst wurde noch zur Zeit kein Priester oder Seel-Sorger zu mir gesendet, ohngeacht ich schon etliche Tage darum angehalten hatte. Endlich aber, nachdem noch zwei Wochen verlaufen, stellete sich ein solcher, und zwar ein mir wohl bekannter frommer Prediger bei mir ein. Nach getanem Gruße war seine ernsthafte und erste Frage: Ob ich die berüchtigte junge Raben-Mutter und Kinder-Mörderin sei, auch wie ich mich so wohl in meinem Gewissen als wegen der Leibes-Gesundheit befände? Mein Herr! gab ich ihm sehr freimütig zur Antwort, in meinem Gewissen befinde ich mich weit besser und gesunder als am Leibe, sonsten kann ich GOTT einzig und allein zum Zeugen anrufen, daß ich niemals eine Mutter, weder eines toten noch lebendigen Kindes gewesen bin, vielweniger ein Kind ermordet oder solches zu ermorden zugelassen habe. Ja, ich rufe nochmals GOTT zum Zeugen an, daß ich niemals von einem Manne erkannt und also noch eine reine und keusche Jungfrau bin, jedoch das grausame Verfahren meiner *Inquisiteurs* und die große Furcht vor der *Tortur,* haben mich gezwungen solche Sachen zu bekennen, von denen mir niemals etwas in die Gedanken kommen ist, und noch bis diese Stunde bin ich entschlossen, lieber mit freudigen Herzen in den Tod zu gehen, als die *Tortur* auszustehen. Der fromme Mann sahe mir starr in die Augen, als ob er aus selbigen die Bekräftigung meiner Reden vernehmen wollte, und schärfte mir das Gewissen in allen Stücken ungemein, nachdem ich aber bei der ihm getanen Aussage verharrete, und meinen ganzen Lebens-Lauf erzählet hatte, sprach er: Meine Tochter, eure Rechts-Händel müssen, ob GOTT will, in kurzen auf andern Fuß kommen, ich spreche euch zwar keineswegs vor Recht, daß ihr, aus Furcht vor der *Tortur,* euch zu einer Kinder- und Selbst-Mörderin machet, allein es sind noch andere eurer Einfalt unbewußte Mittel vorhanden eure Schuld oder Unschuld ans Licht zu bringen. Hierauf setzte er noch einige tröstliche Ermahnungen hinzu, und nahm mit dem Versprechen Abschied, mich längstens in zweien Tagen wiederum zu besuchen.

Allein gleich folgenden Tages erfuhr ich ohnverhofft, daß mich GOTT durch zweierlei Hülfs-Mittel, mit ehesten aus meinem Elende heraus reißen würde, denn vors erste war meine Unschuld schon ziemlich ans Tages Licht gekommen, da die alte Dienst-Magd meiner Pflege-Mutter, aus eigenem Gewissens-Triebe, der Obrigkeit angezeiget hatte, wie nicht ich, sondern die mittelste Tochter meiner Pflege-Mutter das gefundene Kind geboren, selbiges, vermittelst einer großen Nadel, ermordet, eingepackt, und hinweg zu werfen befohlen hätte, und zwar so hätten nicht allein die übrigen zwei Schwestern, sondern auch die Mutter selbst mit Hand angelegt, dieweiln es bei ihnen nicht das erste mal sei, dergleichen Taten begangen zu haben. Meine andere tröstliche Zeitung war, daß mein bester Freund *Ambrosius* vor wenig Stunden zurück gekommen, und zu meiner Befreiung die äußersten Mittel anzuwenden, allbereits im Begriff sei.

Er bekam noch selbigen Abends Erlaubnis, mich in meinem Gefängnisse zu besuchen, und wäre bei nahe in Ohnmacht gefallen, da er mich Elende annoch in Ketten und Banden liegen sahe, allein, er hatte doch nach Verlauf einer halben Stunde, so wohl als ich, das Vergnügen, mich von den Banden entlediget, und in ein *reputier*licher Gefängnis gebracht zu sehen. Ich will mich nicht aufhalten zu beschreiben, wie jämmerlich und dennoch zärtlich und tröstlich diese unsere Wiederzusammenkunft war, sondern nur melden, daß ich nach zweien Tagen durch seine ernstliche Bemühung in völlige Freiheit gesetzt wurde. Über dieses ließ er es sich sehr viel kosten, wegen meiner Unschuld hinlängliche Erstattung des erlittenen Schimpfs von meinen allzu hitzigen *Inquisiteurs* zu erhalten, empfing auch so wohl von den geistlichen als weltlichen Gerichten die herrlichsten Ehren-Zeugnisse vor seine und meine Person, am allermeisten aber erfreuete er sich über meine in wenig Wochen völlig wieder erlangte Gesundheit.

Nach der Zeit bemühete sich *Ambrosius,* seine lasterhafte Mutter und schändliche Schwestern, vermittelst einer großen Geld-Summe, von der fernern *Inquisition* zu befreien, zumalen da ich ihnen das mir zugefügte Unrecht von Herzen vergeben hatte, allein, er konnte nichts erhalten, sondern mußte der Gerechtigkeit den Lauf lassen, weil sie nach der Zeit überzeugt wurden, daß dieses schon das dritte Kind sei, welches seine zwei ältesten Schwestern geboren und mit Beihülfe ihrer Mutter ermordet hätten, weswegen sie auch ihren verdienten Lohn empfingen, indem die Mutter nebst den zwei ältesten mit dem Leben büssen, die jüngste aber in ein Zucht-Haus wandern mußte.

Jedoch, ehe noch dieses geschahe, reisete mein *Ambrosius* mit mir nach Amsterdam, weil er vermutlich dieses traurige *Spectacul* nicht abwarten wollte, ließ sich aber doch noch in selbigem Jahre mit mir ehelich verbinden, und ich kann nicht anders sagen, als daß ich ein halbes Jahr lang ein recht stilles und vergnügtes Leben mit ihm geführet habe, indem er eine der besten Handlungen mit seinem *Compagnon* daselbst anlegte. Allein, weil das Verhängnis einmal beschlossen hatte, daß meiner Jugend Jahre in lauter Betrübnis zugebracht werden sollten, so mußte mein getreuer *Ambrosius* über Vermuten den gefährlichsten Anfall der roten Ruhr bekommen, welche ihn in 17 Tagen dermaßen abmattete, daß er seinen Geist darüber aufgab, und im 31. Jahre seines Alters mich zu einer sehr jungen, aber desto betrübtern Wittbe machte. Ich will meinen dieserhalb empfundenen Jammer nicht weitläuftig beschreiben, genung, wenn ich sage, daß mein Herz nichts mehr wünschte, als ihm im Grabe an der Seite zu liegen. Der getreue *Ambrosius* aber hatte noch vor seinem Ende vor mein zeitliches Glück gesorget, und meine Person so wohl als sein ganzes Vermögen an seinen *Compagnon* vermacht, doch mit dem Vorbehalt, daß, wo ich wider Vermuten denselben nicht zum andern Manne verlangete, er mir überhaupt vor alles 12000 Tlr. auszahlen, und mir meinen freien Willen lassen sollte.

Wilhelm van Cattmer, so hieß der *Compagnon* meines seligen Ehemannes, war ein Mann von 33 Jahren, und nur seit zweien Jahren ein Wittber gewesen, hatte von seiner verstorbenen Frauen eine einzige Tochter, *Gertraud* genannt, bei sich, die aber, wegen ihrer Kindheit, seinem Haus-Wesen noch nicht vorstehen konnte, derowegen gab er mir nach verflossenen Trauer-Jahre so wohl seine aufrichtige Liebe, als den letzten Willen meines seligen Mannes sehr beweglich zu verstehen, und drunge sich endlich durch tägliches Anhalten um meine Gegen-Gunst solcher Gestalt in mein Herz, daß ich mich entschloß, die Heirat mit ihm einzugehen, weil er mich hinlänglich überführete, daß so wohl der Wittben-Stand, als eine anderweitige Heirat mit Zurücksetzung seiner Person, vor mich sehr gefährlich sei.

Ich hatte keine Ursach über diesen andern Mann zu klagen, denn er hat mich nach der Zeit in unsern 5 jährigen Ehe-Stande mit keiner Gebärde, vielweniger mit einem Worte betrübt. Zehen Monat nach unserer Vereheligung kam ich mit einer jungen Tochter ins Kind-Bette, welche aber nach anderthalb Jahren an Masern starb, doch wurde dieser Verlust bald wiederum ersetzt, da ich zum andern male mit einem jungen Sohne nieder kam, worüber mein Ehe-Mann eine ungemeine Freude bezeigte, und mir um so viel desto mehr Liebes-Bezeugungen erwiese. Bei nahe zwei Jahr hernach erhielt mein *Wilhelm* die betrübte Nachricht, daß sein leiblicher Vater auf dem *Cap* der guten Hoffnung Todes verblichen sei, weil nun derselbe in ermeldten Lande vor mehr als 30000 Taler wert Güter angebauet und besessen hatte; als beredete er sich dieserwegen mit seinem einzigen Bruder und einer Schwester, fassete auch endlich den Schluß, selbige Güter in Besitz zu nehmen, und seinem Geschwister zwei Teile des Werts heraus zu geben. Er fragte zwar vorhero mich um Rat, auch ob ich mich entschließen könnte, *Europam* zu verlassen, und in einem andern Welt-Teile zu wohnen, beschrieb mir anbei die Lage und Lebens-Art in selbigem fernen Lande aus dermaßen angenehm, so bald ich nun merkte, daß ihm so gar sehr viel daran gelegen wäre, gab ich alsofort meinen Willen drein, und versprach, in seiner Gesellschaft viel lieber mit ans Ende der Welt zu reisen, als ohne ihn in Amsterdam zu bleiben. Demnach wurde aufs eiligste Anstalt zu unserer Reise gemacht, wir machten unsere besten Sachen teils zu Gelde, teils aber ließen wir selbige in Verwahrung unsers Schwagers, der ein wohlhabender *Jubelier* war, und reiseten in GOttes Namen von Amsterdam ab, dem *Cap* der guten Hoffnung, oder vielmehr unserm Unglück entgegen, denn mittlerweile, da wir an den Canarischen Insuln, uns ein wenig zu erfrischen, angelandet waren, starb unser kleiner Sohn, und wurde auch daselbst zur Erden bestattet. Wenig Tage hierauf wurde die fernere Reise fortgesetzt, und mein Betrübnis vollkommen zu machen, überfielen uns zwei Räuber, mit welchen sich unser Schiff ins Treffen einlassen mußte, auch so glücklich war, selbigen zu entgehen, ich aber sollte doch dabei die allerunglückseligste sein, indem mein lieber Mann mit einer kleinen Kugel durch den Kopf geschossen wurde, und dieserwegen sein redliches Leben einbüßen mußte.

Der Himmel weiß, ob mein seliger *William* seinen tödlichen Schuß nicht vielmehr von einem Meuchel-Mörder als von den See-Räubern bekommen hatte, denn alle Umstände kamen mir dabei sehr verdächtig vor, jedoch, GOtt verzeihe es mir, wenn ich denn *Severin Water* in unrechten Verdacht halte.

Dieser *Severin Water* war ein junger Holländischer, sehr frecher und wollüstiger Kaufmann, und hatte schon öfters in Amsterdam Gelegenheit gesucht, mich zu einem schändlichen Ehe-Bruche zu verführen. Ich hatte ihn schon verschiedene mal gewarnet, meine Tugend mit dergleichen verdammten Ansinnen zu verschonen, oder ich würde mich genötiget finden, solches meinem Manne zu eröffnen, da er aber dennoch nicht nachlassen wollte, bat ich würklich meinen Mann inständig, seine und meine Ehre gegen diesen geilen Bock zu schützen, allein, mein *William* gab mir zur Antwort: Mein Engel, lasset den Hasen laufen, er ist ein wollüstiger Narr, und weil ich mich eurer Tugend vollkommen versichert halte, so weiß ich auch, daß er zu meinem Nachteil nichts bei euch erhalten wird, indessen ist es nicht ratsam, ihn noch zur Zeit zum offenbaren Feinde zu machen, weil ich durch seine Person auf dem *Cap* der guten Hoffnung einen besondern wichtigen Vorteil erlangen kann. Und eben in dieser Absicht sahe es auch mein *William* nicht ungern, daß *Severin* in seiner Gesellschaft mit dahin reisete. Ich indessen war um so viel desto mehr verdrüßlich, da ich diesen geilen Bock alltäglich vor mir sehen, und mit ihm reden mußte, er führete sich aber bei meines Mannes Leben noch ziemlich vernünftig auf, jedoch gleich etliche Tage nach dessen jämmerlichen Tode, trug er mir so gleich seine eigene schändliche Person zur neuen Heirat an. Ich nahm diese Leichtsinnigkeit sehr übel auf, und bat ihn, mich zum wenigsten auf ein Jahr lang mit dergleichen Antrage zu verschonen, allein, er verlachte meine Einfalt, und sagte mit frechen Gebärden: Er frage ja nichts darnach, ich möchte schwanger sein oder nicht, genung, er wolle meine Leibes-Frucht vor die seinige erkennen, über dieses wäre man auf den Schiffen der Geistlichen Kirchen-*Censur* nicht also unterworfen, als in unsern Vaterlande, und was dergleichen Geschwätzes mehr war, mich zu einer gleichmäßigen schändlichen Leichtsinnigkeit zu bewegen, da ich aber, ohngeacht ich wohl wußte, daß sich nicht die geringsten Zeichen einer Schwangerschaft bei mir äußerten, dennoch einen natürlichen Abscheu so wohl vor der Person als dem ganzen Wesen dieses Wüstlings hatte, so suchte ihn, vermöge der verdrüßlichsten und schimpflichsten Reden, mir vom Halse zu schaffen; allein, der freche Bube kehrete sich an nichts, sondern schwur, ehe sein ganzes Vermögen nebst dem Leben zu verlieren, als mich dem Witwen-Stande oder einem andern Manne zu überlassen, sagte mir anbei frei unter die Augen, so lange wolle er noch Geduld haben, bis wir das *Cap* der guten Hoffnung erreicht hätten, nach diesem würde sich zeigen, ob er mich mit Güte oder Gewalt ins Ehe-Bette ziehen müsse.

Ich Elende wußte gegen diesen Trotzer nirgends Schutz zu finden, weil er die Befehlshaber des Schiffs so wohl als die meisten andern Leute durch Geschenke und Gaben auf seine Seite gelenkt hatte, solcher Gestalt wurden meine jämmerlichen Klagen fast von jedermann verlacht, und ich selbst ein Spott der ungehobelten Boots-Knechte, indem mir ein jeder vorwarf, meine Keuschheit wäre nur ein verstelltes Wesen, ich wollte nur sehr gebeten sein, würde aber meine Tugend schon wohlfeiler verkaufen, so bald nur ein junger Mann – – –

Ich scheue mich, an die lasterhaften Reden länger zu gedenken, welche ich mit größter Herzens-Qual von diesen Unflätern täglich anhören mußte, über dieses klagte mir meine Aufwärterin *Blandina* mit weinenden Augen, daß ihr *Severin* schändliche Unzucht zugemutet, und versprochen hätte, sie auf dem *Cap* der guten Hoffnung nebst mir, als seine Kebs-Frau, beizubehalten, allein, sie hatte ihm ins Angesicht gespien, davor aber eine derbe Maulschelle hinnehmen müssen. Meiner zarten und fast noch nicht mannbaren Stief-Tochter, der *Gertraud,* hatte der Schand-Bock ebenfalls seine

Geilheit angetragen, und fast Willens gehabt, dieses fromme Kind zu notzüchtigen, der Himmel aber führete mich noch bei Zeiten dahin, diese Unschuldige zu retten.

Solcher Gestalt war nun mein Jammer-Stand abermals auf der höchsten Stufe des Unglücks, die Hülfe des Höchsten aber desto näher. Ich will aber nicht weiter beschreiben, welcher Gestalt ich nebst meiner Tochter und Aufwärterin von den Kindern und Befreunden des teuren Alt-Vaters *Albert Julii* aus dieser Angst gerissen und errettet worden, weil ich doch versichert bin, daß selbiger solches alles in seiner Geschichts-Beschreibung so wohl als mein übriges Schicksal, nebst andern mit aufgezeichnet hat, sondern hiermit meine Lebens-Beschreibung schließen, und das Urteil darüber andern überlassen. GOTT und mein Gewissen überzeugen mich keiner mutwilligen und groben Sünden, wäre ich aber ja eine lasterhafte Weibs-Person gewesen, so hätte töricht gehandelt, alles mit solchen Umständen zu beschreiben, woraus vielleicht mancher etwas schlimmeres von mir mutmaßen könnte.

JOHANN JACOB BODMER
Inkel und Yariko

Inkel flohe mit schnellerer Flucht als die andern; die Füße
Trugen ihn aus dem Gesichte der Wilden; die lang ihn verfolgten,
Ferne hinweg in ein dunkel Gebüsch von den dickesten Hecken,
Das ihn noch sichrer verbarg. Izt atmet er freier, er saß da
Nieder ins Gras und küßte den werten Boden, und suchte
Seine Gedanken zurück, und sagte mit Seufzen die Worte:

Noch bin ich in den Auen des Lebens und schöpfe die Luft noch;
Aber wie lange; was ist für mich für ein Schicksal bereitet?
Hab ich auch mehr durch die Flucht als die Art des Todes
          vermieden?
Wenn ich den müden Gliedern im Strauche zu ruhen vergönne,
Und mich ergreift der Schlaf, so muß ich fürchten, ich werde
Reißenden Tieren zum Raub, und schonen diese mein Leben,
O wie werd ich es lang vor dem grimmigen Hunger bewahren?

Also sagt' er und hielt sich verloren und klagte das Leben,
Das er so kurz genossen und in der Blüte verlieret.
Aber die Vorsicht hatte für ihn im geheimen gesorget.
Plötzlich bewegt das Gebüsch sich, und rauschet stärker, er richtet
Furchtsam die Augen dahin und sieht ein orangenrot Mädchen,
Durch das Gebüsch vielmehr als die dünne Kleidung bedecket,
Zu ihm sich nähern; die Sanftmut der weiblichen Bildung, die
          Güte,
Und die lächelnde Glut in ihren Blicken, verjagten
Einigen Teil der Furcht, und legten ihm Kühnheit ins Herze.
Mit gefalteter Hand sprach Inkel die flehenden Worte:

Wer du auch seist, vielleicht die Tochter von einem der Männer,
Deren Pfeilen ich kaum mein Leben entrissen, so kömmst du
Nicht mit feindlichem Grimm es von mir zu nehmen; das wehrt
          dir
Deine Güte des Herzens, das Mitleid der weiblichen Seele,
Die ich in deinen Blicken entdeck und Liebe darin seh.
Wahrlich dich hat die Vorsicht zu meiner Rettung geschicket;
Nimm mich zu deinem Sklaven, kein Dienst, kein Geschäft wird
          so schwer sein

Welches dein günstiger Wink nicht erleichtre, dein Blick nicht
      belohne.
Schweige nicht länger, o gütiges Mädchen, und gib mir das Leben
Durch die Süßigkeit deiner Stimm', und den süßeren Inhalt.

    Also sagt' er. Sie ließ ihm Raum zu reden, sie spähte
Unterdessen mit wundernden Augen die Bildung des Jünglings
Von dem Haupte zun Füßen; sie ward des Sehens nicht müde.
Alles an ihm war ihr fremd, das runde, weiße, Gesichte,
Seine lockigten Haare, die europäische Kleidung.
Alles dünkte sie artig, der Schall der männlichen Stimme,
Die sie doch nicht verstund, beredt und mit Anmut gewürzet.
Ob sie die Sprache gleich mißt, so versteht sie doch seine Gebärde.

    Izt versetzt sie in ihrer Sprache: O Fremder, du magst zwar
Von dem bösen Geschlechte der Menschen sein, unserer Feinde,
Die in fliegenden Kahnen von ihren entlegenen Ufern
Zu uns geschwommen und Mord und Verwüstung herüber-
      getragen:
Aber ich seh dich unglücklich und hilflos und sehe dich flehen;
Wer du auch seist, dich hat das Schicksal zu einer geführt,
Die nicht ein wildes und rohes Herz hat, die menschlich und gut
      ist,
Einer, die deiner zu pflegen von Herzen geneigt ist, dieweil sie
Sieht, daß du arm und fremd bist, und ihre Hilfe benötigt.
Wenig zwar kann ich dir geben, doch geb ichs mit fröhlichem
      Herzen.
Wehe dir, wenn du den guten Willen mit Feindschaft erwiderst!

    Also sagt sie mit Mienen, die ihre Reden erhöhen,
Und ihm erklären, wiewohl er die Töne zum erstenmal höret.
Alsdann saß sie zu ihm ins Gras hin und reichte ihm Früchte,
Welche zugleich den Durst und die Lust zu essen vertrieben.
Da sie seiner so pflegte, so spielte das Mädchen zuweilen
In den Haaren des Jünglings, und schaute die Farbe der Haare
Mit Verwunderung, der Farbe von ihren Fingern so ungleich.
Dann entstrickt sie sein Wams und entblößt ihm den Busen und
      lachet,
Daß er ihn schamhaft bedeckt und errötet. – Die Augen des
      Weißen
Konnten sich nicht enthalten, neugierige, spähende Blicke
Auf das rotgelbe Mädchen zu tun, und sich zu gestehen,
Daß die Natur mit Fleiß an ihrer Gestalt gearbeitet.

Nachdem führte sie ihn in eine wölbende Höhle,
Wo er vor Menschen und Wild verborgen in Sicherheit ruhte.
Dort besucht sie ihn täglich und täglich in anderem Schmucke,
Von den buntesten Federn und Muscheln, und hellesten Steinen;
Bracht ihm auch manches Fell, gefleckte und wollichte Felle,
Teure Geschenke, die sie von manchem Verehrer bekommen,
Die ihr izt dienen damit die Höhle des Fremden zieren.
Oftmals brachte sie ihn an einem dämmernden Abend
Oder beim Scheine des Monden in stille, verlassene Gründe,
Wo er an fallenden Wassern entschlief, und öfters an Orten,
Wo Philomele den Schlummer aus ihrem Gebüsche hervorrief.
Alsdann war ihr Geschäft, ihn auf ihrem Schoße zu zärteln,
Und die Zeit, die er schlief, für ihn zu wachen. So flossen
Über die beiden Verliebten viel zärtliche, ruhige, Tage,
Lieblich genossene Tag'. In den Tagen lernten die beiden
Eine Sprache für sich, wie die Liebe die Liebenden lehret.
Oftmals wünscht' er sich mit der Schönen in seine Geburtsstadt,
Wo sie in Seiden, mit Gold verbrämet, gekleidet sein sollte,
Wie die Weste war, die er trug, (und er wies ihr die Weste,)
Und da in schwebenden Häusern von Pferden gezogen sein sollte,
Ohne daß Wetter und Wind den zarten Körper verletzten.
Sein Verlangen erweckt in ihrem Busen ein gleiches,
Und die Unruh, die er bezeigt, erfüllt sie mit Unruh,
Und sie schickt in die Weite der See verlangende Blicke.
Einsmals entdeckt sie ein Schiff an den Küsten, und gab ihm das
      Zeichen,
Das sie ihr Freund gelehrt; das Schiff war ein englisches. Inkel
Setzte sich auf das Schiff, und seine Yariko mit ihm.
Dieses Schiff war mit Menschen für Kaufmannsgüter befrachtet,
Leuten, die von dem Kopfe zum Fuß ganz schwarz sind, die Nase
Platt gedrücket, so daß sie niemand bedaurt und man zweifelt,
Ob in der rußigen Wohnung auch eine Seele sich findet.
Wetter und See war ihm günstig, es lief nach wenigen Tagen
In den Port von Barbados; der Zuckermühlen Besitzer
Kamen bei Scharen vom Lande, die Sklaven zu kaufen; der Zucker
Würde zu teuer, wenn man die Zuckerrohre zu pflanzen
Nicht die Sklaven gebrauchte. Der Markt war stark, man
      verkaufte
Menschen mit Kaltsinn wie Tier', und kaufte die Ochsen wie
      Menschen.
Schnell erwacht' in dem Busen des Jünglings der Kaufmannsgeist
      wieder,

Welcher bisher geschlafen. Der junge wirtschaftliche Mann schlägt
Seine wohltätige Freundin, die ihm das Leben gerettet,
Die ihm ihr Herz mit den redlichsten Trieben der Liebe gegeben,
Einem barbadischen Pflanzer um etliche Unzen von Gold los.
Von dem Kauf in der Seele verwundt steht Yariko vor ihm
Einem Marmorbild gleich; nur rollten die finsteren Augen
Ungewiß hin und her, übersahn ihn vom Haupte zun Füßen
Schweigend. Zuletzt erleichtert ein Strom von Tränen den Busen
Und erlaubt ihr die Rede: wie hab ich mich selber betrogen,
Als ich dich menschlich glaubte; du bist von dem bösen
       Geschlechte,
Welches von andern Erden in unsre ruhigen Hütten
Laster und Plagen gebracht, wovon wir die Namen nicht wußten.
Erstlich zwar glaubten wir gern, ihr wäret von göttlichem
       Ursprung,
Denn wir sahen euch milde mit Kunst und Weisheit geschmücket;
Aber ihr gabet durch häßliche Taten uns Ursach zu zweifeln,
Ob ihr auch menschlich seid, vom Weibe geborene Menschen,
Denen ein lebendes Herz mit Gefühl den Busen erwärmet.
Weh mir, ich fürchte, du bist nicht von einer Frauen geboren,
Oder dich hat ein Tiger an seinen Brüsten gesäuget;
Wäre die Mutter, und die dich gesäuget, ein Weibsbild gewesen,
O wie könntest du so felsherzig dieselbe verstoßen,
Die dich an unserm Ufer, wo du verlassen umirrtest,
Aufgenommen und deiner in ihrem Schoße gepfleget;
Die dir die reinste Liebe geschenkt, und den Atem des Lebens
Mit dir geteilt, und in ihrem aufrichtigen Herzen leichtgläubig
Deine Taten und Worte für gleiche Liebe gehalten.
Aber sie waren nur falsch und alles an dir ist nur Falschheit.
Tu ich dir Unrecht, und schlägt nur eine menschliche Ader
Dir in dem Busen, o mein Geliebter, mein Gatte, so stoß mich
Nicht so von dir hinweg, von deinen Blicken, die ehmals
Auf mich so liebreich lachten; behalt um deine Person mich.
Soll ich doch jemandes Sklavin werden, so sei ich die deine.
Gib mich nicht andern, ich weigre mich nicht, dir als Sklavin zu
       folgen.
Willig sollst du mich sehn die hartesten Werke verrichten
Kann ich nur um dich leben und deine Blicke genießen.
Nimm mich zur Sklavin, und mit mir die unglückselige Frucht
       auch,
Die ich von deiner Umarmung empfangen. – Hier fehlten die
       Worte

Ihren Klagen, die Wehmut erstickte die Red' in dem Munde.
Aber sie rührten ihn nicht, sie gewannen die einzelsten Seufzer
Inkeln nicht ab; er lenkte kein Aug' auf das flehende Mädchen.
Dennoch hatt' er die Klagen gehört und die Nachricht gehöret,
Daß sie sich schwanger befand und er machte sich diese zu Nutzen,
Daß er den Preis gebührend um etliche Taler erhöhte.

   Also erzählt die Geschichte mein Autor, und schweigt und
        bedenkt nicht
Daß er uns traurig da stehn läßt, die Brust mit Abscheu erfüllet.
Dürft' ich dazu was dichten, so dichtet' ich dieses: Der Käufer
Fürchtete Gott, er erbarmte sich über die arme verstoßne,
Hielt sie wie seine Tochter und gab sie nach etlichen Tagen
Ihrem Vater und Volk und ihren Gespielinnen wieder;
Diese fluchen, von ihrer Geschichte gekränket, dem Weißen,
Der das schändlichste Herz in seinem Eingeweid führet.
Aber sie fluchet ihm nicht, sie liebt ihn auch untreu und wünschet
Ihm nur ein menschliches Herz, und wünscht sich selbst ihm zur
        Sklavin.

Salomon Gessner
Inkel und Yariko

Zweiter Teil

Wohl hat der Dichter getan, da er die Rettung des Orangenroten Mädchens gedichtet, wenn mir die Muse beisteht, so dicht ich Inkels und Yarikons zweiten Teil; stünde der Leser traurig da, die Brust mit Abscheu erfüllt, wenn man das gute Mädchen ungerettet ließe, so wär er nicht weniger erfüllt; ließ man ihn von Inkeln weg, ohne Spuren der Reu, ohn ein Merkmal der Menschheit in ihm zu finden. So sehr kann die Güte kein Herze verlassen, daß nicht ein Rückfall der Tugend, kein Schauer der Reue, mächtig ihn fasse, daß nicht seine Fähigkeit gut zu sein, durch das Unkraut der Leidenschaften in seinem Busen mächtig hinauf bebe. So erzähl ich denn Yarikons Rettung und Inkelns Reue.

Yariko, das Orangenrote Mädchen, war durch den grausamen Mann an den Befehlhaber der Insul verkauft; kaum hat er ihre traurige Geschichte vernommen, und die Untreue des Manns, da sandt er die Aufseher der Sklaven, ihn aufzusuchen, mir soll der Unmensch, so sprach er, zur gerechten Strafe 5. Jahre lang Sklave sein.

Inkel stund indes tief staunend am Ufer; was hab ich getan? so sprach er, die, die mein Leben gerettet, die mich so zärtlich liebt, hab ich für schlechten Gewinn verkauft; izt warf er das erlöste Geld mit Unwillen weg, izt staunt er wieder, aber was mach ich – grausam war die Tat, aber – sie ist geschehen, ich hab sie an einen guten Herren verkauft. – – Ich fühls, ich fühls, manche unruhige Stunde wirds mir machen, aber es ist geschehen, so sprach er, und wollte sein Geld wieder von der Erde aufheben. Bald aber zitterte ein Schauer durch ihn auf; gib mich nicht andern, so fuhr er fort und weinte, gib mich nicht andern, dies sprach sie noch, dies war ihr letztes Wort, das ihr bebender Mund zu mir Elenden sprach; ich weigre mich nicht, dir, als Sklavin, zu folgen, du sollst mich willig sehn die hartesten Werke verrichten, kann ich nur um dich sein und deine Blicke genießen. Nimm mich zur Sklavin, und mit mir die unglückselige Frucht auch – die unglückselige Frucht auch; hier ward er blaß, und Angstschweiß floß von der Stirne, hier bebt' er, wie einer bebt, der izt eine reizende Unschuld verletzen will, wenn ein brüllender Donner den Baum zersplittert, in dessen Schatten er die viehische Tat begann.

So bebt er, als die Aufseher der Sklaven ihn faßten, du Böse-wicht, sprachen sie, sollst zur gelinden Strafe, 5. Jahre dem Befehl-haber Sklavendienste tun; schnell ziehe deine Kleider ab, hier sind Sklaven-Kleider. Inkel entkleidete sich, und indem er die Sklaven-Kleider anzog, flossen Tränen über seine Wangen, eine geringe Strafe, so sprach er, für das größeste Verbrechen; glücklich bin ich, daß es gestraft wird, vielleicht daß es mir dardurch erträglicher ist. Izt war er als Sklave bekleidet, und izt führten sie den Elenden zur strengen Arbeit zu den andern Sklaven, den Elenden, der sich izt ruhiger glaubte, da er die Strafe seines Verbrechens trug.

Indes ward Yariko, die immer den untreuen Mann beweinte, von ihrem Herren gut gehalten, und nach wenigen Tagen ließ er sie mit Geschenken auf ein Schiff bringen, sie wieder an ihr väterli-ches Ufer zuführen. Traurig stund sie izt auf dem segelnden Schiff, und sah an das verkleinernde Ufer zurück. In tiefem traurigem Stillschweigen, als einer von dem Schiffvolk zu ihr trat: Orangen-rotes Mädchen, was trauerst du? Billich solltest du dich freuen, da wir dich an dein väterliches Ufer zurückführen, aus dem Land weg, wo du zur Sklavin verkauft warst. Billich sollt ich mich freuen, sprach das Orangenrote Mädchen, verließ ich nicht das Ufer, wo ich den Treulosen zurück lasse, ohn eine Abschieds-Träne an seinem Halse geweint zu haben; o ich hätt ihn umarmt, und wenn der Grausame sich auch geweigert hätte! so hätt' ich ihn dennoch umarmt; wo ist er? Ach sagt mirs, wo ist der treulose Geliebte? Ihn hat der Befehlhaber der Insul, so sprach der Schiff-mann, auf 5. Jahre zum Sklaven gemacht, zur gelinden Strafe für sein Verbrechen, ich hab ihn in harter Arbeit unter den Sklaven gesehn. Armer Inkel, so rief sie, o hättest du mich nimmer gese-hen, so littest du izt nicht die Strafe für ein an mir begangenes Verbrechen! O sag mir, Geliebter, sag mir, wie duldet er die Stra-fe? Wie tat er, was sprach er, da du bei den Sklaven ihn sahest? Als ich bei den Sklaven ihn sah, antwortete der Schiffer, da arbeitet' er tief gebückt auf dem Feld, aber plötzlich richtet er sich izt auf, und sah weinend auf seine Sklaven-Kleider herunter und auf seine Hak-ke in der Hand, ihr seid mir ein werter Schmuck, sprach er, ihr elenden Kleider, und du Hacke, du bist mir werter als ein Königli-cher Stab, wenn je noch ein schwacher Blick von Freude mein dunkles Leben bescheinen kann, so ist es die Freude, daß ich die Strafe meines Verbrechens trage. O Yariko! Geliebte! Ach! Aber ich Elender, warum, entweihet mein Mund, den Namen des Mäd-chens, gegen dem ich das schwärzeste Verbrechen begangen! So sprach er, und die um ihn her arbeitenden Sklaven richteten sich auch auf, und lehnten sich horchend auf die Hacken. Ihr Freunde, so rief er izt den Sklaven umher, doch nein, nein, ich bins nicht wert, daß ein Mensch Freund mich nennet; verachtet, verabscheuet mich alle, ich bin ein Schandfleck der menschlichen Natur, an mir ist nichts menschlich als die Bildung, deren ich unwürdig bin; ihr Menschen! verabscheuet mich! mich, ein häßliches Geschöpfe, das nicht in eure Klasse gehört. Höret und entsetzt euch, mir hat an jenem Ufer ein schönes Mädchen das Leben gerettet, zärtlich hat sie mich gepflogen und zärtlich geliebt, ich versprach ihr in meine Geburts-Stadt sie zu führen, wo sie in meinen getreuen Armen den Lohn ihrer Guttat genießen sollte. Zufrieden voll zärtlicher Liebe ging sie mit mir aufs Schiff; hier an diesem Ufer haben wir zum ersten gelandet, und da, höret und erzittert vor dem häßlichen Undank, da verkauft ich sie zur Sklavin, und mit ihr die Frucht unsrer Liebe, ein ungebornes Kind! O wie sie weinte, wie sie die Hände jammernd rang! Verabscheuet mich alle, ich bin der Menschen Gesellschaft unwürdig! Ihr Vögel singet nicht bei meiner Arbeit, fliehet den Ort, wo ich bin, wie eine Wildnis, wo ein stinkendes Aas liegt!

Yariko hört' es weinend, izt rang sie die Hände über dem Haupt, und seufzte kläglich gegen dem sich entfernenden Ufer hin. Inkle! Ach! Geliebter! Und du beweinest deine Untreu; Braucht es mehr, um sie dir ganz zu verzeihen? Ach! daß ich mich izt von dir entferne! Nimmer soll ich dich seh'n, und die Frucht unsrer Liebe, soll sie nimmer in deinen Armen lächeln, und Vater dich stammeln? Ach! könnt' ich neben dir die Hälfte deines Elends tragen! und wenn du müde bist, den Schweiß von deiner Stirne dir wischen. So jammerte sie, bis das Ufer verschwand; izt sahen sie nichts als eine runde unübersehbare Ebene von See, und izt näherte sich ihr väterliches Ufer aus dem Nebel.

Indes arbeitete Inkel unter den Sklaven, immer faltete das traurige Andenken seiner Bosheit ihm die Stirne, die nagende Reue, und das Andenken der Zärtlichkeit und Güte des Orangenroten Mädchens, hatten seine Liebe für sie unauslöschlich wieder in seinem Herzen entzündet. Wo bist du Yariko? Ach! ewig für mich verloren, du und dein und mein Kind; Nie wird es Vater mich nennen, es wäre denn, daß du meine Grausamkeit ihm erzählest, und es dann des Vaters Namen mit Schauern und Entsetzen nennt. Ach! wie unglücklich bin ich! Dem, das ich am meisten liebe, muß mein Andenken nagende Qual sein, und wenn sie kläglich meinen Namen nennt, so muß ein Schauern durch die Gegend gehn.

So unglücklich war Inkel ein ganzes Jahr; einmal, bei spätem

Abend, beim hellen Mondschein, da er einsam unter einem Baum weinte, kam ein Aufseher der Sklaven, der ihm befahl ihm zu folgen; er führt' ihn in den Garten des Befehlhabers der Insul; Inkel, so sprach der Befehlhaber, deine marternde Buße hat der Himmel nicht unvergolten gelassen; heut ist jemand an unser Ufer gekommen, und hat dich mit kostbaren Geschenken frei gekauft. Inkel stund traurig da, kein Zeichen der Freude blickte aus seinen Augen und von seiner Stirne, und du freuest dich nicht über deine Freiheit, sprach der Befehlhaber. Mein Herr, sprach Inkel weinend, mit niedergeschlagenen Augen, wie kann ich mich freuen, wie darf ich Gnade vom Himmel hoffen, ich Elender! Müssen nicht immer die Seufzer meiner Geliebten und meines unschuldigen Kindes, ach daß ichs wage sie so zu nennen, müssen die nicht immer von neuem mich anklagen? Was kann mir Freud' erwekken? mir, der ich mich selbst verabscheue. Wo kann ich glücklich sein, wo ist für mich Ruhe zu finden? O mein Herr! vergönn es, die Strafe meiner Grausamkeit zu tragen, vergönn es, dein Sklave zu sein. Inkel sprach so, indes daß jemand hinter den nahen Bäumen hervor eilte. Es war Yariko, bräutlich geschmückt, mit einer Schürze von bunten Federn, und Blumen auf dem Haupt, ein zartes Kind saß auf ihrem Arm; Ach Inkel, so sprach sie schluchzend, und drückte sich mit dem Kind an seine Brust, ach weigere dich nicht! ich bin es, die dich loskauft, hier ist dein treues Weib, und hier dein schönes Kind. Inkel fiel vor ihr hin, und umfaßte ihre Knie, und konnte ohnmächtig lange kein Wort von seinen bebenden Lippen bringen; Ach Yariko, Ach Geliebte! Und du erschrikkest nicht, mich zu sehen, du bists, die mich loskauft! ach wie kannst du mich so lieben, mich der die entsetzlichste Untreu an dir beging! mich, der deines Anblicks nicht wert ist, es wäre dann, daß du mit Abscheu mich anblicktest! Ach Inkel, sprach das Mädchen, steh auf, mein Geliebter, laß mich nicht länger deine Umarmungen missen, und dein Kind den väterlichen Kuß.

Musarion, oder die Philosophie der Grazien

Ein Gedicht, in drei Büchern

ERSTES BUCH

In einem Hain, der einer Wildnis glich
Und nah am Meer ein kleines Landgut grenzte,
Ging Phanias mit seinem Gram und sich
Allein umher; der Abendwind durchstrich
Sein fliegend Haar, das keine Ros' umkränzte;
Verdrossenheit und Trübsinn malte sich
In Blick und Gang und Stellung sichtbarlich,
Und was ihm noch zum Timon fehlt', ergänzte
Ein Überrock, so fasricht, so entfärbt
Und abgenützt, daß es Verdacht erweckte,
Er habe den, der einst den Crates deckte,
(Ihr wißt ja, wo?) vom Diogen geerbt.
Gedankenvoll, mit halbgeschloßnen Blicken,
Den Kopf gesenkt, die Hände auf dem Rücken,
Ging er daher. Verwandelt wie er war,
Mit langem Bart und ungeschmücktem Haar,
Mit finstrer Stirn, in cynischem Gewand,
Wer hätt' in ihm den Phanias erkannt,
Der kürzlich noch von Grazien und Scherzen
Umflattert war, den Sieger aller Herzen,
Der an Geschmack und Aufwand keinem wich,
Und zu Athen, wo selbst die Platons zechten,
Beim muntern Fest, in durchgescherzten Nächten,
Dem Comus bald, und bald dem Amor glich?

Ermüdet wirft er sich auf einen Rasen nieder,
Sieht ungerührt die reizende Natur,
So schön in ihrer Einfalt – hört die Lieder
Der Nachtigall, doch mit den Ohren nur;
Ihr zärtlicher Gesang sagt seinem Herzen nichts,
Denn ihn beraubt des Grams umschattendes Gefieder
Des innern Ohrs, des geistigen Gesichts.
Empfindunglos, wie einer, der Medusen
Erblickt und starrt, erwägt er zweifelsvoll

Nicht, wie vordem, wofür er seufzen soll,
Für Chloens Fuß, für Phrynens Busen?
Nein, Phanias spricht itzt der Torheit Hohn,
Und ruft, seitdem aus seinem hohlen Beutel
Die letzte Drachme flog, wie König Salomon:
Was unterm Monde liegt, ist eitel!
Ja, eitel ist, und flüchtiger als Wind
Der Schönen Gunst, die Brudertreu der Zecher,
Sobald nicht mehr der goldne Regen rinnt,
Ist keine Danae – sobald im trocknen Becher
Der Wein versiegt, ist kein Patroklus mehr.
Was Fliegen lockt, das lockt auch Freunde her,
Gold zieht magnetischer, als Schönheit, Witz und Jugend;
Ist eure Hand, ist eure Tafel leer,
So flieht der Näscherschwarm, und Lais spricht von Tugend.

Der großen Wahrheit voll, daß alles eitel sei,
Womit der Mensch in seinen Frühlingsjahren,
Berauscht von süßer Raserei,
Leichtsinnig, lüstern, rasch und unerfahren,
In seinem Paradies von Rosen und Schasmin
Ein kleiner Gott sich dünkt – setzt Phanias, der Weise,
Wie Hercules sich auf den Scheidweg hin,
(Zum Unglück nur zu spät) und sinnt der schweren Reise
Des Lebens nach – Was soll, was kann er tun?
Es ist so süß auf Pflaum- und Rosenblättern
Im Arm der Wollust sich vergöttern,
Und nur vom Übermaß der Freuden auszuruhn!
Es ist so unbequem, den Dornenpfad zu klettern!
Was tätet ihr? – Hier ist, wie vielen deucht,
Das Wählen schwer; dem Phanias wars leicht.
Er sieht die schöne Ungetreue,
Die Wollust – schön, er fühlts – doch nicht mehr schön für ihn,
Zu jüngern Günstlingen aus seinen Armen fliehn;
Die Scherz' und Liebesgötter fliehn
Der Göttin nach, verlassen lachend ihn,
Und schicken ihm zum Zeitvertreib die Reue.
Dagegen winken ihm aus ihrem Heiligtum
Die Tugend, und ihr Sohn, der Ruhm,
Und zeigen ihm den edeln Weg der Ehren.
Der neue Hercules sieht sich noch einmal um,
Ob seine Flüchtlinge vielleicht noch wiederkehren?

Sie kehren – ach! nicht wieder um:
Er sieht's, und faßt den Schluß, der Helden Zahl zu mehren.

   Der Helden Zahl? – Hier steht er an;
Der kühne Vorsatz bleibt in neuen Zweifeln schweben.
Zwar ist es schön, auf lorbeernvoller Bahn
Zum Rang der Göttlichen, die in der Nachwelt leben,
Zu einem Platz im Sternenplan
Und im Plutarch sich zu erheben;
Schön, sich der trägen Ruh entziehn,
Gefahren suchen, niemals fliehn,
Auf edle Abenteuer ziehn
Und die gerochne Welt mit Riesenblute färben;
Schön, süß sogar (zum mindsten singet so
Ein Dichter, welcher selbst beim ersten Anlaß floh)
Süß ists, und ehrenvoll, fürs Vaterland zu sterben.
Doch, auch die Weisheit kann Unsterblichkeit erwerben.
Wie prächtig klingt's, den fesselfreien Geist
Im reinen Quell des Lichts von seinen Flecken waschen,
Die Wahrheit, die sich sonst nie ohne Schleier weist,
(Nie, oder Göttern nur) entkleidet überraschen;
Der Schöpfung Grundriß übersehn,
Der Sphären mystischen verworrnen Tanz verstehn,
Vermutungen auf stolze Schlüsse türmen,
Und Titans Söhnen gleich die Geisterwelt erstürmen –
Wie glorreich! welche Lust! – Nennt immer den beglückt
Und frei und groß, den Mann, der nie gezittert,
Den der Trompete Ruf zur wilden Schlacht entzückt,
Der lächelnd sieht, was Menschen sonst erschüttert,
Und selbst den Tod, der ihn mit Lorbeern schmückt,
Wie eine Braut an seinen Busen drückt;
Noch größer, glücklicher ist der mit Recht zu nennen,
Den, von Minervens Schild bedeckt,
Kein nächtliches Phantom, kein Aberglaube schreckt;
Den Flammen, die auf Leinwand brennen,
Und Styx und Acheron nicht blässer machen können;
Der ohne Furcht Kometen brennen sieht,
Der höhre Geister nicht mit Taschenspiel bemüht,
Und, weil kein Wahn die Augen ihm verbindet,
Stets die Natur sich gleich, stets regelmäßig findet.
War Philipps Sohn ein Held, der sich der Lust entzog,
In welcher unberühmt die Ninyas zerrannen,

Und auf zertrümmerten Tyrannen
Von Sieg zu Sieg bis an den Indus flog;
Sein wälzender Triumph zermalmte tausend Städte,
Zertrat die halbe Welt – Warum? Laßt's ihn gestehn!
Damit der Pöbel von Athen
Beim nassen Schmaus von ihm zu reden hätte:
Um wie viel mehr als Helden, Weltbezwinger,
Ist der ein Held, ein Halbgott, kaum geringer
Als Jupiter, der tugendhaft zu sein
Sich kühn entschließt; dem Lust kein Gut, und Pein
Kein Übel ist; zu groß, sich zu beklagen,
Zu weise, sich zu freun; der jede Leidenschaft
Gefesselt an der Tugend Wagen
Befestigt hat und im Triumphe führt;
Den alles Gold der Inden nicht verführt,
Den nur sein eigener, kein fremder Beifall rührt,
Kurz, der in Phalaris durchglühtem Stier verdärbe,
Eh er ein Diadem in Phrynens Arm erwärbe.

   In solche schimmernde Betrachtungen vertieft
Lag Phanias schon mehr als halb entschlossen;
Als Amor unverhofft die neue Denkart prüft,
Die Gram, Philosophie und Not ihm eingegossen.
Er sieht und hätte gern den Augen nicht getraut,
Die einen Gegenstand, vor dem ihm billig graut,
Zu sehn sich nicht erwehren können.
Die Götter werden ihm den Ruhm doch nicht mißgönnen,
Ein Xenocrat zu sein? Was hilft Entschlossenheit?
Im Augenblick, da man sein Herz Minerven weiht,
Kommt Venus selbst zur ungelegnen Zeit.
Zwar Venus war es nicht; doch hätte
Die Schöne, welche kam, vielleicht sich vor der Wette,
So Pallas einst verlor, nicht sehr gescheut;
Schön, wenn der Schleier nur ihr schwarzes Aug entdeckte,
Noch schöner, wenn er nichts bedeckte;
Gefallend, wenn sie schwieg, bezaubernd, wenn sie sprach;
Dann hätt' ihr Witz auch Wangen ohne Rosen
Beliebt gemacht; ein Witz, dems nie an Reiz gebrach,
Zu stechen, oder liebzukosen
Gleich aufgelegt, doch lächelnd, wenn er stach,
Und ohne Gift. Nie sahe man die Musen
Und Grazien in einem schönern Bund,

Nie scherzte die Vernunft aus einem schönern Mund,
Und Amor nie um einen schönern Busen.
So war, die ihm erschien, so war Musarion.
Sagt, Freunde, wenn mit einer solchen Miene
Im wildsten Hain ein Mädchen euch erschiene. –
Die Hand aufs Herz! – sagt, liefet ihr davon?
So? Lief denn Phanias? – Das konntet ihr erraten;
Er tat, was Bruder Luz, und ihr und ich nie taten,
Allein, was jeder soll, der sicher gehen will.
Er sprang vom Boden auf, und hielt ein wenig still,
Um recht gewiß zu sehn, was ihm sein Auge sagte;
Und da er sah, es sei Musarion –
Wo nicht ihr Geist – so lief er euch davon,
Als ob ein Arimasp ihn jagte.

Du fliehest, Phanias? ruft sie ihm lachend nach;
Du kennest mich und fliehst? – Gut, fliehe nur, du Spröder!
Dein Kaltsinn macht Musarion nicht blöder;
Sei stolz darauf, und siehe mich so schwach,
Dir nachzufliehn – Im Ernst? Lief sie ihm nach?
Sie tat's. Er wand durch ungebähnte Pfade
Umsonst wie eine Schlange sich;
So schlüpft die keusche Oreade
Dem Satyr aus der Hand, der sie im Bad erschlich.
Die Schöne folgt mit leichten Zephyrfüßen,
Doch ohne Haß; denn (dachte sie) am Strand
(Wohin er floh) wird er wohl halten müssen.
Ihr Glücke war, daß sich kein Nachen fand;
Denn der Versuchung zu entgehen
Hätt' er sich bis ins Mohrenland
In einem Kahn gewagt. Nun wars um ihn geschehen.
Was konnt' er tun? – Man muß gestehn, sie trieb
Die Sache weit. Doch half er sich und blieb
Am Ufer ganz gelassen stehen,
Sah vor sich hin, schwang seinen Stab, beschrieb
Figuren in den Sand, als ob er überdächte,
Wie viele Körner wohl der Erdball fassen möchte;
Kurz, tat als säh er nichts, und wandte sich nicht um;
Vortrefflich! rief sie aus; das nenn ich Heldentum
Und etwas mehr! Die alte Ordnung wollte
Daß Daphne jungferlich mit kurzen Schritten fliehn,
Apollo keuchend folgen sollte;

Du kehrst es um – Fliehst du, mich nachzuziehn?
Den kleinen Stolz will ich dir gerne gönnen.

   Du irrest dich, antwortet unser Held,
Mit Mienen, welche nicht, wie sehr sie ihm mißfällt,
Verbergen wollen oder können;
Ein kleiner Erdstoß, der durch einen hübschen Spalt
Den Boden zwischen uns itzt plötzlich gähnen machte,
Ist alles, glaube mir, wornach ich schmachte,
Seitdem ich dich erblickt. – Der Gruß ist ziemlich kalt,
(Erwidert sie) du denkest, wie ich sehe,
Die Reihe sei nunmehr an dir,
Und weichst zurück, so weit ich vorwärts gehe.
Doch spiele nicht den Grausamen mit mir!
Was willt du mehr, als daß ich dir gestehe,
Du zürnst mit Recht? Ja, ich mißkannte dich;
Doch, war ich damals mein? Itzt bin ich, was du mich
Zu sein so oft zu meinen Füßen batest. –

   Wie (unterbrach er sie) du, die mit kaltem Blut
Mein zärtlich Herz mit Füßen tratest,
Mich lächelnd leiden sahst – du hast den Übermut
Und suchst mich auf, mich noch durch Spott zu quälen?
Zwei Jahre lieb' ich dich, Undankbare, so schön,
Wie Venus selbst vielleicht sich nie geliebt gesehn.
Dein Blick, dein Atem schien allein mich zu beseelen.
Tor, der ich war! Von einem Blick entzückt,
Der sich an mir für Nebenbuhler übte;
Durch falsche Hoffnungen berückt,
Womit mein krankes Herz getäuscht zu werden liebte.
Du reichtest selbst das süße Gift mir dar,
Und machtest dann mit einem andern wahr,
Was dein Sirenenmund mir zugelächelt hatte.
Und, o! mit wem? Dies brachte mich zur Wut –
Nur der Gedank empört noch itzt mein Blut –
Ein Knabe war's – erröte nicht – gestatte,
Daß ich ihn malen darf – gelblockicht, zephyrlich,
Ein bunter Schmetterling, so glatt wie eine Schlange,
Mit Pflaum ums Kinn, mit rotgeschminkter Wange,
Ein Ding, das einer Puppe glich,
Wie kleine Töchterchen mit sich zu Bette nehmen;
Dem gabst du, ohne dich zu schämen,

Den Busen Preis, um den der Hirt von Ilion
Helenen untreu worden wäre;
Dies Äffchen machte den Adon
Der Nebenbuhlerin der Göttin von Cythere –
Und Phanias – indes so ein Insekt
Auf deinen Rosen kriecht, liegt Nächte durch gestreckt
Mit Tränen, die den Mai von seinen Wangen ätzen,
Die Schwelle deiner Tür, Undankbare, zu netzen.
Nein! der versöhnt sich nie, der so beleidigt ward.
Hinweg! die Luft, in der du Atem ziehest,
Ist Pest für mich – Verlaß mich! Du bemühest
Dich fruchtlos! Unsre Denkensart
Stimmt itzt noch weniger als ehmals unsre Herzen.

    Mich deucht (erwidert sie) du rächest dich zu hart
Für selbst gemachte Liebesschmerzen.
Sei wahr, und sprich, ists stets in unserer Gewalt
Zu lieben, wie und wen wir sollen?
Oft fragt der Liebesgott uns nur nicht, ob wir wollen?
Wir finden ohne Grund uns zärtlich oder kalt,
Itzt dem Apollo spröd, itzt schwach für einen Faunen.
Was weiß ichs selbst? Wer zählet Amors Launen?
Ihr, die ihr über uns so bitter euch beschwert,
Laßt euer eignes Herz für unsers Antwort geben!
Ihr bleibt oft an der Stange kleben,
Und was euch angelockt, war kaum der Rede wert.
Ein Halstuch öffnet sich, ein Ärmel fällt zurücke,
Gleich zappelt euch das Herz: Oft braucht es nicht so viel;
Ein Lächeln fängt euch schon; ihr fallt von einem Blicke.
Ein flüchtiger Geschmack, ein Nichts, ein eitles Spiel
Der Phantasie regiert uns oft im Wählen;
Das Schöne selbst verliert auf kurze Zeit
Den Reiz für uns; wir wissen, daß wir fehlen,
Und finden Grazien selbst in der Häßlichkeit.
Hat die Erfahrung, wie ich glaube,
Von dieser Wahrheit dich belehrt;
So ist mein Irrtum auch vielleicht verzeihenswert.
Wer suchet unter einer Haube
So viel Vernunft, als Zenons Bart verheißt?
Und wie, mein Freund, wenn ich sogar zu sagen
Mich untersteh, daß wirklich mein Betragen
Für meine Klugheit mehr als wider sie beweist?

Ich schätzt' an dir, wofür dich jeder preist,
Ein edel Herz, und einen schönen Geist.
Was ich für dich empfand, war auf Verdienst gegründet;
Du warst mein Freund, und fordertest nicht mehr;
Vergnügt mit einem Band, das nur die Seelen bindet,
Sahst du mich Tage lang, und fandest gar nicht schwer,
Sobald der Abendstern dir winkte, mich zu lassen,
Um an Glycerens Tür die halbe Nacht zu passen.
So ging es gut, bis dich ein Ungefähr
An einem Sommertag in eine Laube führte,
Worin die Freundin schlief, die wachend dich bisher
So ruhig ließ. Ich weiß nicht, was dich rührte;
Der Schlaf nach einem Bad, wenn man allein sich meint,
Muß was verschönerndes in euern Augen haben;
Genug, du fandst bei ihr noch unbekannte Gaben,
Und sie verlor den angenehmsten Freund.
Unwissend wacht' ich auf; da lag zu meinen Füßen
Ein Mittelding von Faun und Liebesgott;
In dithyrambische Begeistrung hingerissen
Was sagtest du mir nicht? Was hätt'st du wagen müssen,
Hätt' ich, der Schwärmerei die Lippen zu verschließen,
Das Mittel nicht gekannt'. Ein Strom von kaltem Spott
Nahm deinem Brand die Luft; mit triefendem Gefieder
Flog Amor zürnend fort; ich freute mich zu früh:
Denn eh ich mir's versah, so kam er seufzend wieder.
Durch Seufzer, ich gesteh's, erobert man mich nie;
Der feierliche Schwung erhitzter Phantasie
Schlägt mir die Lebensgeister nieder.
Ich machte den Versuch, durch Fröhlichkeit und Scherz
Den Dämon, welcher dich besessen, zu verjagen;
Doch diese Geisterart kann keinen Scherz ertragen.
Das Übel wuchs. Ich wollte dich nicht plagen,
Und änderte die Kur. Allein mein eignes Herz
Kam in Gefahr dabei; es wurde mir verdächtig;
Denn Schwärmerei steckt wie der Schnuppen an.
Man fühlt, ich weiß nicht was, und eh man wehren kann,
Ist unser Kopf des Herzens nicht mehr mächtig.
Auf meine Sicherheit bedacht,
Fand ich gar bald, ich müsse mich zerstreuen.
Mir schien ein Geck dazu ganz eigentlich gemacht.
Für Schönen, die den Zwang der ernsten Liebe scheuen,
Taugt eine Puppe nur, die trillert, hüpft und lacht;

Ein bunter Tor, der tändelnd um euch flattert,
Die Zähne weist, nie denkt und ewig schnattert;
Der, schwülstiger je weniger er fühlt,
Von Flammen schwatzt, die euer Fächer kühlt,
Und, unterdes er sich im Spiegel selbst belächelt,
Studierte Seufzerchen mit fader Anmut röchelt.
Wahrhaftig, sollt' es nicht zu unsrer Kurzweil sein,
Wozu, ich bitte dich, fiel's wohl den Göttern ein,
Die schönen Gecken zu erschaffen?
Das Auge wird zum wenigsten ergötzt.
Drum sind sie, das ist wahr; allein auch das ergötzt;
Und wenn ihr's unparteiisch schätzt,
So sind sie allemal doch artiger als Affen.

    Das alles, was du sagst, (fiel unser Timon ein)
Soll, wie es scheint, ein kleines Beispiel sein,
Kein Handel sei so schlimm, den nicht der Witz verteidigt.
Nur Schade, daß die Ausflucht mehr beleidigt,
Als was dadurch verbessert werden soll.
Doch, laß es sein! Mein Torheitsmaß ist voll;
Wir wollen uns mit Zanken nicht ermüden.
Ich liebte dich; vergib; ich war ein wenig toll;
Und dir gefiel ein Geck; und ich – ich bin zufrieden;
Erfreut sogar – denn stünd es itzt bei mir,
Durch einen Wunsch an seinen Platz zu fliegen,
Bathyll zu sein, um dir im Arm zu liegen,
Bei dieser Augen Macht! ich bliebe hier.
Du hörst, ich schmeichle nicht. Genießt ihr das Vergnügen,
Durch falsche Zärtlichkeit einander zu betrügen!
Mich fängt kein Lächeln mehr! – Ich seh ein Blumenfeld
Mit mehr Empfindung an, als eure schöne Welt.
Und wenn ein Weib von mir das Recht jemals erhält,
Durch einen strengen Blick, durch ein gefällig Lachen
Mich bald zum Gott und bald zum Wurm zu machen,
Wenn ich, so klein zu sein, noch einmal fähig bin –
Dann, holde Venus, dann verwirre meinen Sinn,
Verdamme mich zur lächerlichsten Flamme,
Und mache mich verliebt – in meine Amme!

    Wie lange denkst du so, versetzt Musarion;
Der Gegensatz ist stark, den dieser neue Ton
Mit deinem Anfang macht. Doch, lieber Freund, erlaube,

Ich fordre mehr Beweis, eh ich ein Wunder glaube.
Du, welcher ohne Lieb und Scherz
Vor kurzem noch kein glücklich Leben kannte,
Du, dessen leichtgerührtes Herz
Von jedem schönen Blick entbrannte,
Und der (erröte nicht, der Irrtum war nicht groß)
Wenn ihm Musarion die spröde Tür verschloß,
Zu Lindrung seiner Pein nach Tänzerinnen sandte –
Du, sprichst du von kaltem Blut? du, bietest Amorn Trutz?
Vermutlich hast du dich, noch glücklicher zu leben,
In einer andern Gottheit Schutz
Und in die Brüderschaft der Fröhlichen begeben,
Die sich von Leidenschaft und Phantasie befrein,
Um desto ruhiger der Freude sich zu weihn:
Du fliehst den schweren Zwang von ernsten Liebeshändeln,
Und findest sicherer, mit Amorn nur zu tändeln;
Vermählst die Mäßigung der Lust,
Geschmack mit Unbestand, den Kuß mit Nektarzügen,
Studierst die Kunst, dich immer zu vergnügen,
Genießest, weil du kannst, und leidest, wenn du mußt?
Mich wenigstens deucht, so zu denken, besser,
Als der erhabne Schwulst verstellter Freudenhässer.
Und denkst du so, so lächle sorgenlos,
Zum Tadel von Athen, der deiner Änderung spottet.
Nicht, wo die schöne Welt, aus langer Weile bloß,
Zu Freuden sich zusammenrottet,
An denen nur der Name fröhlich tönt,
Die stets gehofft doch niemals kommen wollen,
Wobei man künstlich lacht, und ungezwungen gähnt,
Und mitten im Genuß sich schon nach andern sehnt,
Die da und dort uns gähnen machen sollen;
Nicht im Getümmel, nein, im Schoße der Natur,
Am Silberbach, in unbelauschten Schatten,
Besuchet uns die holde Freude nur,
Und überrascht uns oft auf einer Spur,
Wo wir sie nicht vermutet hatten.
Doch, Phanias, ist's diese Denkungsart,
Die dich der Stadt entzog – Wozu die Außenseite
Von einem Diogen? Wozu ein wilder Bart?
Mich deucht, ein weiser Mann trägt sich wie andre Leute.

Mein Ansehn, schöne Spötterin,
Ist, wie es sich zu meinem Glücke schicket.
Wie? Ist dir unbekannt, in welchem Stand ich bin?
Daß jenes Dach, von faulem Moos gedrücket,
Und soviel Land, als jener Zaun umschließt,
Der ganze Rest von meinem Erbgut ist?
Was jeder weiß, kann dir allein unmöglich
Verborgen sein; dein Scherz ist unerträglich,
Musarion, wie deine Gegenwart.
Mit wem sprichst du von einer Denkensart,
Die von den Günstlingen des lachenden Geschickes
Das Vorrecht ist? – Freund, du vergissest dich;
Ein Sklave trägt die Farbe seines Glückes,
Kein edles Herz; im Schauspiel stimmen sich
Die Flöten nach dem Ton des Stückes;
Allein ein weiser Mann denkt niemals weinerlich.
Wie? Phanias? Die Farbe deiner Seelen
Ist nur der Widerschein der Dinge um dich her?
Und dir die Fröhlichkeit, des Lebens Reiz, zu stehlen,
Braucht's nur ein widrig Ungefähr?
Ich weiß, mein Freund, wohin uns mißverstandne Güte,
Ein Herz, das Freude liebt, sie gern um sich ergießt,
Und niemand, als sich selbst, zu schaden fähig ist,
Ich weiß, wohin sie bringen können:
Doch, alles recht geschätzt, gewinnst du mehr dabei,
Als du verlierst. Was Toren uns mißgönnen,
Beweist nicht stets, wie sehr man glücklich sei.
Das wahre Glück, das Eigentum des Weisen,
Steht fest, indem Fortunens Kugel rollt.
Dem Reichen muß die Pracht, die ihm der Indus zollt,
Erst, daß er glücklich sei, beweisen;
Der Weise fühlt, er ist's. Ihm schmecken schlechte Speisen,
Aus weißem Ton so gut, als aus getriebnem Gold.
Wenn um ihn her die muntern Lämmer springen,
Indem er sorgenfrei in eignem Schatten sitzt,
Und Zephyrs, untermischt mit bunten Schmetterlingen,
Gemähter Wiesen Duft ihm frisch entgegen bringen,
Die Vögel um ihn her aus tausend Zweigen singen,
Und alles, was er sieht, zugleich ergötzt und nützt:
Wie leicht vergißt er da, er, der soviel besitzt,
Daß sich sein Landhaus nicht auf Marmorsäulen stützt,
Nicht Sklaven ohne Zahl in seinem Vorhof lärmen,

Und daß um seinen Tisch, statt Gnathons, Wespen schwärmen.
Kein Schmeichlerheer belagert seine Tür,
Kein Hof umschimmert ihn – Er freue sich! dafür
Besitzt er was, das jedem Midas fehlet,
Was der Monarch mit Gold zu kaufen fälschlich meint,
Was, wer es kennt, vor einer Krone wählet,
Das höchste Gut des Lebens – einen Freund.

   Die schwärmst, Musarion – Er, dem das Glück den Rücken
Gewiesen, einen Freund? – Ein Beispiel siehst du hier?
Erwidert sie; mich, die von freien Stücken
Athen verließ, dich sucht', und da du mir
Entflohest, dir, der mütterlichen Lehren
Uneingedenk, so eifrig nachgejagt,
Wie andre meiner Art vor dir geflohen wären.
Ich dächte, dies beweist – wenn einem Mann zu Ehren
Ein Mädchen sich und seinen Kopfputz wagt –

   Ich weiß die Zeit – ich trug noch deine Kette –
(Hier seufzte Phanias) da, mich entzückt zu sehn,
Dich weniger gekostet hätte.
Du durftest, statt mir nachzugehn,
Dich damals nur nach Art der Nymphen sträuben,
Flieh'n, doch an einem Busch im Fliehen hangen bleiben,
Und lächelnd dich von meinen Küssen drehn.
Allein, wer kann dafür, daß ungeneigte Winde
Von unsern Wünschen stets den besten Teil verwehn.
Dies ist vorbei! Itzt, wenn es bei mir stünde,
Wünscht' ich mir nichts als ein gelaßnes Blut.
Man nennt mich zu Athen unglücklich – doch, ich finde,
Zu etwas, wie man sagt, ist stets das Unglück gut.
Durch ein bezaubertes Gewinde
Von Irrungen, hat doch zuletzt
Die Torheit selbst mich auf den Weg gesetzt,
Zu werden, was ich schien, als man mich glücklich nannte.
Gesegnet seist du mir, Geburtstag meines Glücks!
Tag, der mich aus Athen in diese Wildnis sandte!
Nicht Phanias, der Günstling des Geschicks,
Nein, Phanias, der Nackte, der Verbannte,
Ist neidenswert – Da war er wirklich arm,
Unglücklicher als Irus, gleich dem Kranken,
Der sich zu Tode tanzt – Als Schmeichler, Schwarm an Schwarm,

Sein Herzensblut aus goldnen Bechern tranken.
Beim nächtlichen Gelach, an feiler Phrynen Brust,
Da war er elend, da! – ein Sklave! fest gebunden
Von jeder Leidenschaft! Ein Opfertier der Lust!
Wie? der, der siebenfach von einer Schlang umwunden
Auf Blumen schläft, und träumt, er sitz auf einem Thron,
Der sollte glücklich sein? Und wenn Endymion
(Dem Luna, daß sie ihn bequemer küssen möge,
So schöne Träume gab) durch eine Million
Von Sonnenaltern stets in süßen Träumen läge;
Ihm träumt', er schmaus' am Göttertisch
Mit Jupitern und buhle mit Göttinnen,
Ein süßbetäubendes Gemisch
Von allem, was ergötzt, ertränke seine Sinnen,
Mit einem Wort, er schwimme, wie ein Fisch,
In einem Ozean von Wonne –
Sprich, wer gestünd' uns unerrötend ein,
Er wünsche sich Endymion zu sein?
Wie? Diogen, der Hund, in seiner Tonne,
War glücklicher! – In unsrer eigenen Brust,
Da, oder nirgends, fließt die Quelle wahrer Lust,
Der Freude, welche nie versiegen,
Des Zustands daurender Vergnügen,
Den nichts von außen stört – Wie elend hätte mich
Ein Wechsel, der mir alles raubte,
Wodurch ich mich vor diesem glücklich glaubte,
Fortunens ganzen Kram – wie elend hätt' er mich
Gemacht, wenn mir aus ihrer lichten Sphäre
Die Weisheit nicht zu Hilf' gekommen wäre,
Die aus den Wolken mir die Arme reicht, zu sich
Hinauf mich zieht, und mich dahin versetzet,
Wo ihre Lieblinge, frei von Begier und Wahn,
Von keiner Lust gereizt, von keinem Schmerz verletzet,
Sich den Olympiern und ihrer Wonne nahn.

Hier ward der hohe Schwung, den Phanias zu nehmen
Begriffen war, gehemmt – Schon schwanden Raum und Zeit
Vor seinem Blick, schon fühlt' er sich entkleidt
Vom niederziehenden Gewand der Sterblichkeit,
Schon war er halb ein Gott – als eine Kleinigkeit
Die wir uns fast zu sagen schämen,
Ihn plötzlich in die Unterwelt

Zurücke zog – Ihr mächtigen Besieger
Der Menschlichkeit! die ihr dem Sternenfeld
Euch nahe glaubt; das Herz ist ein Betrüger!
Erkennet euer Bild im Phanias, und bebt!
Der Weise, der so kühn sich zum Olymp erhebt,
Der schon so hoch empor gestiegen,
Daß er, wie Sancho dort auf Magellonens Pferd,
Die purpurnen und himmelblauen Ziegen
Des Himmels grasen sieht, die Sphären singen hört,
Und aus der Glut, die sein Gehirn verzehrt,
Des Feuerhimmels Nähe schließet –
Ihn, der nichts Sterblich's mehr mit seinem Blick beehrt,
Den stolzen Gast des Äthers – schießet
Musarion mit einem Blick herab.
Allein, das war ein Blick! Nur jenem zu vergleichen,
Den Coypel seinem Amor gab;
Der, euer Herz gewisser zu beschleichen,
Euch schalkhaft warnt, als spräch' er: Seht ihr mich?
Ihr denkt, ich sei ein Kind voll süßer Unschuld, ich?
Verlaßt euch drauf! Seht ihr an meiner Seite
Den Köcher hier? Wenn euch zu raten ist,
So flieht – und doch, was hilft die kleine Frist?
Es sei nun morgen oder heute,
Ihr habt ein Herz, und das ist meine Beute.

So, oder was in diesem Ton
Sprach dieser Blick, womit Musarion
Den weisen Phanias aus seiner Fassung brachte.
Er sah – er stockt' – er schwieg – Ich gäbe was
Um eine Schilderung der Miene, die er machte!
Die Schöne stellte sich, sie merke nichts, und lachte
Nur innerlich. Drauf sprach sie: Phanias,
Es dämmert schon: ich habe mich zu lange
Bei dir verweilt: Athen ist weit von hier,
In dieser Gegend kenn' ich niemand außer dir,
Und hier im Hain, gesteh ich, wäre mir
Die Nacht hindurch – vor Ziegenfüßlern bange.
Was ist zu tun? – ich denk', ich folge dir? –

Mir? stottert Phanias; gewiß sehr viele Ehre!
Allein, mein Haus ist klein – »und wenn es kleiner wäre,
Für eine Freundin hat die kleinste Hütte Raum. « –

Du wirst an allem Mangel haben,
Ein wenig Milch, ein Ei, und dieses kaum –
»Mich hungert nicht« – Nur einen Hirtenknaben,
Dich zu bedienen – »Nur? Es ist an dem zu viel;
Wir wollen gehn, mein Freund; die Luft wird kühl« –
Vergib, Musarion; ich muß dir alles sagen;
Mein Häuschen ist besetzt; ich habe seit acht Tagen
Zween Freunde, die bei mir – »Zween Freunde?« – Ja, und zwar
Die, deucht mich, nicht zu deinem Umgang taugen.
»Was sagst du? Philosophen gar?
Sie haben doch noch ihre Augen?
Gut, Phanias, ich will sie kennen, ich« –
Du scherzest – »Nein, mein Herr; ich hatte, wie ihr mich
Hier seht, von ihrer Art wohl eher
An meinem Nachttisch knien« – Vergib, ich zweifle sehr;
Der stoische Cleanth – »o Ceres! und wer mehr?« –
Theophron, der Pythagoräer,
Sind ganz gewiß von allzustarkem Geist –
»O Phanias, es ist nicht alles Gold, was gleißt;
Und wie? gesetzt, sie wären lauter Geist,
Was hindert dies? Nur desto mehr Vergnügen!«
Kurz, wir sind drei, Madam, und auf den Mann
Ein kleines Ruhebett – »Man hilft sich, wie man kann.
Sei unbesorgt, ich will mein Plätzgen kriegen.
Wir gehn, mein Lieber – deinen Arm;
Nun, Phanias? Mich deucht, es wird dir warm?
Du tust, als wäre hier wer weiß wie viel zu wagen.
Drei Weise werden mir doch wohl gewachsen sein;
Ich fürchte nichts bei euch, und bin allein. «

Was soll er tun? Wo Widerstreben
Nichts besser macht, da wird ein weiser Steuermann
Mit guter Art sich in den Wind ergeben.
Herr Phanias, der nur aus blöder Scheu
Vor seinen Mentorn sich so lange widersetzte,
Schwur, daß er seine Einsiedlei
Dem Musentempel ähnlich schätzte,
Weil ihr das Glück beschieden sei,
Die liebenswürdigste der Musen zu beschatten.
Allmählich zeigte sich, daß ihre Reize noch
Nicht alle Macht auf ihn verloren hatten.
Der ausgetriebne Amor kroch

So leise, wie ein West auf Blumenspitzen,
Aus ihren Augen in sein Herz.
Des Gottes Ankunft kündt ein fliegendes Erhitzen
Der blassen Wang, ein wollustvoller Schmerz
Und Tränen an, die wider seinen Willen
In runden Tropfen ihm die Augenwinkel füllen.
Er meint, er atme nur, und seufzt; starrt unverwandt,
Indes sie schwatzt und scherzt, sie an, als ob er höre,
Und hört doch nichts, drückt ihr die runde Hand,
Und denkt, indem durchs steigende Gewand
Die volle Brust sich bläht, ob diese Sphäre
Den Pythagorischen nicht vorzuziehen wäre?

  Die Schöne wurde die Gefahr,
Worin der Ruhm der Stoa schwebte,
Den Kampf in seiner Brust, und ihren Sieg gewahr,
Und wie vergebens er der Macht entgegen strebte,
Wovon (so lispelt ihr der Liebesgott ins Ohr)
Die Philosophen selbst, sie wollten
Nun oder wollten nicht, bald Zeugen werden sollten.
Sie sah, wie nach und nach sein Trübsinn sich verlor,
Und wie beredt, wie stark sein Auge sagte,
Was er sich selbst kaum zu gestehen wagte:
Allein, sie fand für gut (und tat sehr klug daran)
Ihm, was sie sah, und ihrer beider Seelen
Geheime Sympathie zur Zeit noch zu verhehlen.
Nur sah sie ihn mit solchen Blicken an,
Die er berechtigt war, so günstig auszulegen,
Als ihm gefiel. Allein, macht die Begier verwegen,
So macht die Liebe blöd. Er sah in ihrem Blick
Sonst jeden Reiz, nur nicht sein nahes Glück.

  So langten sie, da schon die letzten Strahlen schwanden,
Bei seinem Landgut an, wo sie das weise Paar
Von Linden, die im Vorhof standen,
Umduftet, unverhofft in einer Stellung fanden,
Die der Philosophie nicht allzu rühmlich war.

ZWEITES BUCH

Was, beim Anubis! konnte das
Für eine Stellung sein, in welcher Phanias
Die beiden Weisen angetroffen?
Sie lagen doch – das wollen wir nicht hoffen! –
Voll süßen Weines nicht im Gras?
Das nicht – So ritten sie vielleicht auf Steckenpferden?
Dies könnte noch entschuldigt werden,
Plutarch rühmt es sogar am Helden Agesilas.
Doch von so feirlichen Gesichtern, als sie waren,
Vermutet sich nichts weniger als das.
Ihr Zeitvertreib war in der Tat kein Spaß;
Denn kurz, sie hatten sich einander bei den Haaren.

Der nervichte Cleanth war im Begriff, ein Knie
Dem Gegner auf die Brust zu setzen,
Der, unter ihn gekrümmt, für die Philosophie,
Die keine Bohnen ißt, die Haare ließ – als sie
In ihrem scythischen Ergötzen
Des Hausherrn Ankunft stört. Beschämt, als hätte ihn
Sein Feind bei einer Tat, die keine fremde Leute
Zu Zeugen nimmt, ertappt, zum Stehn wie zum Entfliehn
Unschlüssig, wünscht er nur, dem Gast an seiner Seite
Ein Schauspiel zu entziehn, das sie weit mehr erfreute,
Als von Menandern selbst, dem attischen Goldon,
Das beste Stück. Allein sie waren schon
Zu nah, sie sah zu gut, der Schauplatz war zu offen,
Er konnte nicht, sie zu bereden, hoffen,
Sie habe nichts gesehn. Die Kämpfer raffen sich
Indessen auf, ziehn sittsamlich
Die Mäntel um sich her, und stehen da und sinnen,
(Weil Phanias, damit sie Zeit gewinnen,
Die Nymph' am Arm nur schleichend näher kam)
Der Schmach sich selbst bewußter Scham
Durch dialektische Mäander zu entrinnen.
Doch, können nicht selbst einen Hercules
Die Nerven, wenn er sie am meisten braucht, verlassen?
Petrons Encolp, und Roms Demosthenes,
Zween Helden, zwar in sehr verschiednen Klassen,
Beweisen's, der, als er für Milon sprach,
Und jener gar in Circens Armen.

Wo ist der Amadis, dem keine Lanze brach?
Vergebens sann Cleanth, umsonst Theophron nach;
Sie hätten in der Tat Figuren zum Erbarmen
Gemacht, wofern Musarion
Großmütig ihnen nicht zuvor gekommen wäre.
Die Herren üben sich (spricht mit gelassnem Ton
Die Spötterin) vermutlich nach der Lehre
Von Sophroniscus weisem Sohn?
Sie machen der Gymnastik Ehre!
Ein männlich Spiel fürwahr! wovon zu wünschen wäre,
Daß unsrer Sitten Weichlichkeit
Nicht allgemach es aus der Mode brächte –
Man sieht, die Dame gab dem Stiergefechte
Ein Kolorit von Wohlanständigkeit;
Nicht ohne Absicht zwar – Wer war so freudig
Als Phanias! – Allein, der stoische Cleanth,
Zu hitzig oder ungeschmeidig
Zu fühlen, daß es bloß in seiner Willkür stand,
Das Kompliment in vollem Ernst zu nehmen,
Zwang seinen Schüler, sich noch mehr für ihn zu schämen.
Der Augenblick, worin Musarion
Ihn überfiel, ihr Blick, der schalkhaft sanfte Ton
Der Ironie, und (was noch zehnmal schlimmer
Als alles andre war) ihr ungewohnter Schimmer,
Die sanfte Majestät der Liebeskönigin,
Das Wollustatmende, das eine Atmosphäre
Von Reiz und Lust um sie zu machen schien,
Bestürmt' auf einmal, für die Ehre
Der Apathie zu stark, den überraschten Sinn.
Er stottert ihr Entschuldigungen,
Zupft sich am Bart, zieht stets den Mantel enger an,
Und unterdes entwischt dem weisen Mann,
Was niemand wissen will – daß er im Ernst gerungen.
Der Streit, versichert er, traf eine Wahrheit an,
Die er so sonnenklar, so scharf beweisen kann –
Nur ein arkadisch Tier, ein Strauß, ein welscher Hahn –
Hier rötet sich sein Kamm, es schwellen Brust und Lungen,
Er schreit – Mich jammert nur der arme Phanias!
Bald lauter Glut, bald leichenmäßig blaß
Steht er beiseits und wünscht vom Boden sich verschlungen,
Worauf er steht – Die Schöne sieht's und eilt,
Ihn von der Marter zu erretten.

Mit einem Blick voll junger Amoretten
Und Grazien, der stracks an unsichtbare Ketten
Cleanthens Tollheit legt, Theophrons Rippen heilt,
Spricht sie: Wenn's euch beliebt, so machen wir die Fragen,
Wovon die Rede war, zu unserm Tischkonfekt;
Ich zög' ein solch Gespräch, sogar bei leerem Magen,
Der Tafel vor, die Ganymedes deckt.
Wie freu' ich mich, daß ich den Weg verloren,
Da mir das Glück so viel Vergnügen zugedacht!
Glücksel'ger Phanias! der Freunde sich erkoren,
Von denen schon der Anblick weiser macht!
Itzt wundert mich nicht mehr, wenn er zum Spott der Toren
Mitleidig lächelt, und so glücklich als er ist,
Uns und Athen und alle Welt vergißt!

   So sprach sie; und mit Ohren und mit Augen
Verschlingt das weise Paar, was unsre Muse spricht:
Begier'ger kann die welke Rose nicht
Den Abendtau aus Zephyrs Lippen saugen.
Zusehends schwellen sie von selbstbewußtem Wert;
Nicht, daß ein fremdes Lob sie dessen erst belehrt;
Nur hört man stets mit Wohlgefallen
Aus andrer Mund das Urteil widerhallen,
Womit uns innerlich die Eitelkeit beehrt.
Ein Philosoph bleibt doch uns andern allen
Im Grunde gleich: wär' er so stoisch wie ein Stein,
Und hätte nichts die Ehr' ihm zu gefallen,
Er selbst gefällt sich doch! Schmaucht ihn mit Weihrauch ein,
Und seid gewiß, er wird erkenntlich sein.
Es stieg demnach von Grad zu Grade
Der Dame Gunst bei unserm Weisenpaar;
Ihr lachend Auge fand selbst vor der Stoa Gnade,
Und man vergab es ihr, daß sie zu reizend war.

   Ein kleiner Saal, der von des Hauswirts Schätzen
Kein allzugünstig Zeugnis gab,
Nahm die Gesellschaft auf. Ein ungekämmter Knab
Erschien, die Tafel aufzusetzen,
Lief keuchend hin und her, und hatte viel zu tun,
Bis er ein Mahl zu Stande brachte,
Wovon ein wohlbetagtes Huhn
(Doch nicht, der Regel nach, die Catius erdachte,
In Cypernwein erstickt) die beste Schüssel machte.

Ob die Philosophie des guten Phanias
Der schönen Nymphe gegenüber
Bei einem solchen Schmaus so gar gemächlich saß,
Läßt man dem Leser selbst zu untersuchen über.
Ein wenig falsche Scham, von der er noch nicht ganz
Sich losgemacht, schien ihn vor einem Zeugen
Von seines vor'gen Wohlstands Glanz
Ein wenig mehr, als nötig war, zu beugen.
Allein der Dame Witz, die freie Munterkeit,
Die, was sie spricht und tut, mit Grazie bestreut,
Und dann und wann ein Blick voll Zärtlichkeit,
Den sie, als ob sie sich vergäß', erst auf ihn heftet,
Dann seitwärts glitschen läßt – entkräftet
Den Unmut bald, der seine Stirne kräust.
Stets schwächer widersteht sein Herz dem süßen Triebe,
Und, eh er sichs versieht, beweist
Sein ganzes Wesen schon den stillen Sieg der Liebe.

Indessen wird, so sichtbar als es war,
Den beiden Weisen doch davon nichts offenbar.
Die Herren dieser Art blendet oft zu vieles Licht;
Sie sehn den Wald vor lauter Bäumen nicht.
Doch sind die unsrigen entschuldigt; denn indessen
Daß Phanias ein liebliches Vergessen
Von allem, was sein steifer Pädagog
Ihm jemals vorgeprahlt, aus schönen Augen sog,
War auf Musarions Verlangen
Das akademische Gefecht schon angegangen,
Womit sie etwas sich zu gut zu tun beschloß.
Cleanth bewies bereits, der Weise nur sei groß,
Und glücklich wie ein Gott; stets frei, nie untertänig,
Ein Crösus, ein Adon, und zehnmal mehr ein König
Auf faulem Stroh, als Don Esplandian
Auf diamantnem Thron – Das ging noch endlich an;
Allein der Mann fuhr fort: Die Tugend ganz alleine
Sei wahres Gut, und nichts von allem dem,
Was unsern Sinnen reizend scheine,
Sei wünschenswürdig – kurz, die Wut für sein System
Ging weit genug, daß er ganz trotzig, ohne Röte,
Behauptete: wenn gleich in Cypriens Figur
Die Wollust selbst leibhaftig vor ihn träte,
Schön, wie die Göttin sich dem Sohn der Myrrha nur

Beim Mondschein sehen ließ – und diese Venus böte
Auf seinem Stroh ihm ihre schöne Brust
Zum Pfülben an – das viel gesagt ist – so verschmähte
Der Weise sie – Und hier war's, wo die Lust
Des Widerspruchs Theophron sich nicht länger
Versagen kann; ein Mann von krausem schwarzen Bart
Und kleinem Aug, voll Glut; kein schlimmer Sänger
Und Citharist, dabei ein Grillenfänger
So gut als jener, nur von einer andern Art.
Das geht zu weit, fiel er Cleanthen in die Rede,
Zum mindsten führt es leicht in Mißverstand.
Nicht, daß ich hier das Wort der Wollust rede
Im gröbern Sinn! Die ist unleugbar eitel Tand
Und Schaum und Dunst, ein Kinderspiel für blöde
Unreife Seelen nur, die mit den Flügeln noch
Zu tief im Schlamm des Stoffes stecken.
Doch, sollt' uns nicht die Nektartraube schmecken,
Weil ein Insekt auf ihrem Purpur kroch?
Der Mißbrauch soll nicht unser Urteil leiten,
Alt ist der Spruch, doch selten sein Gebrauch!
Saugt nicht auf gleichem Rosenstrauch
Die Raupe Gift, die Biene Süßigkeiten?

   Begeistert, wie ein Corybant,
Und von Musarion die Augen unverwandt
Fing Herr Theophron itzt in dichterischen Tönen
Vom ersten wesentlichen Schönen
Zu schwärmen an: »Wie alles, was wir sehn,
Und durch der Sinne Dienst mit unsrer Seele gatten,
Von dem, was idealisch-schön
Und göttlich ist, nur wesenlose Schatten,
Nur Bilder sind; wie, wenn in stiller Flut,
Von Büschen eingefaßt, sich Sommerwolken malen«
Von da erhob er sich, bei immer wärmerm Blut,
Zu den geheimnisvollen Zahlen
Zur sphärischen Musik, zum unsichtbaren Licht,
Zuletzt zum Quell des Lichts – Ekstatischer hat nicht,
Wie aus der alten Nacht die schöne Welt entsprungen,
Und vom Deucalion, und von der goldnen Zeit,
Virgils Silen den Knaben vorgesungen,
Die ihn im Schlaf erhascht und zum Gesang gezwungen.
Dann fuhr er fort, und sprach vom Tod der Sinnlichkeit,

Und wie durch magische, geheime Reinigungen
Die Seele nach und nach vom Stoffe sich befreit,
Und wie sie durch Enthaltsamkeit
Von Erdetöchtern und – von Bohnen
Zum Umgang tüchtig wird mit Göttern und Dämonen,
Bis sie (dem Wurme gleich, der in die Sommerluft
Auf neuen Flügeln sich erhebet)
Dem Stoff sich ganz entreißt und ihres Körpers Gruft,
Zur Göttin wird und unter Göttern lebet.

    Belustigt an dem hohen Schwung,
Den unser Doktor nahm, stellt sich die schlaue Schöne,
Als ob von Hörenslust und vor Bewunderung
Ihr Busen sich in seinen Fesseln dehne.
Zum Unglück für den Mann, der lauter Wunder spricht,
Entsteht dadurch (und sie bemerkt es nicht)
Ich weiß nicht, welche kleine Lücke,
Die seinen Flug auf einmal unterbricht;
Und wie zuletzt die Richtung seiner Blicke
Ihr sichtbar macht, was ihn zerstreut,
Und sie beschäftigt scheint, den Zufall zu verbessern,
Hat sie die Ungeschicklichkeit,
(Wofern's nicht Bosheit war) das Übel zu vergrößern.

    Der Umstand ist an sich nur eine Kleinigkeit,
Doch wird vielleicht die Folge zeigen,
Daß er entscheidend war. Es folgt ein tiefes Schweigen,
Wobei sogar Cleanth das volle Glas,
Und, was kaum glaublich ist, die Lust zum Zank vergaß.
Indes, vertieft in Sinus und Tangenten,
Der Jünger vom Pythagoras
Den wallenden Kontur gewisser Sphären maß,
Woran die Lambert selbst sich übermessen könnten,
Vor Amorn unbesorgt, der hier zu lauren pflegt,
Und schon den schärfsten Pfeil auf seinen Bogen legt.

    Mit lächelnder Verachtung sieht die Dame
Das weise Paar mit seinem Flitterkrame
Von falschen Tugenden und großen Wörtern an;
Und eh die Herren sichs versahn,
Weiß sie mit guter Art den unbescheidnen Blicken,

Was ihres gleichen, zu entzücken,
Die Charitinnen nicht mit eigner Hand
So schön gedreht, auf einmal zu entrücken;
Und alles sank in seinen alten Stand.

Drauf sprach sie: In der Tat, man kann nichts schöners hören,
Als was Theophron uns von unsichtbarem Licht,
Von Eins und Zwei, von musikalschen Sphären,
Vom Tod der Sinnlichkeit und von Vergöttrung spricht.
Wie schade, wär es nur ein schönes Luftgesicht,
Wornach er uns die Lippen wässern machte!
Allein, mich deucht, der Weg zu diesem stolzen Glück
Ist das, woran er nicht gedachte.

Theophron, noch ganz warm von dem, was seinem Blick
Entzogen war, und voll von wollustreichen Bildern,
Beginnt den Weg, den Prodicus so schmal
Und rauh und dornicht malt, so angenehm zu schildern,
So lachend wie ein Rosental
Zu Amathunt, dem Aufenthalt der Freuden;
Ein Sybarit, der einen Weg aus beiden
Zu wählen hätt’, erwählte sonder Müh
Den blumichten, den die Philosophie
Theophrons ging – durch zauberische Schatten,
Wo Geist und Körper sich bei ungewissem Licht
In schöne Ungeheuer gatten,
Und Amor – aber nicht der kleine Bösewicht,
Den Coypel malt; ein andrer, von Ideen
(Wie der zu Gnid von Grazien) umschwebt,
Ein Amor, der vom Haupt bis zu den Zehen
Voll Augen ist, und nur vom Anschaun lebt –
Der Seele Führer wird, sie in die Wolken hebt,
Und wenn er sie zuvor in einem kleinen Bade
Von Flammen wohl gereinigt und gefegt,
Sie stufenweis durch die gestirnten Pfade
Bis in den Schoß des höchsten Schönen trägt.

Doch eh zu so erhabner Liebe
Die Seele leicht genug sich fühlt,
Befreit Theophron sie vorher von jedem Triebe,
Der tierisch im Morast des Stoffes wühlt.

Und hier ists, fährt er fort, wo unsre Afterweisen
Ein falsches Licht verführt. Die guten Leute preisen
Uns ihre Apathie als ein Geheimnis an,
Das uns beinah zu mehr als Göttern machen kann.
Nach ihnen soll der Weise alles meiden,
Was Aug und Ohr ergötzt; so kleine Freuden
Sind ihm zu tändelhaft; stets in sich selbst gekehrt
Beweist er sich durch das, was er entbehrt,
Die Größe seines Glücks; fühlt nichts, um nichts zu leiden,
Und – irret sehr. Das Schöne kann allein
Der Gegenstand von unsrer Liebe sein,
Die große Kunst ist nur, vom Stoff es abzuscheiden.
Der Weise fühlt; dies bleibt ihm stets gemein
Mit allen andern Erdensöhnen.
Doch diese stürzen sich, vom körperlichen Schönen
Geblendet, in den Schlamm der Sinnlichkeit hinein,
Indes wir uns daran, als einem Widerschein
Des Urbilds Anschaun selbst zu tragen angewöhnen.
Dies ists, was ein Adept in allem Schönen sieht,
Was in der Sonn ihm strahlt und in der Rose blüht;
Der Sinnen Sklave klebt, wie Vögel an der Stange,
An einem Lilienhals, an einer Rosenwange;
Der Weise sieht und liebt im Schönen der Natur
Vom Unvergänglichen die abgedrückte Spur.
Der Seele Fittich wächst in diesen geist'gen Strahlen,
Die, aus dem Ursprungsquell des Lichts
Ergossen, die Natur bis an den Rand des Nichts
Mit fern nachahmenden, nicht eignen Farben, malen.
Sie wächst, entfaltet sich, wagt immer höhern Flug,
Und trinkt aus reinern Wollustbächen;
Ihr tut nichts Sterbliches genug,
Ja Götterlust kann einen Durst nicht schwächen,
Den nur die Quelle stillt. So, meine Freunde, wird
Was andre Sterblichen, aus Mangel
Der hohen Scheidkunst, gleich der bunten Flieg' am Angel,
Zu süßem Untergange kirrt,
So wird es für den echten Weisen
Ein Flügelpferd zu überird'schen Reisen.
Auch die Musik, so roh und mangelhaft
Sie unterm Monde bleibt, (denn ihrer Zauberkraft
Sich recht vollkommen zu belehren,
Muß man, wie Scipio, die Sphären,

Zum wenigsten im Traume, singen hören:)
Auch die Musik bezähmt die wilde Leidenschaft,
Verfeinert das Gefühl, und schwellt die Seelenflügel;
Sie stillt den Kummer, heilt die Milzsucht aus dem Grund,
Und wirkt (zumal aus einem schönen Mund,)
Mehr Wunderding' als Salomonis Siegel.
Theophron sprach als ein Adept hievon,
Dem nichts verborgen war, was unser Mattheson
Und Fricker, und der Abt von Murrhardt phantasieren,
Nichts, meint er, sei so gut, die Seele zu purgieren,
Als Diapent' und Diatesseron.

Cleanth, der länger sich gezwungen
Als ihm gewöhnlich war, kann nun nicht länger ruhn;
Er muß der Schwärmerei des Mannes Einhalt tun;
Denn alles, was Theophron uns gesungen,
War, seinem Urteil nach, vollkommner Aberwitz.
Schon richtet er sich auf von seinem Polstersitz,
Den rechten Arm entblößt, die Stirn in stolzen Falten,
Und hat, noch eh er spricht,
Bereits den Sieg erhalten –
Als ihn ein Auftritt unterbricht,
Auf den das weise Paar sich nicht gefaßt gehalten.

Der Saal eröffnet sich, und eine Nymphe tritt
Herein, das Haupt mit einem Korb beladen,
Den Busen kaum verhüllt, nach Art der Oreaden,
Und leicht genug geschürzt, daß jeder Schritt
Was reizendes verrät; Pomonen oder Floren
Malt Rubens, der so schöne Nymphen malt,
Nicht schöner; kurz, sie war so auserkoren,
Daß unser Theosoph, beim ersten Blick verloren,
Im Widerschein, der ihm entgegenstrahlt,
Die Düfte nicht empfindt, die aus dem Korbe steigen,
Und die Cleanth mit Mund und Nase in sich schlürft.
Musarion, die sich den Ausgang schon entwirft,
Winkt ihrem Freund ein pythagorisch Schweigen;
Indes den Korb die schöne Sklavin leert,
Und mit sechs großen Nektarkrügen
(Genug von einem Faun, den Weindurst zu besiegen!)
Mit Früchten und Konfekt den runden Tisch beschwert.

Die Herren, (spricht hierauf die Schöne) haben beide
Mich wechselsweis, wie jeder sprach, bekehrt.
So sehr ich auch das Glück der Apathie beneide,
So deucht mich doch die geist'ge Augenweide,
Die uns Theophron zeigt, nicht minder wünschenswert.
Erlaubet, daß ich mich ein andermal entscheide,
Es sei der Rest der Nacht, die mich so viel gelehrt,
Den Musen heilig und der Freude.
Nimm, Phanias, die Schal' und geuß sie aus
Der himmlischlächelnden Cytheren,
Und du, Theophron, gib uns einen Ohrenschmaus,
Und laß zum Saitenspiel uns deine Stimme hören.

Das leichte philosoph'sche Mahl
Verwandelt nun, Dank sei der Oreade,
Die Hebens Dienste tut, durch unbemerkte Grade,
Sich in ein kleines Bacchanal.
Zwar läßt zum Lob des unsichtbaren Schönen
Der bärtige Apoll sein Oktochordon tönen;
Allein sein Blick, der nie von Chloens Busen weicht,
Beweist, wie wenig, was er fühlet,
Dem, was er singt, und einer Rolle gleicht,
Die auch der künstlichste Komödiant so leicht
Und ungezwungen nie wie seine eigne spielet.
Die lose Sklavin hilft des Weisen Lüsternheit
Durch listige Geschäftigkeit
Mit jedem Augenblick lebhafter anzufachen;
Stets ist sie um ihn her, und macht sich tausend Sachen
Mit ihm zu tun, in immer hellerm Glanz
Die Reizungen ihm vorzuspiegeln,
Die nur zu sehr die Seel' in ihm beflügeln,
Die unterm Zwerchfell thront. Ein großer Blumenkranz,
Womit sie seine Stirne schmücket,
Vollendet, was ihm fehlt, damit, wer ihn erblicket,
Wie er den Zärtlichen, den Angenehmen macht,
Fast überlaut ihm an die Nase lacht.
Wie traurig, Phanias, siehst du die schönste Nacht,
Dir ungenützt, bei diesem Spiel verstreichen!
Er gähnt die Freundin kläglich an,
Er winkt, er seufzt – umsonst, sie folget ihrem Plan,
Und denkt vielleicht nicht weniger daran,
Ihn mit dem seinen zu vergleichen.

Zu ihrer Freude bringt der schlauen Chloe Kunst
Den schlüpfrigen Pythagoräer
Dem abgeredten Ziel zusehends immer näher.
Er buhlt durch Blicke schon um ihre Gegengunst
So feierlich, antwortet ihren Blicken
Mit so fanatischem, so komischem Entzücken,
Daß Hogarths Laune selbst kaum weiter gehen kann.
Wozu, Verführerin, beutst du den Nektarbecher
Dem Lechzenden so zaubrischlächelnd an?
Sein Brand bedarf kein Öl; nimm lieber deinen Fächer,
Und kühle seinen Mund und seiner Wangen Glut!
Wohnt so viel Grausamkeit in sanften Mädchenseelen?
Glaubt ihr, ein weiser Mann sei nicht von Fleisch und Blut?
Doch, Chloe weiß vermutlich, was sie tut;
Sie hat die Miene nicht, ihn unbelohnt zu quälen.

Nicht wenig stolz auf sein gefrornes Blut,
Beweist indes mit hoch emporgeworfner Nase
Cleanth, der Stoiker, bei oft gefülltem Glase,
Daß Schmerz kein Übel sei, und Sinnenlust kein Gut.
Ihm hängt, wie dort Horaz, dem trägen
Lastbaren Tiere gleich, sein Lehrling, weil er muß,
Verzweiflungsvoll ein schläfrig Ohr entgegen,
Und widerspricht zuletzt aus Langweil und Verdruß.
Natürlich reizet dies noch mehr des Weisen Galle,
Im Eifer schenkt er sich nun desto öfter ein,
Glaubt, daß er Wasser trinkt, nicht Wein,
Und demonstriert den Aristipp und alle,
Die seiner Gattung sind, in Circens Stall hinein.
Sein Eifer für den Lieblingssatz der Halle,
Durch jeden Widerspruch und jedes Glas vermehrt,
Hat von sechs Flaschen schon die dritte ausgeleert,
Als der Planetentanz, womit der Geisterseher
Die Damen zum Beschluß ergötzt,
Ihn vollends ganz in Flammen setzt;
Nun wird nichts mehr verschont; Ägypter und Chaldäer
Erfahren seine Wut, wie er des Weingotts Macht;
Und eh der Tänzer noch uns von den Antipoden
Den Gott des Lichts zurück gebracht,
Fällt taumelnd sein Rival, und liegt besiegt zu Boden.

Der dritte Akt des Lustspiels schließt sich nun,
Und alles sehnet sich, den Rest der Nacht zu ruhn.
Cleanth, der, wie er lag, Virgils Silenen
Nicht übel glich, nur daß er nicht erwacht,
So sehr ihn Chloe zwickt, so laut man um ihn lacht,
Wird standsgemäß, umtanzt von beiden Schönen,
Mit bacchischem Triumph in – einen Stall gebracht,
Und lachend wünschet man einander gute Nacht.

DRITTES BUCH

Die Dame lag auf ihrem Ruhebette,
Und hatte, weit entfernt vom niedrigen Verdacht,
Daß sie bei Phanias sich vorzusehen hätte,
Ihr Mädchen fortgeschickt; es war nach Mitternacht;
Ein leicht Gewölke brach des Mondes Silberschimmer,
Und alles schlief – als plötzlich, wie ihr deucht,
Den Gang herauf zu ihrem kleinen Zimmer
Mit leisem Tritt, ich weiß nicht was, sich schleicht.
Sie stutzt – was kann es sein? – Ein Geist, nach seinen Tritten –
Besuch von einem Geist? den wollt ich sehr verbitten,
Denkt sie – indem eröffnet sich die Tür,
Und eh sie's ausgedacht, steht – Phanias vor ihr.
Vergib, Musarion, vergib – so fing der Blöde
Zu stottern an; die Zeit ist unbequem –
Allein – wozu, fiel ihm die Freundin in die Rede,
Wozu ein Vorbericht? Wenn war ich eine Spröde?
Ein Freund ist auch zur Unzeit angenehm –
Er hat uns immer was, das uns gefällt, zu sagen.
Dein Ton, (erwidert er) beweist,
Wie wenig dieser Schein von Güte meinen Klagen
Mitleidiges Gefühl verheißt.
Du siehst mein Innerstes – und kannst mich lächelnd plagen?
Siehst, daß ein Augenblick mir hundert Jahre scheint,
Und findst, ich weiß nicht welch, barbarisches Behagen
An meiner Qual – du treibst mich zum Verzagen,
Kaltsinnige, und nennst mich deinen Freund?
Wie grausam rächst du dich! – »Mich rächen?
Träumt Phanias? – Ihr liebtet mich vordem;
Ihr hörtet wieder auf – war dieses ein Verbrechen?
War's jenes? Mir, mein Herr, war beides angenehm.

Wir Mädchen sehn doch immer mit Vergnügen
Die Weisheit eines Manns zu unsern Füßen liegen;
Allein als Freundin sah ich dich
Noch lieber kalt für mich – als lächerlich.«

   Wie du mich martern kannst, Musarion! viel lieber
Stoß einen Dolch in dieses Herz, das du
Nicht glücklich machen willst! – »Nichts tragisches, mein Lieber!
Komm, setze dich gelassen vor mir über,
Und sag mir im Vertraun, wie viel gehört dazu,
Damit ich dich so glücklich mache
Als du verlangst?« – Mich lieben, wie ich dich –
»So liebt mich Phanias, der diesen Abend mich
Mit Abscheu von sich warf?« – Ist (ruft er) dies nicht Rache?
Du weißt zu wohl, ich war nicht ich
In jener unglücksel'gen Stunde –
Gram und Verzweiflung sprach aus meinem Munde,
Ich lästerte die Lieb' und fühlte nie
Mein Herz so voll von ihr – Ich war zu sehr betroffen,
Zu wissen, was ich sprach – Ich hielt für Ironie,
Was du mir sagtest – Konnt' ich hoffen,
Daß was Athen von mir, mich von Athen verbannt,
Dein Herz allein mir plötzlich zugewandt?
Erwäge dies, und kannst du nicht vergeben,
Was ich mir selbst zwar nicht vergeben kann,
So blicke mich noch einmal an,
Und nimm mit diesem Blick mir ein verhaßtes Leben.
Ob ich dich liebe? Ach! – »Nun, bei Dianen! Freund,
Die Liebe macht bei dir so klägliche Gebärden,
Und spricht so weinerlich, daß mir's unmöglich scheint,
Auf diesen Ton jemals gestimmt zu werden.
Die hohe Schwärmerei taugt meiner Seele nicht,
So wenig als Theophrons Augenweide.
Mein Element ist heitre sanfte Freude,
Und alles zeigt sich mir in rosenfarbnem Licht.
Ich liebe dich – mit diesem sanften Triebe,
Der, Zephyrn gleich, das Herz in leichte Wellen setzt,
Nie Stürm erregt, nie peinigt, stets ergötzt,
Wie ich die Grazien, wie ich die Musen liebe,
So lieb' ich dich. Wenn dies dich glücklich machen kann,
So fängt dein Glück mit diesem Morgen an,
Und wird sich nur mit meinem Leben enden.«

Indem sie dieses sagt, bemeistert unser Mann
Ekstatisch einer sich von ihren schönen Händen,
Und ißt sie fast mit Küssen auf.
Sie läßt dem dankbaren Entzücken
Für eine Weile freien Lauf,
Genießt der Lust, ihn zu beglücken,
Die für ein zärtlich Herz so viele Reize hat,
Und widersteht, auch da er sich vergißt, so matt,
Daß er es wagt, den Mund an ihre Brust zu drücken.

Die Nacht, die Einsamkeit, der Mondschein, die Magie
Verliebter Schwärmerei – Wie vieles kommt zusammen,
Das sanfte Herz der Schönen zu entflammen!
Und wenn sie nun auch glitschte – würde sie,
Wer selbst ein fühlend Herz im Busen trägt, verdammen?
Allein Musarion war ihrer selbst gewiß;
Und als er sich durch das, was sie erlaubte,
Nach Art der Liebenden zu mehr berechtigt glaubte,
Wie stutzt' er da, da sie sich aus seinen Armen riß!

Daß eine Phyllis sich erkläret,
Sie wolle nicht, daß sie mit – leiser Stimme schreit,
Und wenn nichts helfen will, euch – lächelnd dräut,
Und sich, so lang sie kann, mit stumpfen Nägeln wehret,
Ist nichts befremdliches. Ein Satyr kaum verzeiht
Den Nymphen, die er hascht, zu viele Willigkeit;
Sie sträuben sich; gut, das ist in der Regel;
Und so verstund es auch der schlaue Phanias.
Allein er irrte sich, es war nicht das!
Die Dame scherzte nicht, und wies ihm keine Nägel.

Nach mehr als einem fehlgeschlagenen Versuch
Fängt unser Held sehr kläglich an zu krähen.
Und, in der Tat, wer hätte sichs versehen?
Man treibt die Tugend kaum in einem Ritterbuch
So weit. – Die Tugend? Nein! das will er nicht gestehen,
Daß dies Betragen Tugend sei;
Er nennt es Eigensinn und Grillenfängerei.
Er schilt sie spröd, unzärtlich, unempfindlich.
Die Schöne, die gesteht, daß sie uns günstig sei,
Macht, seiner Meinung nach, sich zum Beweis verbindlich.
Und ich, mein Herr, (versetzt sie) die so viel

Beweisen soll, ich bin nach eurer Sittenlehre
Nicht gleichbefugt, daß ich Beweis begehre?
Und wie, wenn eure Glut ein bloßes Sinnenspiel,
Ein flüchtiger Geschmack, ein kleines Fieber wäre?
Wenn Phanias mich liebt, so räumt er, hoff' ich, ein,
Daß ich, eh ich mich selbst verschenke,
Auf meine Sicherheit vorher ein wenig denke.
Bei Leuten von so warmem Blut
Ist diese Vorsicht wohl nicht allzuweit getrieben.
Verzeihe, wenn sie dir ein wenig Unrecht tut;
Allein, du willst doch selbst, daß wir im Ernst uns lieben?
Sonst tändelt' ich mit Amors Pfeilen nur;
Ein schöner Geck gab immer was zu lachen.
Itzt ist's darum zu tun, daß wir uns glücklich machen,
Und diesen schönen Bund knüpft Tugend und Natur.

   Unwiderstehlich, sagt man, sei
Der Tugend Reiz aus einem schönen Munde.
Wir geben's zu, sofern euch nicht dabei
Aus einem Nachtgewand mit nelkenfarbnem Grunde
Ein Busen reizt, der, jugendlich gebläht,
Die Augen blendet und niemals stille steht.
Kurz, so ein Busen, den Cythere,
Wenn eine Göttin nicht zum Neid zu vornehm wäre,
Beneiden könnt' – In diesem Fall befand
Sich, leider! unser Held, von zwo verschiednen Kräften
Gezogen – mußt er auch so starr und unverwandt
Den unvorsichtgen Blick auf diesen Busen heften!
Natürlich muß der stärkre Sinn
Des schwächern Eindruck bald verdringen,
Und was die Dame spricht, ihn zu sich selbst zu bringen,
Schwebt ungefühlt an seinen Ohren hin.
Was Amor nur vermag, um Spröde zu bezwingen,
Was, wie man sagt, schon Drachen zahm gemacht,
Die Künste, die Ovid in ein System gebracht,
Die feinsten Wendungen, die unsichtbarsten Schlingen,
Versucht er gegen sie, und keine will gelingen.
Ergib dich (spricht zuletzt die schöne Siegerin)
Mit guter Art! Du siehst, wie nachsichtvoll ich bin,
So vielen Übermut zu tragen.
Mehr Eigensinn, erlaube mir's zu sagen,
Beleidigte die Zärtlichkeit,

Und dient zu nichts, als deine Prüfungszeit
Mehr, als ich selbst vielleicht es wünsche, zu verlängern.
Genug von diesem! Schwatzen wir
Von was Kurzweiligem – von unsern Grillenfängern.
Ich weiß nicht, wie der Einfall mir
Zu Kopfe steigt – allein, ich wollte schwören,
Daß diesen Augenblick – was meinst du, was?
Mein Mädchen – rate doch – und dein Pythagoras
»Und was denn?« – Nun! – die Sphären singen hören.
»Was sagst du? (ruft mit Lachen Phanias)
Das hieße mir ein Abenteuer!
Und doch, wer weiß? – Ich merkte selbst so was;
Es wallte, deuchte mich, ein ziemlich irdisch Feuer
In seinem Aug, als Chloens lose Hand
Den Blumenkranz um seine Stirne wand –
Wie viel, Musarion, hab' ich dir nicht zu danken!
Was für ein Tor ich war, Gesellen dieser Art,
An denen nichts als Mantel, Stab und Bart
Socratisch ist, wie hass' ich den Gedanken!
Ein Paar, das nur in einem Possenspiel
Bei nackten Satyrn und Bacchanten
Zu glänzen würdig ist – für Weise, für Verwandten
Der Götter anzusehen!« – Du tust dir selbst zu viel,
(Fällt ihm die Freundin ein) und, wie mich deucht, auch ihnen.
Kein Übermaß, mein Freund! ich bitte sehr;
Du schätztest sie vordem vermutlich mehr,
Itzt weniger, als sie vielleicht verdienen.
Was hör' ich (ruft er aus) du – sprichst für sie?
Du scherzest! Hätt'st du auch (was du gewißlich nie
Getan hast) dies Gezücht so hoch, als ich gehalten,
So müßte dir, nach dem, was wir gesehn,
Die Phantasie so gut als mir vergehn.
Wie? dieser Stoiker, der nur die Tugend schön
Und gut erkennt – entlarvt in einen alten
Bezechten Faun – Theophron, der vom Glück
Der Geister singt, indes sein unbescheidner Blick
In Chloens Busen wühlt – Was braucht es mehr Beweise?
Daß sie – sehr menschlich sind (fällt ihm die Freundin ein)
Und in der Tat bei weitem nicht so weise
Als ihr System – »das zeigt der Augenschein« –
Und dennoch ist vielleicht nichts mächtiger, die Seelen
Zu starken Tugenden zu bilden, unsern Mut

Zu dieser Festigkeit zu stählen,
Die großen Übeln trotzt und große Taten tut,
Als eben dieser Satz, für den Cleanth
Zum Märtyrer sich trank – die Heracliden,
Die Männer, die ihr Vaterland
Mehr als sich selbst geliebt, die Aristiden,
Die Phocions, und die Leonidas –
Ruhmvolle Namen! gut (ruft unser Mann) und waren
Sie etwan Stoiker? – »Sie waren, Phanias,
Noch etwas mehr! Sie haben das erfahren
Was Zeno spekuliert; sie haben es getan!
Warum hat Hercules Altäre?
Den Weg, den Prodicus nicht gehn, nur malen kann,
Den ging der Held« – Und wem gebührt davon die Ehre,
Als der Natur, die ihn, und wer ihm gleicht, gebar
Und auferzog, eh eine Stoa war?
Ein Held wird nicht geformt, er wird geboren –
»So hat, weil der Natur der erste Preis gebührt,
Ein Plato alles Recht an Phocion verloren?
Die Kunst vollendet das, was die Natur skizziert;
Die Blume, die im Feld sich unbemerkt verliert,
Wird durch des Gärtners Fleiß zum schönsten Kind der Floren.«
Gesetzt, spricht Phanias, daß dieses richtig sei,
So ist doch, was von Zahlen und Ideen
Und Dingen, die kein Aug gehört, kein Ohr gesehen,
Theophron schwatzt, handgreiflich Träumerei –
»Und mit den nämlichen Ideen
War doch Archytas einst ein wirklich großer Mann!
Auch Seelen dieser Art zeugt dann und wann,
Zwar sparsam, die Natur; man wird zum Geisterseher
Geboren wie zum Held, wie zum Anacreon,
Wie Zeuxes zum Palet, und Philipps Sohn zum Thron.
Und in der Tat, was hebt die Seele höher,
Was nährt die Tugend mehr? Erweitert und verfeint
Des Herzens Triebe so, als glänzende Gedanken
Von unsers Daseins Zweck? – Der Weltbau ohne Schranken –
Unendlich Raum und Zeit – die Sonne, die uns scheint
Ein Funke nur von einer höhern Sonne –
Unsterblich unser Geist, Unsterblichen befreundt,
Und, ahmt er Göttern nach, bestimmt zu Götterwonne!« –

Bei allen Grazien! (ruft Phanias) Madam
Wird mit der Zeit wohl auch die Sphären singen hören?
Vor wenig Stunden gab Theophrons Wörterkram
Den Stoff zum Spott – »Der Mann, nicht seine Lehren;
Das Wahre nicht, obgleich nach aller Schwärmer Art,
Mit Unsinn und Schimären wohl gepaart.
Nur diese trifft der Spott – Doch, wir versteigen
Uns allzu hoch – ich wollte dir nur zeigen,
Daß dich dein Vorurteil für dieses weise Paar
Nicht schamrot machen soll. Nichts war
Natürlicher in deiner schlimmen Lage.
Der Knospe gleich am kalten Märzentage
Schrumpft, wenn des Glückes Sonnenschein
Sich ihr entzieht, die Seel' in sich hinein.
Entfiedert, nackt, von allem ausgeleeret,
Was sie für wesentlich zu ihrem Wohlsein hielt,
Was Wunder, wenn sich ihr ein Lehrbegriff empfiehlt,
Der sie die Kunst, es zu entbehren, lehret?
Der ihr beweist, was nicht zu ihr gehöret,
Was sie verlieren kann, sei keinen Seufzer wert,
Ja, ihren Unmut zu betrügen,
Aus der Entbehrung selbst ein künstliches Vergnügen
Ihr statt des wahren schafft? – Was ist so angenehm
Für den gekränkten Stolz, als ein System,
Das uns gewöhnt für Puppenwerk zu achten,
Was aufgehört, für uns ein Gut zu sein?
Was, meinst du, bildete der Mann im Faß sich ein,
Der, groß genug, Monarchen zu verachten,
Von Philipps Sohn nichts bat, als freien Sonnenschein?
Noch mehr willkommen muß im Falle, den wir setzen,
Die Schwärmerei des Platonisten sein,
Der das Geheimnis hat, die Freuden zu ersetzen,
Die Zeno nur entbehren lehrt;
Der, statt des tierischen verächtlichen Ergötzen
Der Sinnen, uns mit Götterspeise nährt.
Wir sehn mit ihm aus leicht erstiegnen Höhen
Auf diesen Erdenball als einen Punkt herab;
Ein Schlag mit seinem Zauberstab
Heißt Welten um uns her, bei tausenden, entstehen;
Sinds gleich nur Welten aus Ideen,
So baut man sie so herrlich als man will;
Und steht einmal das Rad der äußern Sinne still,

Wer sagt uns, daß wir nicht im Traume wirklich sehen?
Ein Traum, der uns zum Gast der Götter macht,
Hat seinen Wert« –
                 In einer Winternacht
(Fällt ihr der Jüngling ein) doch der erwachte Weise
(Denn selbst Endymion ist endlich auch erwacht)
Sehnt bei Ambrosia und Nektar sich ganz leise
Nach einer mehr soliden Speise –

  Ein tiefer Seufzer sagt, wie lebhaft Phanias
Die Stärke dieser Wahrheit fühlte;
Und wenn die Schöne nicht in seinen Augen las,
Wohin der tiefe Seufzer zielte,
So war's nicht seine Schuld. Sie reicht zum Unterpfand
Der Zärtlichkeit ihm ihre schöne Hand.
Er drückt die schöne Hand mit schüchternem Entzücken
An sein geschwelltes Herz, und sucht in ihren Blicken,
Ob sie sein Klopfen fühlt – Ein sanftes Wiederdrücken
Beweist es ihm – die stumme Redekunst
Der Sympathie, ein schmachtend Aug' voll Tränen,
Ein klopfend Herz beschämt die Kunst der Demosthenen;
Es schmilzt das sanfte Herz der Schönen,
Und Amor leitet sie, von einer kleinen Gunst
Zur andern, unvermerkt – wohin sich beide sehnen.

  Der schönste Tag folgt dieser schönen Nacht.
Mit jedem folgenden findt jedes sich beglückter,
Indem es Sich im Andern glücklich macht.
Durch überstandne Not geschickter
Zum weiseren Gebrauch, zum reizendern Genuß
Des Glücks, das sich mit ihm so unverhofft versöhnte,
Gleichfern von Dürftigkeit und stolzem Überfluß,
Glückselig, weil er's war, nicht weil die Welt es wähnte,
Bringt Phanias in neidenswerter Ruh
Ein unbeneidet Leben zu;
In Freuden, die der unverfälschte Stempel
Der Unschuld und Natur zu echten Freuden prägt.
Der bürgerliche Sturm, der stets Athen bewegt,
Trifft seine Hütte nicht – den Tempel
Der Grazien, seitdem Musarion sie ziert.
Bescheidne Kunst, durch ihren Witz geleitet,
Gibt der Natur, so weit sein Landgut sich verbreitet,

Den stillen Reiz, der ohne Schimmer rührt.
Ein Garten, den mit Zephyrn und mit Floren
Pomona sich zum Aufenthalt erkoren;
Ein Hain, worin sich Amor gern verliert,
Wo ernstes Denken oft mit leichtem Scherz sich gattet;
Ein kleiner Bach, von Ulmen überschattet,
An dem der Mittagsschlaf uns ungesucht beschleicht; –
Im Garten eine Sommerlaube,
Wo, zu der Freundin Kuß, der Saft der Purpurtraube
Den Thasos schickt, ihm wahrer Nektar deucht;
Ein Nachbar, der Horazens Nachbarn gleicht,
Gesundes Blut, ein unbewölkt Gehirne,
Ein ruhig Herz und eine heitre Stirne –
Wie vieles macht ihn reich! – Denkt noch Musarion
Hinzu, und sagt, was kann zum frohen Leben
Der Götter Gunst ihm mehr und bessers geben?
Die Weisheit nur, den ganzen Wert davon
Zu fühlen, immer ihn zu fühlen,
Und, seines Glückes froh, kein andres zu erzielen.
Auch diese gab sie ihm. Sein Mentor war
Kein Cyniker mit ungekämmtem Haar,
Kein runzlichter Cleanth, der, wenn die Flasche blinkt,
Wie Zeno spricht und wie Silenus trinkt;
Die Liebe war's – Wer lehrt so gut wie sie?
Auch lernt' er gern, und schnell, und sonder Müh,
Die reizende Philosophie,
Die, was Natur und Schicksal uns gewährt,
Vergnügt genießt, und gern den Rest entbehrt;
Die Dinge dieser Welt gern von der schönen Seite
Betrachtet; dem Geschick sich unterwürfig macht;
Nicht wissen will, was alles das bedeute,
Was Zeus aus Huld in rätselhafte Nacht
Vor uns verbarg, und auf die guten Leute
Der Unterwelt, so sehr sie Toren sind,
Nie böse wird, nur lächerlich sie findt,
Und sich dazu – sie drum nicht minder liebet;
Den Irrenden bedaurt, und nur den Gleißner flieht;
Nicht stets von Tugend spricht, noch, von ihr sprechend, glüht,
Doch ohne Sold und aus Geschmack sie übet;
Und, glücklich oder nicht, die Welt
Für kein Elysium, für keine Hölle hält,
Nie so verderbt, als sie der Sittenrichter

Von seinem Thron – im sechsten Stockwerk sieht,
So lustig nie als jugendliche Dichter
Sie malen, wenn ihr Hirn von Wein und Phyllis glüht.

So war, so dacht' und lebte Phanias,
Und weil er war, wornach wir andern streben,
So tat er wohl, zu sein, zu denken und zu leben,
So wie er tat – »Das mag er dann! Und was
Ward aus dem Manne, der so gerne Sphären maß?«
Gut, daß ihr fragt! den hätten wir vergessen.
Er ward in einer einz'gen Nacht
Zum γνῶθι σεαυτόν in Chloens Arm gebracht;
Er fand, er sei nicht klug, und lernte Bohnen essen.
»Und Herr Cleanth?« Der kroch, sobald die Mittagssonne
Ihn aufgeweckt, ganz leis' und auf den Zehn
Aus seinem Stall – vielleicht in eine Tonne;
Kurz, er verschwand, und ward nicht mehr gesehn.

Jakob Michael Reinhold Lenz
Der Waldbruder,
ein Pendant zu Werthers Leiden

Erster Teil
Erster Brief

Herz an seinen Freund Rothe
in einer großen Stadt.

Ich schreibe Dir dieses aus meiner völlig eingerichteten Hütte, zwar nur mit Moos und Baumblättern bedeckt, aber doch für Wind und Regen gesichert. Ich hätte mir nie vorgestellt, daß dies Klima auch im Winter so mild sein könne. Übrigens ist die Gegend, in der ich mich hingebaut, sehr malerisch. Grotesk übereinander gewälzte Berge, die sich mit ihren schwarzen Büschen dem herunterdrückenden Himmel entgegen zu stemmen scheinen, tief unten ein breites Tal, wo an einem kleinen hellen Fluß die Häuser eines armen aber glücklichen Dorfs zerstreut liegen. Wenn ich denn einmal herunter gehe und den engen Kreis von Ideen in dem die Adamskinder so ganz existieren, die einfachen und ewig einförmigen Geschäfte und die Gewißheit und Sicherheit ihrer Freuden übersehe, so wird mir das Herz so enge und ich möchte die Stunde verwünschen, da ich nicht ein Bauer geboren bin. Sie sehen mich oft verwundrungsvoll an, wenn ich so unter ihnen herumschleiche und nirgends zu Hause bin, mit ihrem Scherz und Ernst nicht sympathisieren kann, so daß ich mich am Ende wohl schämen und in ihre Form zu passen suchen muß, da sie denn ihren Witz nach ihrer Art meisterhaft über meine Unbehelfsamkeit wissen spielen zu lassen. Alles dies beleidigt mich nicht, weil sie meistens Recht haben und ein Zustand wie der meinige durch die äußern Symptome die er veranlaßt, schon seit Petrarchs Zeiten jedermann zum Gespött dienen muß. Soll ich aber die Wahl haben, so ist mir der Spott des ehrlichen Landmanns immer noch Wohltat gegen das Auszischen leerer Stutzer und Stutzerinnen in den Städten.

Wenn Du einmal einen geschäftfreien Tag hast, so komm' zu mir, Du bist der einzige Mensch, der mich noch zuweilen versteht.

HERZ

Zweiter Brief

FRÄULEIN SCHATOUILLEUSE AN ROTHEN,
der aufs Land gereist war, eine Frühlingskur zu trinken.

Sagen Sie mir doch in aller Welt, wo mag Herr Herz hingekommen sein. Etwa bei Ihnen, so hab' ich eine Wette gewonnen. Der Papa sagte heut, er habe seine Bedienung bei der Kanzlei niedergelegt und sei in den Odenwald gegangen, um Waldbruder zu werden. Da lachten wir nun alle, daß uns die Tränen von den Backen liefen, er aber schwur, es sei wahr. Ich schlug gleich eine Wette mit ihm ein, daß er bei Ihnen in Zornau wäre; schreiben sie mir doch ob dem so ist, und ich will Ihnen auch viel Neues von ihm sagen, das Sie recht zu lachen machen wird.

Dritter Brief

HERZ AN ROTHEN, der dem Boten weiter nichts als einen Zettel
mitgegeben, auf dem mit Bleistift geschrieben war:
Herz! du dauerst mich!

Ich danke Dir für Dein zuvorkommendes Mitleid. Das pressende und drückende meiner äußern Umstände preßt und drückt mich nicht. Es ist etwas in mir, das mich gegen alles äußere gefühllos macht.

Du hast vermutlich erfahren, daß mein letztes Geld, das ich aus der Stadt mitgenommen, mir von einem schelmischen Bauren gestohlen worden, der die Zeit abpaßte, als ich unten war, Brot zu kaufen. Aber wozu sollte mir auch das Geld? Wenn ich Mangel habe, gehe ich ins Dorf, und tue einen Tag Tagelöhners Arbeit, dafür kann ich zwei Tage meinen Gedanken nachhängen.

Ich bin glücklich, ich bin ganz glücklich. Ich ging gestern, als die Sonne uns mitten im Winter einen Nachsommer machte, in der Wiese spazieren, und überließ mich so ganz dem Gefühl für einen Gegenstand ders verdient, auch ohne Hoffnung zu brennen. Das matte Grün der Wiesen, das mit Reif und Schnee zu kämpfen schien, die braunen verdorrten Gebüsche, welch ein herzerquikkender Anblick für mich! Ich denke, es wird doch für mich auch ein Herbst einmal kommen, wo diese innere Pein ein Ende nehmen wird. Abzusterben für die Welt, die mich so wenig kannte, als ich sie zu kennen wünschte – o welche schwermütige Wollust liegt in dem Gedanken!

Beständig quält mich das, was Rousseau an einem Ort sagt, der Mensch soll nicht verlangen, was nicht in seinen Kräften steht, oder er bleibt ewig ein unbrauchbarer schwacher und halber Mensch. Wenn ich nun aber schwach, halb unbrauchbar bleiben will, lieber als meinen Sinn für das stumpf machen, bei dessen Hervorbringung alle Kräfte der Natur in Bewegung waren, zu dessen Vervollkommnung der Himmel selbst alle Umstände vereinigt hat. O Rousseau! Rousseau! wie konntest du das schreiben!

Wenn ich mir noch den Augenblick denke, als ich sie das erstemal auf der Maskerade sah, als ich ihr gegenüber am Pfeiler eingewurzelt stand und mir's war, als ob die Hölle sich zwischen uns beiden öffnete und eine ewige Kluft unter uns befestigte. Ach wo ist ein Gefühl, das dem gleich kommt, so viel unaussprechlichen Reiz vor sich zu sehen mit der schrecklichen Gewißheit, nie, nie davon Besitz nehmen zu dürfen. Ixion an Jupiters Tafel hat tausendmal mehr gelitten, als Tantalus in dem Acheron. Wie sie so stand und alles sich um sie herdrängte und in ihrem Glanze badete, und ihr überall gegenwärtiges Auge keinen ihrer Bewunderer unbelohnt ließ. Sieh Rothe, diese Maskerade war der glücklichste und der unglücklichste Tag meines Lebens. Einmal kam sie nach dem Tanz im Gedränge vor mir zu stehen, als ich eben auf der Bank saß, und als ob ich bestimmt gewesen wäre, in ihren Zauberzirkel zu fallen, so dicht vor mir, daß ich von meinem Sitz nicht aufstehen konnte, ihr meinen Platz anzutragen, denn die Ehrfurcht hielt mich zurück, sie anzureden. Diese Attitüde hättest Du sehen und zeichnen sollen, das Entzücken, so nah' bei ihr zu sein, die Verlegenheit ihr einen Platz genommen zu haben, o es war eine süße Folter, auf der ich diese wenige glückliche Minuten lag.

Wo bin ich nun wieder hineingeraten, ich fürchte mich alle die Sachen dem Papier anvertraut zu haben. Heb' es sorgfältig auf, und laß es in keine unheiligen Hände kommen.

HERZ

Vierter Brief

FRÄULEIN SCHATOUILLEUSE AN ROTHEN

Ha ha ha, ich lache mich tot, lieber Rothe. Wissen Sie auch wohl, daß Herz in eine Unrechte verliebt ist. Ich kann nicht schreiben, ich zerspringe für Lachen. Die ganze Liebe des Herz, die Sie mir so romantisch beschrieben haben, ist ein rasendes Qui pro Quo. Er hat die Briefe einer gewissen Gräfin *Stella* in seine Hände bekommen, die ihm das Gehirn so verrückt haben, daß er nun ging und sie überall aufsuchte, da er hörte, daß sie in ** angekommen sei, um an den Winterlustbarkeiten Teil zu nehmen. Ich weiß nicht, welcher Schelm ihm den Streich gespielt haben muß, ihm die Frau von Weylach für die Gräfin auszugeben, genug er hat keinen Ball versäumt, auf dem Frau von Weylach war, und ist überall wie ein Gespenst mit großen stieren Augen hinter ihr hergeschlichen, so daß die arme Frau oft darüber verlegen wurde. Sie bildet sich auch wirklich ein, er sei jetzt noch verliebt in sie, und ihr zu Gefallen in den Wald hinausgegangen. Sie hat es meinem Vater gestern erzählt. Melden Sie ihm das, vielleicht bringt es ihn zu uns zurück und wir können uns zusammen wieder weidlich lustig über ihn machen. Er muß recht gesund geworden sein auf dem Lande. Ich wünscht' ihn doch wieder zu sehen.

Fünfter Brief

ROTHE AN HERZ

Aber, Herz, bist Du nicht ein Narr, und zwar einer von den gefährlichen, die, wie Shakespeare sagt, für ihre Narrheit immer eine Entschuldigung wissen und folglich unheilbar sind. Ich habe Dir aus Fräulein Schatouilleusens Brief begreiflich gemacht, daß Dein ganzer Trotz von Phantasei irre gegangen wäre, daß Du eine andere für Deine Gräfin angesehen hättest, und Du willst doch noch nicht aus deinem Trotzwinkel zu uns zurück. Du seist nicht in ihre Gestalt verliebt gewesen, sondern in ihren Geist, in ihren Charakter, Du könntest Dich geirrt haben, wenn Du zu dem eine andere Hülle aufgesucht hättest, aber der Grund Deiner Liebe bleibe immer derselbe und unerschütterlich. Solltest Du aber nicht wenigstens, da Du doch durchaus einer von denen sein willst, die mit Terenz *insanire cum ratione volunt* durch Abschilderung dieses Charakters, dieses Geistes das Abenteuerliche Deiner Leidenschaft bei Deinem Freunde zu rechtfertigen suchen? Vielleicht könntest Du hierin eben sowohl eines Irrtums überwiesen werden, als in jenem, und dafür scheint es, ist Dir bange.

Alle Deine Talente in eine Einsiedelei zu begraben – Und was sollen diese Schwärmereien endlich für ein Ende nehmen? Höre mich, Herz, ich gelte ein wenig bei den Frauenzimmern, und das bloß, weil ich leichtsinnig mit ihnen bin. Sobald ich in die hohen

Empfindungen komme, ists aus mit uns, sie verstehen mich nicht mehr, so wenig als ich sie, unsere Liebesgeschichtgen haben ein Ende. Ich schreibe Dir dies nicht, Dich in Deinem Vorhaben wankend zu machen, ich weiß, daß Du einen viel zu originellen Geist hast, um Deine Eigentümlichkeit aufgeben zu wollen, aber ich sage Dir nur wie ich bin, ich klage Dir meine kleinen Empfindungen auf der Querpfeife, wie Du Deine auf dem Waldhorn. Siehst Du, so bin ich in einer beständigen Unruhe, die sich endlich in Ruhe und Wollust auflöst und dann mit einer reizenden Untreue wechselt. So wälze ich mich von Vergnügen auf Vergnügen, und da kommen mir Deine Briefe eben recht, unsern eingeschrumpften Gesellschaften Stoff zum Lachen zu geben. Es sticht alles so schrecklich mit unsrer Art zu lieben ab. Nun lebe wohl und besinne Dich einmal eines bessern.

ROTHE

Sechster Brief

HERZ AN ROTHE

Das einzige, was mir in Deinem letzten Briefe erträglich war, ist die Stelle, da Du eine Abschilderung von dem Charakter des Gegenstandes meiner einsamen Anbetung wünschtest, das übrige habe ich nicht gelesen. Zwar scheint auch in diesem Wunsch nur die Bosheit des Versuchers durch, der dadurch, daß er mein Geheimnis aus meinem Herzen über die Lippen lockt, mir dasselbe gern gleichgültiger machen möchte. Aber sei es, es soll Dir dennoch genug geschehen. Zwar weiß ich wohl, wie vielen Schaden ich ihr durch meine Beschreibungen tue, aber dennoch wirst Du, wenn Du klug bist und Seele hast, Dir aus meinem Gestotter ein Bild zusammensetzen können.

Denke Dir alles, was Du Dir denken kannst, und Du hast nie zu viel gedacht – doch nein, was kannst Du denken? Die Erziehung einer Fürstin, das selbstschöpferische Genie eines Dichters, das gute Herz eines Kindes, kurzum alles, alles beisammen, und alle Deine Mühe ist dennoch vergeblich, und alle meine Beschreibungen abgeschmackt. So viel allein kann ich Dir sagen, daß Jung und Alt, Groß und Klein, Vornehm und Gering, Gelehrt und Ungelehrt, sich herzlich wohl befinden wenn sie bei ihr sind, und jedem plötzlich anders wird wenn sie mit ihm redt, weil ihr Verstand in das Innerste eines Jeden zu dringen, und ihr Herz für jede Lage seines Herzens ein Erleichterungsmittel weiß. Alles das leuchtet aus ihren Briefen, die ich gelesen habe, die ich bei mir habe und auf meinem bloßen Herzen trage. Sieh, es lebt und atmet darinnen eine solche Jugend, so viel Scherz und Liebe und Freude, und ist doch so tiefer Ernst, die Grundlage von alle dem, so göttlicher Ernst – der eine ganze Welt beglücken möchte!

Siebenter Brief

ROTHENS ANTWORT

Dein Brief trägt die offenbaren Zeichen des Wahnsinns, würde ein andrer sagen, mir aber, der ich Dir ein für allemal durch die Finger sehe, ist er unendlich lieb. Du bist einmal zum Narren geboren, und wenigstens hast Du doch so viel Verstand, es mit einer guten Art zu sein.

Ich lebe glücklich wie ein Poet, das will bei mir mehr sagen, als glücklich wie ein König. Man nötigt mich überall hin und ich bin überall willkommen, weil ich mich überall hinzupassen und aus allem Vorteil zu ziehen weiß. Das letzte muß aber durchaus sein, sonst geht das erste nicht. Die Selbstliebe ist immer das, was uns die Kraft zu den andern Tugenden geben muß, merke dir das, mein menschenliebiger Don Quischotte! Du magst nun bei diesem Wort die Augen verdrehen, wie Du willst, selbst die heftigste Leidenschaft muß der Selbstliebe untergeordnet sein, oder sie verfällt ins Abgeschmackte und wird endlich sich selbst beschwerlich.

Ich war heut in einem kleinen Familienkonzert, das nun vollkommen elend war und in dem Du Dich sehr übel würdest befunden haben. Das Orchester bestand aus Liebhabern, die sich Taktschnitzer, Dissonanzen und alles erlaubten und Hausherr und Kinder die nichts von der Musik verstunden, spähten doch auf unsern Gesichtern nach den Mienen des Beifalls, die wir ihnen reichlich zumaßen, um den guten Leuten die Kosten nicht reu zu machen. Nicht wahr, das würde Dir eine Folter gewesen sein, Kleiner? besonders da seine Töchter mit den noch nicht ausgeschrienen Singstimmen mehr kreischend als singend uns die Ohren zerschnitten. Da in laute Aufwallungen des Entzückens auszubrechen und *bravo, bravissimo* zu rufen, das war die Kunst – und weißt Du, womit ich mich entschädigte? die Tochter war ein freundlich rosenwangiges Mädchen, das mich für jede Schmeichelei, für jede herzlichfalsche Lobeserhebung mit einem feurigen Blick bezahlte, mir auch oft dafür die Hand und wohl gar gegen ihr Herz drückte, das hieß doch wahrlich gut gekauft. Ich weiß, Du knirschest die Zähne zusammen, aber mein Epikuräismus führt doch wahrhaftig weiter, als Dein tolles Streben nach Luft- und Hirngespinsten. Ich weiß, das Mädchen denkt doch heute den ganzen Abend mit Vergnügen an mich, warum soll ich ihr die Freude nicht gönnen, daß sie sich mit dem Gedanken an mich zu Bette legt.

Willst Du's auch so gut haben, komm zu uns, ich will gern die zweite Rolle spielen, wenn ich Dich nur zum brauchbaren Menschen machen kann. Was fehlte Dir bei uns? Du hattest Dein mäßiges Einkommen, das zu Deinen kleinen Ausgaben hinreichte, Du hattest Freunde, die Dich ohne Absichten liebten, ein Glück das sich Könige wünschen möchten, Du hattest Mädchen die an kleinen Netzen für Dein Herz webten, in denen Du Dich nur so weit verstricktest, als sie Dir behaglich waren, hernach flogst Du wieder davon und sie hatten die Mühe Dir neue zu weben. Was fehlte Dir bei uns? Liebe und Freundschaft vereinigten sich, Dich glücklich zu machen, Du schrittst über alles das hinaus in das furchtbare Schlaraffenland verwilderter Ideen!

Nichts lieblicher als die Eheknoten, die für mich geschlungen werden und an denen ich mit solcher Artigkeit unten weg zu schleichen weiß. Denk was für ein Aufwand von Reizungen bei alle den Geschichten um mich her ist, welch eine Menge Charaktere sich mir entwickeln, wie künstliche Rollen um mich angelegt und wie meisterhaft sie gespielt werden. Das ergötzt meinen innern Sinn unendlich, besonders weil ich zum voraus weiß, daß sich die Leute alle an mir betrügen, und mir hernach doch nicht einmal ein böses Wort darum geben dürfen. So gut würde Dirs auch werden, wenn Du mir folgtest; wäre doch besser, unter blühenden und glühenden Mädchen in Scherz und Freude und Liebkosungen sich herumzuwälzen, als unter Deinen glasierten Bäumen auf der gefrornen Erde. Was meinst Du Herz? Lachst du? Narr, wenn Du lachen kannst, so ist alles gewonnen.

Achter Brief

ANTWORT HERZENS AN ROTHEN

Deine Briefe gefallen mir immer mehr und mehr, obschon ich Deine Ratschläge immer mehr und mehr verabscheue, und das bloß, weil der Ton in denselben mit dem meinigen so absticht, daß er das verdrießliche Einerlei meines Kummers auf eine pikante Art unterbricht. Fahre fort, mir mehr zu schreiben, es ist mir alles lieb, was von Dir kommt, sollte mirs auch noch so viel Galle machen.

Sei glücklich unter Deinen leichten Geschöpfen, und laß mir meine Hirngespinste. Ich erlaub es euch sogar, über mich zu lachen, wenn euch das wohltun kann. Ich lache nicht, aber ich bin glücklicher als ihr, ich weide mich zuweilen an einer Träne, die mir das süße Gefühl des Mitleids mit mir selbst auf die Wange bringt. Es ist wahr, daß ich alles hier begrabe, aber eben in dieser Aufopferung findt mein Herz eine Größe, die ihm wieder Luft macht, wenn seine Leiden zu schwer werden. Niemanden im Wege – welch eine erhabene Idee! ich will niemanden in Anspruch nehmen, niemand auch nur einen Gedanken kosten, der die Reihe seiner angenehmen Vorstellungen unterbricht. Nur Freiheit will ich haben, zu lieben was ich will und so stark und dauerhaft, als es mir gefällt. Hier ist mein Wahlspruch, den ich in die Rindentüre meiner Hütte eingegraben:

Du nicht glücklich, kümmernd Herz?
Was für Recht hast du zum Schmerz?
Ist's nicht Glück genug für dich,
Daß sie da ist, da für sich?

Neunter Brief

ROTHE AN HERZ

Wenn wir uns lange so fortschreiben, so geraten wir beide in eine Geschwätzigkeit, die zu nichts führt. Du willst unterhalten sein und ich kann und mag Dich nicht unterhalten. Alles was ich Dir schrieb, war, um Dich zurückzubringen, willst Du nicht, so laß bleiben, kurz und gut. Alle Deine Klagen und Leiden und Possen helfen Dir bei uns zu nichts, wir Deine wahren Freunde und Freundinnen und alle Vernünftigen – verzeih mirs, was können wir anders tun – lachen darüber – ja lachen entweder dich aus der Haut und der Welt hinaus – oder wieder in unsre bunten Kränzgen zurück.

Du tätest also besser, wenn Du mir nicht mehr schriebest. Ich komme nicht zu Dir, das hab ich verschworen. Aber ich erwarte Dich bei mir, wenn Du mich wieder einmal zu sehen Lust hast.

ROTHE

Die Antwort auf diesen Brief blieb aus.

Zehnter Brief

Wissen Sie auch wohl, daß wir hier einen neuen *Werther* haben, noch wohl schlimmer als das, einen *Idris,* der es in der ganzen Strenge des Worts ist, und zu der Nische die Herr Wieland seinem Helden am Ende leer gelassen hat, mit aller Gewalt ein lebendes Bild sucht. Kurz, es ist der junge Herz, den Sie bisweilen in unserm Hause müssen gesehen haben, er war sehr einschmeichelnd beim Frauenzimmer, aber immer in seinen Ausdrücken etwas romantisch, welches mir um soviel besser gefiel. Er hat im ganzen Ernst seine Bedienung niedergelegt, und ist in den Odenwald gegangen und Einsiedler geworden. Jedermann redt davon und bedaurt das Unheil, das solche Schriften anrichten. Ich aber behaupte, daß der Grund davon in seinem Herzen liegt, und daß er auch ohne Werther und Idris das geworden wäre, was er ist.

Die Person, die er liebt, ist eine Gräfin, die in der Tat ein rechtes Muster aller Vollkommenheiten ist, wie man sie mir beschrieben hat. Sie tanzt wie ein Engel, zeichnet, malt nach dem Leben, spricht alle Sprachen, ist mit jedermann freundlich und liebreich, kurz sie verdient es wohl, daß eine Mannsperson um sie den Kopf verliert. Alle ihre Stunden sollen so eingeteilt sein, daß sie niemalen müßig ist, sie unterhält allein eine Korrespondenz, wozu mancher Staatsminister nicht Sekretärs genug finden würde, und die Briefe schreibt sie alle während der Zeit, da sie frisiert wird, auf der Hand, damit sie ihr von ihren übrigen Beschäftigungen nicht Zeit wegnehmen. Es muß ein liebes Geschöpf sein, sie soll von dem Unglück des armen Herz gehört haben, und darüber untröstlich sein, denn sie hat ein Gemüt, das nicht gern ein Kind beleidigen möchte. Er hat einige von ihren Briefen in die Hände bekommen, die sie während ihres Aufenthalts auf dem Lande an die *Witwe Hohl* hier geschrieben hatte. Sie wissen doch die Witwe Hohl in der Laubacherstraße in dem großen roten Hause. Herz soll bei ihr logiert haben. Das seltsamste ist, daß er seinen Abgott noch nicht von Person kennt, obschon er alles angewandt, sie zu sehen zu kriegen. Er hat eine andere für sie angesehen und also eine ganz falsche Vorstellung von ihr in seine Zelle mitgenommen.

Die Fräulein Schatouilleuse kennt die Gräfin auch, weil sie oft in ihr Haus kommt, will aber nicht viel Gutes von ihr sagen. Sie meint, sie affektiere entsetzlich, nun ist das ganz natürlich, weil ihre Art zu denken von jener ihrer himmelweit unterschieden sein muß.

Man sagt die Gräfin wolle an den armen Herz schreiben, um ihn vielleicht wieder zurecht zu bringen. Ich habe nicht Zeit, Ihnen mehr zu sagen, obgleich ich sonst so ungern weiß Papier übrig lasse. Unser Haus ist voll Fremde, die zur Ostermesse gekommen sind. Wenn Sie doch auch auf einige Tage herein könnten. Der wunderliche Herr Hokum ist auch da.

HONESTA

Eilfter Brief

HERZ AN ROTHEN

Ich bin untröstlich, daß meine Einsiedlerei eine Fabel der Stadt wird. Gestern sind eine Menge Leute aus ✶✶ hier gewesen, die mich sehen und sprechen wollten, und mir einigemal zwar unter vielen andern den Namen derjenigen genannt haben, die ich den Wänden meiner Hütte und den leblosen Bäumen kaum zu nennen das Herz habe. Sollte etwas davon laut geworden sein, und durch Dich, Verräter? Du weißt allein, wer es ist, und wie viel mir daran gelegen, daß ihr Name auf den Lippen der Unheiligen nicht in meiner Gesellschaft ausgesprochen werde.

Auf diesen Brief erfolgte keine Antwort.

Zwölfter Brief

Ich schreibe Dir dieses, obschon Du's nicht verdienst. Aber ich kann nicht, ich kann die Freude über alle mein Glück nicht bei mir behalten. Und da ich sonst gewohnt war mein Herz gegen Dich zu öffnen –

Wisse alles, Rothe, sie kennt mich, sie weiß, daß ich um ihrentwillen hier bin, wer muß ihr das gesagt haben?

Gestern konnt' ichs fast nicht aushalten in meiner Hütte. Alles war versteinert um mich, und ich habe die Kälte in der härtesten Jahrszeit in meinem Vaterlande selbst nicht so unmitleidig gefunden. Ich nahm mir das Eis aus den Haaren, und es war mir nicht möglich, Feuer anzumachen; ich mußte also ziemlich spät ins Dorf hinabgehen, mich zu wärmen.

Stelle Dir das Entzücken, die Flamme vom Himmel vor, die

meine ausgequälte Seele durchfuhr, als ich auf einmal Fackeln vor einem Schlitten auf mich zu kommen und bei deren Schein die Livrei meiner angebeteten Gräfin sah. Ich hielt sie dafür, ich betrog mich nicht. Sie war es, sie war es selbst, nicht die, die ich auf dem Ball gesehen, aber mein Herz sagte mirs, daß sie es sei, denn als sie mich sah, sie sah scharf heraus, hielt sie den Muff vor das Gesicht, um die Bewegungen ihres Herzens zu verbergen. Und wie groß, wie sprachlos war meine Freude, als ich hernach im Dorf hörte, sie habe sich durch ihre Bedienten nach einem gewissen Waldbruder erkundigen lassen, der hier in der Nähe wohnte.

Ich, so lebhaft gegenwärtig in ihrem Andenken – und in dieser Kälte kam sie heraus mich zu sehen – wenn es auch nur Spazierfahrt war, wie glücklich, daß meine Hütte sie auf diesen Weg locken mußte – vielleicht kann ich sie noch einmal sehen und sprechen. – Rothe! Gibts eine höhere Aussicht für menschliche Wünsche?

Brief

DER GRÄFIN STELLA AN HERZ

Mein Herr! ich habe Ihren Zustand erfahren, er dauert mich. Von ganzem Herzen wünschte ich Unmöglichkeiten möglich zu machen. Indessen kommen Sie nach der Stadt, und wenn Ihnen damit ein Gefallen geschehen kann, mich zu sehen und zu sprechen, wie Herr Rothe mir versichert hat, so hoffe ich, es soll sich bei Ihrer Freundin, der Witwe Hohl, schon Gelegenheit dazu finden.

STELLA

Zweiter Teil
Erster Brief

HERZ AN ROTHEN
der in Geschäften nach Braunsberg gereist war

Da bin ich wieder mein Wohltäter! in allem Rosenschimmer des Glücks und der Freude. Rothe! Rothe! was bist Du für ein Mensch. Wie hoch über den Gesichtskreis meines Danks hinaus! Ich habe auch nicht Zeit, das alles durchzudenken, wie Du mich geschraubt und geschraubt hast, mich wieder herzukriegen, mich über alle

99

Hoffnung glücklich zu machen – ich kanns nur fühlen und schaudern indem ich Dir in Gedanken Deine Hände drücke. Ja ich habe sie gesehen, ich habe sie gesprochen – Dieser Augenblick war der erste, da ich fühlte daß das Leben ein Gut sei. Ja ich habe ihr vorgestammelt, was zu sagen ich Ewigkeiten gebraucht haben würde und sie hat mein unzusammenhängendes Gewäsch verstanden. Die Witwe *Hohl,* du kennst die Plauderin, glaubte allein zu sprechen, und doch waren wir es, wir allein, die, obgleich stumm, uns allein sprechen hörten. Das läßt sich nicht ausdrücken. Alles was sie sagte war an die Witwe Hohl gerichtet, alles was ich sagte gleichfalls und doch verstand die Witwe Hohl kein Wort davon. Ich bekam nur Seitenblicke von ihr, und sie sah meine Augen immer auf den Boden geheftet und doch begegneten unsere Blicke einander und sprachen ins innerste unsers Herzens was keine menschliche Sprache wird ausdrücken können. Ach als sie so auf einmal das Gesicht gegen das Fenster wandte, und in dem sie den Himmel ansah, alle Wünsche ihrer Seele auf ihrem Gesicht erschienen – laß mich Rothe, ich entweihe alles dies durch meine Umschreibungen.

Zweiter Brief

Nun ist es wunderbar welch einen hohen Platz die Witwe Hohl in meinem Herzen einnimmt. Du weißt, welch eine Megäre von Angesicht sie ist, und doch kann ich mich in keiner einzigen Frauenzimmergesellschaft so wohl befinden als in ihrer. Ich verschwende Liebkosungen auf Liebkosungen an sie, und das nicht aus Politik sondern aus wahrer herzlicher Ergebenheit, denn es scheint mir daß sie wie Moses von dem Gesicht meiner Göttin einen gewissen Schimmer erhalten hat, der sie um und um zur Heiligen macht. Alle ihre Handlungen scheinen mir Abschattungen von den Handlungen meiner Gräfin, alle ihre Worte Nachhälle von den ihrigen. Wenn sie von ihr redt bekommt auch in der Tat ihr Medusenkopf gefälligere Mienen, eine gewisse himmlische Heiterkeit blitzt aus ihren Augen und ihre Reden erhalten alle eine gewisse Melodie in ihrem Munde, über die sie sich selbst zu wundern scheint. Sie redt deswegen gern von ihr. Und wer ist glücklicher dabei als ich? Zugleich habe ich an ihr gemerkt, daß sie keine gemeine Gabe des Vortrages hat. Besonders kann sie einen Charakter mit wahrer poetischer Kraft darstellen. Es scheint mir daß Frauenzimmer ihrer Art immer dadurch vor den schönen und artigen gewinnen, daß sie in einer gewissen Entfernung von den Leuten abstehen, die ihren Gesichtspunkt aus dem sie sie auffassen, immer unendlich richtiger macht. Sie sehen alles ganz was andere nur halb sehen. Kurzum, ich liebe sie, diese Olinde.

Dritter Brief

O Rothe! hundertmal fällt mir die Frau ein, die in einer katholischen Kirche gesessen wo sie von der lateinischen Predigt kein Wort verstand, außer einem gewissen Namen, der ihre Andacht erhielt, und dem zu Gefallen sie allein in die Kirche kam.

Du weißt, daß ich, um mich hier zu erhalten, weil ich meinen Dienst niedergelegt, den ganzen Tag informieren muß. Es mattet mich ein wenig ab, allen den verschiedenen Köpfen auf so verschiedene Art faßlich zu werden. Den Abend geh ich zur Erholung zur Witwe Hohl hinauf und wenn ich auch weiter nichts als den Namen einer gewissen Person aussprechen höre, so ist mir doch gleich wieder so wohl und kann mich so vergnügt zu Bette legen.

Vierter Brief

Ich sehe, ich sehe, daß sich die Witwe Hohl an mir betrügt. Aber laß sie, es ist ihr doch auch wohl dabei, und da es in meinem Vermögen nicht steht, einen Menschen auf der Welt durch Handlungen glücklich zu machen, so soll es mich wenigstens freuen, eine Person die auf diese Art der Glückseligkeit in der Welt schon Verzicht getan hatte, wenigstens durch ihre eigene Phantaseien glücklich gemacht zu haben. Unter uns, sie glaubt in der Tat, ich liebe sie. Noch mehr, auch andere Leute glaubens, weil ich ihr so standhaft den Hof mache. Ich liebe sie auch wirklich, aber nicht wie sie geliebt sein will.

Es wird mir fast zu lange, daß ich die Gräfin nicht sehe. Nirgends, nirgends ist sie anzutreffen. Und die ewige Sysiphus Arbeit meiner täglichen Arbeiten ohne die mindeste Freude und Erholung ermattet sehr. Wenn ich nur durch alle meine Mühe noch was ausrichtete. Ich zerarbeite mich an Leuten die träger als Steine sind und die, was das schlimmste ist, mich mit den bittersten Vorwürfen kränken, daß sie bei mir nicht weiter kommen können. Witwe Hohl spricht auch kein Wort von der Gräfin mehr.

Fünfter Brief

FRÄULEIN SCHATOUILLEUSE AN ROTHEN

Was T –, machen Sie denn solange auf dem Lande, das ist ja nicht auszuhalten. Ihr Herz, den kriegt ja kein Mensch zu sehen, noch zu genießen, den hat die Witwe Hohl vermutlich an ihrem Bettstollen angebunden. Es ist doch schändlich, daß der Mensch ihr so hündisch getreu ist, da sie ihn offenbarlich hintergeht.

Wissen Sie auch was Neues Rothe, recht was Neues, daß die Gräfin Stella Braut ist und das mit einem garstigen alten Mann, der aber viel Geld hat. Diese Nachricht, versichert, wird Herrn Herzen übel schmecken. Wenn er sie nur nicht gar zu plump erfährt, ich glaube er erschießt sich.

Wissen Sie mir nicht zu sagen, ob man in Braunsberg gute weiche Flockseide bekommt? Und was dort die Chinesischen Blumen gelten. Bringen Sie mir welche mit, die Leute sind hier Judenmäßig teuer.

Sechster Brief

HERZ AN ROTHEN

Bruder! es ist etwas auf dem Tapet, ich bin der glücklichste unter allen Sterblichen. Die Gräfin – kaum kann ich es meinen Ohren und Augen glauben – sie will sich mir malen lassen. O unbegreiflicher Himmel! wie väterlich sorgst du für ein verlaßnes verlornes Geschöpf. Meine letzten harrenden und strebenden Kräfte waren schon ermattet, ich erlag – ich richte mich wieder auf, ich stehe, ich eile ich fliege – fliege meinen großen Hoffnungen entgegen.

Siebenter Brief

WITWE HOHL AN DIE GRÄFIN STELLA

Ich habe endlich ein Mittel ausfindig gemacht, liebe Gräfin, das Bild, das Sie Herrn Rothen in seine Sammlung von Gemälden versprochen haben, ihm ohne daß es ein Mensch auf der Welt merkt für wen, zu verschaffen. Mein Freund Herz ist in genauer Verbindung mit einem hiesigen Maler, dieser soll, als ob ich ihn heimlich durch Herzen hätte bestellen lassen, Sie unvermutet auf meinem Zimmer überraschen, Sie müssen sich ein wenig erschrocken stellen, ich bitte Sie sodann um Verzeihung und sage, weil Sie bald weg von hier zu reisen gedächten, hätt' ich mir die Gelegenheit zu Nutz machen wollen, bei Ihrem letzten Besuch wenigstens Ihr Bild auf der Stube zu behalten. Herz hat mir alles dies selbst so angegeben, und Sie können sich auf ihn verlassen daß er alles so beim Maler einrichten wird, daß Sie auf keine Weise dadurch kompromittiert werden.

Achter Brief

Herz an Rothen

Eben erhalte ich einen wunderbaren Brief von einem Obristen in Hessischen Diensten, der ehmals mit mir in Leipzig zusammen studiert hat, und mir die Stelle als Adjutant bei ihm anträgt, wenn ich ihn nach Amerika begleiten will. Wie Rothe! dieser Sprung aus dem Schulmeisterleben auf die erste Staffel der Leiter der Ehre und des Glücks, der Himmelsleiter auf der ich alle meine Wünsche zu ersteigen hoffe. Was sagst Du dazu? Und ihr Bild nehme ich mit. Mit diesem Talisman in tausend bloße Bajonetter zu stürzen – Ha Rothe, daß Du fühlen könntest, wie mir das Herz schlägt! Künftige Woche läßt sie sich malen. O die großen Akkorde des Schicksals, des göttlichgütigen Schicksals, dem wir in den umwölkten Stunden durch unsere Verwünschungen soviel unrecht tun. Hörst Du sie nicht auch? segnest Du sie nicht auch? Wie sich alles alles vereinigt, alles vereinigen muß – Warum antwortest Du mir denn nicht?

Neunter Brief

Rothe an den Obristen von Plettenberg

Hier überschick ich Ihnen, mein Gönner! einen mir auf mein Gewissen anvertrauten Brief Ihrer Gräfin Nichte. Es däucht mir, er enthalte eine nochmalige Vorbitte für den armen Herz, für dessen Schicksal in Amerika ihr bange ist. Er ist in der Tat nicht zum Soldaten gemacht, so sehr er sichs zu sein einbildet. Wäre es nicht möglich, daß Sie ihn dem Kurfürsten zu ** empfehlen könnten, zu der erledigten Hofjunkerstelle. Ich werde ihn Ihnen selber nach Zelle bringen und über verschiedene Umstände seines Herkommens und seiner bisherigen Schicksale Ihnen mündlich nähere Aufschlüsse geben.

Zehnter Brief

HERZ AN ROTHE

Ewige Wonne ruhe auf diesem Tage und unter dem Schimmer des rosenlächelnden Himmels müssen sich an demselben zwo große Seelen, die das unerbittliche Schicksal lang von einander trennte, im höchsten Taumel der Liebe küssen.

Laß mich zu mir selber kommen Rothe, ich kann nicht reden – kann die Gefühle nicht ausdrücken – aber wenn es je Entzücken auf Erden gibt, so war es das. Sie wiederzusehn – nach so langem Schmachten – so wiederzusehn – siehst Du, alle die Wonne schneidet mir ins Herz, ich sitze da, halb ohne Atem, alle meine Pulse hüpfen, zittern für Freude und eine wollüstige Träne über die andere stürzt sich aus meinen Augen herab.

Die Geschichte dieses Tages – daß Du doch das alles nicht gesehen hast? Wie kann ichs erzählen? Ich kam mit dem Maler. Nein, ich schickte den Maler voraus und nach einem Weilchen kam ich nach. Sie saß ihm schon – saß da in aller ihrer Herrlichkeit – und ich konnte mich ihr gegenüberstellen und mit nimmersatten Blikken Reiz für Reiz, Bewegung für Bewegung einsaugen. Das war ein Spiel der Farben und Mienen! Wenn der Himmel mir in dem Augenblick aufgetan würde, könnt' er mir nichts Schöners weisen. Das Vergnügen funkelte aus ihren Augen, o welch eine elysische Jugend blühend und duftend auf ihren Wangen, ihr Lächeln zauberte mir die Seele aus dem Körper in das weite Land grenzenloser Schimären. Und ihr Busen, auf dem sich mein ehrfurchtsvoller Blick nicht zu verweilen getraute, den Güte und Mitleid mir entgegenhob – Bruder ich möchte den ganzen Tag auf meinem Angesicht liegen, und danken, danken, danken –

Eilfter Brief

HERZ AN ROTHEN

Welch ein schreckliches Ungewitter hat diesen himmlischen Sonnenschein abgelöst! Rothe, ich weiß nicht, ob ich noch lebe, ob ich noch da bin oder ob alles dies nur ein beängstigender Traum ist. Auch Du ein Verräter – nein, es kann nicht sein. Mein Herz weigert sich, die schrecklichen Vorspiegelungen meiner Einbildungskraft zu glauben und doch kann ich mich deren nicht erwehren. Auch Du Rothe – nimmermehr!

Schick mir das Bild zurück, oder ich endige schrecklich. Du mußt es nun haben dieses Bild und mit blutiger Faust werde ich's zurückzufordern wissen, wenn Du mirs nicht in gutem gibst.

Dein Stillschweigen, Dein geheimnisvolles Wesen gegen mich – gegen mich, Rothe – bedenke, was das sagen will – nein doch, ich kann es, kann es nicht glauben. Du kannst Dich eines so schwarzen Komplotts nicht schuldig gemacht haben.

Ich will Dir alles erzählen, aber ich fodere von Dir, daß Du mir Aufrichtigkeit mit Aufrichtigkeit belohnst.

Ich flog den Nachmittag, sobald meine Informationen vorbei waren, zur Witwe Hohl hinauf – kannst Du Dir vorstellen, mit welchen Empfindungen? Ich wollte ihre beide Hände unbeweglich an meine Lippen drücken, mich auf die Knie vor ihr werfen, und ihr mit Blicken und Tränen für alle das Vergnügen danken, das sie mir den Vormittag verschafft hatte. Aber Gott! wie ward mir das versalzen? Ich fand sie – zu Bette. Mit der wahren Stimme einer Verzweifelnden redte sie mich an: Unglücklicher fort von mir! was wollt ihr bei mir – Was ist Ihnen beste Witwe Hohl – Seht da euer Werk Verräter – Ich schuld an Ihrer Krankheit – Ja schuld an meinem Tode – Wodurch – Fragt euer Herz Bösewicht!

Ich war für Wut außer mir, ich fing an zu bitten, ich fing an zu schmeicheln, zu weinen, zu schwören – Welche grausame Verwirrungen hatte unser Mißverstand angerichtet, oder vielmehr meine Nachlässigkeit, sie eher aus ihrem Irrtum zu reißen. Sie war über mein Betragen den Vormittag eifersüchtig geworden – sie eifersüchtig – nie hatte ich mir das träumen lassen. Hätte sie doch nur einmal während der ganzen Zeit unserer Bekanntschaft in den Spiegel gesehen, wie viel Leiden hätte sie sich ersparen können! Indessen, der Mensch sucht seine ganze Glückseligkeit im Selbstbetrug. Vielleicht betrüge ich mich auch. Sei es was es wolle, ich will das Bild wieder haben, oder ich bringe mich um. – Nun kommt das Schlimmste erst. Ich hatte ihr gesagt, ich würde Dir das Bild zuschicken, weil ich wirklich glaubte, die Gräfin hätte vielleicht gewünscht daß Du es auch vorher sehen solltest, eh ichs nach Amerika mitnähme. Jetzt sagte sie mir, daß ich die Gräfin aufs grausamste und unverzeihlichste beleidigen würde, wenn ich ihr nicht mit einem Eide verspräche, Dir das Bild zuzuschicken und es nimmer wiederzufodern – Es nimmer wiederzufodern, sagte ich, wie können Sie das verlangen – Ja das verlange ich, sagte sie, und zwar auf Ordre der Gräfin, denn das erste ist schon geschehen.

Nun stelle Dir vor, sie hatte während meiner Abwesenheit mein Zimmer vom Hausherrn aufmachen lassen, und das Bild herausgenommen. Ich hatte mir vorgesetzt, davon eine Kopei nehmen zu lassen und sie Dir zuzusenden, das Original aber für mich zu behalten, weil des Malers Hand dabei sichtbarlich von einer unsichtbaren Macht geleitet ward und ich das was die Künstler die göttliche Begeisterung nennen, wirklich da arbeiten gesehen habe – und nun – ich hätte sie mit Zähnen zerreißen mögen – alles fort – – Rothe das Bild wieder, oder den Tod!

Dazu kommt noch, daß ich übermorgen reisen soll. Ich wünschte ich könnte Dich abwarten. Schick nur, wenn Du selbst nicht kommen kannst, das Bild an Fernand, der weiß meine Adresse. O mein Herz ist in einem Aufruhr, der sich nicht beschreiben läßt.

Was für Ursachen konnte die Gräfin haben, das Bild Dir malen zu lassen? – Nein es ist ein Einfall der Witwe Hohl. Antworte mir doch.

Herz

Dritter Teil
Erster Brief

Honesta an den Pfarrer Claudius

Sie wollen das Schicksal des armen Herz wissen und was ihn zu einem so schleunigen und seltsamen Entschluß als der ist nach Amerika zu gehen, hat bewegen können. Lieber Pfarrer, um das zu beantworten muß ich wieder zurückgehn und eine ziemlich weitläuftige Erzählung anfangen die mir, da ich so gern Briefe schreibe, ein sehr angenehmer Zeitvertreib ist.

Ich habe seitdem vollständigere Nachrichten eingezogen von Herzens erster Bekanntschaft mit der Witwe Hohl, von der unglücklichen Leidenschaft die er für die Gräfin Stella faßte, von den Ursachen die alle zusammen trafen, diese Leidenschaft zu unterhalten, welches bei jedem vernünftigen Menschen sonst unbegreiflich sein würde, da die Gräfin nicht allein so weit über seinen Stand erhaben, sondern auch seit fünf Jahren schon eine Braut mit einem gewissen Obersten Plettenberg ist, der schon eine Campagne wider die Kolonisten in Amerika mitgemacht hat, bloß damit er Gelegenheit habe, sich bis zum General oder Generallieutnant zu bringen, weil er sonst nicht wagen darf, bei dem Vater der Gräfin um sie anzuhalten. Heimlich ist aber unter ihr und ihren Verwandten alles mit ihm schon ausgemacht. – Alle diese Nachrichten sollen Ihnen den Schlüssel zu Herzens wunderbarem Charakter und Handlungen geben.

Diese Geschichte ist aber so wie das ganze Leben Herzens ein solch unerträgliches Gemisch von Helldunkel daß ich sie Ihnen ohne innige Ärgernis nicht schreiben kann. Kein Zustand der Seele ist mir fataler als wenn ich lachen und weinen zugleich muß, Sie wissen ich will alles ganz haben, entweder erhabene Melancholei oder ausgelassene Lustigkeit – indessen es ist nun einmal so und ich kann mir nicht helfen.

Die Witwe Hohl – Sie kennen die Witwe Hohl und ich brauche Ihnen ihre Häßlichkeit nicht zu beschreiben, doch wenn Sie sich nicht mehr auf ihr Gesicht erinnern sollten, sie hat eingefallene Augen, den Mund auf die Seite verzogen, der ein wahres Grab ist das wenn sie ihn öffnet, Totenbeine weist, eine eingefallene Nase kurz alles was häßlich und schrecklich in der Natur ist – hier lassen Sie mich aufstehn und abbrechen, die Beschreibung hat mich angegriffen, besonders wenn ich bedenke, daß der delikate, der fein organisierte Herz in sie verliebt war –

Zweiter Brief

Die Witwe Hohl ist eine Person von vielem Vermögen, und was Sie mir nicht glauben werden, von einem außerordentlichen Verstande.

Sie können dies nur daraus sehen, daß sie wirklich den Plan gemacht, dem jungen feinen scharfsichtigen Herz sein Herz zu entführen, und daß sie diesen Plan – welches mir das unbegreiflichste ist, ausgeführt hat. Ich weiß nicht durch welche Zaubermittel sie ihn in ihr Haus zu locken gewußt hat. Ich stelle mir's so vor, sie war in der ganzen Stadt bekannt daß sie eine große weitläuftige

Korrespondenz mit Vornehmen und Gelehrten hat, die sie sich alle durch ihren Verstand verbindlich zu machen wußte. Herz, der immer ein Narr auf Charaktere war und in der wirklichen Welt sie aufzusuchen zuviel Ekel und Launen hatte, dachte hier einen reichen Fund zu tun, und – da sie für alle diese Korrespondenten zugleich immer Geschäfte machte – bei allen diesen Personen ihre Art sich zu benehmen, die verschiedenen Maßen von Licht und Schatten, von Selbstliebe und Großmut, oder auch wohl, bei Leuten von geringerm Ton, von Geiz und Hochmut in ihrem Charakter hier gleichsam aus der ersten Hand zu haben. Nun kommt noch dazu, daß sie selbst eine ungemein große Gabe zu erzählen hat, sie weiß alle Gegenstände die sie einmal sieht, gleich so zu fassen und vorzutragen daß man sie auch zu sehen glaubt, kurz als Herz das erstemal mit ihr in Gesellschaft war, wo sie denn gleich einige ihrer Briefe hervorgezogen, und von ihr hörte, daß sie ein Zimmer in ihrem Hause um einen sehr wohlfeilen Preis zu vermieten habe, zog er sogleich des folgenden Tages bei ihr ein, und nun war er für alle unsere Gesellschaften verloren.

Er kam alle drei Tage nur in unser Haus und tat dabei so frostig, daß wir ihn immer nur das Terzianfieber nannten. Zuletzt blieb er gar weg und wer dabei am wenigsten verlor, das waren wir. Jetzo erst, da ich von dem Herrn Rothe den wahren Zusammenhang seiner Verirrungen erfahren, fange ich an, ihn zu bedauern.

Stellen Sie sich vor, sie kramte die Briefe der Gräfin aus, die schon seit ihrer Kindheit mit ihr in großer Bekanntschaft steht und seit dieser Zeit her in ** alle Geschäfte durch sie hat machen lassen. Nun habe ich Ihnen die Gräfin Stella schon beschrieben, noch müssen Sie das wissen, sie schreibt wie ein Engel. Ich habe Briefe von ihr gesehen, sie weiß den allergeringsten Sachen so etwas anzügliches zu geben, daß man so gar ihre kleinsten Kommissionen mit eben dem Interesse liest, als den wohlgeschriebensten Roman. Mein Herz war hin, als er immer weiter in dieses Heiligtum trat, Brief für Brief dieser Charakter sich immer herrlicher ihm entwickelte, denn es waren hier Briefe von den ersten Jahren ihres Lebens an und sie hatte nie geglaubt, gegen die Witwe Hohl im geringsten sich verstellen oder, was heut zu tage so allgemein ist, repräsentieren zu dürfen.

Nun beging die Witwe die grausame List, Herzen ganz und gar zu verhehlen daß die Gräfin mit irgend einer Mannsperson auf der Welt in Verbindungen des Herzens stehe. Alle die neueren Briefe in denen etwas von Plettenberg vorkam, versteckte sie ihm sorgfältig, Herz der von jeher wie Sie wissen, vielleicht durch die

Schicksale seiner Jugend, die sonderbar genug sein sollen, äußerst romantisch gestimmt war, glaubte es vielleicht möglich daß er dies Herz wenigstens zur Freundschaft gegen ihn durch Zeit Geduld und Sorgfalt stimmen könnte. Er faßte also den gigantischen Vorsatz, nicht abzulassen bis er es durch die Witwe Hohl soweit gebracht, daß die Gräfin Stella wenigstens seine Freundin würde. Auf der andern Seite faßte die Witwe Hohl, die wohl einsah daß Herz nur durch Reize der Seele gefesselt werden könnte und sich für die gewöhnlichen schönen und artigen Gesichte der Stadt zu gut hielt, gleichfalls den festen Vorsatz, nicht abzulassen bis sie es durch die Briefe der Gräfin dahin gebracht daß er sich ganz und gar an unsichtbare Vorzüge gewöhnte und wenn er sähe daß seine Leidenschaft für die Gräfin eine bloße Schimäre sei, *sie* als ihre vertrauteste Freundin an ihre Stelle setzte. Sie behielt also die Nachricht von ihrer geheimen Verbindung mit Plettenberg als den Theaterstreich zurück, der die ganze Katastrophe entscheiden sollte. Ich fürchte sehr, das Stück könne eher tragisch als komisch endigen.

Nun ging das Drama von beiden Seiten an und die Rollen wurden meisterhaft abgespielt. Witwe Hohl redete immer von der Gräfin und zog dadurch Herzen immer fester an sich. Sie ließ sogar bei der Erzählung von den Jugendjahren derselben ihren ganzen Witz und ihr ganzes Herz mit all seinen Hoffnungen Teil nehmen, welches ihren Augen so wie ihren Ausdrücken ein Feuer gab, das Herzen oft ganz bezauberte. Er trank das süße Gift begierig in sich, doch brauchte er die Vorsicht, bei alledem eine gewisse Kälte und Gleichgültigkeit zu affektieren und das was die wütendste Leidenschaft in seinem Herzen war als frostige Bewunderung einzukleiden, welches auf der andern Seite die Witwe Hohl an ihm bezauberte, die denn dadurch immer besser humorisiert, immer, daß ich so sagen mag, begeisterter wurde, so daß beiden nie besser zu Mut war als wenn sie auf diese Materie kamen und sie von allen Diskursen des gemeinen Lebens immer Gelegenheit zu finden wußten, dahin einzulenken. Dazu kam noch, daß diese Materie ein unvergleichlicher Probierstein ihres Witzes war, bei alledem ihren Zweck immer vor Augen zu behalten und mit unmerklichen aber ihrer Meinung nach sehr festen und zuverlässigen Schritten ihren großen Staatsgefangenen demselben entgegen zu führen. Zu dem Ende ließ sie von Zeit zu Zeit einige nicht gar zu vorteilhafte Beschreibungen von dem Gesicht der Gräfin mit unterlaufen, sagte aber alle diese kleinen Fehler würden von den Eigenschaften ihres Gemüts so verdunkelt – ich kann nicht schreiben lieber Pfarrer, ich muß laut lachen wenn ich mir das Gesicht der Witwe bei diesen Reden denke und die erstaunte und verlegene Miene, mit der Herz ihr muß zugehört haben.

Dritter Brief

Sie trieb es so weit, daß sie in ihren Briefen an die Gräfin von ihrer neuen Bekanntschaft mit Herzen redte oder vielmehr mit dieser neuen und seltenen Eroberung prahlte, da sie denn wie natürlich auf die Beschreibungen die sie von seinem Charakter gemacht und die ausschweifend vorteilhaft waren, von der Gräfin auch für ihn sehr vorteilhafte Ausdrücke zur Antwort erhalten mußte. Sie hielt diese Kriegslist für notwendig, um das Feuer das sie einmal in seinem Herzen angeblasen und das er aus Politik auf seinem Gesicht oft sehr trüb und dunkel brennen ließ, nicht auslöschen zu lassen. Wer war glücklicher als Herz? Er suchte in allen diesen Ausdrücken der ganz und gar unschuldigen Gräfin wahre Spuren dessen was er für sie fühlte, und nun gings mit seinem Verstande Genie und Talenten Galopp berghinunter. Er hörte, sie sei zu den Winterlustbarkeiten in ** angekommen. Er lief überall wie ein Wahnwitziger herum, sie zu suchen, sie zu sehen, das Bild zu dieser unsichtbaren Gottheit zu finden, die er anbetete. Sie können sich vorstellen, daß er sich alles hat kosten lassen, und so mußte er bei seinem schmalzugeschnittenen Vermögen notwendiger weise in Schulden geraten. Endlich als ihm das Geld ausging und ihm niemand mehr borgen wollte, denn soviel Vernunft war ihm immer noch übrig geblieben, daß er sich, auch wenn's ihm das Leben gekostet hätte, nie um Geld an die Witwe Hohl wenden wollte, um ihr kein Recht über ihn zu geben, worauf sie nur lauerte – marschierte er aus der Stadt und in eine Einsiedelei, wo kein Mensch weiter von ihm hörte oder sah.

Rothe war hinter alles das gekommen. Er hat seit langer Zeit Zutritt in dem Hause der Gräfin, so wie er überhaupt hier in den besten Häusern hat, weil er von den Großen in wichtigen Geschäften mit Erfolg gebraucht wird und seine persönlichen Gaben seine Gesellschaft zu der angenehmsten von der Welt machen. Er versuchte alles, Herzen wieder in die Stadt zu bringen, da alles vergeblich war, wandte er sich an die Gräfin und erzählte ihr aufrichtig den Verlauf der Sache und die komplizierte Rolle, die die Witwe Hohl bei derselben gespielt. Die Gräfin, wie Sie sich leicht vorstellen können, war ganz innigstes tiefstes Bedauern für die Verirrung eines Menschen von so vielen Talenten, wie Rothe ihr den Herz beschrieb, und bat ihn ihr ein Mittel an die Hand zu geben, ihn vielleicht zu heilen. Rothe wußte ihr kein bessers vorzuschlagen, als daß sie sich etwa für ihn malen ließe, damit er doch einige Entschädigung für seine getäuschten Hoffnungen hätte, und alsdenn wollten sie dafür sorgen, ihn zu entfernen und darüber mit Plettenberg selber korrespondieren, der von der ganzen Sache unterrichtet werden mußte, weil sie schon eine Fabel in der Stadt geworden war. Das geschah, Plettenberg schlug vor, ihn nach Amerika mitzunehmen, um gegen die Kolonisten zu dienen. Das wunderbarste war, daß Plettenberg ihn schon ehmals auf der Akademie gekannt und daselbst viel Freundschaft für ihn gefaßt hatte. Er trug ihm also die Stelle als Adjutant bei seinem Regiment an, die denn auch Herz mit beiden Händen annahm, weil er glaubte, dies sei die Laufbahn an deren Ziel Stella mit Rosen umkränzt ihm den Lorbeer um seine Schläfe winden würde.

Sie hatten zugleich den Plan gemacht, dem armen Herz nichts von ihrer Verbindung mit Plettenberg merken zu lassen, sondern ihn in seinem lieben Irrtum fortträumen zu lassen, bis Zeit und Entfernung ihn von selbst in den Stand setzten einen solchen Todesstreich auszuhalten. Denn jetzt war nichts anders als sein unvermeidlicher Untergang abzusehen, sobald er ihn erführe. Unterdessen sollte Plettenberg aus Amerika zurückkommen, und in Abwesenheit unsers Ritters die Hochzeit vollziehen, den er denn solange von Europa entfernt halten konnte als es ihm gelegen war.

Dieser Plan ist grausam genug, indessen ist er doch der einzig erträgliche für einen so gespannten Menschen als Herz ist. Sie haben auch wirklich den Anfang gemacht ihn auszuführen: wie er ausgehen wird weiß der Himmel, ich mache immer die Augen zu, wenn ich daran denke.

Nun stellen Sie sich vor, was die arme liebenswürdige Gräfin dabei leidet. Einen Menschen unglücklich zu sehen bloß dadurch daß sie so vollkommen ist, mit dazu beigetragen zu haben, ohne daß sie im mindesten die Absicht dazu gehabt, die schrecklichsten Aussichten für diesen Menschen vor sich zu sehen den sie sich nicht entbrechen kann, hochzuschätzen, dessen Schwärmerei für sie selbst das schönste Kolorit seines Charakters macht. Auf der andern Seite eines Liebhabers zu schonen, der schon fünf Jahre her die redendsten Proben seiner Treue gegeben hat und mit dem sie die glücklichsten Tage voraussieht. – Sie hat sich wirklich für Herzen malen lassen, wobei die Witwe Hohl immer die Hand mit im Spiel gehabt, weil Plettenberg dies nicht erfahren sollte. Sie wissen, die Delikatesse eines Liebhabers kann durch nichts so sehr beleidigt werden, als auch nur das Bild von seiner Angebeteten in fremden Händen zu wissen.

So stehen die Sachen lieber Pfarrer! und so wie ich höre soll Herz wirklich gestern Abends zu den hessischen Truppen abgegangen sein die nach Amerika eingeschifft werden. Er schwimmt jetzt in lauter seligen Träumen von Liebe und Ehre, ich fürchte, das Aufwachen wird schrecklich sein.

Ich kenne Plettenberg von Person, er ist nicht schön und schon bei Jahren hat aber vielen Verstand und ein ungemein empfindliches Herz, Geld genug hat er und könnte die äußern Glücksumstände des armen Herz sehr leicht in guten Stand setzen. Aber welche Entschädigung für einen solchen Verlust und bei einem Menschen wie Herz ist! dessen ganzes Glück in Träumen besteht und der das, was man solid nennt, mit Füßen tritt.

Leben Sie wohl und verzeihen Sie daß ich soviel geplaudert habe. Nicht wahr ich hab eine gute Anlage zur Romanenschreiberin?

Vierter Teil
Erster Brief

ROTHE AN PLETTENBERG

Herz ist weggereist, bester Plettenberg, ohne mich abzuwarten. Sie sehen, er ist wie ein wilder mutiger Hengst, den man gespornt hat, der Zaum und Zügel verachtet. Auch machen mirs meine Geschäfte unmöglich, ihm gleich nachzureisen oder ihn noch einzuholen, ehe er zu Ihnen kommt. Ich will ihm also diese kleine Empfehlung als einen Vorreiter vorausschicken, damit Sie wissen, wie Sie ihn zu empfangen haben. Denn ich zweifle, obschon Sie in Leipzig mit ihm studiert, daß Sie mir diesen seltsamen Menschen ganz kennen.

Er ist – daß ichs Ihnen kurz sage – der unechte Sohn einer verstorbenen großen Dame, die vor einigen zwanzig Jahren noch die halbe Welt regierte. Er war die Frucht ihrer letzten Liebe und als eine solche einem gewissen Großen zur Erziehung anvertraut worden, der ihn bei ihrem Hintritt sehr scharf hielt. Endlich ließ er ihn mit seinen Kindern unter der Aufsicht eines Hofmeisters reisen, der nun freilich dem wunderbaren Charakter unsers Herz auf keine Weise zu begegnen wußte und das Ansehen das er von dem Grafen ** über ihn erhalten, auf das niederträchtigste mißbrauchte.

Herz, der überall zu Hause zu sein glaubte, setzte sich im zwölften Jahr mit einigen dreißig Dukaten, die er von ihm hatte ausholen können, auf die Post, und reiste heimlich *a l'aventure* nach Frankreich.

Hier kam er in die elendesten Umstände. Sein Geld ging zu Ende, er verstand wenig oder nichts von der Sprache mit dem allen, so wie das ein Hauptzug in seinem Charakter ist den er vielleicht mit mehrern seiner Nation gemein hat, alle seine Vorsätze nur einmal zu fassen und durch nichts in der Welt sich davon abbringen zu lassen, war er auch jetzt durch keine Umstände mehr zu bewegen, den Schritt zu seinem Hofmeister oder zum Grafen ** zurück zu tun. Er beharrte also unveränderlich darauf, in Frankreich zu bleiben und da er den großen Abstand der französischen von den Sitten seines Vaterlandes sah, sich mit seinen eigenen Fähigkeiten und Fleiß durch alle Klassen selber hindurchzutreiben, um das Eigentümliche dieser Nation die er an Kultur so weit über der seinigen glaubte sich dadurch ganz zu eigen zu machen. Dieser abenteuerliche Vorsatz gelung ihm. Er wußte sich durch seine Gelehrigkeit und durch die guten Eigenschaften seines Geistes und Herzens in dem Hause eines reichen Banquiers so zu empfehlen, daß er ihn alles lernen ließ was er verlangte, und mit seinem Gelde und Ansehen unterstützte. Bei diesem hat er den Namen Herz angenommen, den er auch nachher immer beibehalten hat und keinem Menschen als mir von seinen Schicksalen was hat merken lassen.

Dieser war es auch der ihn nach Leipzig schickte um deutsch zu lernen, wo Sie ihn denn müssen gekannt haben. Als er zurückkam, brauchte er ihn hauptsächlich zu seiner Korrespondenz und hat ihm, so wie man auch nicht anders konnte, wenn man näher mit ihm umging, sein ganzes Herz geschenkt. Endlich verschickte er ihn, um dem Bankerut eines der größten Häuser vorzubeugen, nach der Hauptstadt wo er sich auch mit so vieler Ehre dieses Geschäfts entledigte, daß er von beiden eine jährliche Pension erhielt, die er verzehren konnte, wo er wollte. Er ging nach Holland damit, weil er von jeher das Land zu sehen gewünscht hatte wo Peter der Große Schiffszimmermann gewesen, weil er aber zu nachlässig war die Gewogenheit seiner Wohltäter durch öftere Briefe zu unterhalten, so verlor er die Pension, kam darauf ins Clevische, von da er endlich hieher gekommen ist.

Sehen Sie hier die wunderbare Landkarte seiner Schicksale. Sollte ich Ihnen aber die Geschichte seines Herzens erzählen und wie viel Anteil die an seinen äußern Umständen und Begebenheiten gehabt hat, so würde Ihre Verwunderung und vielleicht Ihr Mitleid noch höher steigen.

Zweiter Brief

HERZ AN ROTHEN
einige Meilen vor Zelle.

Das Bild Rothe! oder ich bin des Todes – Ich eile ihm immer näher, dem Ort meiner Bestimmung und ohne sie – Ist mirs doch, als ob ich zum Hochgericht ginge. – Rothe wärest Du etwa ein Bösewicht? Was für Ursachen kannst Du haben, mir das Bild vorzuenthalten. Es ist so schrecklich, so unmenschlich grausam. Bedenke wo ich hin soll – und ohne sie!

Dritter Brief

ROTHE AN PLETTENBERG

Ich kann nicht anders, ich muß meinem vorigen noch einen Brief nachschicken. Sie sollten nicht glauben, was alle diese Schicksale, mit dem Abstechenden und Befremdlichen das er an allen Charakteren und Sitten in Frankreich und Deutschland gegen die Charaktere und Sitten seines Vaterlandes gefunden, seiner Seele für eine wunderbarromantische Stimmung gegeben haben. Er lebt und webt in lauter Phantasien und kann nichts, auch manchmal nicht die unerheblichste Kleinigkeit aus der wirklichen Welt an ihren rechten Ort legen. Daher ist das Leben dieses Menschen ein Zusammenhang von den empfindlichsten Leiden und Plagen, die dadurch nur noch empfindlicher werden, daß er sie keinem Menschen begreiflich machen kann. Er hat sich nun einmal eine gewisse Fertigkeit gegeben, die seine andere Natur ist, alle Menschen und Handlungen in einem Idealischen Lichte anzusehen. Alle Charaktere und Meinungen die von den seinigen abgehen, scheinen ihm so groß, er sucht soviel dahinter, daß er mit lauter außerordentlichen Menschen, gigantischen Tugendhelden oder Bösewichtern umgeben zu sein glaubt, und ihm gar nicht begreiflich gemacht werden kann, daß der größte Teil der Menschen mittelmäßig ist, und weder große Tugenden noch große Laster anders, als dem Hörensagen nach kennet.

Nun nehmen Sie diesen Menschen, wenn er verliebt ward, was der in seine Schönen hineinlegte. Dreimal ist er so angelaufen, endlich verzweifelte er an dem ganzen weiblichen Geschlecht und was er ihnen vorhin zu viel beilegte, traute er ihnen jetzt zu wenig zu.

Nun stellen Sie sich vor, was die Entdeckung eines solchen Charakters wie der Ihrer Braut war, auf ihn für einen Eindruck muß gemacht haben. Er sah, dachte, hörte, fühlte jetzt nun nichts als die Erscheinung einer Gottheit die in weiblicher Gestalt auf die Erde gekommen wäre, ihn von seinem lästerlichen Irrtum zurückzubringen. Desto mehr aber haben wir jetzt von ihm zu befürchten, da sein Verstand mit seiner wilden taumelnden Einbildungskraft nun gemeine Sache macht.

Ich muß Ihnen doch, um Ihnen seine Art zu lieben ein wenig ins Licht zu setzen, von den drei Liebesgeschichten seiner Jugend, soviel ich davon weiß, eine Idee geben. Seine erste Liebe war in Rußland, als er erst 11 Jahr alt war, und dazu in die Mätresse des alten Grafen ** selbst, bei dem er im Hause war. Stellen Sie sich vor, wie aufbrausend schon die kindische Einbildungskraft dieses Menschen gewesen sein muß, da er in dieser wirklich liederlichen Weibsperson das Gegenbild zu dem Ideal zu finden glaubte, das er sich von der Nymphe des Telemachs, den sein Hofmeister mit ihm exponierte, gemacht. Dieses Ideal wurde nun aber schändlich über den Haufen geworfen, als er sie mit dem alten Grafen einmal im Bette antraf – Seine zweite Liebe war die Nichte des Kaufmanns in Lion, deren lebhafter Witz ihn steif und fest glauben machte, er habe an ihr eine zweite Ninon gefunden. Endlich aber fand er daß sie nur kokett gegen ihn gewesen war und da sehnte er sich herzlich nach Deutschland, um aus Göthens oder Wielands Romanen und aus Klopstocks Cidli sich ein Ideal zusammen zu schmelzen, das seines gleichen noch nicht gehabt. So gut wards ihm denn auch, als er nach Leipzig kam, und die Tochter eines Landpredigers, die sich eine Zeitlang daselbst bei einer Verwandtin aufgehalten, versprach ihm die Erfüllung aller seiner Wünsche. Aber wie jämmerlich wurden seine Entzückungen mit schreienden und schnarrenden Dissonanzen unterbrochen, als er auf einmal auch diese seine Messiasheldin, nachdem die ersten Wochen ihrer Maskerade vorbei waren, nur als eine künstliche Agnese erscheinen sah, die unter ihrem Nonnenschleier Liebesbriefchen ohne Zahl und tausend verstohlne Küßchen entgegennahm, ja die er endlich sogar bei einer starken Vertraulichkeit mit einem dicken runden Studenten überraschte. Da lagen nun alle seine Ideale umgestürzt, und er hätte nun mit eben dem kalten Blut als jene Belagerten sich mit griechischen Bildsäulen verteidigten, sie alle über die Stadtmauer werfen können. Das Leben ward ihm zur Last, er zog in der Welt herum von einem Ort zum andern nimmer ruhig und hätte seine Existenz gar zu gern mit eigner Hand verkürzt, wenn er nicht den Selbstmord, ohne dringende Not, nach seinem Glaubenssystem für Sünde gehalten hätte.

Jetzt, mein teurester Plettenberg, können Sie sich eine Vorstellung machen was wir von einem Menschen dieser Art in einem solchen Fall zu erwarten haben, wenn er nicht behutsam behandelt wird. Er hat Vernunft genug einzusehen, daß in seinem jetzigen Stande es Torheit wäre, Ansprüche oder Hoffnungen auf den Besitz der Gräfin zu machen, aber auch wilde Einbildungskraft genug sich alles mögliche vorzustellen was ihn zur Gleichheit mit ihr erheben kann, besonders da die Ideen seiner Jugendjahre und seiner Geburt bei allen seinen Unglücksfällen ihn nie verlassen haben. Am allermeisten da seine Jahre sich immer mehr der männlichen Reife nähern und er in ihr die Erfüllung aller seiner Ideen gefunden zu haben glaubt.

Haben Sie also die Gütigkeit, ihn so zu empfangen, wie ein weiser Arzt einen höchst gefährlichen Kranken empfangen würde, der durch alles was wirkliche Achtung Mitleid und Freundschaft verdient, alle Ihre edleren Empfindungen in Anspruch nimmt.

Vierter Brief

HERZ AN FERNAND

Rothe ist ein Verräter – er schickt mir das Bild nicht – sag ihm, er wird meinen Händen nicht entrinnen.

Fünfter Brief

PLETTENBERG AN ROTHE

Eben habe ich Ihren irrenden Ritter nebst Ihren Vorreitern und blasenden Postillionen erhalten, lieber Rothe. Ich muß sagen, diese Erscheinung wirkt sonderbar auf mich, der Mensch ist so ganz was er sein will, und da er eine der schwersten Rollen auf Gottes Erdboden spielt, so repräsentiert er doch nicht im mindesten.

Er war bleich und blaß, als er hereintrat. Es ist lustig, wie wir mit einander umgehen. Gleich als ob ich der verliebte Ritter und er der Bräutigam sei, hat er mit einer Zuversicht mir von seiner Liebe zu meiner Braut eine Vertraulichkeit gemacht, die mich so ziemlich aus meiner Fassung setzte, aus der ich doch, wie Sie wissen, sonst so leicht nicht zu bringen bin. Er sagte mir zugleich, Sie wären ein schwarzer Charakter; als ich ihn um die Ursache fragte, gestand er mir, Sie hätten ihm das Porträt meiner Braut zuschicken sollen, und hätten es nun nicht getan. Wirklich hatte ich von jemand anders ein Paket für ihn erhalten, als ich es ihm wies, schlug er beide Hände gegen die Stirn, fiel auf die Knie und schrie: o Rothe! Rothe! wie oft muß ich mich an Dir versündigen! Ich fragte ihn um die Ursache, er sagte, er habe selbst alles so angeordnet, daß das Paket durch seinen Kommissionär in ✶✶ unter meiner Adresse an ihn geschickt werden sollte, und nun hab ers unterwegens vergessen, und Sie im Verdacht gehabt, daß Sie es ihm hätten vorenthalten wollen.

In der Tat, mein lieber Rothe, habe ich Ursache von diesem Ihrem Verfahren gegen mich ein wenig beleidigt zu sein, besonders aber von der Gewissenhaftigkeit, mit der Sie alles das vor mir verschwiegen gehalten. Ich hatte das Herz nicht, dieses seinsollende Porträt meiner Braut Herzen zu entziehen, weil ich fürchtete seine Gemütskrankheit dadurch in Wut zu verwandeln, aber es kränkt mich doch daß ein Bild von ihr in fremden und noch dazu so unzuverlässigen Händen bleiben soll. Wenn Sie mirs nur vorher gesagt hätten, aber wozu sollen die Verheimlichungen?

Unsere Truppen marschieren erst den zwanzigsten, wir haben heute den ersten, ich dächte es wäre nicht unmöglich, Sie vor unserm Abmarsch noch einige Tage zu sehen. Ich habe Ihnen viel viel an meine Braut zu sagen, und brauche in der Tat einen Mann wie Sie, mir bei meiner Abreise ein wenig Mut einzusprechen.

Freund, ich merke an meinen Haaren, daß ich alt werde. Sollte Stella, wenn ich wiederkomme und von den Beschwerden des Feldzugs nun noch älter bin – Kommen Sie, Sie werden mein Engel sein. Es gibt Augenblicke wo mirs so dunkel in der Seele wird daß ich wünschte –

PLETTENBERG

Verbrecher aus Infamie

Eine wahre Geschichte

Die Heilkunst und Diätetik, wenn die Ärzte aufrichtig sein wollen, haben ihre besten Entdeckungen und heilsamsten Vorschriften vor Kranken- und Sterbe-Betten gesammelt. Leichenöffnungen, Hospitäler und Narrenhäuser haben das helleste Licht in der Physiologie angezündet. Die Seelenlehre, die Moral, die gesetzgebende Gewalt sollten billig diesem Beispiel folgen, und ähnlicherweise aus Gefängnissen, Gerichtshöfen und Kriminalakten – den Sektionsberichten des Lasters – sich Belehrungen holen.

In der ganzen Geschichte des Menschen ist kein Kapitel unterrichtender für Herz und Geist, als die Annalen seiner Verirrungen. Bei jedem großen Verbrechen war eine verhältnismäßig große Kraft in Bewegung. Wenn sich das geheime Spiel der Begehrungskraft bei dem matteren Licht gewöhnlicher Affekte versteckt, so wird es im Zustand gewaltsamer Leidenschaft desto hervorspringender, kolossalischer, lauter; der feinere Menschenforscher welcher weiß, wie viel man auf die Mechanik der menschlichen Freiheit eigentlich rechnen darf, und wie weit es erlaubt ist, analogisch zu schließen, wird manche Erfahrung aus diesem Gebiete in seine Seelenlehre herübertragen, und für das sittliche Leben verarbeiten.

Es ist etwas so einförmiges, und doch wieder so zusammengesetztes, das menschliche Herz. Eine und eben dieselbe Fertigkeit oder Begierde kann in tausenderlei Formen und Richtungen spielen, kann tausend widersprechende Phänomene bewirken, kann in tausend Charakteren anders gemischt erscheinen, und tausend ungleiche Charaktere und Handlungen können wieder aus einerlei Neigung gesponnen sein, wenn auch der Mensch, von welchem die Rede ist, nichts weniger denn eine solche Verwandtschaft ahndet. Stünde einmal, wie für die übrigen Reiche der Natur, auch für das Menschengeschlecht ein Linnäus auf, welcher nach Trieben und Neigungen klassifizierte, wie sehr würde man erstaunen, wenn man so manchen, dessen Laster in einer engen bürgerlichen Sphäre, und in der schmalen Umzäunung der Gesetze jetzt ersticken muß, mit dem Ungeheuer *Borgia* in einer Ordnung beisammen fände, vielleicht mit besserem Grunde beisammen fände, als der Ritter gehabt hat, den eßbaren und giftigen Schwamm in *Eine* Klasse zu werfen.

Von dieser Seite betrachtet, läßt sich manches gegen die gewöhnliche Behandlung der Geschichte einwenden, und hier, vermute ich, liegt auch die Schwierigkeit, warum das Studium derselben für das bürgerliche Leben noch immer so fruchtlos geblieben. Zwischen der heftigen Gemütsbewegung des handelnden Menschen, und der ruhigen Stimmung des Lesers, welchem diese Handlung vorgelegt wird, herrscht ein so widriger Kontrast, liegt ein so breiter Zwischenraum, daß es dem letztern schwer, ja unmöglich wird, einen Zusammenhang nur zu ahnden. Es bleibt eine Lücke zwischen dem historischen Subjekt und dem Leser, die alle Möglichkeit einer Vergleichung oder Anwendung abschneidet, und statt jenes heilsamen Schreckens, der die stolze Gesundheit warnet, ein Kopfschütteln der Befremdung erweckt. Wir sehen den Unglücklichen, der doch in eben der Stunde, wo er die Tat beging, so wie in der, wo er dafür büßet, Mensch war wie wir, für ein Geschöpf fremder Gattung an, dessen Blut anders umläuft, als das unsrige, dessen Wille andern Regeln gehorcht, als der unsrige; seine Schicksale rühren uns wenig, denn Rührung gründet sich ja nur auf ein dunkles Bewußtsein ähnlicher Gefahr, und wir sind weit entfernt eine solche Ähnlichkeit auch nur zu träumen. Die Belehrung geht mit der Beziehung verloren, und die Geschichte, anstatt eine Schule der Bildung zu sein, muß sich mit einem armseligen Verdienste um unsre Neugier begnügen. Soll sie uns mehr sein und ihren großen Zirkel umreichen, so muß sie notwendig unter diesen beiden Methoden wählen – Entweder der Leser muß warm werden wie der Held, oder der Held wie der Leser erkalten.

Ich weiß, daß von den besten Geschichtschreibern neuerer Zeit und des Altertums manche sich an die erste Methode gehalten, und das Herz ihres Lesers durch hinreißenden Vortrag bestochen haben. Aber diese Manier ist eine Usurpation des Schriftstellers und beleidigt die republikanische Freiheit des lesenden Publikums, dem es zukömmt, selbst zu Gericht zu sitzen; sie ist zugleich eine Verletzung der Grenzengerechtigkeit, denn diese Methode gehört ausschließend und eigentümlich dem Redner und Dichter. Dem Geschichtschreiber bleibt nur die letztere übrig.

Der Held muß kalt werden wie der Leser, oder, was hier eben soviel sagt, wir müssen mit ihm bekannt werden, *eh'* er handelt, wir müssen ihn seine Handlung nicht bloß *vollbringen*, sondern auch *wollen* sehen. An seinen Gedanken liegt uns unendlich mehr, als an seinen Taten, und noch weit mehr an den Quellen dieser Gedanken, als an den Folgen jener Taten. Man hat das Erdreich des Vesuvs untersucht, sich die Entstehung seines Brandes zu erklären, warum schenkt man einer moralischen Erscheinung weniger Aufmerksamkeit als einer physischen? Warum achtet man nicht in eben dem Grade auf die Beschaffenheit und Stellung der Dinge welche einen solchen Menschen umgaben, bis der gesammelte Zunder in seinem inwendigen Feuer fing? Den Träumer, der das Wunderbare liebt, reizt eben das seltsame und abenteuerliche in solchen Erscheinung; der Freund der Wahrheit sucht eine Mutter zu diesen verlorenen Kindern. Er sucht sie in der *unveränderlichen* Struktur der menschlichen Seele, und in den *veränderlichen* Bedingungen, welche sie von außen bestimmten, und in diesen beiden findet er sie gewiß. Ihn überrascht es nun nicht mehr, in dem nämlichen Beete, wo sonst überall heilsame Kräuter blühen, auch den giftigen Schierling gedeihen zu sehen, Weisheit und Torheit, Laster und Tugend in *einer* Wiege beisammen zu finden.

Wie manches Mädchen von feiner Erziehung würde seine Unschuld gerettet haben, wenn es früher gelernt hätte, seine gefallene Schwestern in den Häusern der Freude minder lieblos zu richten! Wie manche Familie, von einem elenden Hirngespinst politischer Ehre zu Grund gerichtet, würde noch blühen, wenn sie den Baugefangenen, der seine Verschwendung zu büßen die Gassen säubert, um seine Lebensgeschichte hätte befragen wollen! Wenn ich auch keinen der Vorteile hier in Anschlag bringe, welche die Seelenkunde aus einer solchen Behandlungsart der Geschichte zieht, so behält sie schon allein darum den Vorzug, weil sie den grausamen Hohn und die stolze Sicherheit ausrottet, womit gemeiniglich die ungeprüfte aufrechtstehende Tugend auf die gefallne herunter blickt, weil sie den sanften Geist der Duldung verbreitet, ohne welchen kein Flüchtling zurückkehrt, keine Aussöhnung des Gesetzes mit seinem Beleidiger statt findet, kein angestecktes Glied der Gesellschaft von dem gänzlichen Brande gerettet wird.

Ob der Verbrecher, von dem ich jetzt sprechen werde, auch noch ein Recht gehabt hätte, an jenen Geist der Duldung zu appellieren? ob er wirklich ohne Rettung für den Körper des Staats verloren war? – Ich will dem Ausspruch des Lesers nicht vorgreifen. Unsre Gelindigkeit fruchtet ihm nichts mehr, denn er starb durch des Henkers Hand – aber die Leichenöffnung seines Lasters unterrichtet vielleicht die Menschheit, und – es ist möglich, auch die Gerechtigkeit.

Christian Wolf war der Sohn eines Gastwirts in einer ... schen Landstadt (deren Namen man, aus Gründen die sich in der Folge aufklären, verschweigen mußte) und half seiner Mutter, denn der Vater war tot, bis in sein zwanzigstes Jahr die Wirtschaft besorgen.

Die Wirtschaft war schlecht, und Wolf hatte müßige Stunden. Schon von der Schule her war er für einen losen Buben bekannt. Erwachsene Mädchen führten Klage über seine Frechheit, und die Jungen des Städtgens huldigten seinem erfindrischen Kopfe. Die Natur hatte seinen Körper verabsäumt. Eine kleine unscheinbare Figur, krauses Haar von einer unangenehmen Schwärze, eine plattgedrückte Nase und eine geschwollene Oberlippe, welche noch überdies durch den Schlag eines Pferdes aus ihrer Richtung gewichen war, gaben seinem Anblick eine Widrigkeit, welche alle Weiber von ihm zurückscheuchte, und dem Witz seiner Kameraden eine reichliche Nahrung bot. Die Verachtung seiner Person hatte früh seinen Stolz verwundet, und zündete endlich einen schleichenden Unmut in seinem Herzen an, welcher nie mehr erloschen ist.

Er wollte ertrotzen, was ihm verweigert war; weil er mißfiel, setzte er sich vor zu gefallen. Er war sinnlich, und beredete sich daß er liebe. Das Mädchen das er wählte, mißhandelte ihn, er hatte Ursache zu fürchten, daß seine Nebenbuhler glücklicher wären; doch das Mädchen war arm. Ein Herz, das seinen Beteurungen verschlossen blieb, öffnete sich vielleicht seinen Geschenken, aber ihn selbst drückte Mangel, und der eitle Versuch, seine Außenseite gelten zu machen, verschlang vollends das wenige, was er durch eine schlechte Wirtschaft erwarb. Zu bequem und zu unwissend, seinem zerrütteten Hauswesen durch Spekulation aufzuhelfen, zu stolz, auch zu weichlich den Herrn der er bisher gewesen war, mit dem Bauer zu vertauschen, und seiner angebeteten Freiheit zu entsagen, sah er nur einen Ausweg vor sich – den tausende vor ihm und nach ihm mit besserem Glücke ergriffen haben – den Ausweg *honett* zu *stehlen*. Seine Vaterstadt grenzte an eine landesherrliche Waldung, er wurde Wilddieb, und der Ertrag seines Raubes wanderte treulich in die Hände seiner Geliebten.

Unter den Liebhabern Hannchens war *Robert,* ein Jägerbursche des Försters. Frühzeitig merkte dieser den Vorteil, den die Freigebigkeit seines Nebenbuhlers über ihn gewonnen hatte, und mit Scheelsucht forschte er nach den Quellen dieser Veränderung. Er zeigte sich fleißiger in der *Sonne* – dies war das Schild zu dem Wirtshaus – sein laurendes Auge von Eifersucht und Neide geschärft, entdeckte ihm bald, woher dieses Geld floß. Nicht lange vorher war ein strenges Edikt gegen die Wildschützen erneuert worden, welches den Übertreter zum Zuchthaus verdammte. Robert war unermüdet, die geheimen Gänge seines Feinds zu beschleichen, endlich gelang es ihm auch, den Unbesonnenen über der Tat zu ergreifen. Wolf wurde eingezogen, und nur mit Aufopferung seines ganzen Vermögens brachte er es mühsam dahin, die zuerkannte Strafe durch eine Geldbuße abzuwenden.

Robert triumphierte. Sein Nebenbuhler war aus dem Felde geschlagen, und Hannchens Gunst für den Bettler verloren. Wolf kannte seinen Feind, und dieser Feind war der glückliche Besitzer seiner Johanne. Drückendes Gefühl des Mangels gesellte sich zu beleidigtem Stolze, Not und Eifersucht stürmen vereinigt auf seine Empfindlichkeit ein, der Hunger treibt ihn hinaus in die weite Welt, Rache und Leidenschaft halten ihn fest. Er wird zum zweitenmal Wilddieb, aber Roberts verdoppelte Wachsamkeit überlistet ihn zum zweitenmal wieder. Jetzt erfährt er die ganze Schärfe des Gesetzes: denn er hat nichts mehr zu geben, und in wenigen Wochen wird er in das Zuchthaus der Residenz abgeliefert.

Das Strafjahr war überstanden, seine Leidenschaft durch die Entfernung gewachsen, und sein Trotz unter dem Gewicht des Unglücks gestiegen. Kaum erlangt er die Freiheit, so eilt er nach seinem Geburtsort, sich seiner Johanne zu zeigen. Er erscheint: man flieht ihn. Die dringende Not hat endlich seinen Hochmut gebeugt, und seine Weichlichkeit überwunden – er bietet sich den Reichen des Orts an, und will für den Taglohn dienen. Der Bauer zuckt über den schwachen Zärtling die Achsel; der derbe Knochenbau seines handfesten Mitbewerbers sticht ihn bei diesem fühllosen Gönner aus. Er wagt einen letzten Versuch. *Ein* Amt ist noch ledig, der äußerste verlorne Posten des ehrlichen Namens – er meldet sich zum Hirten des Städtgens, aber der Bauer will seine Schweine keinem Taugenichts anvertrauen. In allen Entwürfen getäuscht, an allen Orten zurückgewiesen, wird er zum drittenmal Wilddieb, und zum drittenmal trifft ihn das Unglück seinem wachsamen Feind in die Hände zu fallen.

Der doppelte Rückfall hatte seine Verschuldung erschwert. Die Richter sahen in das Buch der Gesetze, aber nicht *einer* in die Gemütsfassung des Beklagten. Das Mandat gegen die Wilddiebe bedurfte einer solennen und exemplarischen Genugtuung, und Wolf ward verurteilt, das Zeichen des Galgens auf den Rücken gebrannt, drei Jahre auf der Festung zu arbeiten.

Auch diese Periode verlief, und er ging von der Festung – aber ganz anders, als er dahin gekommen war. Hier fängt eine neue Epoche in seinem Leben an; man höre ihn selbst, wie er nachher gegen seinen geistlichen Beistand, und vor Gerichte bekannt hat. »Ich betrat die Festung, sagte er, als ein Verirrter, und verließ sie als ein Lotterbube. Ich hatte noch etwas in der Welt gehabt das mir teuer war, und mein Stolz krümmte sich unter der Schande. Wie ich auf die Festung gebracht war, sperrte man mich zu drei und zwanzig Gefangenen ein, unter denen zwei Mörder, und die übrigen alle berüchtigte Diebe und Vagabunden waren. Man verhöhnte mich, wenn ich von Gott sprach, und setzte mir zu, schändliche Lästerungen gegen den Erlöser zu sagen. Man sang mir Hurenlieder vor, die ich, ein liederlicher Bube, nicht ohne Ekel und Entsetzen hörte, aber was ich ausüben sah, empörte meine Schamhaftigkeit noch mehr. Kein Tag verging, wo nicht irgend ein schändlicher Lebenslauf wiederholt, irgend ein schlimmer Anschlag geschmiedet ward. Anfangs floh ich dieses Volk, und verkroch mich vor ihren Gesprächen, so gut mirs möglich war, aber ich brauchte ein Geschöpf, und die Barbarei meiner Wächter hatte mir auch meinen Hund abgeschlagen. Die Arbeit war hart und tyrannisch, mein Körper kränklich, ich brauchte Beistand, und wenn ichs aufrichtig sagen soll, ich brauchte Bedaurung, und diese mußte ich mit dem letzten Überrest meines Gewissens erkaufen. So gewöhnte ich mich endlich an das abscheulichste, und im letzten Vierteljahr hatte ich meine Lehrmeister übertroffen.«

»Von jetzt an lechzte ich nach dem Tag meiner Freiheit, wie ich nach Rache lechzte. Alle Menschen hatten mich beleidigt, denn alle waren besser und glücklicher als ich. Ich betrachtete mich als den Märtyrer des natürlichen Rechts, und als ein Schlachtopfer der Gesetze. Zähneknirschend rieb ich meine Ketten, wenn die Sonne hinter meinem Festungsberg heraufkam, eine weite Aussicht ist zwiefache Hölle für einen Gefangenen. Der freie Zugwind der durch die Luftlöcher meines Turmes pfeifte, und die Schwalbe die sich auf dem eisernen Stab meines Gitters niederließ, schienen mich mit ihrer Freiheit zu necken, und machten mir meine Gefangenschaft desto gräßlicher. Damals gelobte ich unversöhnlichen glühenden Haß allem was dem Menschen gleicht, und was ich gelobte, hab ich redlich gehalten.«

»Mein erster Gedanke, sobald ich mich frei sah, war meine Vaterstadt. So wenig auch für meinen künftigen Unterhalt da zu hoffen war, so viel versprach sich mein Hunger nach Rache. Mein Herz klopfte wilder, als der Kirchturm von weitem aus dem Gehölze stieg. Es war nicht mehr das herzliche Wohlbehagen, wie ichs bei meiner ersten Wallfahrt empfunden hatte – Das Andenken alles Ungemachs, aller Verfolgungen die ich dort einst erlitten hatte, erwachte mit einemmal aus einem schrecklichen Todesschlaf, alle Wunden bluteten wieder, alle Narben gingen auf. Ich verdoppelte meine Schritte, denn es erquickte mich im voraus, meine Feinde durch meinen plötzlichen Anblick in Schrecken zu setzen, und ich dürstete jetzt eben so sehr nach neuer Erniedrigung, als ich ehmals davor gezittert hatte.«

»Die Glocken läuteten zur Vesper, als ich mitten auf dem Markte stand. Die Gemeine wimmelte zur Kirche. Man erkannte mich schnell, jedermann der mir aufstieß, trat scheu zurück. Ich hatte von jeher die kleinen Kinder sehr lieb gehabt, und auch jetzt übermannte michs unwillkürlich, daß ich einem Knaben, der neben mir vorbeihüpfte, einen Groschen bot. Der Knabe sah mich einen Augenblick starr an, und warf mir den Groschen ins Gesichte. Wäre mein Blut nur etwas ruhiger gewesen, so hätte ich mich erinnert, daß der Bart den ich noch von der Festung mitbrachte, meine Gesichtszüge bis zum gräßlichen entstellte – aber mein böses Herz hatte meine Vernunft angesteckt. Tränen, wie ich sie nie geweint hatte, liefen über meine Backen.«

»Der Knabe weiß nicht wer ich bin noch woher ich komme, sagte ich halb laut zu mir selbst, und doch meidet er mich, wie ein schändliches Tier. Bin ich denn irgendwo auf der Stirne gezeichnet, oder habe ich aufgehört, einem Menschen ähnlich zu sehen, weil ich fühle, daß ich keinen mehr lieben kann? – Die Verachtung dieses Knaben schmerzte mich bitterer, als dreijähriger Galliotendienst, denn ich hatte ihm Gutes getan, und konnte *ihn* keines persönlichen Hasses beschuldigen.«

»Ich setzte mich auf einen Zimmerplatz, der Kirche gegenüber, was ich eigentlich wollte, weiß ich nicht; doch ich weiß noch, daß ich mit Erbitterung aufstand, als von allen meinen vorübergehenden Bekannten keiner mich nur eines Grußes gewürdigt hatte, auch nicht einer. Unwillig verließ ich meinen Standort, eine Herberge aufzusuchen; als ich an der Ecke einer Gasse umlenkte, rannte ich gegen meine Johanne. ›Sonnenwirt!‹ schrie sie laut auf, und machte eine Bewegung mich zu umarmen. ›Du wieder da, lieber Sonnenwirt, Gott sei Dank, daß du wiederkömmst!‹ Hunger und Elend sprach aus ihrer Bedeckung, eine schändliche Krankheit aus ihrem Gesichte, ihr Anblick verkündigte die verworfenste Kreatur, zu der sie erniedrigt war. Ich ahndete schnell, was hier geschehen sein möchte, einige fürstliche Dragoner, die mir eben begegnet waren, ließen mich erraten, daß Garnison in dem Städtchen lag. ›Soldatendirne!‹ rief ich, und drehte ihr lachend den Rücken zu. Es tat mir wohl, daß noch *ein* Geschöpf *unter* mir war im Rang der Lebendigen. Ich hatte sie niemals geliebt.«

»Meine Mutter war tot. Mit meinem kleinen Hause hatten sich meine Kreditoren bezahlt gemacht. Ich hatte niemand und nichts mehr. Alle Welt floh mich wie einen Giftigen, aber ich hatte endlich verlernt mich zu schämen. Vorher hatte ich mich dem Anblick der Menschen entzogen, weil Verachtung mir unerträglich war. Jetzt drang ich mich auf, und ergötzte mich sie zu verscheuchen. Es war mir wohl, weil ich nichts mehr zu verlieren, und nichts mehr zu hüten hatte. Ich brauchte keine gute Eigenschaft mehr, weil man keine mehr bei mir vermutete. Man ließ mich Schandtaten büßen, die ich noch nicht begangen hatte; ich hatte noch schlechte Streiche bei dem Menschengeschlecht gut, weil ich im voraus dafür gelitten hatte. Meine Infamie war das niedergelegte Kapital, von dessen Zinsen ich noch lange Zeit schwelgen konnte.«

»Die ganze Welt stand mir offen, ich hätte vielleicht in einer fremden Provinz für einen ehrlichen Mann gegolten, aber ich hatte den Mut verloren, es auch nur zu scheinen. Verzweiflung und Schande hatten mir endlich diese Sinnesart aufgezwungen. Es war die letzte Ausflucht die mir übrig war, die *Ehre* entbehren zu lernen, weil ich an keine mehr Anspruch machen durfte. Hätten meine Eitelkeit und mein Stolz meine Infamie erlebt, so hätte ich mich selber entleiben müssen.«

»Was ich nunmehr eigentlich beschlossen hatte, war mir selber noch unbekannt. Ich wollte Böses tun, soviel erinnere ich mich noch dunkel. Ich wollte mein Schicksal verdienen. Die Gesetze, meinte ich, wären Wohltaten für die Welt, also faßte ich den Vorsatz, sie zu verletzen; ehmals hatte ich aus *Notwendigkeit* und *Leichtsinn* gesündigt, jetzt tat ichs aus freier Wahl zu meinem Vergnügen.«

»Mein erstes war, daß ich mein Wildschießen fortsetzte. Die Jagd überhaupt war mir nach und nach zur Leidenschaft geworden, und außerdem mußte ich ja leben. Aber dies war es nicht allein; es kitzelte mich das fürstliche Edikt zu verhöhnen und meinem Landesherrn nach allen Kräften zu schaden. Ergriffen zu werden, besorgte ich nicht mehr, denn jetzt hatte ich eine Kugel für meinen Entdecker bereit, und das wußte ich, daß mein Schuß seinen Mann nicht fehlte. Ich erlegte alles Wild das mir aufstieß, nur weniges machte ich auf der Grenze zu Gelde, das meiste ließ ich verwesen. Ich lebte kümmerlich, um nur den Aufwand an Blei und Pulver zu bestreiten. Meine Verheerungen in der großen Jagd wurden ruchtbar, aber mich drückte kein Verdacht mehr. Mein Anblick löschte ihn aus. Mein Name war vergessen.«

»Diese Lebensart trieb ich mehrere Monate. Eines Morgens hatte ich nach meiner Gewohnheit das Holz durchstrichen, die Fährte eines Hirsches zu verfolgen. Zwei Stunden hatte ich mich vergeblich ermüdet, und schon fing ich an, meine Beute verloren zu geben, als ich sie auf einmal in schußgerechter Entfernung entdeckke. Ich will anschlagen und abdrücken – aber plötzlich erschreckt mich der Anblick eines Hutes, der wenige Schritte vor mir auf der Erde liegt. Ich forsche genauer, und erkenne den Jäger Robert, der hinter dem dicken Stamm einer Eiche auf eben das Wild anschlägt, dem ich den Schuß bestimmt hatte. Eine tödliche Kälte fährt bei diesem Anblick durch meine Gebeine. Just das war der Mensch, den ich unter allen lebendigen Dingen am gräßlichsten haßte, und dieser Mensch war in die Gewalt meiner Kugel gegeben. In diesem Augenblick dünkte michs, als ob die ganze Welt in meinem Flintenschuß läge, und der Haß meines ganzen Lebens in die einzige Fingerspitze sich zusammendrängte, womit ich den mördrischen Druck tun sollte. Eine unsichtbare fürchterliche Hand schwebte über mir, der Stunden-Weiser meines Schicksals zeigte unwiderruflich auf diese schwarze Minute. Der Arm zitterte mir, da ich meiner Flinte die schreckliche Wahl erlaubte – meine Zähne schlugen zusammen wie im Fieberfrost, und der Odem sperrte sich erstickend in meiner Lunge. Eine Minute lang blieb der Lauf meiner Flinte ungewiß zwischen dem Menschen und dem Hirsch mitten inne schwanken – eine Minute – und noch eine – und wieder eine. Rache und Gewissen rangen hartnäckig und zweifelhaft, aber die Rache gewanns, und der Jäger lag tot am Boden.«

»Mein Gewehr fiel mit dem Schusse . . . . . *Mörder* . . . stammelte ich langsam – der Wald war still wie ein Kirchhof – ich hörte deutlich, daß ich *Mörder* sagte. Als ich näher schlich, starb der Mann. Lange stand ich sprachlos vor dem Toten, ein helles Gelächter endlich machte mir Luft. ›Wirst du jetzt reinen Mund halten, guter Freund!‹ sagte ich, und trat keck hin, indem ich zugleich das Gesicht des Ermordeten auswärts kehrte. Die Augen standen ihm weit auf. Ich wurde ernsthaft, und schwieg plötzlich wieder stille. Es fing mir an, seltsam zu werden.«

»Bis hieher hatte ich auf Rechnung meiner Schande gefrevelt, jetzt war etwas geschehen, wofür ich noch nicht gebüßt hatte. Eine Stunde vorher, glaube ich, hätte mich kein Mensch überredet, daß es noch etwas schlechteres, als mich, unter dem Himmel gebe; jetzt fing ich an zu mutmaßen, daß ich vor einer Stunde wohl gar zu beneiden war.«

»Gottes Gerichte fielen mir nicht ein – wohl aber eine, ich weiß nicht welche? verwirrte Erinnerung an Strang und Schwert, und die Exekution einer Kindermörderin, die ich als Schuljunge mit angesehen hatte. Etwas ganz besonders schreckbares lag für mich in dem Gedanken, daß von jetzt an mein Leben verwirkt sei. Auf mehreres besinne ich mich nicht mehr. Ich wünschte gleich darauf, daß er noch lebte. Ich tat mir Gewalt an, mich lebhaft an alles Böse zu erinnern, das mir der Tote im Leben zugefügt hatte, aber sonderbar! mein Gedächtnis war wie ausgestorben. Ich konnte nichts mehr von alle dem hervorrufen, was mich vor einer Viertelstunde zum Rasen gebracht hatte. Ich begriff gar nicht, wie ich zu dieser Mordtat gekommen war.«

»Noch stand ich vor der Leiche, noch immer. Das Knallen einiger Peitschen, und das Geknarre von Frachtwagen, die durchs Holz fuhren, brachte mich zu mir selbst. Es war kaum eine Viertelmeile abseits der Heerstraße, wo die Tat geschehen war. Ich mußte auf meine Sicherheit denken.«

»Unwillkürlich verlor ich mich tiefer in den Wald. Auf dem Wege fiel mir ein, daß der Entleibte sonst eine Taschenuhr besessen hätte. Ich brauchte Geld, um die Grenze zu erreichen – und doch fehlte mir der Mut, nach dem Platz umzuwenden, wo der Tote lag. Hier erschreckte mich ein Gedanke an den Teufel, und eine Allgegenwart Gottes. Ich raffte meine ganze Kühnheit zusammen; entschlossen, es mit der ganzen Hölle aufzunehmen, ging ich nach der Stelle zurück. Ich fand, was ich erwartet hatte, und in einer grünen Börse noch etwas weniges über einen Taler an Gelde. Eben da ich beides zu mir stecken wollte, hielt ich plötzlich inn, und überlegte. Es war keine Anwandlung von Scham, auch nicht Furcht, mein Verbrechen durch Plünderung zu vergrößern – Trotz, glaube ich, war es, daß ich die Uhr wieder von mir warf, und von dem Gelde nur die Hälfte behielt. Ich wollte für einen persönlichen Feind des Erschossenen, aber nicht für seinen Räuber gehalten sein.«

»Jetzt floh ich waldeinwärts. Ich wußte, daß das Holz sich vier deutsche Meilen nordwärts erstreckte, und dort an die Grenzen des Landes stieß. Bis zum hohen Mittage lief ich atemlos. Die Eilfertigkeit meiner Flucht hatte meine Gewissensangst zerstreut, aber sie kam schrecklicher zurück, wie meine Kräfte mehr und mehr ermatteten. Tausend gräßliche Gestalten gingen an mir vorüber, und schlugen wie schneidende Messer in meine Brust. Zwischen einem Leben voll rastloser Todesfurcht, und einer gewaltsamen Entleibung, war mir jetzt eine schreckliche Wahl gelassen, und ich *mußte* wählen. Ich hatte das Herz nicht, durch Selbstmord aus der Welt zu gehn, und entsetzte mich vor der Aussicht, darin zu bleiben. Geklemmt zwischen die gewisse Qualen des Lebens, und die ungewisse Schrecken der Ewigkeit, gleich feig zu leben und zu sterben brachte ich die sechste Stunde meiner Flucht dahin, eine Stunde voll gepreßt von Qualen, wovon noch kein lebendiger Mensch zu erzählen weiß, die mir Gottes Barmherzigkeit auf dem Rabensteine erlassen wird.«

»In mich gekehrt und langsam, ohne mein Wissen den Hut tief ins Gesicht gedrückt, als ob mich das vor dem Auge der leblosen Natur hätte unkenntlich machen sollen, hatte ich unvermerkt einen schmalen Fußsteig verfolgt, der mich durch das dunkelste Dickigt führte – als plötzlich eine rauhe befehlende Stimme vor mir her Halt! rufte. Die Stimme war ganz nahe, meine Zerstreuung und der heruntergedrückte Hut hatten mich verhindert um mich herum zu schauen. Ich schlug die Augen auf, und sah einen wilden Mann auf mich zu kommen, der eine große knotige Keule trug. Seine Figur ging ins Riesenmäßige – meine erste Bestürzung wenigstens hatte mich des glauben gemacht – und die Farbe seiner Haut war von einer gelben Mulattenschwärze, woraus das weiße eines schielenden Auges bis zum Graßen hervortrat. Er hatte statt eines Gurts ein dickes Seil zweifach um einen grünen wollenen Rock geschlagen, worin ein breites Schlachtmesser bei einer Pistole stak. Der Ruf wurde wiederholt, und ein kräftiger Arm hielt mich fest. Der Laut eines Menschen hatte mich in Schrecken gejagt, aber der Anblick eines Bösewichts gab mir Herz. In der Lage worin ich jetzt war, hatte ich Ursache vor jedem redlichen Mann, aber keine mehr vor einem Schurken zu zittern.«

»Wer da? sagte diese Erscheinung.«

»Deines gleichen, war meine Antwort, wenn du *der* wirklich bist, dem du gleich siehst.«

»Dahinaus geht der Weg nicht. Was hast du hier zu suchen?«

»Was hast du hier zu fragen? versetzte ich trotzig.«

»Der Mann betrachtete mich zweimal vom Fuß bis zum Wirbel. Es schien, als ob er meine Figur gegen die seinige, und meine Antwort gegen meine Figur halten wollte – Du sprichst brutal wie ein Bettler, sagte er endlich.«

»Das mag sein. Ich bins noch gestern gewesen.«

»Der Mann lachte. Man sollte drauf schwören, rief er, du wolltest auch noch jetzt für nichts bessers gelten.«

»Für etwas schlechteres also – Ich wollte weiter.«

»Sachte Freund. Was jagt dich denn so? Was hast du für Zeit zu verlieren?«

»Ich besann mich einen Augenblick. Ich weiß nicht, wie mir

das Wort auf die Zunge kam. Das Leben ist kurz, sagte ich langsam, und die Hölle währt ewig.«

»Er sah mich stier an. Ich will verdammt sein, sagte er endlich, oder du bist irgend an einem Galgen hart vorbeigestreift.«

»Das mag wohl noch kommen. Also auf *Wiedersehen,* Kamerade!«

»Topp *Kamerade*! – schrie er, indem er eine zinnerne Flasche aus seiner Jagdtasche hervorlangte, einen kräftigen Schluck daraus tat, und mir sie reichte. Flucht und Beängstigung hatten meine Kräfte aufgezehrt, und diesen ganzen entsetzlichen Tag war noch nichts über meine Lippen gekommen. Schon fürchtete ich in dieser Waldgegend zu verschmachten, wo auf drei Meilen in der Runde kein Labsal für mich zu hoffen war. Man urteile, wie froh ich auf diese angebotne Gesundheit Bescheid tat. Neue Kraft floß mit diesem Erquicktrunk in meine Gebeine, und frischer Mut in mein Herz, und Hoffnung und Liebe zum Leben. Ich fing an zu glauben, daß ich doch wohl nicht ganz elend wäre, soviel konnte dieser willkommene Trank. Ja ich bekenne es, mein Zustand grenzte wieder an einen glücklichen, denn endlich, nach tausend fehlgeschlagenen Hoffnungen endlich, hatte ich eine Kreatur angetroffen, die mir ähnlich schien. In dem Zustande, worein ich versunken war, hätte ich mit dem höllischen Geiste Kameradschaft getrunken, um einen Vertrauten zu haben.«

»Der Mann hatte sich aufs Gras hingestreckt, ich tat ein Gleiches.«

»Dein Trunk hat mir wohl getan, sagte ich. Wir müssen bekannter werden.«

»Er schlug Feuer seine Pfeife zu zünden.«

»Treibst du das Handwerk schon lange?«

»Er sah mich fest an. Was willst du damit sagen?«

»War *das* schon oft blutig? Ich zog das Messer aus seinem Gürtel.«

»Wer bist du? sagte er schrecklich und legte die Pfeife von sich.«

»Ein Mörder wie du – aber nur erst ein Anfänger.«

»Der Mann sah mich steif an, und nahm seine Pfeife wieder.«

»Du bist nicht hier zu Hause, sagte er endlich?«

»Drei Meilen von hier. Der Sonnenwirt in . . . . . L wenn du von mir gehört hast.«

»Der Mann sprang auf wie ein Beseßner. Der Wildschütze Wolf? schrie er hastig.«

»Der nämliche.«

»Willkommen Kamerad! Willkommen! rief er und schüttelte

mir kräftig die Hände. Das ist brav, daß ich dich endlich habe, Sonnenwirt. Jahr und Tag schon sinn ich darauf, dich zu kriegen. Ich kenne dich recht gut. Ich weiß um alles. Ich habe lange auf dich gerechnet.«

»Auf mich gerechnet? Wozu denn?«

»Die ganze Gegend ist voll von dir. Du hast Feinde, ein Amtmann hat dich gedrückt, Wolf. Man hat dich zu Grunde gerichtet, himmelschreiend ist man mit dir umgegangen.«

»Der Mann wurde hitzig – Weil du ein paar Schweine geschossen hast, die der Fürst auf unsern Äckern und Feldern füttert, haben sie dich Jahre lang im Zuchthaus und auf der Festung herumgezogen, haben sie dich um Haus und Wirtschaft bestohlen, haben sie dich zum Bettler gemacht. Ist es dahin gekommen, Bruder, daß der Mensch nicht mehr gelten soll als ein Hase? Soll ein Untertan des Fürsten für eine wilde Sau des Fürsten zum Geisel dienen? Sind wir nicht besser, als das Vieh auf dem Felde? – Und ein Kerl wie du konnte das dulden?«

»Konnt' ichs ändern?«

»Das werden wir ja wohl sehen. Aber sage mir doch, woher kömmst du denn jetzt, und was führst du im Schilde?«

»Ich erzählte ihm meine ganze Geschichte. Der Mann, ohne abzuwarten, bis ich zu Ende war, sprang mit froher Ungeduld auf, und mich zog er nach. Komm Bruder Sonnenwirt, sagte er, *jetzt* bist du *reif,* jetzt hab ich dich, wo ich dich brauchte. Ich werde Ehre mit dir einlegen. Folge mir.«

»Wo willst du mich hinführen?«

»Frage nicht lange. Folge! – Er schleppte mich mit Gewalt fort.«

»Wir waren eine kleine Viertelmeile gegangen. Der Wald wurde immer abschüssiger, unwegsamer und wilder, keiner von uns sprach ein Wort, bis mich endlich die Pfeife meines Führers aus meinen Betrachtungen aufschreckte. Ich schlug die Augen auf, wir standen am schroffen Absturz eines Felsens, der sich in eine tiefe Kluft hinunterbückte. Eine zwote Pfeife antwortete aus dem innersten Bauche des Felsens, und eine Leiter kam, wie von sich selbst, langsam aus der Tiefe gestiegen. Mein Führer kletterte zuerst hinunter, mich hieß er warten, bis er wieder käme. Erst muß ich den Hund an Ketten legen lassen, setzte er hinzu, du bist hier fremd, die Bestie würde dich zerreißen. Damit ging er.«

»Jetzt stand ich *Allein* vor dem Abgrund, und ich wußte recht gut, daß ich allein war. Die Unvorsichtigkeit meines Führers entging meiner Aufmerksamkeit nicht. Es hätte mich nur einen beherzten Entschluß gekostet, die Leiter heraufzuziehen, so war ich frei, und meine Flucht war gesichert. Ich gestehe, daß ich das einsah. Ich sah in den Schlund hinab, der mich jetzt aufnehmen sollte, es erinnerte mich dunkel an den Abgrund der Hölle, woraus keine Erlösung mehr ist. Mir fing an vor der Laufbahn zu schaudern, die ich nunmehr betreten wollte, nur eine schnelle Flucht konnte mich retten. Ich beschließe diese Flucht – schon strecke ich den Arm nach der Leiter aus – aber auf einmal donnerts in meinen Ohren, es umhallt mich wie Hohngelächter der Hölle: ›Was hat ein Mörder zu wagen?‹ – und mein Arm fällt gelähmt zurück. Meine Rechnung war völlig, die Zeit der Reue war dahin, mein begangener Mord lag hinter mir aufgetürmt wie ein Fels, und sperrte meine Rückkehr auf ewig. Zugleich erschien auch mein Führer wieder, und kündigte mir an, daß ich kommen sollte. Jetzt war ohnehin keine Wahl mehr. Ich kletterte hinunter.«

»Wir waren wenige Schritte unter der Felsmauer weggegangen, so erweiterte sich der Grund, und einige Hütten wurden sichtbar. Mitten zwischen diesen öffnete sich ein runder Rasenplatz, auf welchem sich eine Anzahl von achtzehn bis zwanzig Menschen um ein Kohlfeuer gelagert hatte. Hier Kameraden, sagte mein Führer, und stellte mich mitten in den Kreis. Unser Sonnenwirt! heißt ihn willkommen!«

»Sonnenwirt! schrie alles zugleich, und alles fuhr auf, und drängte sich um mich her, Männer und Weiber. Soll ichs gestehn? Die Freude war ungeheuchelt und herzlich, Vertrauen, Achtung sogar erschien auf jedem Gesichte, dieser drückte mir die Hand, jener schüttelte mich vertraulich am Kleide, der Auftritt war wie das Wiedersehen eines alten Bekannten, der einem wert ist. Meine Ankunft hatte den Schmaus unterbrochen, der eben anfangen sollte. Man setzte ihn sogleich fort, und nötigte mich, den Willkomm zu trinken. Wildpret aller Art war die Mahlzeit, und die Weinflasche wanderte unermüdet von Nachbar zu Nachbar. Wohlleben und Einigkeit schien die ganze Bande zu beseelen, und alles wetteiferte seine Freude über mich zügelloser an den Tag zu legen.«

»Man hatte mich zwischen zwei Weibspersonen sitzen lassen, welches der Ehrenplatz an der Tafel war. Ich erwartete den Auswurf ihres Geschlechts, aber wie groß war meine Verwunderung, als ich unter dieser schändlichen Rotte die schönste weibliche Gestalten entdeckte, die mir jemals vor Augen gekommen. Margarete die älteste und schönste von beiden ließ sich Jungfer nennen, und konnte kaum fünf und zwanzig sein. Sie sprach sehr frech, und ihre Gebärden sagten noch mehr. Marie die jüngere war verheiratet, aber einem Manne entlaufen, der sie mißhandelt hatte. Sie war feiner gebildet, sah aber blaß aus und schmächtig, und fiel weniger ins Auge als ihre feurige Nachbarin. Beide Weiber eiferten auf einander, meine Begierden zu entzünden, die schöne Margarete kam meiner Blödigkeit durch freche Scherze zuvor, aber das ganze Weib war mir zuwider, und mein Herz hatte die schüchterne Marie auf immer gefangen.«

»Du siehst Bruder Sonnenwirt, fing der Mann jetzt an, der mich hergebracht hatte, du siehst, wie wir unter einander leben, und jeder Tag ist dem heutigen gleich. Nicht wahr Kameraden?«

»Jeder Tag wie der heutige, wiederholte die ganze Bande.«

»Kannst du dich also entschließen, an unserer Lebensart Gefallen zu finden, so schlag ein und sei unser Anführer. Bis jetzt bin *ich* es gewesen, aber *dir* will ich weichen. Seid ihrs zufrieden, Kameraden?«

»Ein fröhliches *Ja!* antwortete aus allen Kehlen.«

»Mein Kopf glühte, mein Gehirne war betäubt, von Wein und Wollust siedete mein Blut. Die Welt hatte mich ausgeworfen wie einen Verpesteten – hier fand ich brüderliche Aufnahme, Wohlleben und Ehre. Welche Wahl ich auch treffen wollte, so erwartete mich Tod; hier aber konnte ich wenigstens mein Leben für einen höheren Preis verkaufen. Wollust war meine wütendste Neigung, das andere Geschlecht hatte mir bis jetzt nur Verachtung bewiesen, hier erwarteten mich Gunst und zügellose Vergnügungen. Mein Entschluß kostete mich wenig. ›Ich bleibe bei *euch* Kameraden, rief ich laut mit Entschlossenheit, und trat mitten unter die Bande, ich bleibe bei euch, rief ich nochmals, wenn ihr mir meine schöne Nachbarin abtretet.‹ – Alle kamen überein, mein Verlangen zu bewilligen, ich war erklärter Eigentümer einer Hure, und das Haupt einer Diebesbande.«

Den folgenden Teil der Geschichte übergehe ich ganz, das bloß abscheuliche hat nichts unterrichtendes für den Leser. Ein Unglücklicher, der bis zu dieser Tiefe herunter sank, mußte sich endlich alles erlauben was die Menschheit empört – aber einen zweiten Mord beging er nicht mehr, wie er selbst auf der Folter bezeugte.

Der Ruf dieses Menschen verbreitete sich in kurzem durch die ganze Provinz. Die Landstraßen wurden unsicher, nächtliche Einbrüche beunruhigten den Bürger, der Name des Sonnenwirts wurde der Schrecken des Landvolks, die Gerechtigkeit suchte ihn auf, und eine Prämie wurde auf seinen Kopf gesetzt. Er war so glücklich, jeden Anschlag auf seine Freiheit zu vereiteln, und verschlagen genug den Aberglauben des wundersüchtigen Bauren zu seiner Sicherheit zu benutzen. Seine Gehilfen mußten aussprengen, er habe einen Bund mit dem Teufel gemacht, und könne hexen. Der Distrikt, auf welchem er seine Rolle spielte, gehörte damals noch weniger als jetzt zu den aufgeklärten Deutschlands, man glaubte diesem Gerüchte und seine Person war gesichert. Niemand zeigte Lust, mit dem gefährlichen Kerl anzubinden, dem der Teufel zu Diensten stund.

Ein Jahr schon hatte er das traurige Handwerk getrieben, als es anfing, ihm unerträglich zu werden. Die Rotte an deren Spitze er sich gestellt hatte, erfüllte seine glänzenden Erwartungen nicht. Eine verführerische Außenseite hatte ihn damals im Taumel des Weines geblendet, jetzt wurde er mit Schrecken gewahr, wie abscheulich man ihn hintergangen hatte. Hunger und Mangel traten an die Stelle des Überflusses, womit man ihn eingewiegt hatte; sehr oft mußte er sein Leben an eine Mahlzeit wagen, die kaum hinreichte, ihn vor dem Verhungern zu schützen. Das Schattenbild jener brüderlichen Eintracht verschwand, Neid und Argwohn, zwo scheußliche Harpyen, wüteten im Herzen dieser verworfenen Bande. Die Gerechtigkeit hatte demjenigen, der ihn lebendig ausliefern würde, Belohnung, und wenn es ein Mitschuldiger wäre, noch eine feierliche Begnadigung zugesagt – eine mächtige Versuchung für den Auswurf der Erde! Der Unglückliche kannte seine Gefahr. Die Redlichkeit derjenigen, die Menschen und Gott verrieten, war ein schlechtes Unterpfand seines Lebens. Sein Schlaf war, von jetzt an dahin, ewige Todesangst zerfraß seine Ruhe, das gräßliche Gespenst des Argwohns rasselte hinter ihm wo er hinfloh, peinigte ihn, wenn er wachte, bettete sich neben ihm, wenn er schlafen ging, und schreckte ihn in entsetzlichen Träumen. Das verstummte Gewissen gewann zugleich seine Sprache wieder, und die schlafende Natter der Reue wachte bei diesem allgemeinen Sturm seines Busens auf. Sein ganzer Haß wandte sich jetzt von der Menschheit, und kehrte seine schreckliche Schneide gegen ihn selber. Er vergab jetzt der ganzen Natur, und fand niemand, als sich allein zu verfluchen.

Das Laster hatte seinen Unterricht an dem Unglücklichen vollendet, sein natürlich guter Verstand siegte endlich über die traurige Täuschung. Jetzt fühlte er, wie tief er gefallen war, eine tiefe Schwermut trat an die Stelle knirschender Verzweiflung. Er wünschte mit Tränen die Vergangenheit zurück, jetzt wußte er gewiß, daß er sie ganz anders wiederholen würde. Er fing an zu hoffen, daß er noch rechtschaffen werden *dürfte,* weil er bei sich empfand, daß er es *könnte.* Auf dem höchsten Gipfel seiner Verschlimmerung war er dem Guten näher, als er vielleicht vor seinem ersten Fehltritt gewesen war.

Um eben diese Zeit war der siebenjährige Krieg ausgebrochen, und die Werbungen gingen stark. Der Unglückliche schöpfte Hoffnung von diesem Umstand, und schrieb einen Brief an seinen Landesherrn, den ich auszugsweise hier einrücke.

»Wenn Ihre fürstliche Huld sich nicht ekelt, bis zu *mir* herunter zu steigen, wenn Verbrecher *meiner* Art nicht außerhalb Ihrer Erbarmung liegen, so gönnen *Sie* mir Gehör, durchlauchtigster Oberherr. Ich bin Mörder und Dieb, das Gesetz verdammt mich zum Tode, die Gerichte suchen mich auf – und ich biete mich an, mich freiwillig zu stellen. Aber ich bringe zugleich eine seltsame Bitte vor Ihren Thron. Ich verabscheue mein Leben, und fürchte den Tod nicht, aber schrecklich ist mirs zu sterben, ohne gelebt zu haben. Ich möchte leben, um einen Teil des Vergangenen gut zu machen; ich möchte leben, um den Staat zu versöhnen den ich beleidigt habe. Meine Hinrichtung wird ein Beispiel sein für die Welt, aber kein Ersatz meiner Taten. Ich hasse das Laster, und sehne mich feurig nach Rechtschaffenheit und Tugend. Ich habe Fähigkeiten gezeigt, meinem Vaterland furchtbar zu werden, ich hoffe, daß mir noch einige übrig geblieben sind, ihm zu nützen.«

»Ich weiß, daß ich etwas unerhörtes begehre. Mein Leben ist verwirkt, mir steht es nicht an, mit der Gerechtigkeit Unterhandlung zu pflegen. Aber ich erscheine nicht in Ketten und Banden vor Ihnen – noch bin ich frei – und meine Furcht hat den kleinsten Anteil an meiner Bitte.«

»Es ist *Gnade* um was ich flehe. Einen Anspruch auf Gerechtigkeit, wenn ich auch einen hätte, wage ich nicht mehr gelten zu machen – Doch an etwas darf ich meinen Richter erinnern. ›Die Zeitrechnung meiner Verbrechen fängt mit dem Urteilspruch an, der mich auf immer um meine Ehre brachte.‹ Wäre mir damals die Billigkeit minder versagt worden, so würde ich jetzt vielleicht keiner Gnade bedürfen.«

»Lassen *Sie* Gnade für Recht ergehen mein Fürst. Wenn es in Ihrer fürstlichen Macht steht, das Gesetz für mich zu erbitten, so schenken Sie mir das Leben. Es soll Ihrem Dienste von nun an gewidmet sein. Wenn *Sie* es können, so lassen *Sie* mich Ihren gnädigsten Willen aus öffentlichen Blättern vernehmen, und ich werde mich auf Ihr fürstliches Wort in der Hauptstadt stellen. Haben Sie es anders mit mir beschlossen, so tue die Gerechtigkeit denn das ihrige, ich muß das meinige tun.«

Diese Bittschrift blieb ohne Antwort, wie auch eine zwote und dritte, worin der Supplikant um eine Reiterstelle im Dienste des Fürsten bat. Seine Hoffnung zu einem Pardon erlosch gänzlich, er faßte also den Entschluß aus dem Land zu fliehen, und im Dienste des Königs von Preußen als ein braver Soldat zu sterben.

Er entwischte glücklich seiner Bande, und trat diese Reise an. Der Weg führte ihn durch eine kleine Landstadt, wo er übernachten wollte. Kurze Zeit vorher waren durch das ganze Land geschärftere Mandate zu strenger Untersuchung der Reisenden ergangen, weil der Landesherr, ein Reichsfürst, im Kriege Partei genommen hatte. Einen solchen Befehl hatte auch der Torschreiber dieses Städtgens, der auf einer Bank vor dem Schlage saß, als der Sonnenwirt geritten kam. Der Aufzug dieses Mannes hatte etwas possierliches, und zugleich etwas schreckliches und wildes. Der hagre Klepper, den er ritt, und die burleske Wahl seiner Kleidungsstücke, wobei wahrscheinlich weniger sein Geschmack als die Chronologie seiner Entwendungen zu Rat gezogen war, kontrastierte seltsam genug mit einem Gesicht, worauf so viele wütende Affekte, gleich den verstümmelten Leichen auf einem Walplatz, verbreitet lagen. Der Torschreiber stutzte beim Anblick dieses seltsamen Wanderers. Er war am Schlagbaum grau geworden, und eine vierzigjährige Amtsführung hatte in ihm einen unfehlbaren Physiognomen aller Landstreicher erzogen. Der Falkenblick dieses Spürers verfehlte auch hier seinen Mann nicht. Er sperrte sogleich das Stadttor, und foderte dem Reiter den Paß ab, indem er sich seines Zügels versicherte. Wolf war auf Fälle dieser Art vorbereitet, und führte auch wirklich einen Paß bei sich, den er ohnlängst von einem geplünderten Kaufmann erbeutet hatte. Aber dieses einzelne Zeugnis war nicht genug, eine vierzigjährige Observanz umzustoßen, und das Orakel am Schlagbaum zu einem Widerruf zu bewegen. Der Torschreiber glaubte seinen Augen mehr als diesem Papiere, und Wolf war genötigt ihm nach dem Amthaus zu folgen.

Der Oberamtmann des Orts untersuchte den Paß, und erklärte ihn für richtig. Er war ein starker Anbeter der Neuigkeit, und liebte besonders bei einer Bouteille über die Zeitung zu plaudern. Der Paß sagte ihm, daß der Besitzer geradeswegs aus den feindlichen Ländern käme, wo der Schauplatz des Krieges war. Er hoffte Privatnachrichten aus dem Fremden herauszulocken, und schickte einen Sekretair mit dem Paß zurück, ihn auf eine Flasche Wein einzuladen.

Unterdessen hält der Sonnenwirt vor dem Amthaus; das lächerliche Schauspiel hat den Janhagel des Städtgens scharenweis um ihn her versammelt. Man murmelt sich in die Ohren, deutet wechselsweis auf das Roß und den Reiter, der Mutwille des Pöbels steigt endlich bis zu einem lauten Tumult. Unglücklicherweise war das Pferd, worauf jetzt alles mit Fingern wies, ein geraubtes; er bildet sich ein, das Pferd sei in Steckbriefen beschrieben und erkannt. Die unerwartete Gastfreundlichkeit des Oberamtmanns vollendet seinen Verdacht. Jetzt hält er's für ausgemacht, daß die Betrügerei seines Passes verraten, und diese Einladung nur die Schlinge sei, ihn lebendig und ohne Widersetzung zu fangen. Böses Gewissen macht ihn zum Dummkopf, er gibt seinem Pferde die Sporen, und rennt davon, ohne Antwort zu geben.

Diese plötzliche Flucht ist die Losung zum Aufstand. »Ein Spitzbube!« ruft alles, und alles stürzt hinter ihm her. Dem Reiter gilt es um Leben und Tod, er hat schon den Vorsprung, seine Verfolger keuchen atemlos nach, er ist seiner Rettung nahe – aber eine schwere Hand drückt unsichtbar gegen ihn, die Uhr seines Schicksals ist abgelaufen, die unerbittliche Nemesis hält ihren Schuldner an. Die Gasse, der er sich anvertraute, endigt in einem Sack, er muß rückwärts gegen seine Verfolger umwenden.

Der Lärm dieser Begebenheit hat unterdessen das ganze Städtgen in Aufruhr gebracht, Haufen sammeln sich zu Haufen, alle Gassen sind gesperrt, ein Heer von Feinden kömmt im Anmarsch gegen ihn her. Er zeigt eine Pistole, das Volk weicht, er will sich mit Macht einen Weg durchs Gedränge bahnen. »Dieser Schuß, ruft er, soll dem Tollkühnen, der mich halten will.« – Die Furcht gebietet eine allgemeine Pause – ein beherzter Schlossergeselle endlich fällt ihm von hinten her in den Arm, und faßt den Finger, womit der Rasende eben losdrücken will, und drückt ihn aus dem Gelenke. Die Pistole fällt, der wehrlose Mann wird vom Pferde herabgerissen, und im Triumphe nach dem Amthaus zurück geschleppt.

»Wer seid ihr?« frägt der Richter mit ziemlich brutalem Ton.

»Ein Mann, der entschlossen ist, auf keine Frage zu antworten, bis man sie höflicher einrichtet.«

»Wer sind *Sie?*«

»Für was ich mich ausgab. Ich habe ganz Deutschland durchreist, und die Unverschämtheit nirgends, als hier, zu Hause gefunden.«

»Ihre schnelle Flucht macht sie sehr verdächtig. Warum flohen sie?«

»Weil ich's müde war, der Spott ihres Pöbels zu sein.«

»Sie drohten, Feuer zu geben.«

»Meine Pistole war nicht geladen.« Man untersuchte das Gewehr, es war keine Kugel darin.

»Warum führen sie heimliche Waffen bei sich?«

»Weil ich Sachen von Wert bei mir trage, und weil man mich vor einem gewissen Sonnenwirt gewarnt hat, der in diesen Gegenden streifen soll.«

»Ihre Antworten beweisen sehr viel für ihre Dreistigkeit, aber nichts für ihre gute Sache. Ich gebe ihnen Zeit bis morgen, ob sie mir die Wahrheit entdecken wollen.«

»Ich werde bei meiner Aussage bleiben.«

»Man führe ihn nach dem Turm.«

»Nach dem Turm? – Herr Oberamtmann, ich hoffe, es gibt noch Gerechtigkeit in diesem Lande. Ich werde Genugtuung fodern.«

»Ich werde sie ihnen geben, sobald sie gerechtfertigt sind.«

Den Morgen darauf überlegte der Oberamtmann, der Fremde möchte doch wohl unschuldig sein, die befehlshaberische Sprache würde nichts über seinen Starrsinn vermögen, es wäre vielleicht besser getan, ihm mit Anstand und Mäßigung zu begegnen. Er versammelte die Geschwornen des Orts, und ließ den Gefangenen vorführen.

»Verzeihen sie es der ersten Aufwallung, mein Herr, wenn ich sie gestern etwas hart anließ.«

»Sehr gern, wenn sie mich so fassen.«

»Unsre Gesetze sind strenge, und ihre Begebenheit machte Lärm. Ich kann sie nicht frei geben, ohne meine Pflicht zu verletzen. Der Schein ist gegen sie. Ich wünschte, sie sagten mir etwas, wodurch er widerlegt werden könnte.«

»Wenn ich nun nichts wüßte?«

»So muß ich den Vorfall an die Regierung berichten, und sie bleiben so lang in fester Verwahrung.«

»Und dann?«

»Dann laufen sie Gefahr, als ein Landstreicher über die Grenze gepeitscht zu werden, oder wenns gnädig geht, unter die Werber zu fallen.«

Er schwieg einige Minuten, und schien einen heftigen Kampf zu kämpfen; dann drehte er sich rasch zu dem Richter.

»Kann ich auf eine Viertelstunde mit ihnen allein sein?«

Die Geschwornen sahen sich zweideutig an, entfernten sich aber auf einen gebietenden Wink ihres Herrn.

»Nun, was verlangen sie?«

»Ihr gestriges Betragen, Herr Oberamtmann, hätte mich nimmermehr zu einem Geständnis gebracht, denn ich trotze der Gewalt. Die Bescheidenheit, womit sie mich heute behandeln, hat mir Vertrauen und Achtung gegen sie gegeben. Ich glaube, daß sie ein edler Mann sind.«

»Was haben sie mir zu sagen?«

»Ich sehe, daß sie ein edler Mann sind. Ich habe mir längst einen Mann gewünscht wie sie. Erlauben sie mir ihre rechte Hand.«

»Wo will das hinaus?«

»Dieser Kopf ist grau und ehrwürdig. Sie sind lang in der Welt gewesen – haben der Leiden wohl viele gehabt – Nicht wahr? und sind menschlicher worden?«

»Mein Herr – Wozu soll das?«

»Sie stehen noch einen Schritt von der Ewigkeit, bald – bald brauchen sie Barmherzigkeit bei Gott. Sie werden sie Menschen nicht versagen. – – Ahnden sie nichts? Mit wem glauben sie, daß sie reden?«

»Was ist das? Sie erschrecken mich.«

»Ahnden sie noch nicht? – Schreiben sie es ihrem Fürsten, wie sie mich fanden, und daß ich selbst aus freier Wahl mein Verräter war – daß *ihm* Gott einmal gnädig sein werde, wie *er* jetzt mir es sein wird – bitten sie für mich, alter Mann, und lassen sie dann auf ihren Bericht eine Träne fallen: Ich bin der Sonnenwirt.«

Jean Paul
Leben des vergnügten Schulmeisterleins
Maria Wuz in Auenthal

Eine Art Idylle

Wie war dein Leben und Sterben so sanft und meerstille, du vergnügtes Schulmeisterlein Wuz! der stille laue Himmel eines Nachsommers ging nicht mit Gewölk, sondern mit Duft um dein Leben herum: deine Epochen waren das Schwanken und dein Sterben war das Umlegen einer Lilie, deren Blätter auf stehende Blumen auseinander flattern – und schon außer dem Grabe schliefest du sanft!

Jetzt aber, meine Freunde, müssen vor allen Dingen die Stühle um den Ofen, der Schenktisch mit dem Trinkwasser an unsre Knie gerückt und die Vorhänge zugezogen und die Schlafmützen aufgesetzt werden und an die *grand monde* über der Gasse drüben und ans *palais royal* muß keiner von uns denken, bloß weil ich die ruhige Geschichte des vergnügten Schulmeisterleins erzähle – und du, mein lieber Christian, der du eine einatmende Brust für die einzigen dephlogistisierten und stärkenden Freuden des Lebens, für die häuslichen hast, setze dich auf den Arm des Stuhls, aus dem ich heraus erzähle und lehne dich zuweilen ein wenig an mich! du machst mich gar nicht irre.

Seit der Schwedenzeit waren die Wuze Schulmeister in Auenthal und ich glaube nicht, daß Einer vom Pfarrer oder von seiner Gemeinde verklagt wurde. Allemal acht oder neun Jahre nach der Hochzeit versahen Wuz und Sohn das Amt mit Verstand – unser Maria Wuz dozierte unter seinem Vater schon in der Woche das Abc, in der er das Buchstabieren erlernte, das nichts taugt. Der Charakter unsers Wuz hatte wie der Unterricht anderer Schulleute etwas Spielendes und Kindisches, aber nicht im Kummer sondern in der Freude.

Schon in der Kindheit war er ein wenig kindisch. Denn es gibt zweierlei Kinderspiele, kindische und ernsthafte – die ernsthaften sind Nachahmungen der Erwachsenen, das Kaufmanns- Soldatens- Handwerkers-Spielen – die kindischen sind Nachäffungen der Tiere. Wuz war beim Spielen nie etwas anders als ein Hase, eine Turteltaube oder das Junge derselben, ein Bär, ein Pferd oder gar der Wagen daran. Glaubt mir! ein Seraph findet auch in unsern Kollegien und Hörsälen keine Geschäfte sondern nur Spiele und, wenn ers hoch treibt, jene zweierlei Spiele.

Indes hatt' er auch wie alle Philosophen seine ernsthaftesten Geschäfte und Stunden. Setzte er nicht schon längst – ehe die brandenburgischen erwachsenen Geistlichen nur fünf Fäden von buntem Überzug umtaten – sich dadurch über große Vorurteile weg, daß er eine blaue Schürze die seltner der geistliche Ornat als der in ein Amt tragende *D.* Fausts Mantel guter Kandidaten ist, Vormittags über sich warf und in diesem kouleurten Meßgewand der Magd seines Vaters die vielen Sünden vorhielt, die sie um Himmel und Hölle bringen konnten? – ja er griff seinen eigenen Vater an, aber Nachmittags: denn wenn er diesem *Cobers* Kabinettsprediger vorlas, wars seine innige Freude, dann und wann zwei, drei Worte oder gar Zeilen aus eignen Ideen einzuschalten und diese Interpolation mit weg zu lesen, als spräche H. Cober selbst mit seinem Vater. Ich denke, ich werfe durch diese Personalie vieles Licht auf ihn und einen Spaß, den er später auf der Kanzel trieb, da er auch Nachmittags den Kirchgängern die Postille an Pfarrers Statt vorlas, aber mit so viel hineingespielten eignen Verlagsartikeln und Fabrikaten, daß er dem Teufel Schaden tat und dessen Diener rührte. »Justel sagt' er nachher um 4 Uhr zu seiner Frau, was weißt du unten in deinem Stuhl, wie prächtig es einem oben ist, zumal unter dem Kanzelliede.«

Wir können's leicht bei seinen ältern Jahren erfragen, wie er in seinen Flegeljahren war. Im Dezember von jenen ließ er allemal das Licht eine Stunde später bringen, weil er in dieser Stunde seine Kindheit – jeden Tag nahm er einen andern Tag – rekapitulierte. Indem der Wind seine Fenster mit Schnee-Vorhängen verfinsterte und indem ihn aus den Ofen Fugen das Feuer anblinkte: so drückte er die Augen zu und ließ auf die gefrornen Wiesen den längst vermoderten Frühling niedertauen; da bauete er sich mit der Schwester in den Heuschober ein und fuhr auf dem architektorisch gewölbten Heu-Gebürge des Wagens heim und riet droben mit geschlossenen Augen, wo sie wohl nun fahren. In der Abendkühle unter dem Schwalben-Scharmuzieren über sich schoß er, froh über die untere Entkleidung und das Deshabillée der Beine, als schreiende Schwalbe herum und mauerte sich für sein Junges – ein hölzerner Weihnachtshahn mit angepichten Federn wars – eine Kot-Rotunda mit einem Schnabel von Holz und trug hernach Bettstroh und Bettfedern zu Nest. Für eine andere palingenesierende Abendstunde wurde ein prächtiger Trinitatis (ich wollt' es gäbe 365 Trinitatis) aufgehoben, wo er am Morgen im tönenden Lenz um ihn und in ihm, mit läutendem Schlüssel-Bund und durchs Dorf in den Garten stolzierte, sich im Tau abkühlte und das glühende Gesicht durch die tropfende Johannisbeer-Staude drängte, sich mit dem hochstämmigen Grase maß und mit zwei schwachen Fingern die Rosen für den H. Senior und sein Kanzelpult abdrehte. An eben diesem Trinitatis – das war die zweite Schüssel an dem nämlichen Dezember-Abend – quetschete er, mit dem Sonnenschein auf dem Rücken, den Orgeltasten den Choral »Gott in der Höh' sei Ehr« ein oder ab (mehr kann er noch nicht) und streckte die kurzen Beine mit vergeblichen Approchen zur Parterre-Tastatur hinunter und der Vater riß für ihn die richtigen Register heraus. – Er würde die ungleichartigsten Dinge zusammenschütten, wenn er sich in den gedachten zwei Abendstunden erinnerte, was er im Kindheits-Dezember vornahm; aber er war so klug, daß er sich erst in einer dritten darauf besann, wie er sonst abends sich aufs Zuketten der Fensterläden freuete, weil er nun ganz gesichert vor allem in der lichten Stube huckte, ob er sich gleich vor der äußern Perspektive des die Stube abspiegelnden Fensters in Acht nahm; wie er und seine Geschwister die abendliche Kocherei der Mutter ausspionierten, unterstützten und unterbrachen, und wie sie mit zugedrückten Augen und zwischen den Brustwehr-Schenkeln des Vaters auf das Blenden des kommenden Lichts sich spitzten und wie sie, in dem aus dem unabsehlichen Gewölbe des Universums herausgeschnittenen oder hineingebauten Kloset ihrer Stube so beschirmet waren, so satt, so wohl … Und alle Jahre, so oft er diese Retourfuhre seiner Kindheit und des Wolfsmonats darin, veranstaltete, vergaß und erstaunt' er – sobald das Licht angezündet wurde – daß in der Stube, die er sich wie ein Loretto-Häusgen aus dem Kindheits-Kanaan herüber holte, er ja gerade jetzt säße. – So beschreibt er wenigstens selber diese Erinnerungs- *hohen-Opern* in seinen *Rousseauischen Spaziergängen,* die ich da vor mich lege, um nicht zu lügen …

Allein ich schnüre mir den Fuß mit lauter Wurzengeflecht und Dickigt ein, wenn ichs nicht dadurch wegreiße, daß ich einen gewissen äußerst wichtigen Umstand aus seinem männlichen Alter herausschneide und sogleich jetzt aufsetze; nachher aber soll ordentlich *a priori* angefangen und mit dem Schulmeisterlein langsam in den drei *aufsteigenden Zeichen* der Alters Stufen hinauf und auf der andern Seite in den drei *niedersteigenden* wieder hinabgegangen werden – bis Wuz am Fuß der tiefsten Stufe vor uns ins Grab fällt.

Ich wollte, ich hätte dieses Gleichnis nicht genommen. So oft ich in Lavaters Fragmenten oder in *Comenii orbis pictus* oder an einer Wand das Blut- und Trauergerüste der sieben Lebens-Stationen besah – so oft ich zuschauete, wie das gemalte Geschöpf, sich verlängernd und ausstreckend, die Ameisen-Pyramide aufklettert, drei Minuten droben sich umblickt und einkriechend auf der andern Seite niederfährt und abgekürzt umkugelt auf die um diese Schädelstätte liegende Vorwelt – und so oft ich vor das atmende Rosengesicht voll Frühlinge und voll Durst, einen Himmel auszutrinken, trete und bedenke, daß nicht Jahrtausende sondern Jahrzehende dieses Gesicht in das zusammen geronnene zerknüllte Gesicht voll überlebter Hoffnungen ausgedorret haben ... aber indem ich über andre mich betrübe, heben und senken mich die Stufen selber und wir wollen einander nicht so traurig machen!

Der wichtige Umstand, bei dem uns wie man behauptet so viel daran gelegen ist, ihn voraus zu hören, ist nämlich der, daß Wuz eine ganze Bibliothek – wie hätte der Mann sich eine kaufen können – sich eigenhändig schrieb. Sein Schreibzeug war seine Taschendruckerei; jedes neue Meßprodukt, dessen Titel das Meisterlein ansichtig wurde, war nun so gut als geschrieben oder gekauft: denn es setzte sich so gleich hin und machte das Produkt und schenkt' es seiner ansehnlichen Büchersammlung, die wie die heidnischen aus lauter Manuskripten bestand. Z. B. Kaum waren die physiognomischen Fragmente von Lavater da: so ließ Wuz diesem fruchtbarem Kopfe dadurch wenig voraus, daß er sein Konzeptpapier in Quarto brach und drei Wochen lang nicht vom Sessel wegging, sondern an seinem eignen Kopfe so lange zog bis er den physiognomischen Fötus heraus hatte – (er bettete den Fötus aufs Bücherbrett hin –) und bis er sich den Schweizer nachgeschrieben hatte. Diese Wuzische Fragmente übertitelte er die Lavaterschen und merkte an; »er hätte nichts gegen die gedruckten; aber seine Hand wäre hoffentlich eben so leserlich, wenn nicht besser als irgend ein Mittel Fraktur Druck.« Er war kein verdammter Nachdrucker, der das Original hinlegt und oft das Meiste daraus abdruckt: sondern er nahm gar keines zur Hand. Daraus sind zwei Tatsachen vortrefflich zu erklären: erstlich die, daß es manchmal mit ihm haperte und daß er z. B. im ganzen Federschen Traktat über Raum und Zeit von nichts handelte als vom Schiffs-*Raum* und der *Zeit* die man *Menses* nennt. Die zweite Tatsache ist seine Glaubenssache: da er einige Jahre sein Repositorium auf diese Art voll geschrieben und durch studieret hatte: so nahm er die Meinung an, seine Schreibbücher wären eigentlich die kanonischen Urkunden; und die gedruckten wären bloße Nachstiche seiner geschriebnen; nur das, klagt' er, könn' er – und böten die Leute ihm Balleien dafür an – nicht herauskriegen, wienach und warum der Buchführer das Gedruckte allzeit so sehr interpoliere und umsetze, daß man wahrhaftig schwören sollte, das Gedruckte und das Geschriebne hätten doppelte Verfasser, wüßte man's nicht sonst.

Es war einfältig wenn etwa ihm zum Possen ein Autor sein Werk gründlich schrieb, nämlich in Querfolio – oder witzig, nämlich in Sedez: denn sein Mitmeister Wuz sprang den Augenblick herbei und legte seinen Bogen in die Quere hin oder krempte ihn in Sedezimo ein.

Nur Ein Buch ließ er in sein Haus, den Meßkatalog; denn die besten Inventarienstücke desselben mußte der Senior am Rande mit einer schwarzen Hand bestempeln, damit er sie hurtig genug schreiben konnte, um das Ostermeß-Heu in die Panse des Repositoriums hinein zu mähen, eh' das Michaelis-Grummet herausschoß. Ich möchte seine Meisterstücke nicht schreiben. Den größten Schaden hatte der Mann davon – Obstruktion zu halben Wochen und Strangurie auf der andern Seite – wenn der Senior (sein Friedrich Nicolai) zuviel Gutes, das er zu schreiben hatte, anstrich und seine Hand durch die gemalte anspornte; und sein Sohn klagte oft, daß in manchen Jahren sein Vater vor literarischer Geburtsarbeit kaum niesen konnte, weil er auf einmal Sturms Betrachtungen die verbesserte Auflage, Schillers Räuber und Kants Kritik der reinen Vernunft, der Welt zu schenken hatte. Das geschah bei Tage; Abends mußte der gute Mann nach dem Abendessen noch gar um den Südpol rudern und konnte auf seiner Cookischen Reise kaum drei gescheute Worte zum Sohne nach Deutschland heraufreden. Denn da unser Enzyklopädist nie das innere Afrika oder nur einen spanischen Maulesel-Stall betreten oder die Einwohner von beiden gesprochen hatte: so hatt' er desto mehr Zeit und Fähigkeit, von beiden und allen Ländern reichhaltige Reisebeschreibungen zu liefern – ich meine eine solche, worauf der Statistiker, der Menschheits-Geschichtschreiber und ich selber fußen können – erstlich deswegen, weil auch andre Reisejournalisten ihre Beschreibungen, ohne die Reise machen – zweitens auch weil Reisebeschreibungen überhaupt unmöglich auf eine andre Art zu machen sind, angesehen noch kein Reisebeschreiber wirklich vor oder in dem Lande stand, das er silhouettierte: denn so viel hat auch der Dümmste noch aus Leibnizens vorherbestimmten Harmonie im Kopfe, daß die Seele, z. B. die Seelen eines Forsters, Brydone, Björnstähls – insgesamt seßhaft auf dem Isolierschemel der versteinerten Zirbeldrüse – ja nichts anders von Südindien oder Europa beschreiben können als was jede sich davon selber erdenkt und was sie, beim gänzlichen Mangel äußerer Eindrücke, aus ihren *fünf Kanker-Spinnwarzen* vorspinnt und abzwirnt. Wuz zerrete sein Reisejournal auch aus niemand anders als aus sich.

Er schreibt über alles und wenn die gelehrte Welt sich darüber wundert, daß er fünf Wochen nach dem Abdruck der Wertherischen Leiden, einen alten Flederwisch nahm und sich eine harte Spule auszog und damit stehendes Fußes sie schrieb, die Leiden; – ganz Deutschland ahmte nachher seine Leiden nach: – so wundert sich niemand weniger über die gelehrte Welt als ich: denn wie kann sie Rousseau's Bekenntnisse gesehen und gelesen haben, die Wuz schrieb und die Dato noch unter seinen Papieren liegen? In diesen spricht aber J. J. Rousseau oder Wuz (das ist einerlei) so von sich, allein mit andern Worten: »Er würde wahrhaftig nicht so dumm sein, daß er Federn nähme und die besten Werke machte, wenn er nichts brauchte als bloß den Beutel aufzubinden und sie zu erhandeln. Allein er habe nichts darin als zwei schwarze Hemdknöpfe und einen kotigen Kreuzer. Woll' er mithin etwas Gescheutes lesen z. B. aus der praktischen Arzneikunde und aus der Kranken-Universalhistorie: so müss' er sich an seinen triefenden Fensterstock setzen und den Bettel ersinnen. An wen woll' er sich wenden, um den Hintergrund des Freimäurer-Geheimnisses auszuhorchen, an welches Dionysius Ohr mein' er als an seine zwei eigne? Auf diese, an seinen eignen Kopf angeöhrten hör' er sehr und indem er die Freimäurer-Reden, die er schreibe, genau durchlese und zu verstehen trachte: so merk' er zuletzt allerhand Wunderdinge und komme weit und rieche im Ganzen genommen Lunten. Da er von Chemie und Alchemie so viel wisse wie Adam nach dem Fall, als er alles vergessen hatte: so sei ihm ein rechter Gefallen geschehen, daß er sich den *annulus Platonis* geschmiedet, diesen silbernen Ring um den Blei-Saturn, diesen Gyges-Ring, der so vielerlei unsichtbar mache, Gehirne und Metalle; denn aus diesem Buche dürft' er, sollt' ers nur einmal ordentlich begreifen, frappant wissen, wo Barthel Most hole.« – Jetzt wollen wir wieder in seine Kindheit zurück.

Im zehnten Jahre verpuppte er sich in einen mulattenfarbigen Alumnus und obern Quintaner der Stadt Scheerau. Sein Examinater muß mein Zeuge sein, daß es keine weiße Schminke ist, die ich meinem Helden anstreiche, wenn ichs zu berichten wage, daß er nur noch ein Blatt bis zur vierten Deklination zurück zu legen hatte und daß er die ganze Geschlechts-Exzeption *thorax caudex pulexque* vor der Quinta wie ein Wecker abrollte – bloß die Regel wußt' er nicht. Unter allen Nischen des Alumneums war nur eine so gescheuert und geordnet wie die Prunkküche einer Nürnbergerin;

das war seine: denn zufriedene Menschen sind die ordentlichsten. Er kaufte sich aus seinem Beutel für zwei Kreuzer Nägel und beschlug seine Zelle damit, um für alle Effekten besondere Nägel zu haben – er schlichtete seine Schreibbücher so lange bis ihre Rükken so bleirecht auf einander lagen wie eine preußische Fronte und er ging beim Mondenschein aus dem Bette und visierte so lange um seine Schuhe herum bis sie parallel neben einander standen. – War alles metrisch: so rieb er die Hände, riß die Achseln über die Ohren hinauf, sprang empor, schüttelte sich fast den Kopf herab und lachte ungemein.

Eh' ich von ihm weiter beweise, daß er im Alumneum glücklich war: will ich beweisen, daß das kein Spaß war, sondern eine herkulische Arbeit. Hundert ägyptische Plagen hält man für keine, bloß weil sie uns nur in der Jugend heimsuchen, wo moralische Wunden und komplizierte Frakturen so hurtig zuheilen wie physische – grünendes Holz bricht nicht so leicht wie dürres entzwei. Alle Einrichtungen legen's dar, daß ein Alumneum seiner ältesten Bestimmung nach ein protestantisches *Knaben-Kloster* sein soll; aber dabei sollte man es lassen, man sollte ein solches Präservations- Zuchthaus in kein Lustschloß, ein solches Misanthropin in kein Philanthropin verwandeln wollen. Müssen nicht die glücklichen Inhaftaten einer solchen Fürstenschule die drei Klostergelübde ablegen? Erstlich das des *Gehorsams*, da der Schüler-Guardian und Novizenmeister seinen schwarzen Novizen das Spornrad der häufigsten, widrigsten Befehle und Mortifikationen in die Seite sticht. Zweitens das der *Armut* und der Enthaltsamkeit, da sie nicht Kruditäten und übrige Brocken sondern Hunger von einem Tage zum andern aufheben und übertragen; und *Carminati* vermöchte ganze Invalidenhäuser mit dem Supernumerär-Magensaft der Konviktorien und Alumneen auszuheilen. Das Gelübde der *Keuschheit* tut sich nachher von selbst, sobald ein Mensch den ganzen Tag zu laufen und zu fasten hat und keine Bewegungen entbehrt als die peristaltischen. Zu wichtigen Ämtern muß der Staatsbürger erst gehänselt werden. Verdient denn aber bloß der katholische Novize zum Mönch geprügelt, oder ein elender Ladenjunge in Bremen zum Kaufmannsdiener geräuchert, oder ein sittenloser Südamerikaner zum Kaziken durch beides und durch mehrere in meinen Exzerpten stehende Qualen appretiert und sublimiert zu werden? Ist ein lutherischer Pfarrer nicht eben so wichtig und sind seiner künftigen Bestimmung nicht eben so gut solche übende Martern nötig? Zum Glück hat er sie; vielleicht mauerte die Vorwelt die Schulpforten, deren Konklavisten insgesamt wahre

Knechte der Knechte sind, bloß seinetwegen auf: denn andern Fakultäten ist mit dieser Kreuzigung und Radbrechung des Fleisches und Geistes zu wenig gedient. – Daher ist auch das so oft getadelte Chor- Gassen- und Leichensingen der Alumnen ein recht gutes Mittel, protestantische Klosterleute aus ihnen zu ziehen – und selbst ihr schwarzer Überzug und die kanonische Mohren-Enveloppe des Mantels ist etwas ähnliches von der Mönchskutte; daher schießen in Leipzig um die Thomasschüler, weil einmal die Geistlichen die Perücken-Wammen anhängen müssen, wenigstens die Herzblätter eines aufkapsenden Perückchens herum, das wie ein Pultdach oder wie halbe Flügeldecken sich auf dem Kopfe umsieht. In den alten Klöstern war die Gelehrsamkeit Strafe; nur Inkulpaten mußten da lateinische Psalmen auswendig lernen oder Autores kopieren – in guten armen Schulen wird dieses Strafen nicht vernachlässigt und sparsamer Unterricht wird da stets als ein unschuldiges Mittel angeordnet, den armen Schüler damit zu züchtigen und zu mortifizieren . . .

Bloß dem Schulmeisterlein hatte diese Kreuzschule wenig an; den ganzen Tag freuete er sich auf oder über etwas. »Vor dem Aufstehen, sagt' er, freu' ich mich auf das Frühstück, den ganzen Vormittag aufs Mittagessen, zur Vesperzeit aufs Vesperbrot und Abends aufs Nachtbrot – und so hat der Alumnus Wuz sich stets auf was zu spitzen.« Trank er tief: so sagt' er: »das hat meinem Wuz geschmeckt« und strich sich den Magen. Niesete er: so sagte er: »helf dir Gott, Wuz!« – Im fieberfrostigen Novemberwetter letzte er sich auf der Gasse mit der Vormalung des warmen Ofens und mit der närrischen Freude, daß eine Hand um die andre unter seinem Mantel wie zu Hause steckte. War der Tag gar zu toll und windig – es gibt für uns Wichte solche Hatztage, wo die ganze Erde ein Hatzhaus ist und wo die Plagen wie spaßhaft gehende Wasserkünste uns bei jedem Schritte ansprützen und einfeuchten – so war das Meisterlein so pfiffig, daß es sich unter das Wetter hinsetzte und sich nichts darum schor; es war nicht Resignation, die das *unvermeidliche* Übel aufnimmt, nicht Apathie, die das *ungefühlte* trägt, nicht Philosophie, die das *verdünnte* verdauet, oder Religion, die das *belohnte* verwindet: sondern der Gedanke ans warme Bett wars. »Abends, dacht' er, lieg' ich auf alle Fälle, sie mögen mich den ganzen Tag zwicken und hetzen wie sie wollen, unter meiner warmen Zudeck und drücke die Nase ruhig ans Kopfkissen, acht Stunden lang.« – Und kroch er endlich in der letzten Stunde eines solchen Passionstages unter sein Oberbett: so schüttelte er sich darin, krempte sich mit den Knien bis an den

Nabel zusammen und sagte zu sich: »Siehst du, Wuz, es ist doch vorbei.«

Ein andrer Paragraph aus der Wuzischen Kunst stets fröhlich zu sein, war sein zweiter Pfiff, stets fröhlich aufzuwachen – und um das zu können, bedient' er sich eines dritten und hob immer vom Tage vorher etwas Angenehmes für den Morgen auf, entweder gebackne Klöße oder eben so viel äußerst gefährliche Blätter aus dem Robinson, der ihm lieber war als Homer – oder auch junge Vögel oder junge Pflanzen, an denen er am Morgen nachzusehen hatte wie Nachts Federn und Blätter gewachsen.

Den dritten und vielleicht durchdachtesten Paragraphen seiner Kunst fröhlich zu sein, arbeitete er erst aus, da er Sekundaner ward:

er wurde verliebt. –

Eine solche Ausarbeitung wäre meine Sache . . . Aber da ich hier zum erstenmale in meinem Leben mich mit meiner Reißkohle an das Blumenstück gemalter Liebe mache: so muß auf der Stelle abgebrochen werden, damit fortgerissen werde Morgen um 6 Uhr mit weniger niedergebranntem Feuer. –

Wenn Venedig, Rom und Wien und die ganze Luststädte-Bank sich zusammentäten und mich mit einem solchen Karnaval beschenken wollten, das dem beikäme, welches mitten in der schwarzen Kantors-Stube war, wo wir Kinder von 8 Uhr bis 11 forttanzten (so lange währte unsre Faschingszeit, in der wir den Appetit zur Fastnachts-Hirse versprangen): so machten sich jene Residenzstädte zwar an etwas Unmögliches und Lächerliches – aber doch an nichts so Unmögliches, als wenn sie dem Alumnus Wuz den Fastnachtsmorgen mit seinen Karnevalslustbarkeiten wiedergeben wollten, da er als unterer Sekundaner auf Besuch, in der Tanz- und Schulstube seines Vaters am Morgen gegen 10 Uhr ordentlich verliebt wurde. Eine solche Faschingslustbarkeit – trautes Schulmeisterlein, wo denkst du hin? – Aber er dachte an nichts hin als zur Justina, die ich selten oder niemals wie die Auenthaler Justel nennen werde. Da der Alumnus unter dem Tanzen (wenige Gymnasiasten hätten mitgetanzt, aber Wuz war nie stolz und immer eitel) den Augenblick weghatte, was – ihn nicht einmal eingerechnet – an der Justel wäre, daß sie ein hübsches gelenkiges Ding und schon im Briefschreiben und in der Regel Detri in Brüchen und die Patin der Frau Seniorin und in einem Alter von 15 Jahren und nur als eine Gast-Tänzerin mit in der Stube wäre: so tat der Gast-Tänzer seines Orts was in solchen Fällen zu tun ist, er wurde wie gesagt verliebt – schon beim ersten Schleifer flogs wie Fieber-

hitze an ihn – unter dem Rangieren zum zweiten, wo er stillste-
hend die Inlage seiner rechten Hand bedachte und befühlte, stiegs
unverhältnismäßig – er tanzte sich augenscheinlich in die Liebe und
in ihre Garne hinein – als sie noch dazu die roten Haubenbänder
auseinanderfallen und sie ungemein nachlässig um den nackten
Hals zurückflattern ließ: so vernahm er die Baßgeige nicht mehr –
und als sie endlich gar mit einem roten Schnupftuch sich Kühlung
vorwedelte und es hinter und vor ihm fliegen ließ: so war ihm
nimmer zu helfen, und hätten die vier großen und die 12 kleinen
Propheten zum Fenster hineingepredigt. Denn einem Schnupftuch
in einer weiblichen Hand erlag er stets auf der Stelle ohne weitere
Gegenwehr wie der Löwe dem gedrehten Wagenrade und der Ele-
phant der Maus. Dorfkoketten machen sich aus dem Schnupftuch
die nämliche Feldschlange und Kriegsmaschine, die sich die Stadt-
koketten aus dem Fächer machen; aber die Wellen eines Tuchs sind
gefälliger als das knackende Truthahns Radschlagen der bunten
Streitkolbe des Fächers.

Auf alle Fälle kann unser Wuz sich damit entschuldigen, daß
seines Wissens die Örter öffentlicher Freude das Herz für alle Empfindungen, die viel Platz bedürfen, für Aufopferung, für Mut und
auch für Liebe weiter machen; – freilich in den engen Amts- und
Arbeitsstuben, auf Rathäusern, in geheimen Kabinetten liegen
unsre Herzen wie auf eben so vielen *Welkboden, Darrofen* und run-
zeln ein.

Wuz trug seinen mit dem Gas der Liebe aufgefüllten und empor-
getriebnen Herzballon freudig ins Alumneum zurück, ohne jemand eine Silbe zu melden, am wenigsten der Schnupftuch-Fah-
nenjunkerin – nicht aus Scheu sondern weil er nie mehr begehrte
als die Gegenwart, er war nur froh, daß er selbst verliebt war und
dachte an weiter nichts . . .

Warum ließ der Himmel gerade in die Jugend das Lustrum der
Liebe fallen? Vielleicht weil man gerade da in Alumneen, Schreib-
stuben und andern Gifthütten keucht: da steigt die Liebe wie auf-
blühendes Gesträuch an den Fenstern jener Marterkammern empor und zeigt in schwankenden Schatten den großen Frühling von
außen. Denn Er und ich, mein H. Präfektus und auch Sie, verdiente Schuldiener des Alumneums, wir wollen mit einander wetten,
Sie sollen über den vergnügten Wuz ein Härenhemd ziehen (im
Grund hat er eines an) – Sie sollen ihn Ixions Rad und Sysiphus
Stein der Weisen und den Laufwagen Ihres Kindes bewegen lassen – Sie sollen ihn halb tot hungern oder prügeln lassen – Sie
sollen einer so elenden Wette wegen (welches ich Ihnen nicht zuge-

trauet hätte) gegen ihn ganz des Teufels sein: Wuz bleibt doch Wuz und praktiziert sich immer sein Bißchen verliebter Freude ins Herz, vollends in den Hundstagen! –

Seine Kanikularferien sind aber vielleicht nirgends deutlicher beschrieben als in seinen »*Werthers Freuden,*« die seine Biographen fast nur abzuschreiben brauchen. – Er ging da Sonntags nach der Abendkirche heim nach Auenthal und hatte mit den Leuten in allen Gassen Mitleiden, daß sie da bleiben mußten. Draußen dehnte sich seine Brust mit dem aufgebaueten Himmel vor ihm aus und halbtrunken im Konzertsaal aller Vögel horcht er wollüstig bald auf die gefiederten Sopranisten bald auf seine Phantasien. Um nur seine über die Ufer schlagende Lebenskräfte abzuleiten, gallopierte er oft eine halbe Viertelstunde lang. Da er immer kurz vor und nach Sonnen-Untergang ein gewisses wollüstiges trunknes Sehnen empfunden hatte – die Nacht aber macht wie ein längerer Tod den Menschen erhaben und nimmt ihm die Erde: – so zauderte er mit seiner Landung in Auenthal solang bis die zerfließende Sonne durch die letzten Kornfelder vor dem Dorfe mit Goldfäden die sie gerade über die Ähren zog, sein blaues Röckchen stickte und bis sein Schatten an den Berg über den Fluß wie ein Riese wandelte. Dann schwankte er, unter dem wie aus der Vergangenheit herüberklingenden Abendläuten ins Dorf hinein und war allen Menschen gut, selbst dem Präfektus. Ging er denn um seines Vaters Haus und sah am obern Kapfenster den Widerschein des Monds und durch ein Parterre-Fenster seine Justina, die da alle Sonntage einen ordentlichen Brief setzen lernte . . . o wenn er dann in dieser paradiesischen Viertelstunde seines Lebens auf funfzig Schritte die Stube und die Briefe und das Dorf von sich hätte wegsprengen und um sich und um die Briefstellerin bloß ein einsames dämmerndes Tempe-Tal hätte ziehen können – wenn er in diesem Tale mit seiner trunknen Seele, die unter Weges um alle Wesen ihre Arme schlug, auch an das schönste Wesen hätte fallen dürfen und er und sie und Himmel und Erde zurückgesunken und zerflossen wären vor einem flammenden Augenblicke und Fokus menschlicher Entzückung . . .

Indessen tat ers wenigstens Nachts um eilf Uhr; und vorher gings auch nicht schlecht. Er erzählte dem Vater, aber im Grunde Justinen seinen Studienplan und seinen politischen Einfluß; er setzte sich dem Tadel, womit sein Vater ihre Briefe korrigierte, mit demjenigen Gewicht entgegen, das ein solcher Kunstrichter hat und er war, da er gerade warm aus der Stadt kam, mehr als einmal mit Witz bei der Hand – kurz unter dem Einschlafen hörte er in seiner tanzenden taumelnden Phantasie nichts als Sphären-Musik.

– Freilich du, mein Wuz, kannst Werthers Freuden aufsetzen, da allemal deine äußere und deine innere Welt sich wie zwei Muschelschalen an einander löten und dich als ihr Schaltier einfassen; aber bei uns armen Schelmen, die wir hier am Ofen sitzen, ist die Außenwelt selten der Ripienist unsrer innern fröhlichen Stimmung – höchstens dann wenn an uns der ganze Stimmstock umgefallen und wir knarren und brummen oder in einer andern Metapher wenn wir eine verstopfte Nase haben: so setzt sich ein ganzes mit Blumen überwölbtes Eden vor uns hin und wir mögen nicht hineinriechen.

Mit jedem Besuche machte das Schulmeisterlein seiner Johanna-Therese-Charlotte-Mariana-Klarissa-Heloise-Justel auch ein Geschenk mit einem Pfefferkuchen und einem Potentaten; ich will über beide ganz befriedigend sein.

Die Potentaten hatt' er in seinem eignen Verlage; aber wenn die Reichshofrats-Kanzlei ihre Fürsten und Grafen aus ein wenig Dinte, Pergament und Wachs macht: so verfertigte er seine Potentaten viel kostbarer, aus Ruß, Fett und hundert Farben. Im Alumneum wurde nämlich mit den Rahmen einer Menge Potentaten eingeheizet, die er sämtlich mit gedachten Materialien so zu kopieren und zu repräsentieren wußte als wär' er ihr Gesandter. Er überschmierte ein Quartblatt mit einem Endgen Licht und nachher mit Ofenruß – dieses legte er mit der schwarzen Seite auf ein andres mit weißen Seiten – oben auf beide Blätter tat er irgend ein fürstliches Portrait – dann nahm er eine abgebrochne Gabel und fuhr mit ihrer drückenden Spitze auf dem Gesichte und Leibe des regierenden Herrn herum – – dieser Druck verdoppelte den Potentaten, der sich vom schwarzen Blatt aufs weiße überfärbte. So nahm er von allem was unter einer europäischen Krone saß, recht kluge Kopien; allein ich habe niemals verhehlet, daß seine Okulier-Gabel die russische Kaiserin (die vorige) und eine Menge Kronprinzen dermaßen aufkratzte und durchschnitt, daß sie zu Nichts mehr zu brauchen waren als dazu den Weg ihrer Rahmen zu gehen. Gleichwohl war das rußige Quartblatt nur die Bruttafel und Ätz-Wiege glorwürdiger Regenten, oder auch der Streich-, oder *Laichteich* derselben – ihr *Streckteich* aber, oder die Appreturmaschine der Potentaten war sein Farbkästgen, damit illuminierte er ganze regierende Linien und alle Muscheln kleideten einen einzigen Großfürsten an und die Kronprinzessinnen zogen aus der nämlichen Farbemuschel Wangenröte, Schamröte und Schminke. – – Mit diesen regierenden Schönen beschenkte er die die ihn regierte und die nicht wußte was sie mit dem historischen Bildersaale machen sollte.

Aber mit dem Pfefferkuchen wußte sie es in dem Grade, daß sie ihn aß. Ich halt' es für schwer einer Geliebten einen Pfefferkuchen zu schenken, weil man ihn oft kurz vor der Schenkung selber verzehrt. Hatte nicht Wuz die drei Kreuzer für den ersten schon bezahlt? Hatt' er nicht das braune Rektangulum schon in der Tasche? war er nicht damit schon bis auf eine Stunde vor Auenthal und vor dem Adjudikationstermin gereiset? ja wurde die süße *Votiv-Tafel* nicht alle Viertelstunde aus der Tasche gehoben, um zu sehen, ob sie noch viereckig wäre? das war eben das Unglück: denn bei diesem Beweis durch Augenschein, den er führte, brach er immer wenige und unbedeutende Mandeln aus dem Kuchen – dieses tat er öfters – darauf machte er sich (statt an die Quadratur des Zirkels) an das Problem, den quadrierten Zirkel wieder rein herzustellen und biß sauber die vier rechten Winkel ab und machte ein Acht-Eck, ein Sechzehn-Eck, denn ein Zirkel ist ein unendliches Viel-Eck – darauf war nach diesen mathematischen Elaborationen das Viel-Eck vor keinem Mädchen mehr zu produzieren – darauf tat Wuz einen Sprung und sagte: »ach! ich fress' ihn selber« und heraus war der Seufzer und hinein die geometrische Figur. – Es werden wenige schottische Meister, akademische Senate und Magistranden leben, denen nicht ein wahrer Gefallen geschähe wenn man ihnen zu hören gäbe durch welchen Maschinengott sich Wuz aus der Sache zog – – durch einen zweiten Pfefferkuchen tat ers, den er allemal als einen Wand- und Taschen-Nachbar des ersten mit einsteckte. Indem er den einen aß, landete der andre ohne Läsionen an, weil er allzeit eine Doublette kaufte damit sie als Brandmauer und Kronwache den andern beschützte. Das aber sah er in der Folge selber ein, daß er – um nicht einen Torso oder Atom nach Auenthal zu transportieren – die Krontruppen oder Pfefferkuchen von Woche zu Woche vermehren müsse.

Er wäre Primaner geworden, wär' nicht sein Vater aus unserem Planeten in einen andern oder in einen Trabanten gerückt. Daher dacht' er die Melioration seines Vaters nachzumachen und wollte von der Sekundanerbank auf den Lehrstuhl rutschen. Der Kirchenpatron, H. von Ebern drängte sich zwischen beide Gerüste und hielt seinen ausgedienten Koch an der Hand, um ihn in ein Amt einzusetzen, dem er gewachsen war, weil es in diesem eben so gut wie in seinem vorigen, Spanferkel* tot zu peitschen und zu appretieren aber nicht zu essen gab. Ich hab es schon in der Revision des

---

* Die bekanntlich besser schmecken wenn man sie mit Rutenstreichen tötet.

Schulwesens in einer Note erinnert und H. Gedikens Beifall davon getragen, daß in jedem Bauerjungen ein unausgewachsener Schulmeister stecke, der von einem Paar Kirchenjahren groß zu paraphrasieren sei – daß nicht bloß das alte Rom Welt-Konsuls, sondern auch heutige Dörfer Schul-Konsuls vom Pfluge und aus der Furche ziehen könnten – daß man eben so gut von Leuten seines Standes hier *unterrichtet* als in England *gerichtet* werden könne und daß gerade der, dem jeder das meiste *Scibile* verdanke, ihm am ähnlichsten sei, nämlich jeder selbst – daß wenn eine ganze Stadt (Norcia an dem appenninischen Gebirg,) nur von vier ungelehrten Magistratsgliedern *(li quatri illiterati)* sich beherrschen lassen will, doch eine Dorfjugend von einem einzigen ungelehrten Mann werde zu regieren und zu prügeln sein – und daß man nur bedenken möchte was ich oben im Texte sagte. Da hier die Note selber der Text ist; so will ich nur sagen, daß ich sagte, eine Dorfschule sei hinlänglich besetzt. Es ist da 1) der Gymnasiarch oder Pastor, der von Winter zu Winter den Priesterrock umhängt und das Pädagogium besucht und erschreckt – 2) steht in der Stube das Rektorat, Konrektorat und Subrektorat, das der Schulhalter allein ausmacht – 3) als Lehrer der untern Klassen sind darin angestellt die Schulmeisterin, der oder keinem Menschen die Kallypädie der Töchterschule anvertrauet werden kann, ihr Sohn als Terzius und Lümmel zugleich, dem seine Eleven allerhand legieren und spendieren müssen, damit er sie nicht aufsagen lässet, und der wenn der Regent nicht zu Hause ist, oft das Reichsvikariat des ganzen protestantischen Schulkreises auf den Achseln hat – 4) endlich ein ganzes Raupennest Kollaboratores, nämlich Schuljungen selber, weil da wie im hallischen Waisenhause die Schüler der obern Klasse schon zu Lehrern der untern groß gewachsen sind. – Da man bisher aus so vielen Studierstuben heraus nach Realschulen schrie: so hörtens ~~Gemeinden~~ und ~~Schulhalter und taten das Ihrige gern.~~ Die *Gemeinden* lasen für ihre Lehrstühle lauter solche pädagogische Steiße aus, die schon auf Schneiders-Schusters-Schemeln seßhaft waren und von denen also etwas zu erwarten war – und allerdings setzen solche Männer, indem sie vor dem aufmerksamen Institute Röcke, Fischreusen und alles machen, die Nominalschule leicht in eine Realschule um, wo man Fabrikate kennen lernt. Der *Schulmeister* treibts noch weiter und sinnt Tag und Nacht auf Real-Schulhalten; es gibt wenige Arbeiten eines erwachsenen Hausvaters oder seines Gesindes, in denen er seine Dorf-Stoa nicht beschäftigt und übt und den ganzen Morgen sieht man das expedierende Seminarium hinaus und hinein jagen, Holz spalten und Wasser tragen u. s. w. so daß er außer der Realschule fast gar keine andre hält und sich sein bisgen Brot sauer im Schweiße seines – Lyzeums verdient ... Man braucht mir nicht zu sagen, daß es auch schlechte und versäumte Landschulen gebe; genug wenn nur die größere Zahl alle die Vorzüge wirklich aufweiset, die ich ihr jetzt zugeschrieben.

Ich mag meine Fixstern-Aberration mit keinem Wort entschuldigen, das eine neue wäre. Herr v. Ebern hätte seinen Koch zum Schulmeister investieret, wenn ein geschickter Nachfahrer des Kochs wäre zu haben gewesen? er wars aber nicht: und da der Gutsherr dachte, es wäre vielleicht gar eine Neuerung, wenn er die Küche und die Schule durch Ein Subjekt versehen ließe – es war aber vielmehr die Trennung und Verdopplung der Schul- und Herrendiener eine viel größere und ältere: denn im neunten Säkulum mußte so gar der Pfarrer der Patronatskirche zugleich dem Kirchenschiffs-Patron als Bedienter aufwarten und satteln etc.[*] und beide Ämter wurden erst nachher wie mehrere von einander abgerissen – so behielt er den Koch und vozierte den Alumnus, der bisher so gescheut gewesen, daß er verliebt geblieben.

Ich steuere mich ganz auf die rühmliche Testimonien, die ich in Händen habe und die Wuz vom Superintendenten auswirkte, weil sein Examen vielleicht eines der rigorösesten und glücklichsten war die ich neueren Zeiten noch gehöret. Mußte nicht Wuz das griechische Vater unser vorbeten, indes das Examinations-Kollegium seine samtnen Hosen mit einer Glasbürste auskämmte? – und hernach das lateinische *Symbolum Athanasii*? konnt' er nicht die Bücher der Bibel richtig und Mann für Mann vorzählen, ohne über die gemalten Blumen und Tassen auf dem Kaffeebrette seines Examiners zu stolpern? mußt' er nicht einen Betteljungen, der bloß auf einen Pfennig aufsah, herumkatechesieren, ob gleich der Junge gar nicht wie sein Unter-Examinator bestand sondern wie ein wahres Stückgen Vieh? mußt' er nicht seine Fingerspitzen in fünf Töpfe warmes Wasser tunken und *den* Topf aussuchen, dessen Wasser warm und kalt genug für den Kopf eines Täuflings war? und mußt' er nicht zuletzt drei Gulden und 36 Kreuzer erlegen?

Am 13ten Mai ging er als Alumnus aus dem Alumneum heraus und als öffentlicher Lehrer in sein Haus hinein und aus der zersprengten schwarzen Alumnus-Puppe brach ein bunter Schmetterling von Kantor ins Freie hinaus.

Am 9ten Julius stand er vor dem Auenthaler Altar und wurde kopuliert mit der Justel.

[*] Langens geistliches Recht S. 534.

Aber der elisäische Zwischenraum zwischen dem 13ten Mai und dem 9ten Julius! – für keinen Sterblichen fällt ein solches goldnes Alter von 8 Wochen wieder vom Himmel, bloß für das Meisterlein funkelte der ganze niedergetauete Himmel auf *gestirnten* Auen der Erde – du wiegtest im Äther dich und sahest durch die *transparente* Erde dich rund mit Himmel und Sonnen umzogen und hattest keine Schwere mehr; aber uns Alumnen der Natur fallen nie acht solche Wochen zu, nicht eine, kaum Ein ganzer Tag, wo der Himmel *über* und *in* uns sein reines Blau mit nichts koloriert als mit Abend- und Morgenrot – wo wir über das Leben wegfliegen und alles uns hebt wie ein freudiger Traum – wo der unbändige stürzende Strom der Dinge uns nicht auf seinen Katarakten und Strudeln zerstößet und schüttelt und rädert, sondern auf blinkenden Wellen uns wiegt und unter hineingebognen Blumen vorüberträgt – ein Tag, zu dem wir den Bruder vergeblich unter den verlebten suchen und von dem wir am Ende jedes andern klagen, seit ihm war keiner wieder so.

Es wird uns allen wohltun, wenn ich diese acht Wonne-Wochen oder zwei Wonne-Monate weitläufig beschreibe. Sie bestanden aus lauter ähnlichen Tagen. Keine einzige Wolke zog hinter den Häusern herauf. Die ganze Nacht stand die rückende Abendröte unten am Himmel, an welchem die untergehende Sonne allemal wie eine Rose glühend abgeblüht hatte. Um 1 Uhr schlugen schon die Lerchen und die Natur spielte und phantasierte die ganze Nacht auf der Nachtigallen-Harmonika. In seine Träume tönten die äußern Melodien hinein und in ihnen flog er über Blüten-Bäume, denen die wahren vor seinem offnen Fenster ihren Blumen-Atem liehen. Der *tagende* Traum rückte ihn sanft wie die lispelnde Mutter das Kind, aus dem Schlaf ins Erwachen über und er trat mit säugender Brust in den Lärm der Natur hinaus, wo die Sonne die Erde von neuem erschuf und wo beide sich zu einem brausenden Wollust-Ozean in einander ergossen. Aus dieser Morgen-Flut des Lebens und Freuens kehrte er in sein schwarzes Stübgen zurück und suchte die Kräfte in kleinern Freuden wieder. Er war da über alles froh, über jedes beschienene und unbeschienene Fenster, über die ausgefegte Stube, über das Frühstück, das mit seinen Amts-Revenüen bestritten wurde, über 7 Uhr weil er nicht in die Sekunda mußte, über seine Mutter die alle Morgen froh war daß er Schulmeister war und sie nicht aus dem vertrauten Hause mußte.

Unter dem Kaffee schnitt er sich außer den Semmeln die Federn zur Messiade, die er damals die drei letzten Gesänge ausgenommen, gar aussang. Seine größte Sorgfalt verwandte er darauf, daß er die epischen Federn falsch schnitt entweder wie Pfähle oder ohne Spalt oder mit einem zweiten Extraspalt, der hinaus niesete: denn da alles in Hexametern und zwar in solchen, die nicht zu verstehen waren, verfasset sein sollte: so mußte der Dichter, da ers durch keine Bemühung zur geringsten Unverständlichkeit bringen konnte – er fassete allemal den Augenblick jede Zeile und jeden *pes* – aus Not zum Einfall greifen, daß er die Hexameter ganz *unleserlich* schrieb was auch gut war. Durch diese poetische Freiheit bog er dem Verstehen ungezwungen vor.

Um eilf Uhr deckte er für seine Vögel, und dann für sich und seine Mutter, den Tisch mit vier Schubladen, in dem mehr war als *auf* ihm. Er schnitt das Brot, und seiner Mutter die weiße Rinde vor, ob er gleich die schwarze nicht gern aß. O meine Freunde, warum kann man denn im *hotel de Baviére* und auf dem Römer nicht so vergnügt speisen als am Wuzischen Ladentisch? – Sogleich nach dem Essen machte er nicht Hexameter, sondern Kochlöffel und meine Schwester hat selber ein Dutzend von ihm. Während seine Mutter das wusch was er schnitzte: ließen beide ihre Seelen nicht ohne Kost; sie erzählte ihm die Personalien von sich und seinem Vater vor, von deren Kenntnis ihn seine akademische Laufbahn zu entfernt gehalten – und er schlug den Operationsplan und Bauriß seiner künftigen Haushaltung bescheiden vor ihr auf, weil er sich an dem Gedanken ein Hausvater zu sein, gar nicht satt käuen konnte. »Ich richte mir – sagte er – mein Haushalten ganz vernünftig ein – ich stell' mir ein Saugschweingen ein auf die heiligen Feiertage, es fallen so viel Kartoffeln- und Rüben-Schalen ab, daß man's mit fett bringt, man weiß kaum wie – und auf den Winter muß mir der Schwiegervater ein Füderchen Büschel (Reisholz) einfahren und die Stubentür muß total gefüttert und gepolstert werden – denn, Mutter! unsereins hat seine pädagogischen Arbeiten im Winter und es hält da keine Kälte aus.« – Am 29sten Mai war noch dazu nach diesen Gesprächen eine Kindtaufe – es war seine erste – sie war seine erste Revenüe und ein großes Sportularium hatte er sich schon auf dem Alumneum dazu gehoftet – er besah und zählte die Paar Groschen zwanzig mal als wären sie andere – am Taufstein stand er in ganzer Parüre und die Zuschauer standen auf der Empor und in der herrschaftlichen Loge im Alltags-Schmutz – »es ist mein saurer Schweiß« sagt' er eine halbe Stunde nach dem Aktus und trank vom Gelde zur ungewöhnlichen Stunde ein Nößel Bier. – Ich erwarte von seinem künftigen Biographen ein Paar pragmatische Fingerzeige, warum Wuz bloß ein

Einnahme- und kein Ausgabe-Buch sich nähte und warum er in jenem oben Taler, Groschen, Pfennige setzte, ob er gleich nie die erstere Münzsorte unter seinen Schul-Gefällen hatte.

Nach dem Aktus und nach der Verdauung ließ er sich den Tisch hinaus unter den Weichselbaum tragen und setzte sich nieder und bossierte noch einige unleserliche Hexameter in seiner Messiade. Sogar während er seinen Schinkenknochen als sein Souper abnagte und abfeilte, befeilt' er noch einen und den andern epischen Fuß und ich weiß recht gut, daß des Fettes wegen mancher Gesang ein wenig geölet aussiehet. Sobald er dem Sonnenschein nicht mehr auf der Straße sondern an den Häusern liegen sah! so gab er der Mutter die nötigen Gelder zum Haushalten und lief ins Freie, um sich es ruhig auszumalen, wie ers künftig haben würde im Herbst, im Winter, an den drei heil. Festen, unter den Schulkindern und unter seinen eignen. –

Und doch sind das bloß Wochentage; der Sonntag aber brennt in einer Glorie, die kaum auf ein Altarblatt geht. – Überhaupt steht in keinen Seelen dieses Jahrhunderts ein so großer Begriff von einem Sonntage, als in denen, die die meisten Schulmeister haben: mich wunderts gar nicht, wenn sie an einem solchen Courtage nicht vermögen, bescheiden zu verbleiben. Selbst unser Wuz konnte sichs nicht verstecken! was es sagen will, unter tausend Menschen allein zu orgeln – ein wahres Erb-Amt zu versehen und den geistlichen Krönungsmantel dem Senior über zu henken und sein *Valet de fantaisie* und Kammermohr zu sein – über ein ganzes von der Sonne illuminiertes Chor Territorialherrschaft zu exerzieren, als amtierender Chor-Maire auf seinem Orgel-Fürstenstuhl die Poesie einer Parochie noch besser zu beherrschen als der Pfarrer die Prose derselben kommandiert – und nach der Predigt über das Geländer hinab völlige fürstl. Befehle *sans façon* mit lauter Stimme weniger zu geben als abzúlesen. . . . Wahrhaftig, man sollte denken, hier oder nirgends tät' es Not, daß ich meinem Wuz zuriefe; »bedenke, was du vor wenig Monaten warest! Überleg', daß nicht alle Menschen Kantores werden können und mach' dir die vorteilhafte Ungleichheit der Stände zu Nutze, ohne sie zu mißbrauchen und ohne darum mich und meine Zuhörer am Ofen zu verachten.« – – Aber nein! auf meine Ehre, das gutartige Meisterlein denkt ohnehin nicht daran; die Bauern hätten nur so gescheut sein sollen, daß sie dir schnackischem, lächelndem, trippelnden, Händereibendem Dinge ins gallenlose überzuckerte Herz hineingesehen hätten; was hätten sie da ertappt? Freude in deinen zwei Herzens-Kammern, Freude in deinen zwei Herzens-Ohren. Du numeriertest bloß, gutes Ding! das ich je länger je lieber gewinne, deine künftigen Schulbuben und Schulmädgen in den Kirchstühlen zusammen und setzest sie sämtlich in deine Schulstube und um deine winzige Nase herum und nahmest dir vor, mit der letzten täglich Vormittags und Nachmittags einmal zu niesen und vorher zu schnupfen, bloß damit dein ganzes Institut wie besessen aufführe und zuriefe: Helf Gott, Herr Kantner! die Bauern hätten ferner in deinem Herzen die Freude angetroffen, die du hattest, ein Setzer von Folioziffern zu sein die so lang sind wie die am Zifferblatt der Turmuhr, in dem du jeden Sonntag an der schwarzen Liedertafel in öffentlichen Druck gabst, auf welcher Pagina das nächste Lied zu suchen sei – wir Autores treten mit schlechterem Zeuge im Drucke auf; – ferner die Freude, deinem Schwiegervater und deiner Braut im Singen vorzureiten; und endlich deine Hoffnung, den Bodensatz des Kommunionweins einsam auszusaufen, der fatal schmeckte. Ein höheres Wesen muß dir so herzlich gut gewesen sein wie das referierende, da es gerade in deinen achtwöchentlichen Eden-Lustrum deinen gnädigen Kirchenpatron kommunizieren hieß: denn der hatte doch so viel Einsicht, daß er an die Stelle des Kommunionweins, der Christi *Trank* am Kreuz nicht unglücklich nach bildete, Christi *Tränen* aus seinem Keller setzte; aber welche Himmel dann nach dem Trank des Bodensatzes in alle deine Glieder zogen. . . . Wahrlich jedesmal will ich wieder in Exklamationen verfallen – aber warum macht mir und vielleicht Euch dieses schulmeisterlich vergnügte Herz so viel Freude? – ach es muß daran liegen, daß wir selber sie nie so voll bekommen, weil der Gedanke der Erden-Eitelkeit auf uns liegt und unsern Atem drückt und weil wir die schwarze Gottesacker-Erde unter den Rasen- und Blumenstücken schon gesehen haben, auf denen das Meisterlein sein Leben verhüpft! –

Der gedachte Kommunionwein moussierte noch Abends in seinen Adern; und diese letzte Tagzeit seines Sabbaths hab' ich noch abzuschildern. Bloß am Sonntag durft' er mit seiner Justine spazieren gehen; vorher nahm er das Abendessen beim Schwiegervater ein, aber mit schlechtem Nutzen: schon unter dem Tischgebet wurde sein Hundshunger matt und unter den Allotriis darauf gar unsichtbar. Wenn ichs lesen könnte: so könnt' ich das ganze Konterfei dieses Abends aus seiner Messiade haben, in die er ihn ganz wie er war, im sechsten Gesang hineingeflochten, wie alle große Skribenten ihren Lebenslauf, ihre Weiber, Kinder, Äcker, Vieh in ihre *opera omnia* stricken. Er dachte, in der gedruckten Messiade stände der Abend auch. In seiner wird es episch ausgeführt sein, daß die Bauern auf den Rainen wateten und den Schuß der Halme maßen und ihn über das Wasser herüber als ihren neuen wohlverordneten Kantor grüßten – daß die Kinder auf Blättern schalmeiten und in Batzen-Flöten stießen und daß alle Büsche und Blumen- und Blütenkelche vollstimmige besetzte Orchester waren, aus denen allen etwas heraussang oder sumsete oder schnurrte – und daß alles zuletzt so feierlich wurde als hätte die Erde selber einen Sonntag, indem die Höhen und Wälder um diesen Zauberkreis rauchten und indem die Sonne gen Mitternacht durch einen illuminierten Triumphbogen hinunter, und der Mond gen Mittag durch einen blassen Triumphbogen heraufzog. O du Vater des Lichts! mit wieviel Farben und Strahlen und Leuchtkugeln fassest du deine bleiche Erde ein! – Die Sonne kroch jetzt ein zu einem einzigen roten Strahle, der mit dem Wiederschein der Abendröte auf dem Gesichte seiner Braut zusammen kam; und diese, nur mit stummen Gefühlen bekannt, sagte, daß sie in ihrer Kindheit sich oft gesehnet hätte, auf den roten Bergen der Abendröte zu stehen und von ihnen mit der Sonne in die schönen rotgemalten Länder hinunter zu steigen, die hinter der Abendröte lägen. Unter dem Gebetläuten seiner Mutter legt' er seinen Hut auf die Knie und sah ohne die Hände zu falten, an die rote Stelle am Himmel, wo die Sonne zuletzt gestanden, und hinunter in den ziehenden Strom, der tiefe Schatten trug; und es war ihm als läutete die Abendglocke die Welt und noch einmal seinen Vater zur Ruhe – zum ersten- und letztenmale in seinem Leben stieg sein Herz über die irdische Szene hinaus – und es rief, schien ihm, etwas aus den Abendtönen herunter, er würd jetzt vor Vergnügen sterben. . . . Heftig und verzückt umschlang er seine Braut und sagte: »wie lieb hab' ich dich, wie ewig lieb.« Vom Flusse klang es herab wie Flötengetön und Menschengesang und zog näher: außer sich drückt' er sich an sie an und wollte vereinigt vergehen und glaubte, die Himmelstöne hauchten ihre beiden Seelen aus der Erde weg und dufteten sie wie Taufunken auf den Auen Edens nieder. Es sang:

> O wie schön ist Gottes Erde
> Und wert darauf vergnügt zu sein!
> D'rum will ich bis ich Asche werde
> Mich dieser schönen Erde freu'n.

Es war aus der Stadt eine Gondel mit einigen Flöten und singenden Jünglingen. Er und sie gingen am Ufer mit der ziehenden Gondel und hielten ihre Hände gefaßt und Justine suchte leise nachzusingen und der Himmel und die Entzückung gingen neben ihnen. Als die Gondel um eine Erdzunge voll Bäume herumschiffte: hielt Justine ihn sanft an, damit sie nicht nachkämen und da das Fahrzeug darhinter verschwunden war, fiel sie ihm mit dem ersten errötenden Kusse um den Hals. . . . O unvergeßlicher erster Junius! schreibt er. – Sie begleiteten und belauschten von weitem die schiffenden Töne; und Träume spielten um beide bis sie sagte: es ist spät und die Abendröte hat sich schon weit herumgezogen und es ist alles im Dorfe still. Sie gingen nach Hause; er öffnete die Fenster seiner mondhellen Stube und schlich mit einem leisen Gutenacht bei seiner Mutter vorüber, die schon schlief. –

Jeden Morgen schien ihn der Gedanke wie Tageslicht an, daß er dem Hochzeittage, dem 8ten Jul., sich um eine Nacht näher geschlafen; und am Tage lief die Freude mit ihm herum, daß er durch die paradiesischen Tage, die sich zwischen ihn und sein Hochzeitbett gestellet, noch nicht durchwäre. So hielt er wie der metaphysiche Esel den Kopf zwischen beiden Heubündeln, zwischen der Gegenwart und Zukunft; aber er war kein Esel oder Scholastiker sondern grasete und rupfte an beiden Bündeln auf einmal. . . . Wahrhaftig die Menschen sollten niemals Esel sein, weder indifferentistische noch hölzerne noch bileamische und ich habe meine Gründe dazu. . . . Ich breche hier ab, weil ich noch überlegen will, ob ich seinen Hochzeittag abzeichne oder nicht. Data hab' ich übrigens dazu ganze Stöße. – –

Aber wahrhaftig ich bin weder seinem Ehrentage beigewohnet noch einem eignen; ich will ihn also bestens beschreiben und mir – ich hätte sonst gar nichts – eine Lustpartie zusammen machen.

Ich weiß überhaupt keinen schicklichern Ort oder Bogen als diesen dazu, daß die Leser bedenken, was ich ausstehe: die magischen Schweizergegenden, in denen ich mich lagere – die Apollo's und Venusgestalten, denen sich mein Auge ansaugt – das erhabne Vaterland, für das ich das Leben hingebe, das es vorher geadelt hat – das Brautbett, in das ich einsteige, alles das ist von fremden oder eignen Fingern bloß – gemalt mit Dinte oder Druckerschwärze; und wenn nur du, du Himmlische, der ich treu bleibe, die mir treu bleibt, mit der ich in arkadischen Julius-Nächten spazieren gehe, mit der ich vor der untergehenden Sonne und vor dem aufsteigenden Monde stehe und um derenwillen ich alle deine Schwestern liebe, wenn nur du – wärest; aber du bist ein *Altarblatt* und ich finde dich nicht.

Dem Nil, dem Herkules und andern Göttern brachte man zwar auch wie mir nur nachbossierte Mädchen dar; aber vorher bekamen sie doch reelle.

Wir müssen schon am Sonnabend ins Schul- und Hochzeithaus gucken, um die Prämissen dieses Rüsttags zum Hochzeittag ein wenig vorher wegzuhaben: am Sonntag haben wir keine Zeit dazu; so ging auch die Schöpfung der Welt (nach den ältern Theologen) darum in 6 Tagwerken und nicht in Einer Minute vor, damit die Engel das Naturbuch, wenn es allmählig aufgeblättert würde, leichter zu übersehen hätten. Am Sonnabend rennt der Bräutigam auffallend in zwei *corporibus piis* aus und ein, im Pfarr- und Schulhaus, um vier Sessel aus jenem in dieses zu schaffen. Er borgte diese Gestelle dem Senior ab, um den Kommodator selbst darauf zu weisen als seinen Hierarchen, und die Seniorin als Fr. Patin der Braut, und den Subpräfektus aus dem Alumneum und die Braut selbst. Ich weiß so gut als andre, in wie weit dieser mietende Luxus des Bräutigams nicht in Schutz zu nehmen ist: allerdings papillotierten die gigantischen Mietstühle (Menschen und Sessel schrumpfen jetzt ein) ihre falschen Rindshaar-Touren an Lehne und Sitz, mit blauem Tuch, Milchstraßen von gelben Nägeln sprangen auf gelben Schnüren als Blitze herum und es bleibt gewiß, daß man so weich auf den *Rändern* dieser Stühle aufsaß als trüge man einen Doppelsteiß – wie gesagt, diesen Steiß-Luxus des Gläubigers und Schuldners hab' ich niemals zum Muster angepriesen; aber auf der andern Seite muß doch jeder, der in den »*Schulz von Paris*« hineingesehen, bekennen, daß die Verschwendung im *Palais royal* und an allen Höfen offenbar eben so groß ist. Wie werd' ich vollends solche Methodisten von der strengen Observanz auf die Seite des Großvater- oder Sorgestuhls Wuzens bringen, der mit vier hölzernen Löwentatzen die Erde ergreift, welche mit vier Querhölzern – den Sitz-Konsolen munterer Finken und Gimpel – gesponselt sind; und dessen Haar-Chignon sich mit einer geblümten ledernen Schwarte mehr als zu prächtig besohlet und welcher zwei hölzerne behaarte Arme, die das Alter wie menschliche, dürrer gemacht, nach einem Insaß ausstreckt? . . . Dieses Fragzeichen kann manchen, weil er den langen Perioden vergessen, frappieren.

Das zinnene Tafel-Service, das der Pädagog noch von seinem Fürstbischof holte, kann das Publikum beim Auktionsproklamator, wenns anders versteigert wird, besser kennen lernen als bei mir: so viel wissen die Hochzeitgäste, die *Saladière,* die *Saucière,* die *Assiette* zu Käse und die Senfdose war ein Einziger Teller, der aber vor jeder Rolle einmal abgescheuert wurde.

Ein gänzer Nil und Alpheus schoß über jedes Stubenbrett, wovon gute Gartenerde wegzuspülen war, an jede Bettpfoste und an den Fensterstock hinan und ließ den gewöhnlichen Bodensatz der Flut zurück – *Sand*. Die Gesetze des Romans würden verlangen, daß das Schulmeisterlein sich anzöge und sich auf eine Wiese unter ein wogendes Zudeck von Gras und Blumen streckte und da durch einen Traum der Liebe nach dem andern hindurch sänk' und bräche – allein er rupfte Hühner und Enten ab, spaltete Kaffee und Bratenholz und die Braten selbst, kredenzte am Sonnabend den Sonntag und dekretierte und vollzog in der blauen Schürze seiner Schwiegermutter funzig Küchen-Reglements und sprang, den Kopf mit Papillotten gehörnt und das Haar wie einen Eichhörnchenschwanz emporgebunden, hinten und vornen und überall herum: »denn ich mache nicht alle Sonntage Hochzeit« sagt' er.

Nichts ist widriger als hundert Vorläufer und Vorreiter zu einer winzigen Lust zu sehen und zu hören; nichts ist aber süßer als selber mit vorzureiten und vorzulaufen: die Geschäftigkeit, die wir nicht bloß sehen, sondern teilen, macht nachher das Vergnügen zu einer von uns selbst gesäeten, besprengten und ausgezognen Frucht; und obendrein befällt uns das Herzgespann des Passens nicht.

Aber, lieber Himmel, ich brauche einen ganzen Sonnabend um diesen nur zu rapportieren: denn ich tat nur einen vorbeifliegenden Blick in die Wuzische Küche – was da zappelt! was da raucht! – Warum ist sich Mord und Hochzeit so nahe, wie die zwei Gebote die davon reden? Warum ist nicht bloß eine fürstliche Vermählung oft für Menschen, warum ist auch eine bürgerliche für Geflügel eine Parisische Bluthochzeit?

Niemand brachte aber im Hochzeithaus diese zwei Freudentage mißvergnügter und fataler zu als zwei Stechfinken und drei Gimpel: diese inhaftierte der reinliche und vogelfreundliche Bräutigam sämtlich – vermittelst eines Treibjagens mit Schürzen und geworfnen Nachtmützen – und nötigte sie, aus ihrem Tanz-Salon in ein Paar Drath-Karthusen zu fahren und an der Wand in Mansarden springend herabzuhängen.

Wuz berichtet sowohl in seiner »Wuzischen Urgeschichte« als in seinem »Lesebuch für Kinder mittleren Alters,« daß Abends um 7 Uhr, da der Schneider dem Hymen neue Hosen und Gillett und Rock anprobierte, schon alles blank und metrisch und neugeboren war, ihn selber ausgenommen. Eine unbeschreibliche Ruhe sitzt auf jedem Stuhl und Tisch, eines neugestellten brillantierten Zimmers! In einem chaotischen denkt man, man müsse noch diesen Morgen ausziehen aus dem aufgekündigten Logement.

Über seine Nacht (so wie über die folgende) fliegen ich und die

Sonne hinüber und wir begegnen ihm, wenn er am Sonntage, gerötet und elektrisiert vom Gedanken des heutigen Himmels, die Treppe herab läuft in die anlachende Hochzeitstube hinein, die wir alle gestern mit so vieler Mühe und Dinte aufgeschmückt haben vermittelst Schönheitswasser – *mouchoir de Venus* und Schminklappen (Waschlappen) – Puderkasten (Topf mit Sand) und anderem Toiletten-Schiff und Geschirr. Er war nachts siebenmal aufgewacht, um sich siebenmal auf den Tag zu freuen; und zwei Stunden früher aufgestanden, um beide Minute für Minute aufzuessen. Es ist mir als ging' ich mit dem Schulmeister zur Tür hinein, vor dem die Minuten des Tages hinstehn wie Honigzellen – er schöpfet eine um die andre aus und jede Minute trägt einen weitern Honigkelch. Für eine Pension auf Lebenslang ist dennoch der Kantor nicht vermögend, sich auf der ganzen Erde ein Haus zu denken, in dem jetzt nicht Sonntag, Sonnenschein und Freude ist; nein! – Das zweite was er unten nach der Türe auftat, war ein Oberfenster, um einen auf- und niederwallenden Schmetterling – einen schwimmenden Silberflitter, eine Blumen-Folie und *Amors* Ebenbild – aus *Hymens* Stube fortzulassen. Dann fütterte er seine Vogel-Kapelle in den Bauern zum Voraus auf den lärmenden Tag, und fidelte auf der väterlichen Geige die Schleifer zum Fenster hinaus, an denen er sich aus der Fastnacht an die Hochzeitnacht herangetanzt. Es schlägt erst fünf Uhr, mein Trauter, wir haben uns nicht zu übereilen! Wir wollen die zwei Ellen lange Halsbinde (die du dir auch wie die Braut antanzest, indem die Mutter das andre Ende hält) und das Zopfband glatt umhaben noch zwei völlige Stunden vor dem Läuten. Gern gäb ich den Großvaterstuhl und Ofen, deren Assessor ich bin, gratis hin, wenn ich mich und meine Zuhörerschaft jetzt zu transparenten Sylphiden zu verdünnen wüßte; damit unsere ganze Brüderschaft dem zappelnden Bräutigam ohne Störung seiner stillen Freude in den Garten nachflöge, wo er für ein weibliches Herz, das weder ein diamantnes noch ein welsches ist, auch keine Blumen, die es sind, abschneidet sondern lebende – wo er die blitzenden Käfer und Tautropfen aus den Blumenblättern schüttelt und gern auf den Bienenrüssel wartet, den zum letztenmale der mütterliche Blumenbusen säuget – wo er an seine Knaben-Sonntagsmorgen denkt und an den zu engen Schritt über die Beete und an das kalte Kanzelpult, dem der Senior sein Bouquet gab. Gehe nach Haus, Sohn deines Antezessors, und schaue am achten Julius dich nicht gegen Abend um, wo der stumme sechs Fuß dicke Gottesacker über manchen Freunden liegt, sondern gegen Morgen wo du die Sonne, die Pfarrtüre und deine hineinschlüpfende Justine sehen kannst, die die Frau Patin nett ausfrisieren und einschnüren will. Ich merk' es leicht, daß meine Zuhörer wieder in Sylphiden verflüchtigt werden wollen, um die Braut zu umflattern; aber sie siehts nicht gern.

Endlich lag der himmelblaue Rock – die Livréefarbe der Müller und Schulmeister – mit geschwärzten Knopflöchern und die plättende Hand seiner Mutter, die alle Brüche hob, am Leibe des Schulmeisterleins und es darf nur Hut und Gesangbuch nehmen. Und jetzt – ich weiß gewiß auch, was Pracht ist, fürstliche bei fürstlichen Vermählungen, das Kanonieren, Illuminieren, Exerzieren und Frisieren dabei; aber nur mit der Wuzischen Vermählung muß man dergleichen nie zusammenstellen: sehet doch dem Mann hintennach, der den Sonnen- und Himmelsweg zu seiner Braut jetzt geht und auf den andern Weg drüben nach dem Alumneum schauet und denkt »wer hätt's vor vier Jahren gedacht;« ich sage, sehet ihm nach: tut es nicht auch die Auenthaler Pfarrmagd, ob sie gleich Wasser trägt, und henkt einen solchen prächtigen vollen Anzug bis auf jede Franze in ihrem Gehirn- und Kleiderkammern auf? Hat er nicht eine gepuderte Nasen- und Schuhspitze? sind nicht die roten Torflügel seines Schwiegervaters aufgedreht und schreitet er nicht durch diese ein, indes die von der Haarkräuslerin abgefertigte Verlobte durch das Hoftürchen schleicht? Und stoßen sie nicht so meubliert und überpudert auf einander, daß sie das Herz nicht haben, sich guten Morgen zu bieten? Denn haben beide in ihrem Leben etwas prächtigers und vornehmeres gesehen als sich einander heute? Ist in dieser verzeihlichen Verlegenheit nicht der lange Span ein Glück, den der kleine Bruder zugeschnitzt und den er der Schwester hinreckt, damit sie darum wie um einen Weinpfahl die Blumen-Staude und Geruchs-Quaste für des Kantors Knopfloch winde und gürte? Werden neidsüchtige Damen meine Freunde bleiben, wenn ich meinen Pinsel eintunke und ihnen damit vorkoloriere die Parüre der Braut, das zitternde Gold statt der Zitternadel im Haar, die drei goldnen Medaillons auf der Brust mit den Miniatürportraits der deutschen Kaiser [*], und tiefer die in Knöpfe zergossenen Silberbarren?... ich könnt' aber den Pinsel fast jemand an den Kopf werfen, wenn mir beifällt, mein Wuz und seine gute Braut werden mir, wenns abgedruckt ist, von den Koketten und anderem Teufelszeuge gar ausgelacht: glaubt ihr denn aber, ihr städtischen distillierten und tättowierten Seelenver-

---

[*] In manchen deutschen Gegenden tragen die Mädchen Dukaten am Halse.

käuferinnen, die ihr alles an Mannspersonen messet und liebt, ihr Herz ausgenommen, daß ich oder meine meisten Herren Leser dabei gleichgültig bleiben könnten oder daß wir nicht alle eure gespannten Wangen, eure zuckenden Lippen, eure mit Witz und Begierde sengenden Augen und eure jedem Zufall gefügigen Taillen, und selber deine, Residentin von Bouse, mit Spaß hingäben für eine einzige Szene, wo die Liebe ihre Strahlen in dem Morgenrot des Schämens bricht, wo die unschuldige Seele sich vor jedem Aug' entkleidet, ihr eignes ausgenommen und wo hundert innere Kämpfe das durchsichtige Angesicht beseelen, und kurz worin mein Brautpaar selbst agierte, da der alte lustige Kauz von Schwiegervater beider gekräuselten und weißblühenden Köpfe habhaft wurde und sie gescheut zu einem Kuß zusammenlenkte? Dein freudiges Erröten, lieber Wuz! – und dein verschämtes, liebe Justine! –

Wer wird überhaupt diesen und dergleichen Sachen kurz vor seinen Sponsalien schärfer nachdenken und nachher delikater agieren als gegenwärtiger Biograph selbst?

Der Lärm der Kinder und Büttner auf der Gasse und der Rezensenten in Leipzig hindern den Biographen, alles ausführlich herzusetzen, die prächtigen Eckenbeschläge und dreifachen Manschetten, womit der Bräutigam jede Zeile des Chorals versah – den hölzernen Engelsfittich, woran er seinen Kurhut zum Chor hinaus hing – den Namen Justine an den Pedalpfeifen – seinen Spaß und seine Lust, da sie einander vor der Kirchenagende (der goldnen Bulle und die Reichsgrundgesetze des Eheregiments) die rechten Hände gaben und da er mit seinem Ringfinger ihre hohle Hand gleichsam hinter einem Bettschirm neckte – und den Eintritt in die Hochzeitsstube, wo vielleicht die größten und vornehmsten Leute und Gerichte der Erde einander begegneten, ein Pfarrer, eine Pfarrerin, ein Subpräfektus und eine Braut. Es wird aber Beifall finden, daß ich meine Beine auseinander setze und damit über die ganze Hochzeittafel und Hochzeittrift und über den Nachmittag wegschreite, um zu hören was sie Abends angehen – einen und den anderen Tanz gibt der Subpräfektus an. Es ist im Grunde schon alles außer sich – ein Tobaks-Heerrauch und ein Suppendampfbad wogt um drei Lichter und scheidet einen vom andern durch Nebelbänke – der Violonzellist und der Violinist streichen fremdes Gedärm weniger als sie eignes füllen – auf der Fensterbrüstung guckt das ganze Auenthal als Gallerie zappelnd herein und die Dorfjugend tanzt draußen dreißig Schritte von dem Orchester entfernt, im Ganzen recht hübsch – die alte Dorf-*La Bonne* schreiet ihre wichtigsten Personalien der Seniorin vor und diese nieset und hustet die ihrigen los, jede will ihre historische Notdurft früher verrichten und sieht ungern die andre auf dem Stuhle seßhaft – der Senior sieht wie ein Schoßjünger des Schoßjüngers Johannes aus, welchen die Maler mit einem Becher in der Hand abmalen und lacht lauter als er predigt – der Präfektus schießet als *Elegant* herum und ist von niemand zu erreichen – mein Maria plätschert und fährt unter in allen vier Flüssen des Paradieses; und des Freuden-Meers Wogen heben und schaukeln ihn allmächtig – bloß die eine Brautführerin (mit einer zu zarten Haut und Seele für ihren schwielenvollen Stand) hört die Freuden-Trommel wie von einem Echo gedämpft und wie bei einer Königsleiche mit Flor bezogen und die stille Entzückung spannt in Gestalt eines Seufzers die einsame Brust – mein Schulmeister (er darf zweimal im Küchenstück herumstehen) tritt mit seiner Trauungshälfte unter die Haustür, deren *dessus de porte* ein Schwalben-Globus ist, und schauet auf zu dem schweigenden glimmenden Himmel über ihm und denkt, jede große Sonne gucke herunter wie ein Auenthaler und zu seinem Fenster hinein. . . . Schiffe fröhlich über deinen verdünstenden Tropfen Zeit, du kannst es; aber wir könnens nicht alle, die eine Brautführerin kanns auch nicht – ach wär' ich wie du an einem Hochzeitmorgen dem ängstlichen den Blumen abgefangenen Schmetterling begegnet, wie du der Biene im Blütenkelch, wie du der um sieben Uhr abgelaufenen Turmuhr, wie du dem stummen Himmel oben und dem lauten unten: so hätt' ich ja daran denken müssen, daß nicht auf dieser stürmenden Kugel, wo die Winde sich in unsre kleinen Blumen wühlen, die Ruhestätte zu suchen sei, auf der uns ihre Düfte ruhig umfließen, oder ein Auge ohne Staub, ein Auge ohne *Regentropfen* die jene Stürme an uns werfen – und wäre die blitzende Göttin der Freude so nahe an meinem Busen gestanden: so hätt' ich doch auf jene Aschenhäufgen hinüber gesehen, zu denen sie mit ihrer Umarmung, gebürtig aus der Sonne und nicht aus unsern Eiszonen, schon die armen Menschen verkalkte – und o wenn mich schon die vorige Beschreibung eines großen Vergnügens so traurig zurück ließ: so müßt' ich, wenn erst du, aus ungemessenen Höhen in die tiefe Erde hereinreichende Hand! mir eines, wie eine Blume auf einer Sonne gewachsen, hernieder brächtest, auf diese Vaterhand die Tropfen der Freude fallen lassen und mich mit dem zu schwachen Auge von den Menschen wegwenden. . . .

Jetzt da ich dieses sage, ist Wuzens Hochzeit längst vorbei, seine Justine ist alt und er selber auf dem Gottesacker; der Strom der Zeit hat ihn und alle diese schimmernden Tage unter vier- fünffache Schichten Bodensatz gedrückt und begraben – auch an uns steigt dieser beerdigende Niederschlag immer höher auf, in drei Minuten erreicht er das Herz und überschlichtet mich und euch.

In dieser Stimmung sinne mir keiner an, die vielen Freuden des Schulmeisters aus seinem Freuden-Manuale mitzuteilen, besonders seine Weihnachts- Kirchweih- und Schulfreuden – es kann vielleicht noch geschehen in einem Posthumus von Postskript, das ich nachliefere, aber heute nicht! heute ists besser, wir sehen den vergnügten Wuz zum letztenmal lebendig und tot und gehen dann weg.

Ich hätte überhaupt – ob ich gleich dreißigmal vor seiner Haustür vorüber gegangen war – wenig vom ganzen Manne gewußt, wenn nicht am 12ten Mai vorigen Jahrs die alte Justine unter ihr gestanden wäre und mich angeschrien hätte: »ob ich keine Bücher machte« – »Warum nicht, sagt' ich, dem deutschen Publiko schenk' ich deren immer.« – »Wenn ich nur eine Stunde zu ihrem Alten herein möchte, mit dems so schlecht aussäh.«

Der Schlag hatte dem Alten, vielleicht weil er eine Flechte Talers groß am Nacken hinein geheilet, oder vor Alter, die linke Seite gelähmt. Er saß im Bette an einer Lehne von Polstern und Unter-Robben und hatte ein ganzes Warenlager das ich sogleich spezifizieren werde, auf dem Deckbette vor sich. Ein Kranker tut wie ein Reisender – und was ist er anders – sogleich mit jedem bekannt: so nahe mit dem Fuße und Auge an erhabnern Welten macht man in dieser räudigen keine Umstände mehr. Er klagte, es hätte sich seine Alte schon seit drei Tagen nach einem Bücherschreiber umschauen müssen, hätt' aber keinen ertappt außer jetzt; »er müss' aber einen haben, der seine Bibliothek übernähme, ordnete und inventierte und der an seine Biographie, die in der ganzen Bibliothek wäre, seine letzten Stunden, falls er sie jetzt hätte, zur Komplettierung gar hin anstieße: denn seine Alte wäre keine Gelehrtin und seinen Sohn hätt' er auf drei – Wochen auf die Universität Heidelberg gelassen.«

Seine Runzeln-Aussaat gab seinem runden kleinen Gesichtgen äußerst fröhliche Lichter; jede Runzel schien ein lächelnder Mund: aber es gefiel mir und meiner Semiotik nicht, daß seine Augen so blitzten, seine Augenbrauen und Mund-Ecken so zuckten und seine Lippen so zitterten.

Ich will mein Versprechen der Spezifikation halten: auf dem Deckbette lag eine grüntaftne Kinderhaube, wovon das eine Band abgerissen war, eine mit abgegriffnen Goldflittergen überpichte

Kinderpeitsche, einen Fingerring von Zinn, eine Schachtel mit Zwerg-Büchelgen in 128 Format, eine Wand-Uhr, ein beschmutztes Schreibbuch und ein Finkenkloben Fingerslang. Es waren die Rudera und Spätlinge seiner verspielten Kindheit: die Kunstkammer dieser seiner *griechischen Altertümer* war von jeher unter der Treppe gewesen – denn in einem Haus, das der Blumenkübel und Treibkasten eines einzigen Stammbaums ist, bleiben die Sachen Säkula lang in ihrer Stelle ungerückt – und da es von seiner Kindheit an ein Reichsgrundgesetz bei ihm war, alle seine Spielwaren in chronologischer Ordnung aufzuheben, und da kein Mensch das ganze Jahr unter die Treppe guckte als er: so konnt' er noch am Rüsttage vor seinem Todestage diese Urnenkrüge eines schon gestorbenen Lebens um sich stellen und sich zurückfreuen, da er sich nicht mehr vorausfreuen konnte. Du konntest freilich, kleiner Maria, in keinen *Antikentempel* zu Sanssouci eintreten und darin vor dem *Weltgeist der schönen Natur der Kunst* niederfallen; aber du konntest doch in deine Kindheits-Antiken-*Stiftshütte* unter der finstern Treppe gucken und die Strahlen der auferstehenden Kindheit spielten wie des gemalten Jesuskindes seine im Stall, an den düstern Winkeln! o wenn größere Seelen als du, aus der ganzen Orangerie der Natur so viel süße Säfte und Düfte sögen als du aus dem zackigen grünen Blatte, an das dich das Schicksal gehangen: so würden nicht Blätter sondern Gärten genossen und die bessern und doch glücklichern Seelen wunderten sich nicht mehr, daß es *vergnügte* Meisterlein geben kann.

Wuz sagte und bog den Kopf gegen das Repositorium hin, »wenn ich mich an meinen ernsthaften Werken mattgelesen und korrigiert; so schau ich stundenlang diese Schnurpfeifereien an und das wird hoffentlich einem Bücherschreiber keine Schande sein.«

Ich wüßt' aber nicht, womit der Welt mehr gedient ist als wenn ich ihr den räsonnierenden Katalog dieser Kunststücke und Schnurpfeifereien zuwende, den mir der Patient zuwandte. Den zinnenen Ring hatt' ihm die vierjährige Mamsell des vorigen Pastors, da sie miteinander von einem Spielkameraden ehrlich und ordentlich kopuliert wurden, als Ehepfand angesteckt – das elende Zinn lötete ihn fester an sie als edlere Metalle edlere Leute und ihre Ehe brachten sie auf vier und funfzig Minuten: oft wenn er nachher als geschwärzter Alumnus sie mit nickenden Federn-Standarten am dünnen Arme eines gesprenkelten Elegant spazieren gehen sah, dacht er an den Ring und an die alte Zeit. Überhaupt hab' ich bisher mir unnütze Mühe gegeben es zu verstecken daß er in alles sich verliebte was wie eine Frau aussah; alle Fröhliche seiner Art tun dasselbe: vielleicht können sie es, weil ihre Liebe sich zwischen den beiden Extremen von Liebe aufhält und beiden abborgt, so wie der Busen der Übergang, das Band und der Kreole der platonischen und der epikurischen Reize ist. – Da er seinem Vater die Turmuhr aufziehen half wie vor Zeiten die Kronprinzen mit den Vätern in die Sessionen gingen: so konnte so eine kleine Sache ihm einen Wink geben, ein lackiertes Kästgen zu durchlöchern und eine Wanduhr daraus zu schnitzen, die niemals ging; inzwischen hatte sie doch wie mehrere Staatskörper ihre langen Gewichte und ihre eingezackten Räder, die man dem Gestelle nürnbergischer Pferde abgehoben und so zu etwas besserem verbraucht hatte. – Die grüne Kinderhaube mit Spitzen gerändert, das einzige Überbleibsel seines vorigen vierjährigen Kopfes, war seine Büste und sein Gipsabdruck vom kleinen Wuz, der jetzt zu einem großen ausgefahren war: Alltags-Kleider stellen das Bild eines toten Menschen weit inniger dar als sein Portrait – daher besah Wuz das Grün mit sehnsüchtiger Wollust und es war ihm als schimmere aus dem Eis des Alters eine grüne Rasenstelle der längst überschneiten Kindheit vor; »nur meinen Unterrock von Flanell sollt' ich gar haben, der mir allemal unter den Achseln umgebunden wurde.« – Mir ist so wohl das erste Schreibbuch des Königs von Preußen als das des Schulmeisters Wuz bekannt und da ich beide in Händen gehabt: so kann ich urteilen, daß der König als Mann und das Meisterlein als Kind schlechter geschrieben: »Mutter, sagt' er zu seiner Frau, betracht' doch wie dein Mann hier (im Schreibbuch) und wie er dort (in seinem kallygraphischen Meisterstück von einem Lehnbrief, den er an die Wand genagelt) geschrieben: ich fress' mich aber noch vor Liebe, Mutter!« Er prahlte vor niemand als vor seiner Frau; und ich schätze den Vorteil so hoch als er wert ist, den die Ehe hat, daß der Ehemann durch sie noch ein zweites Ich bekömmt, vor dem er sich ohne Bedenken recht herzlich loben kann. Wahrhaftig das deutsche Publikum sollte ein zweites Ich von uns Autoren abgeben! – Die Schachtel war ein Bücherschrank der lilliputischen Traktätgen in Fingerkalender-Format, die er in seiner Kindheit dadurch edierte, daß er einen Vers aus der Bibel abschrieb, es heftete und bloß sagte: »abermals einen recht hübschen *Cober* * gemacht!« andre Autores tun das auch, aber erst wenn sie herangewachsen sind. Als er mir seine jugendliche Autorschaft referierte: bemerkt' er: »als ein Kind ist man ein wahrer Narr; es

---

* Cobers Kabinettsprediger – in dem mehr Geist steckt (freilich oft ein närrischer) als in zwanzig jetzigen ausgelaugten Predigt-Skarteken.

stach aber doch schon damals der Autortrieb heraus, nur freilich noch in einer unreifen und lächerlichen Gestalt« und belächelte zufrieden die jetzige. – Und so gings mit dem Finkenkloben auch: war nicht der fingerslange Finkenkloben, den er mit Bier bestrich und auf dem er die Fliegen an den Beinen fing, der Vorläufer des armslangen Finkenkloben, *hinter* dem er im Spätherbst seine schönsten Stunden zubrachte wie auf ihm die Finken ihre häßlichsten? das Vogelstellen will durchaus ein in sich selbst vergnügtes stilles Ding von Seele haben.

Es ist leicht begreiflich, daß seine größte Krankenlabung ein alter Kalender war und die abscheulichen 12 Monatskupfer desselben. In jedem Monat des Jahrs machte er sich, ohne vor einem Gallerieinspektor den Hut abzunehmen oder an ein Bilderkabinett zu klopfen, mehr malerische und artistische Lust als andre Deutsche, die abnehmen und anklopfen. Er durchwanderte nämlich die 11 Monats-Vignetten – die des Monats, worin er wanderte, ließ er weg – und phantasierte in die Holzschnitt-Szenen alles hinein was er und sie brauchten. Es mußte ihn freilich in gesunden und kranken Tagen letzen, wenn er im Jenner-Winterstück auf dem abgerupften schwarzen Baum herumstieg und sich (mit der Phantasie) unter den an der Erde aufdrückenden Wolkenhimmel stellte, der über den Winterschlaf der Wiesen und Felder wie ein Betthimmel sich herüberkrümmte – der ganze Junius zog sich mit seinen langen Tagen und langen Gräsern um ihn herum, wenn er seine Einbildung den Junius-Landschafts Holzschnitt ausbrüten ließ auf dem kleine Kreuzgen, die nichts als Vögel sein sollten, durch das graue Druckpapier flogen und auf dem der Holzschneider das fette Laubwerk zu Blätterskeletten mazerierte. Allein wer Phantasie hat, macht sich aus jedem Fetzen eine wundertätige Reliquie, aus jedem Eselskinnbacken eine Quelle; die fünf Sinne reichen ihr nur die Kartons, nur die Grundstriche des Vergnügens oder Mißvergnügens.

Den Mai überblätterte der Patient, weil der ohnehin um das Haus draußen stand. Die Kirschblüten, womit der Wonnemond sein grünes Haar besteckt, die Maiblümgen, die als Vorsteckrosen über seinem Busen duften, beroch er nicht – der Geruch war weg, – aber er besah sie und hatte einige in einer Schüssel neben seinem Krankenbette.

Ich habe meine Absicht klug erreicht, mich und meine Zuhörer fünf oder sechs Seiten von der traurigen Minute wegzuführen, in der vor unser aller Augen der Tod vor das Bett unsers kranken Freundes tritt und langsam mit eiskalten Händen in seine warme

Brust hinein dringt und das vergnügt schlagende Herz erschreckt, fängt und auf immer anhält. Aber endlich kömmt die Minute und ihr Begleiter doch.

Ich blieb den ganzen Tag und sagte abends, ich könnte zu Nachts wachen. Sein lebhaftes Gehirn und sein zuckendes Gesicht hatten mich fest überzeugt, in der Nacht würde der Schlag sich wiederholen; es geschah aber nicht; welches mir und dem Schulmeisterlein ein wesentlicher Gefallen war. Denn es hatte mir gesagt – auch in seinem letzten Traktätgen stehts – nichts wäre schöner und leichter als an einem heitern Tage zu sterben, die Seele sähe durch die geschlossenen Augen die hohe Sonne noch und sie stiege aus dem vertrockneten Leib in das weite blaue Lichtmeer draußen; hingegen in einer finstern brüllenden Nacht aus dem warmen Leibe zu müssen, den langen Fall ins Grab so einsam zu tun, wenn die ganze Natur selber da säße und die Augen sterbend zuhätte – das wäre ein zu harter Tod.

Um 11½ Uhr Nachts kamen Wuzens zwei besten *Jugendfreunde* noch einmal vor sein Bette, der Schlaf und der Traum, um von ihm gleichsam Abschied zu nehmen. Oder bleibt ihr länger und seid, ihr zwei Menschenfreunde es vielleicht, die ihr den ermordeten Menschen aus den blutigen Händen des Todes holet und auf eueren wiegenden Armen durch die kalten unterirdischen Höhlungen mütterlich traget ins helle Land hin, wo ihn eine neue Morgensonne und neue Morgenblumen in waches Leben hauchen? –

Ich war allein in der Stube – ich hörte nichts als den Atemzug des Kranken und den Schlag meiner Uhr, die sein kurzes Leben weg maß – der gelbe Vollmond hing tief und groß in Süden und bereifte mit seinem Totenlichte die Maiblümgen des Mannes und die stockende Wanduhr und die grüne Haube des Kindes – der leise Kirschbaum vor dem Fenster malte auf dem Grund von Mondslicht aus Schatten einen bebenden Baumschlag in die Stube – am stillen Himmel wurde zuweilen eine fackelnde Sternschnuppe niedergeworfen und sie verging wie ein Mensch – es fiel mir bei, die nämliche Stube, die jetzt der schwarz ausgeschlagene Vorsaal des Grabes war, wurde morgen vor 43 Jahren am 13. Mai vom Kranken bezogen – und an diesem Tage gingen seine elysäischen Achtwochen an – ich sah daß der, dem damals dieser Kirschbaum Wohlgeruch und Träume gab, dort im drückenden Traume geruchlos liege und vielleicht noch heute aus dieser Stube ausziehe und daß alles, alles vorüber sei und niemals wieder komme … und in dieser Minute fing Wuz mit dem ungelähmten Arme nach etwas als wollt' er einen entfallenden Himmel erfassen – – – und in dieser zitternden Minute knisterte der Monatszeiger meiner Uhr und fuhr, weils 12 Uhr war, vom 12ten Mai zum 13ten über. . . . Der Tod schien mir meine Uhr zu stellen, ich hörte ihn den Menschen und seine Freuden käuen, und die Welt und die Zeit schien in einem Strom von Moder sich in den Abgrund hinab zu brökkeln! . . .

Ich denke an diese bebende Minute bei jedem mitternächtlichen Überspringen meines Monatszeigers; aber sie trete nie mehr unter die kurze Reihe meiner übrigen Minuten.

Der Sterbende – er wird kaum diesen Namen lange mehr haben – schlug zwei lodernde Augen auf und sah mich lange an, um mich zu kennen. Ihm hatte geträumt, er schwankte als ein Kind sich auf einem Lilienbeete, das unter ihm aufgewallet – dieses wäre zu einer emporgehobnen Rosen-Wolke zusammen geflossen, die mit ihm durch goldne Morgenröten und über rauchende Blumenfelder weggezogen wäre – die Sonne hätte mit einem weißen Mädgen-Angesicht ihn angelächelt und angeleuchtet und wäre endlich in Gestalt eines von Strahlen umflognen Mädgens seiner Wolke zugesunken und er hätte sich geängstigt, daß er den linken gelähmten Arm nicht um und an sie bringen können – – darüber wurd' er wach aus seinem letzten oder vielmehr vorletzten Traum: denn auf den langen Traum des Lebens sind die kleinen bunten Träume der Nacht wie Phantasieblumen gestickt und gezeichnet.

Der Lebens-Strom nach seinem Kopfe wurde immer schneller und breiter: er glaubte immer wieder, verjüngt zu sein; den Mond hielt er für die bewölkte Sonne; es kam ihm vor, er sei ein fliegender Taufengel, unter einem Regenbogen an eine Dotterblumen-Kette aufgehangen, im unendlichen Bogen auf- und niederwogend, von der vierjährigen Ringgeberin über Abgründe zur Sonne aufgeschaukelt . . . Gegen vier Uhr morgens konnte er uns nicht mehr sehen, ob gleich die Morgenröte schon in der Stube war – die Augen blickten versteinert vor sich hin – eine Gesichtszuckung kam auf die andre – den Mund zog eine Entzückung immer lächelnder aus einander – Frühlings-Phantasien, die weder dieses Leben erfahren noch jenes haben wird, spielten mit der sinkenden Seele – endlich stürzt der Todesengel den blassen Leichenschleier auf sein Angesicht und hob hinter ihm die blühende Seele mit ihren tiefsten Wurzeln aus dem körperlichen Treibkasten voll organisierter Erde. . . . Das Sterben ist erhaben; hinter schwarzen Vorhängen tut der einsame Tod das stille Wunder und arbeitet für die andre Welt und die Sterblichen stehen da mit nassen, aber stumpfen Augen neben der überirdischen Szene . . .

»Du guter Vater, sagte seine Witwe, wenn dirs jemand vor 43 Jahren hätte sagen sollen, daß man dich am 13. Mai, wo deine Achtwochen angingen, hinaustragen würde« – »Seine Achtwochen, sagt' ich, gehen wieder an und währen länger.«

Da ich um 11 Uhr fortging: war mir die Erde gleichsam heilig und Tote schienen mir neben mir zu gehen; ich sah auf zum Himmel als könnt' ich im endlosen Äther nur in Einer Richtung den Gestorbnen suchen; und da ich oben auf dem Berge, wo man nach Auenthal hinein schauet, mich noch einmal nach dem Leidenstheater umsah und da ich unter den rauchenden Häusern bloß das Trauerhaus unbewölket da stehen und den Totengräber oben auf dem Gottesacker das Grab aushauen sah, und da ich das Leichenläuten seinetwegen hörte und daran dachte, wie die Witwe im stummen Kirchturm mit rinnenden Augen das Seil unten reiße; so fühlt' ich unser aller Nichts und schwur, ein so unbedeutendes Leben zu verachten, zu verdienen und zu genießen. –

Wohl dir, lieber Wuz, daß ich – wenn ich nach Auenthal gehe und dein verrasetes Grab aussuche und mich darüber kümmere, daß die in dein Grab beerdigte Puppe des Nachtschmetterlings mit Flügeln daraus kriecht, daß dein Grab ein Lustlager bohrender Regenwürmer, rückender Schnecken, wirbelnder Ameisen und nagender Räupgen ist, indes du tief unter allen diesen mit unverrücktem Haupte auf deinen Hobelspänen liegst und indes keine liebkosende Sonne durch deine Bretter und deine mit Leinwand zugeleimten Augen bricht – wohl dir, daß ich dann sagen kann: »da er noch das Leben hatte, genoß ers fröhlicher wie wir alle.«

Es ist genug, meine Freunde – es ist 12 Uhr, der Monatszeiger sprang auf einen neuen Tag und erinnerte uns an den doppelten Schlaf, an den Schlaf der kurzen und an den Schlaf der langen Nacht. . . . .

Johann Wolfgang Goethe
Das Märchen

An dem großen Flusse, der eben von einem starken Regen ge-
schwollen und übergetreten war, lag, in seiner kleinen Hütte, müde von der Anstrengung des Tages, der alte Fährmann und schlief.
Mitten in der Nacht weckten ihn einige laute Stimmen, er hörte,
daß Reisende übergesetzt sein wollten.

Als er vor die Tür hinaus trat sah er zwei große Irrlichter über
dem angebundenen Kahne schweben, die ihn versicherten daß sie
große Eile hätten und schon an jenem Ufer zu sein wünschten. Der
Alte säumte nicht, stieß ab und fuhr, mit seiner gewöhnlichen
Geschicklichkeit, quer über den Strom, indes die Fremden in einer
unbekannten sehr behenden Sprache gegeneinander zischten und
mitunter in ein lautes Gelächter ausbrachen, indem sie bald auf den
Rändern und Bänken, bald auf dem Boden des Kahns hin und
wider hüpften.

Der Kahn schwankt! rief der Alte und wenn Ihr so unruhig seid,
kann er umschlagen; setzt euch, Ihr Lichter!

Sie brachen über diese Zumutung in ein großes Gelächter aus,
verspotteten den Alten und waren noch unruhiger als vorher. Er
trug ihre Unarten mit Geduld, und stieß bald am jenseitigen Ufer
an.

Hier ist für Eure Mühe, riefen die Reisenden, und es fielen,
indem sie sich schüttelten, viele glänzende Goldstücken in den
feuchten Kahn. – Ums Himmels willen was macht Ihr! rief der
Alte, Ihr bringt mich ins größte Unglück! wäre ein Goldstück ins
Wasser gefallen, so würde der Strom, der dies Metall nicht leiden
kann, sich in entsetzliche Wellen erhoben, das Schiff und mich
verschlungen haben, und wer weiß, wie es euch gegangen sein
würde; nehmt euer Geld wieder zu euch!

Wir können nichts wieder zu uns nehmen, was wir abgeschüttelt
haben, versetzten jene.

So macht Ihr mir noch die Mühe, sagte der Alte, indem er sich
bückte und die Goldstücke in seine Mütze las, daß ich sie zusammen suchen, ans Land tragen und vergraben muß.

Die Irrlichter waren aus dem Kahne gesprungen, und der Alte
rief: wo bleibt nun mein Lohn?

Wer kein Gold nimmt, mag umsonst arbeiten! riefen die Irrlichter. – Ihr müßt wissen, daß man mich nur mit Früchten der Erde

bezahlen kann. – Mit Früchten der Erde? Wir verschmähen sie, und haben sie nie genossen. – Und doch kann ich euch nicht loslassen, bis ihr mir versprecht, daß ihr mir drei Kohlhäupter, drei Artischocken und drei große Zwiebeln liefert.

Die Irrlichter wollten scherzend davon schlüpfen; allein sie fühlten sich auf eine unbegreifliche Weise an den Boden gefesselt; es war die unangenehmste Empfindung die sie jemals gehabt hatten. Sie versprachen seine Forderung nächstens zu befriedigen; er entließ sie und stieß ab. Er war schon weit hinweg als sie ihm nachriefen: Alter! hört Alter! wir haben das Wichtigste vergessen! Er war fort und hörte sie nicht. Er hatte sich an derselben Seite den Fluß hinab treiben lassen, wo er in einer gebirgigten Gegend, die das Wasser niemals erreichen konnte, das gefährliche Gold verscharren wollte. Dort fand er zwischen hohen Felsen eine ungeheure Kluft, schüttete es hinein und fuhr nach seiner Hütte zurück.

In dieser Kluft befand sich die schöne grüne Schlange, die durch die herabklingende Münze aus ihrem Schlaf geweckt wurde. Sie ersah kaum die leuchtenden Scheiben, als sie solche auf der Stelle mit großer Begierde verschlang, und alle Stücke die sich in dem Gebüsch und zwischen den Felsritzen zerstreut hatten, sorgfältig aufsuchte.

Kaum waren sie verschlungen, so fühlte sie mit der angenehmsten Empfindung das Gold in ihren Eingeweiden schmelzen und sich durch ihren ganzen Körper ausbreiten und zur größten Freude bemerkte sie, daß sie durchsichtig und leuchtend geworden war. Lange hatte man ihr schon versichert, daß diese Erscheinung möglich sei; weil sie aber zweifelhaft war, ob dieses Licht lange dauern könne, so trieb sie die Neugierde und der Wunsch sich für die Zukunft sicherzustellen aus dem Felsen heraus, um zu untersuchen, wer das schöne Gold herein gestreut haben könnte. Sie fand niemanden; desto angenehmer war es ihr, sich selbst, da sie zwischen Kräutern und Gesträuchen hinkroch, und ihr anmutiges Licht, das sie durch das frische Grün verbreitete, zu bewundern. Alle Blätter schienen von Smaragd, alle Blumen auf das herrlichste verklärt; vergebens durchstrich sie die einsame Wildnis, desto mehr aber wuchs ihre Hoffnung, als sie auf die Fläche kam und von weiten einen Glanz der dem ihrigen ähnlich war, erblickte. Find ich doch endlich meines Gleichen! rief sie aus und eilte nach der Gegend zu. Sie achtete nicht die Beschwerlichkeit durch Sumpf und Rohr zu kriechen; denn ob sie gleich auf trocknen Bergwiesen, in hohen Felsritzen am liebsten lebte, gewürzhafte Kräuter gerne genoß und mit zartem Tau und frischem Quellwasser ihren Durst gewöhnlich stillte; so hätte sie doch des lieben Goldes willen und in Hoffnung des herrlichen Lichtes alles unternommen was man ihr auferlegte.

Sehr ermüdet gelangte sie endlich zu einem feuchten Ried, wo unsere beiden Irrlichter hin und wider spielten. Sie schoß auf sie los, begrüßte sie, und freute sich so angenehme Herren von ihrer Verwandtschaft zu finden. Die Lichter strichen an ihr her, hüpften über sie weg und lachten nach ihrer Weise. Frau Muhme, sagten sie, wenn Sie schon von der horizontalen Linie sind, so hat das doch nichts zu bedeuten; freilich sind wir nur von seiten des Scheins verwandt, denn sehen Sie nur (hier machten beide Flammen, indem sie ihre ganze Breite aufopferten, sich so lang und spitz als möglich) wie schön uns Herren von der vertikalen Linie diese schlanke Länge kleidet; nehmen sie's uns nicht übel, meine Freundin; welche Familie kann sich des rühmen? so lang es Irrlichter gibt, hat noch keins weder gesessen noch gelegen.

Die Schlange fühlte sich in der Gegenwart dieser Verwandten sehr unbehaglich, denn sie mochte den Kopf so hoch heben als sie wollte, so fühlte sie doch daß sie ihn wieder zur Erde biegen mußte um von der Stelle zu kommen, und hatte sie sich vorher im dunkeln Hain außerordentlich wohlgefallen, so schien ihr Glanz in Gegenwart dieser Vettern sich jeden Augenblick zu vermindern, ja sie fürchtete, daß er endlich gar verlöschen werde.

In dieser Verlegenheit fragte sie eilig, ob die Herren ihr nicht etwa Nachricht geben könnten, wo das glänzende Gold herkomme, das vor kurzem in die Felskluft gefallen sei; sie vermute, es sei ein Goldregen, der unmittelbar vom Himmel träufle. Die Irrlichter lachten und schüttelten sich und es sprangen eine große Menge Goldstücke um sie herum. Die Schlange fuhr schnell danach sie zu verschlingen. Laßt es euch schmecken, Frau Muhme, sagten die artigen Herren, wir können noch mit mehr aufwarten. Sie schüttelten sich noch einige Male mit großer Behendigkeit, so daß die Schlange kaum die kostbare Speise schnell genug hinunter bringen konnte. Sichtlich fing ihr Schein an zu wachsen und sie leuchtete wirklich aufs herrlichste, indes die Irrlichter ziemlich mager und klein geworden waren, ohne jedoch von ihrer guten Laune das mindeste zu verlieren.

Ich bin euch auf ewig verbunden, sagte die Schlange, nachdem sie von ihrer Mahlzeit wieder zu Atem gekommen war, fordert von mir was ihr wollt, was in meinen Kräften ist, will ich euch leisten.

Recht schön! riefen die Irrlichter, sage, wo wohnt die schöne

Lilie? Führ uns so schnell als möglich zum Palaste und Garten der schönen Lilie, wir sterben vor Ungeduld, uns ihr zu Füßen zu werfen.

Diesen Dienst, versetzte die Schlange mit einem tiefen Seufzer, kann ich euch sogleich nicht leisten. Die schöne Lilie wohnt leider jenseit des Wassers. – Jenseit des Wassers! Und wir lassen uns in dieser stürmischen Nacht übersetzen! wie grausam ist der Fluß, der uns nun scheidet! sollte es nicht möglich sein, den Alten wieder zu errufen?

Sie würden sich vergebens bemühen, versetzte die Schlange, denn wenn Sie ihn auch selbst an dem diesseitigen Ufer anträfen, so würde er Sie nicht einnehmen; er darf jedermann herüber, niemand hinüber bringen. – Da haben wir uns schön gebettet; gibt es denn kein ander Mittel, über das Wasser zu kommen? – Noch einige, nur nicht in diesem Augenblick. Ich selbst kann die Herren übersetzen, aber erst in der Mittagsstunde. – Das ist eine Zeit, in der wir nicht gerne reisen. – So können Sie Abends auf dem Schatten des Riesen hinüberfahren – Wie geht das zu? – Der große Riese, der nicht weit von hier wohnt, vermag mit seinem Körper nichts; seine Hände heben keinen Strohhalm, seine Schultern würden kein Reisbündel tragen; aber sein Schatten vermag viel, ja alles, deswegen ist er beim Aufgang und Untergang der Sonne am mächtigsten, und so darf man sich Abends nur auf den Nacken seines Schattens setzen, der Riese geht alsdann sachte gegen das Ufer zu und der Schatten bringt den Wanderer über das Wasser hinüber. Wollen Sie aber um Mittagszeit sich an jener Waldecke einfinden, wo das Gebüsch dicht ans Ufer stößt, so kann ich Sie übersetzen und der schönen Lilie vorstellen; scheuen Sie hingegen die Mittagshitze, so dürfen Sie nur gegen Abend in jener Felsenbucht den Riesen aufsuchen, der sich gewiß recht gefällig zeigen wird.

Mit einer leichten Verbeugung entfernten sich die jungen Herren und die Schlange war zufrieden von ihnen loszukommen, teils um sich in ihrem eignen Lichte zu erfreuen, teils eine Neugierde zu befriedigen, von der sie schon lange auf eine sonderbare Weise gequält ward.

In den Felsklüften, in denen sie oft hin und wider kroch, hatte sie an einem Orte eine seltsame Entdeckung gemacht. Denn ob sie gleich durch diese Abgründe ohne ein Licht zu kriechen genötiget war, so konnte sie doch durchs Gefühl die Gegenstände recht wohl unterscheiden. Nur unregelmäßige Naturprodukte war sie gewohnt überall zu finden; bald schlang sie sich zwischen den Zacken großer Cristalle hindurch, bald fühlte sie die Haken und Haare des gediegenen Silbers und brachte ein und den andern Edelstein mit sich ans Licht hervor. Doch hatte sie zu ihrer großen Verwunderung in einem ringsum verschlossenen Felsen Gegenstände gefühlt, welche die bildende Hand des Menschen verrieten. Glatte Wände, an denen sie nicht aufsteigen konnte, scharfe regelmäßige Kanten, wohlgebildete Säulen, und, was ihr am sonderbarsten vorkam, menschliche Figuren, um die sie sich mehrmals geschlungen hatte, und die sie für Erz oder äußerst polierten Marmor halten mußte. Alle diese Erfahrungen wünschte sie noch zuletzt durch den Sinn des Auges zusammen zu fassen und das was sie nur mutmaßte, zu bestätigen. Sie glaubte sich nun fähig durch ihr eignes Licht dieses wunderbare unterirdische Gewölbe zu erleuchten, und hoffte auf einmal mit diesen sonderbaren Gegenständen völlig bekannt zu werden. Sie eilte und fand auf dem gewohnten Wege bald die Ritze, durch die sie in das Heiligtum zu schleichen pflegte.

Als sie sich am Orte befand, sah sie sich mit Neugier um, und obgleich ihr Schein alle Gegenstände der Rotonde nicht erleuchten konnte, so wurden ihr doch die nächsten deutlich genug. Mit Erstaunen und Ehrfurcht sah sie in eine glänzende Nische hinauf, in welcher das Bildnis eines ehrwürdigen Königs in lauterm Golde aufgestellt war. Dem Maß nach war die Bildsäule über Menschengröße, der Gestalt nach aber das Bildnis eher eines kleinen als eines großen Mannes. Sein wohlgebildeter Körper war mit einem einfachen Mantel umgeben, und ein Eichenkranz hielt seine Haare zusammen.

Kaum hatte die Schlange dieses ehrwürdige Bildnis angeblickt, als der König zu reden anfing und fragte: wo kommst du her? – Aus den Klüften, versetzte die Schlange, in denen das Gold wohnt. – Was ist herrlicher als Gold? fragte der König. – Das Licht, antwortete die Schlange. – Was ist erquicklicher als Licht? fragte jener – das Gespräch antwortete diese.

Sie hatte unter diesen Reden bei Seite geschielt und in der nächsten Nische ein anderes herrliches Bild gesehen. In derselben saß ein silberner König, von langer, und eher schmächtiger Gestalt; sein Körper war mit einem verzierten Gewande überdeckt, Krone, Gürtel und Szepter mit Edelsteinen geschmückt; er hatte die Heiterkeit des Stolzes in seinem Angesichte und schien eben reden zu wollen, als an der marmornen Wand eine Ader, die dunkelfarbig hindurchlief, auf einmal hell ward und ein angenehmes Licht durch den ganzen Tempel verbreitete. Bei diesem Lichte sahe die Schlange den dritten König, der von Erz in mächtiger Gestalt da saß, sich auf seine Keule lehnte, mit einem Lorbeerkranze geschmückt war, und eher einem Felsen als einem Menschen glich. Sie wollte sich nach dem vierten umsehen, der in der größten Entfernung von ihr stand, aber die Mauer öffnete sich, indem die erleuchtete Ader wie ein Blitz zuckte und verschwand.

Ein Mann von mittlerer Größe, der heraustrat, zog die Aufmerksamkeit der Schlange auf sich. Er war als ein Bauer gekleidet und trug eine kleine Lampe in der Hand, in deren stille Flamme man gerne hinein sah, und die auf eine wunderbare Weise, ohne auch nur einen Schatten zu werfen, den ganzen Dom erhellte.

Warum kommst du, da wir Licht haben? fragte der goldene König. – Ihr wißt, daß ich das Dunkle nicht erleuchten darf. – Endigt sich mein Reich? fragte der silberne König.– Spät oder nie, versetzte der Alte.

Mit einer starken Stimme fing der eherne König an zu fragen: wann werde ich aufstehn? – Bald, versetzte der Alte. – Mit wem soll ich mich verbinden? fragte der König. – Mit deinen ältern Brüdern, sagte der Alte. – Was wird aus dem jüngsten werden? fragte der König. – Er wird sich setzen, sagte der Alte.

Ich bin nicht müde, rief der vierte König mit einer rauhen stotternden Stimme.

Die Schlange war, indessen jene redeten, in dem Tempel leise herumgeschlichen, hatte alles betrachtet und besah nunmehr den vierten König in der Nähe. Er stand an eine Säule gelehnt, und seine ansehnliche Gestalt war eher schwerfällig als schön. Allein das Metall, woraus er gegossen war, konnte man nicht leicht unterscheiden. Genau betrachtet war es eine Mischung der drei Metalle, aus denen seine Brüder gebildet waren. Aber beim Gusse schienen diese Materien nicht recht zusammengeschmolzen zu sein; goldne und silberne Adern liefen unregelmäßig durch eine eherne Masse hindurch und gaben dem Bilde ein unangenehmes Ansehn.

Indessen sagte der goldne König zum Manne: wieviel Geheimnisse weißt du? – Drei versetzte der Alte. – Welches ist das wichtigste? fragte der silberne König. – Das offenbare, versetzte der Alte. – Willst du es auch uns eröffnen? fragte der eherne. – Sobald ich das vierte weiß, sagte der Alte. – Was kümmerts mich! murmelte der zusammengesetzte König vor sich hin.

Ich weiß das vierte, sagte die Schlange, näherte sich dem Alten und zischte ihm etwas ins Ohr. – Es ist an der Zeit! rief der Alte mit gewaltiger Stimme. Der Tempel schallte wider, die metallenen Bildsäulen klangen, und in dem Augenblick versank der Alte nach

Westen und die Schlange nach Osten, und jedes durchstrich mit großer Schnelle die Klüfte der Felsen.

Alle Gänge, durch die der Alte hindurch wandelte, füllten sich hinter ihm sogleich mit Gold, denn seine Lampe hatte die wunderbare Eigenschaft, alle Steine in Gold, alles Holz in Silber, tote Tiere in Edelsteine zu verwandeln, und alle Metalle zu zernichten; diese Wirkung zu äußern mußte sie aber ganz allein leuchten. Wenn ein ander Licht neben ihr war, wirkte sie nur einen schönen hellen Schein, und alles Lebendige ward immer durch sie erquickt.

Der Alte trat in seine Hütte, die an dem Berge angebauet war, und fand sein Weib in der größten Betrübnis. Sie saß am Feuer und weinte und konnte sich nicht zufrieden geben. Wie unglücklich bin ich, rief sie aus, wollt ich dich heute doch nicht fortlassen! – Was gibt es denn? fragte der Alte ganz ruhig.

Kaum bist du weg, sagte sie mit Schluchzen, so kommen zwei ungestüme Wanderer vor die Türe; unvorsichtig lasse ich sie herein, es schienen ein paar artige rechtliche Leute; sie waren in leichte Flammen gekleidet, man hätte sie für Irrlichter halten können; kaum sind sie im Hause, so fangen sie an, auf eine unverschämte Weise, mir mit Worten zu schmeicheln, und werden so zudringlich, daß ich mich schäme daran zu denken.

Nun, versetzte der Mann lächelnd, die Herren haben wohl gescherzt; denn deinem Alter nach sollten sie es wohl bei der allgemeinen Höflichkeit gelassen haben.

Was Alter! Alter! rief die Frau, soll ich immer von meinem Alter hören? Wie alt bin ich denn? Gemeine Höflichkeit! Ich weiß doch was ich weiß. Und sieh dich nur um, wie die Wände aussehen; sieh nur die alten Steine, die ich seit hundert Jahren nicht mehr gesehen habe; alles Gold haben sie herunter geleckt, du glaubst nicht mit welcher Behendigkeit, und sie versicherten immer, es schmecke viel besser als gemeines Gold. Als sie die Wände reingefegt hatten, schienen sie sehr guten Mutes, und gewiß sie waren auch in kurzer Zeit sehr viel größer, breiter und glänzender geworden. Nun fingen sie ihren Mutwillen von neuem an, streichelten mich wieder, hießen mich ihre Königin, schüttelten sich und eine Menge Goldstücke sprangen herum; du siehst noch, wie sie dort unter der Bank leuchten; aber welch ein Unglück! Unser Mops fraß einige davon und sieh da liegt er am Kamine tot; das arme Tier! ich kann mich nicht zufrieden geben. Ich sah es erst, da sie fort waren, denn sonst hätte ich nicht versprochen, ihre Schuld beim Fährmann abzutragen. – Was sind sie schuldig? fragte der Alte. – Drei Kohlhäupter, sagte die Frau, drei Artischocken und drei Zwiebeln, wenn es Tag wird, habe ich versprochen, sie an den Fluß zu tragen.

Du kannst ihnen den Gefallen tun, sagte der Alte, denn sie werden uns gelegentlich auch wieder dienen.

Ob sie uns dienen werden, weiß ich nicht, aber versprochen und beteuert haben sie es.

Indessen war das Feuer im Kamine zusammengebrannt, der Alte überzog die Kohlen mit vieler Asche, schaffte die leuchtenden Goldstücke bei Seite und nun leuchtete sein Lämpchen wieder allein, in dem schönsten Glanze, die Mauern überzogen sich mit Gold und der Mops war zu dem schönsten Onyx geworden, den man sich denken konnte. Die Abwechslung der braunen und schwarzen Farbe des kostbaren Gesteins machte ihn zum seltensten Kunstwerke.

Nimm deinen Korb, sagte der Alte, und stell den Onyx hinein; alsdann nimm die drei Kohlhäupter, die drei Artischocken und die drei Zwiebeln lege sie umher und trage sie zum Flusse. Gegen Mittag laß dich von der Schlange übersetzen und besuche die schöne Lilie, bring ihr den Onyx, sie wird ihn durch ihre Berührung lebendig machen, wie sie alles Lebendige durch ihre Berührung tötet; sie wird einen treuen Gefährten an ihm haben. Sage ihr, sie solle nicht trauern, ihre Erlösung sei nahe, das größte Unglück könne sie als das größte Glück betrachten, denn es sei an der Zeit.

Die Alte packte ihren Korb und machte sich, als es Tag war, auf den Weg. Die aufgehende Sonne schien hell über den Fluß herüber, der in der Ferne glänzte, das Weib ging mit langsamem Schritt, denn der Korb drückte sie aufs Haupt und es war nicht der Onyx der so lastete. Alles Tote was sie trug fühlte sie nicht, vielmehr hob sich alsdann der Korb in die Höhe und schwebte über ihrem Haupte. Aber ein frisches Gemüs oder ein kleines lebendiges Tier zu tragen war ihr äußerst beschwerlich. Verdrießlich war sie eine Zeit lang hingegangen als sie auf einmal, erschreckt, stille stand, denn sie hätte beinahe auf den Schatten des Riesen getreten, der sich über die Ebene bis zu ihr hin erstreckte, und nun sah sie erst den gewaltigen Riesen, der sich im Fluß gebadet hatte, aus dem Wasser heraussteigen und sie wußte nicht, wie sie ihm ausweichen sollte. Sobald er sie gewahr ward, fing er sie scherzhaft zu begrüßen an und die Hände seines Schattens griffen sogleich in den Korb. Mit Leichtigkeit und Geschicklichkeit nahmen sie ein Kohlhaupt, eine Artischocke und eine Zwiebel heraus und brachten sie dem Riesen zum Munde, der sodann weiter den Fluß hinauf ging und dem Weibe den Weg frei ließ.

Sie bedachte, ob sie nicht lieber zurückgehen und die fehlende Stücke aus ihrem Garten wieder ersetzen sollte, und ging unter diesen Zweifeln immer weiter vorwärts, so daß sie bald an dem Ufer des Flusses ankam. Lange saß sie in Erwartung des Fährmanns, den sie endlich mit einem sonderbaren Reisenden herüberschiffen sah. Ein junger edler schöner Mann, den sie nicht genug ansehen konnte, stieg aus dem Kahne.

Was bringt Ihr? rief der Alte. – Es ist das Gemüse das Euch die Irrlichter schuldig sind, versetzte die Frau und wies ihre Ware hin. Als der Alte von jeder Sorte nur zwei fand ward er verdrießlich und versicherte daß er sie nicht annehmen könne. Die Frau bat ihn inständig, erzählte ihm, daß sie jetzt nicht nach Hause gehen könne und daß ihr die Last auf dem Wege den sie vor sich habe beschwerlich sei. Er blieb bei seiner abschlägigen Antwort, indem er sie versicherte daß es nicht einmal von ihm abhange. Was mir gebührt, muß ich neun Stunden zusammen lassen, und ich darf nichts annehmen, bis ich dem Fluß ein Drittel übergeben habe. Nach vielen hin und Widerreden versetzte endlich der Alte: es ist noch ein Mittel. Wenn ihr Euch gegen den Fluß verbürgt und Euch als Schuldnerin bekennen wollt, so nehm ich die sechs Stücke zu mir, es ist aber einige Gefahr dabei. – Wenn ich mein Wort halte, so laufe ich doch keine Gefahr? – Nicht die geringste. Steckt Eure Hand in den Fluß, fuhr der Alte fort, und versprecht daß Ihr in vier und zwanzig Stunden die Schuld abtragen wollt.

Die Alte tats, aber wie erschrak sie nicht als sie ihre Hand kohlschwarz wieder aus dem Wasser zog. Sie schalt heftig auf den Alten, versicherte, daß ihre Hände immer das schönste an ihr gewesen wären und daß sie, ohnerachtet der harten Arbeit, diese edlen Glieder weiß und zierlich zu erhalten gewußt habe. Sie besah die Hand mit großem Verdrusse und rief verzweiflungsvoll aus: Das ist noch schlimmer! Ich sehe sie ist gar geschwunden, sie ist viel kleiner als die andere.

Jetzt scheint es nur so, sagte der Alte, wenn Ihr aber nicht worthaltet, kann es wahr werden. Die Hand wird nach und nach schwinden und endlich ganz verschwinden, ohne daß Ihr den Gebrauch derselben entbehrt. Ihr werdet alles damit verrichten können nur daß sie niemand sehen wird. – Ich wollte lieber, ich könnte sie nicht brauchen und man säh' mirs nicht an, sagte die Alte, indessen hat das nichts zu bedeuten, ich werde mein Wort halten, um diese schwarze Haut und diese Sorge bald los zu werden. Eilig nahm sie darauf den Korb, der sich von selbst über ihren Scheitel erhob und frei in die Höhe schwebte und eilte dem jungen Manne nach, der sachte und in Gedanken am Ufer hinging. Seine herrliche Gestalt und sein sonderbarer Anzug hatten sich der Alten tief eingedruckt.

Seine Brust war mit einem glänzenden Harnisch bedeckt, durch den alle Teile seines schönen Leibes sich durchbewegten. Um seine Schultern hing ein purpur Mantel, um sein unbedecktes Haupt wallten braune Haare in schönen Locken; sein holdes Gesicht war den Strahlen der Sonne ausgesetzt, so wie seine schön gebauten Füße. Mit nackten Sohlen ging er gelassen über den heißen Sand hin und ein tiefer Schmerz schien alle äußere Eindrücke abzustumpfen.

Die gesprächige Alte suchte ihn zu einer Unterredung zu bringen, allein er gab ihr mit kurzen Worten wenig Bescheid, so daß sie endlich ungeachtet seiner schönen Augen müde ward ihn immer vergebens anzureden, von ihm Abschied nahm und sagte: Ihr geht mir zu langsam, mein Herr, ich darf den Augenblick nicht versäumen um über die grüne Schlange den Fluß zu passieren und der schönen Lilie das vortreffliche Geschenk von meinem Manne zu überbringen. Mit diesen Worten schritt sie eilends fort und ebenso schnell ermannte sich der schöne Jüngling und eilte ihr auf dem Fuße nach. Ihr geht zur schönen Lilie! rief er aus, da gehen wir Einen Weg. Was ist das für ein Geschenk das Ihr tragt?

Mein Herr, versetzte die Frau dagegen, es ist nicht billig nachdem Ihr meine Fragen so einsilbig abgelehnt habt, Euch mit solcher Lebhaftigkeit nach meinen Geheimnissen zu erkundigen. Wollt Ihr aber einen Tausch eingehen und mir Eure Schicksale erzählen so will ich Euch nicht verbergen wie es mit mir und meinem Geschenke steht. Sie wurden bald einig; die Frau vertraute ihm ihre Verhältnisse, die Geschichte des Hundes und ließ ihn dabei das wundervolle Geschenk betrachten.

Er hob sogleich das natürliche Kunstwerk aus dem Korbe und nahm den Mops der sanft zu ruhen schien, in seine Arme. Glückliches Tier! rief er aus, du wirst von ihren Händen berührt, du wirst von ihr belebt werden, anstatt daß Lebendige vor ihr fliehen um nicht ein trauriges Schicksal zu erfahren. Doch was sage ich traurig! ist es nicht viel betrübter und bänglicher durch ihre Gegenwart gelähmt zu werden, als es sein würde von ihrer Hand zu sterben! Sieh mich an, sagte er zu der Alten; in meinen Jahren, welch einen elenden Zustand muß ich erdulden. Diesen Harnisch, den ich mit Ehren im Kriege getragen, diesen Purpur, den ich durch eine weise Regierung zu verdienen suchte, hat mir das Schicksal gelassen, jenen als eine unnötige Last, diesen als eine unbedeutende Zierde.

Krone, Szepter und Schwert sind hinweg, ich bin übrigens so nackt und bedürftig, als jeder andere Erdensohn, denn so unselig wirken ihre schönen blauen Augen, daß sie allen lebendigen Wesen ihre Kraft nehmen und daß diejenigen, die ihre berührende Hand nicht tötet, sich in den Zustand lebendig wandelnder Schatten versetzt fühlen.

So fuhr er fort zu klagen und befriedigte die Neugierde der Alten keineswegs, welche nicht sowohl von seinem innern als von seinem äußern Zustande unterrichtet sein wollte. Sie erfuhr weder den Namen seines Vaters noch seines Königreichs. Er streichelte den harten Mops, den die Sonnenstrahlen und der warme Busen des Jünglings als wenn er lebte erwärmt hatten. Er fragte viel nach dem Mann mit der Lampe, nach den Wirkungen des heiligen Lichtes und schien sich davon für seinen traurigen Zustand künftig viel Gutes zu versprechen.

Unter diesen Gesprächen sahen sie von ferne den majestätischen Bogen der Brücke, der von Einem Ufer zum andern hinüber reichte, im Glanz der Sonne auf das wunderbarste schimmern. Beide erstaunten, denn sie hatten dieses Gebäude noch nie so herrlich gesehen. Wie! rief der Prinz; war sie nicht schon schön genug, als sie vor unsern Augen wie von Jaspis und Prasem gebaut da stand, muß man nicht fürchten sie zu betreten, da sie aus Smaragd, Chrysopras und Chrysolith mit der anmutigsten Mannigfaltigkeit zusammengesetzt erscheint? Beide wußten nicht die Veränderung, die mit der Schlange vorgegangen war, denn die Schlange war es, die sich jeden Mittag über den Fluß hin über bäumte und in Gestalt einer kühnen Brücke da stand. Die Wanderer betraten sie mit Ehrfurcht und gingen schweigend hinüber.

Sie waren kaum am jenseitigen Ufer, als die Brücke sich zu schwingen und zu bewegen anfing, in kurzem die Oberfläche des Wassers berührte und die grüne Schlange in ihrer eigentümlichen Gestalt den Wanderern auf dem Lande nachgleitete. Beide hatten kaum für die Erlaubnis auf ihrem Rücken über den Fluß zu setzen gedankt, als sie bemerkten, daß außer ihnen dreien noch mehrere Personen in der Gesellschaft sein müßten, die sie jedoch mit ihren Augen nicht erblicken konnten. Sie hörten neben sich ein Gezisch, dem die Schlange gleichfalls mit einem Gezisch antwortete, sie horchten auf und konnten endlich folgendes vernehmen: Wir werden, sagten ein paar wechselnde Stimmen, uns erst Incognito in dem Park der schönen Lilie umsehen, und ersuchen Euch uns mit Anbruch der Nacht, sobald wir nur irgend präsentabel sind, der vollkommenen Schönheit vorzustellen. An dem Rande des großen

Sees werdet Ihr uns antreffen. Es bleibt dabei, antwortete die Schlange und ein zischender Laut verlor sich in der Luft.

Unsere drei Wanderer beredeten sich nunmehr in welcher Ordnung sie bei der Schönen vortreten wollten, denn so viel Personen auch um sie sein konnten, so durften sie doch nur einzeln kommen und gehen, wenn sie nicht empfindliche Schmerzen erdulden sollten.

Das Weib mit dem verwandelten Hunde im Korbe nahte sich zuerst dem Garten und suchte ihre Gönnerin auf, die leicht zu finden war, weil sie eben zur Harfe sang; die lieblichen Töne zeigten sich erst als Ringe auf der Oberfläche des stillen Sees, dann wie ein leichter Hauch setzten sie Gras und Büsche in Bewegung. Auf einem eingeschlossenen grünen Platze in dem Schatten einer herrlichen Gruppe mannigfaltiger Bäume saß sie und bezauberte beim ersten Anblick aufs neue die Augen, das Ohr und das Herz des Weibes das sich ihr mit Entzücken näherte und bei sich selbst schwur, die Schöne sei während ihrer Abwesenheit nur immer schöner geworden. Schon von weiten rief die gute Frau dem liebenswürdigsten Mädchen Gruß und Lob zu. Welch ein Glück Euch anzusehen, welch einen Himmel verbreitet Eure Gegenwart um Euch her! Wie die Harfe so reizend in Eurem Schoße lehnt, wie Eure Arme sie so sanft umgeben, wie sie sich nach Eurer Brust zu sehnen scheint und wie sie unter der Berührung Eurer schlanken Finger so zärtlich klingt! Dreifach glücklicher Jüngling, der du ihren Platz einnehmen konntest!

Unter diesen Worten war sie näher gekommen, die schöne Lilie schlug die Augen auf, ließ die Hände sinken und versetzte: betrübe mich nicht durch ein unzeitiges Lob, ich empfinde nur desto stärker mein Unglück. Sieh hier zu meinen Füßen liegt der arme Canarienvogel tot, der sonst meine Lieder auf das angenehmste begleitete; er war gewöhnt auf meiner Harfe zu sitzen und sorgfältig abgerichtet mich nicht zu berühren; heute, indem ich vom Schlaf erquickt, ein ruhiges Morgenlied anstimme, und mein kleiner Sänger munterer als jemals seine harmonischen Töne hören läßt, schießt ein Habicht über meinem Haupte hin; das arme kleine Tier, erschrocken, flüchtet in meinen Busen und in dem Augenblick fühl ich die letzten Zuckungen seines scheidenden Lebens. Zwar von meinem Blicke getroffen schleicht der Räuber dort ohnmächtig am Wasser hin, aber was kann mir seine Strafe helfen, mein Liebling ist tot und sein Grab wird nur das traurige Gebüsch meines Gartens vermehren.

Ermannt Euch, schöne Lilie! rief die Frau, indem sie selbst eine

Träne abtrocknete, welche ihr die Erzählung des unglücklichen Mädchens aus den Augen gelockt hatte, nehmt Euch zusammen, mein Alter läßt Euch sagen, Ihr sollt Eure Trauer mäßigen; das größte Unglück als Vorbote des größten Glücks ansehen; denn es sei an der Zeit; und wahrhaftig, fuhr die Alte fort, es geht bunt in der Welt zu. Seht nur meine Hand wie sie schwarz geworden ist, wahrhaftig sie ist schon um vieles kleiner ich muß eilen eh' sie gar verschwindet! Warum mußt ich den Irrlichtern eine Gefälligkeit erzeigen, warum mußt ich dem Riesen begegnen und warum meine Hand in den Fluß tauchen? Könnt Ihr mir nicht ein Kohlhaupt, eine Artischocke und eine Zwiebel geben? so bring ich sie dem Flusse und meine Hand ist weiß wie vorher, so daß ich sie fast neben die Eurige halten könnte.

Kohlhäupter und Zwiebeln könntest du allenfalls noch finden; aber Artischocken suchest du vergebens. Alle Pflanzen in meinem großen Garten tragen weder Blüten noch Früchte, aber jedes Reis, das ich breche und auf das Grab eines Lieblings pflanze grünt sogleich und schießt hoch auf. Alle diese Gruppen, diese Büsche, diese Haine habe ich leider wachsen sehen. Die Schirme dieser Pinien, die Obelisken dieser Zypressen, die Colossen von Eichen und Buchen, alles waren kleine Reiser als ein trauriges Denkmal von meiner Hand in einen sonst unfruchtbaren Boden gepflanzt.

Die Alte hatte auf diese Rede wenig acht gegeben und nur ihre Hand betrachtet, die in der Gegenwart der schönen Lilie immer schwärzer und von Minute zu Minute kleiner zu werden schien. Sie wollte ihren Korb nehmen und eben forteilen, als sie fühlte daß sie das Beste vergessen hatte. Sie hub sogleich den verwandelten Hund heraus und setzte ihn nicht weit von der Schönen ins Gras. Mein Mann, sagte sie, schickt Euch dieses Andenken, Ihr wißt, daß Ihr diesen Edelstein durch Eure Berührung beleben könnt. Das artige treue Tier wird Euch gewiß viel Freude machen und die Betrübnis, daß ich ihn verliere, kann nur durch den Gedanken aufgeheitert werden, daß Ihr ihn besitzt.

Die schöne Lilie sah das artige Tier mit Vergnügen und wie es schien mit Verwunderung an. Es kommen viele Zeichen zusammen, sagte sie, die mir einige Hoffnung einflößen; aber ach! ist es nicht bloß ein Wahn unsrer Natur, daß wir dann, wenn vieles Unglück zusammen trifft, uns vorbilden das Beste sei nah.

Was helfen mir die vielen guten Zeichen?
Des Vogels Tod, der Freundin schwarze Hand?
Der Mops von Edelstein, hat er wohl seines gleichen?
Und hat ihn nicht die Lampe mir gesandt?

Entfernt vom süßen menschlichen Genusse,
Bin ich doch mit dem Jammer nur vertraut.
Ach! warum steht der Tempel nicht am Flusse,
Ach! warum ist die Brücke nicht gebaut!

Ungeduldig hatte die gute Frau diesem Gesange zugehört, den die schöne Lilie mit den angenehmen Tönen ihrer Harfe begleitete und der jeden andern entzückt hätte. Eben wollte sie sich beurlauben, als sie durch die Ankunft der grünen Schlange abermals abgehalten wurde. Diese hatte die letzten Zeilen des Liedes gehört und sprach deshalb der schönen Lilie sogleich zuversichtlich Mut ein.

Die Weissagung von der Brücke ist erfüllt! rief sie aus, fragt nur diese gute Frau wie herrlich der Bogen gegenwärtig erscheint. Was sonst undurchsichtiger Jaspis, was nur Prasem war, durch den das Licht höchstens auf den Kanten durchschimmerte, ist nun durchsichtiger Edelstein geworden. Kein Beryll ist so klar und kein Smaragd so schön farbig.

Ich wünsche Euch Glück dazu, sagte Lilie, allein verzeihet mir wenn ich die Weissagung noch nicht erfüllt glaube. Über den hohen Bogen Eurer Brücke können nur Fußgänger hinüber schreiten und es ist uns versprochen, daß Pferde und Wagen und Reisende aller Art zu gleicher Zeit über die Brücke herüber und hinüber wandern sollen. Ist nicht von den großen Pfeilern geweissagt; die aus dem Flusse selbst heraussteigen werden?

Die Alte hatte ihre Augen immer auf die Hand geheftet, unterbrach hier das Gespräch und empfahl sich. Verweilt noch einen Augenblick sagte die schöne Lilie, und nehmt meinen armen Kanarienvogel mit. Bittet die Lampe, daß sie ihn in einen schönen Topas verwandle, ich will ihn durch meine Berührung beleben und er, mit Eurem guten Mops, soll mein bester Zeitvertreib sein; aber eilt was Ihr könnt, denn mit Sonnenuntergang ergreift unleidliche Fäulnis das arme Tier und zerreißt den schönen Zusammenhang seiner Gestalt auf ewig.

Die Alte legte den kleinen Leichnam zwischen zarte Blätter in den Korb und eilte davon.

Wie dem auch sei, sagte die Schlange indem sie das abgebrochene Gespräch fortsetzte, der Tempel ist erbaut.

Er steht aber noch nicht am Flusse, versetzte die Schöne.

Noch ruht er in den Tiefen der Erde, sagte die Schlange; ich habe die Könige gesehen und gesprochen.

Aber wann werden sie aufstehn? fragte Lilie.

Die Schlange versetzte, ich hörte die großen Worte im Tempel ertönen: es ist an der Zeit.

Eine angenehme Heiterkeit verbreitete sich über das Angesicht der Schönen. Höre ich doch, sagte sie, die glücklichen Worte schon heute zum zweitenmal, wann wird der Tag kommen, an dem ich sie dreimal höre?

Sie stand auf und sogleich trat ein reizendes Mädchen aus dem Gebüsch, das ihr die Harfe abnahm. Dieser folgte eine andre, die den elfenbeinernen, geschnitzten Feldstuhl, worauf die Schöne gesessen hatte, zusammenschlug und das silberne Kissen unter den Arm nahm. Eine Dritte die einen großen, mit Perlen gestickten Sonnenschirm trug, zeigte sich darauf erwartend ob Lilie, auf einem Spaziergange, etwa ihrer bedürfe. Über allen Ausdruck schön und reizend waren diese drei Mädchen und doch erhöhten sie nur die Schönheit der Lilie, indem sich jeder gestehen mußte, daß sie mit ihr gar nicht verglichen werden konnten.

Mit Gefälligkeit hatte indes die schöne Lilie den wunderbaren Mops betrachtet. Sie beugte sich, berührte ihn und in dem Augenblicke sprang er auf. Munter sah er sich um, lief hin und wider und eilte zuletzt seine Wohltäterin auf das freundlichste zu begrüßen. Sie nahm ihn auf die Arme und drückte ihn an sich. So kalt du bist, rief sie aus, und obgleich nur ein halbes Leben in dir wirkt, bist du mir doch willkommen, zärtlich will ich dich lieben, artig mit dir scherzen, freundlich dich streicheln, und fest dich an mein Herz drücken. Sie ließ ihn darauf los jagte ihn von sich, rief ihn wieder, scherzte so artig mit ihm und trieb sich so munter und unschuldig mit ihm auf dem Grase herum, daß man mit neuem Entzücken ihre Freude betrachten und teil daran nehmen mußte, so wie kurz vorher ihre Trauer jedes Herz zum Mitleid gestimmt hatte.

Diese Heiterkeit, diese anmutigen Scherze wurden durch die Ankunft des traurigen Jünglings unterbrochen. Er trat herein wie wir ihn schon kennen, nur schien die Hitze des Tages ihn noch mehr abgemattet zu haben und in der Gegenwart der Geliebten ward er mit jedem Augenblicke blässer. Er trug den Habicht auf seiner Hand, der wie eine Taube ruhig saß und die Flügel hängen ließ.

Es ist nicht freundlich, rief Lilie ihm entgegen, daß du mir das verhaßte Tier vor die Augen bringst. Das Ungeheuer, das meinen kleinen Sänger heute getötet hat.

Schilt den unglücklichen Vogel nicht, versetzte darauf der Jüngling, klage vielmehr dich an und das Schicksal, und vergönne mir daß ich mit dem Gefährten meines Elends Gesellschaft mache.

Indessen hörte der Mops nicht auf, die Schöne zu necken, und sie antwortete dem durchsichtigen Liebling durch das freundlichste Betragen. Sie klatschte mit den Händen um ihn zu verscheuchen, dann lief sie um ihn wieder nach sich zu ziehen. Sie suchte ihn zu haschen wenn er floh und jagte ihn von sich weg wenn er sich an sie zu drängen versuchte. Der Jüngling sah stillschweigend und mit wachsendem Verdrusse zu; aber endlich da sie das häßliche Tier das ihm ganz abscheulich vorkam, auf den Arm nahm, an ihren weißen Busen drückte und die schwarze Schnauze mit ihren himmlischen Lippen küßte, verging ihm alle Geduld und er rief voller Verzweiflung aus: muß ich, der ich durch ein trauriges Geschick vor dir, vielleicht auf immer, in einer getrennten Gegenwart lebe, der ich durch dich alles, ja mich selbst, verloren habe, muß ich vor meinen Augen sehen daß eine so widernatürliche Mißgeburt dich zur Freude reizen, deine Neigung fesseln und deine Umarmung genießen kann. Soll ich noch länger nur so hin und wider gehen und den traurigen Kreis den Fluß herüber und hinüber abmessen? Nein, es ruht noch ein Funke des alten Heldenmutes in meinem Busen; er schlage in diesem Augenblick zur letzten Flamme auf. Wenn Steine an deinem Busen ruhen können, so möge ich zu Stein werden, wenn deine Berührung tötet, so will ich von deinen Händen sterben.

Mit diesen Worten machte er eine heftige Bewegung; der Habicht flog von seiner Hand, er aber stürzte auf die Schöne los, sie streckte die Hände aus ihn abzuhalten und berührte ihn nur desto früher. Das Bewußtsein verließ ihn und mit Entsetzen fühlte sie die schöne Last an ihrem Busen. Mit einem Schrei trat sie zurück und der holde Jüngling sank entseelt aus ihren Armen zur Erde.

Das Unglück war geschehen! Die süße Lilie stand unbeweglich, und blickte starr nach dem entseelten Leichnam. Das Herz schien ihr im Busen zu stocken und ihre Augen waren ohne Tränen. Vergebens suchte der Mops ihr eine freundliche Bewegung abzugewinnen, die ganze Welt war mit ihrem Freunde ausgestorben. Ihre stumme Verzweiflung sah sich nach Hilfe nicht um, denn sie kannte keine Hilfe.

Dagegen regte sich die Schlange desto emsiger, sie schien auf Rettung zu sinnen und wirklich dienten ihre sonderbaren Bewegungen wenigstens die nächsten schrecklichen Folgen des Unglücks auf einige Zeit zu hindern. Sie zog mit ihrem geschmeidigen Körper einen weiten Kreis um den Leichnam, faßte das Ende ihres Schwanzes mit den Zähnen und blieb ruhig liegen.

Nicht lange, so trat eine der schönen Dienerinnen Liliens hervor, brachte den elfenbeinernen Feldstuhl, und nötigte, mit freundlichen Gebärden, die Schöne sich zu setzen, bald darauf kam die Zweite, die einen feuerfarbigen Schleier trug und das Haupt ihrer Gebieterin damit mehr zierte als bedeckte, die dritte übergab ihr die Harfe und kaum hatte sie das prächtige Instrument an sich gedruckt, und einige Töne aus den Saiten hervorgelockt, als die erste mit einem hellen runden Spiegel zurückkam, sich der Schönen gegenüber stellte, ihre Blicke auffing und ihr das angenehmste Bild das in der Natur zu finden war darstellte. Der Schmerz erhöhte ihre Schönheit, der Schleier ihre Reize, die Harfe ihre Anmut, und so sehr man hoffte ihre traurige Lage verändert zu sehen; so sehr wünschte man ihr Bild ewig wie es gegenwärtig erschien fest zu halten.

Mit einem stillen Blick nach dem Spiegel lockte sie bald schmelzende Töne aus den Saiten, bald schien ihr Schmerz zu steigen, und die Saiten antworteten gewaltsam ihrem Jammer; einigemal öffnete sie den Mund zu singen, aber die Stimme versagte ihr, doch bald löste sich ihr Schmerz in Tränen auf, zwei Mädchen faßten sie hilfreich in die Arme, die Harfe sank aus ihrem Schoße, kaum ergriff noch die schnelle Dienerin das Instrument und trug es bei Seite.

Wer schafft uns den Mann mit der Lampe, ehe die Sonne untergeht? zischte die Schlange leise, aber vernehmlich; die Mädchen sahen einander an, und Liliens Tränen vermehrten sich. In diesem Augenblicke kam atemlos die Frau mit dem Korbe zurück. Ich bin verloren und verstümmelt rief sie aus! seht wie meine Hand beinahe ganz weggeschwunden ist, weder der Fährmann noch der Riese wollten mich über setzen, weil ich noch eine Schuldnerin des Wassers bin, vergebens habe ich hundert Kohlhäupter und hundert Zwiebeln angeboten, man will nicht mehr als die drei Stücke und keine Artischocke ist nun einmal in diesen Gegenden zu finden.

Vergeßt Eure Not, sagte die Schlange, und sucht hier zu helfen, vielleicht kann Euch zugleich mit geholfen werden. Eilt was Ihr könnt die Irrlichter aufzusuchen, es ist noch zu hell sie zu sehen, aber vielleicht hört Ihr sie lachen und flattern. Wenn sie eilen, so setzt sie der Riese noch über den Fluß und sie können den Mann mit der Lampe finden und schicken.

Das Weib eilte so viel sie konnte und die Schlange schien ebenso ungeduldig als Lilie die Rückkunft der beiden zu erwarten. Leider vergoldete schon der Strahl der sinkenden Sonne nur den höchsten Gipfel der Bäume des Dickichts und lange Schatten zogen sich über See und Wiese, die Schlange bewegte sich ungeduldig und Lilie zerfloß in Tränen.

In dieser Not sah die Schlange sich überall um, denn sie fürchtete jeden Augenblick die Sonne werde untergehen, die Fäulnis den magischen Kreis durchdringen und den schönen Jüngling unaufhaltsam anfallen. Endlich erblickte sie hoch in den Lüften, mit purpurroten Federn den Habicht, dessen Brust die letzten Strahlen der Sonne auffing. Sie schüttelte sich vor Freuden über das gute Zeichen und sie betrog sich nicht, denn kurz darauf sah man den Mann mit der Lampe über den See hergleiten, gleich als wenn er auf Schrittschuhen ginge.

Die Schlange veränderte nicht ihre Stelle, aber die Lilie stand auf und rief ihm zu: Welcher gute Geist sendet dich in dem Augenblick, da wir so sehr nach dir verlangen und deiner so sehr bedürfen?

Der Geist meiner Lampe, versetzte der Alte, treibt mich und der Habicht führt mich hierher. Sie spratzelt wenn man meiner bedarf, und ich sehe mich nur in den Lüften nach einem Zeichen um, irgendein Vogel oder Meteor zeigt mir die Himmelsgegend an, wohin ich mich wenden soll. Sei ruhig, schönstes Mädchen, ob ich helfen kann weiß ich nicht, ein einzelner hilft nicht, sondern wer sich mit vielen zur rechten Stunde vereinigt. Aufschieben wollen wir und hoffen. Halte deinen Kreis geschlossen, fuhr er fort, indem er sich an die Schlange wendete, sich auf einen Erdhügel neben sie hinsetzte und den toten Körper beleuchtete. Bringt den artigen Kanarienvogel auch her und leget ihn in den Kreis! Die Mädchen nahmen den kleinen Leichnam aus dem Korbe, den die Alte stehen ließ, und gehorchten dem Manne.

Die Sonne war indessen untergegangen, und wie die Finsternis zunahm fing nicht allein die Schlange und die Lampe des Mannes nach ihrer Weise zu leuchten an, sondern der Schleier Liliens gab auch ein sanftes Licht von sich, das wie eine zarte Morgenröte ihre blassen Wangen und ihr weißes Gewand mit einer unendlichen Anmut färbte. Man sah sich wechselsweise mit stiller Betrachtung an, Sorge und Trauer waren durch eine sichere Hoffnung gemildert.

Nicht unangenehm erschien daher das alte Weib in Gesellschaft der beiden muntern Flammen, die zwar zeither sehr verschwendet haben mußten, denn sie waren wieder äußerst mager geworden, aber sich nur desto artiger gegen die Prinzessin und die übrigen

Frauenzimmer betrugen. Mit der größten Sicherheit und mit vielem Ausdruck sagten sie ziemlich gewöhnliche Sachen, besonders zeigten sie sich sehr empfänglich für den Reiz den der leuchtende Schleier über Lilien und ihre Begleiterinnen verbreitete. Bescheiden schlugen die Frauenzimmer ihre Augen nieder und das Lob ihrer Schönheit verschönerte sie wirklich. Jedermann war zufrieden und ruhig bis auf die Alte. Ohngeachtet der Versicherung ihres Mannes, daß ihre Hand nicht weiter abnehmen könne solange sie von seiner Lampe beschienen sei, behauptete sie mehr als einmal daß wenn es so fortgehe noch vor Mitternacht dieses edle Glied völlig verschwinden werde.

Der Alte mit der Lampe hatte dem Gespräch der Irrlichter aufmerksam zugehört und war vergnügt, daß Lilie durch diese Unterhaltung zerstreut und aufgeheitert worden. Und wirklich war Mitternacht herbei gekommen man wußte nicht wie. Der Alte sah nach den Sternen und fing darauf zu reden an: Wir sind zur glücklichen Stunde beisammen, jeder verrichte sein Amt, jeder tue seine Pflicht und ein allgemeines Glück wird die einzelnen Schmerzen in sich auflösen, wie ein allgemeines Unglück einzelne Freuden verzehrt.

Nach diesen Worten entstand ein wunderbares Geräusch, denn alle gegenwärtigen Personen sprachen für sich und druckten laut aus was sie zu tun hätten, nur die drei Mädchen waren stille, eingeschlafen war die eine neben der Harfe, die andere neben dem Sonnenschirm, die dritte neben dem Sessel, und man konnte es ihnen nicht verdenken denn es war spät, die flammenden Jünglinge hatten nach einigen vorübergehenden Höflichkeiten, die sie auch den Dienerinnen gewidmet, sich doch zuletzt nur an Lilien, als die Allerschönste gehalten.

Fasse, sagte der Alte zum Habicht, den Spiegel und mit dem ersten Sonnenstrahl beleuchte die Schläferinnen und wecke sie mit zurückgeworfenem Lichte aus der Höhe.

Die Schlange fing nunmehr an sich zu bewegen, löste den Kreis auf und zog langsam in großen Ringen nach dem Flusse. Feierlich folgten ihr die beiden Irrlichter, und man hätte sie für die ernsthaftesten Flammen halten sollen. Die Alte und ihr Mann ergriffen den Korb, dessen sanftes Licht man bisher kaum bemerkt hatte, sie zogen von beiden Seiten daran, und er ward immer größer und leuchtender, sie hoben darauf den Leichnam des Jünglings hinein und legten ihm den Kanarienvogel auf die Brust, der Korb hob sich in die Höhe und schwebte über dem Haupte der Alten und sie folgte den Irrlichtern auf dem Fuße. Die schöne Lilie nahm den

Mops auf ihren Arm und folgte der Alten, der Mann mit der Lampe beschloß den Zug und die Gegend war von diesen vielerlei Lichtern auf das sonderbarste erhellt.

Aber mit nicht geringer Bewunderung sah die Gesellschaft, als sie zu dem Flusse gelangte, einen herrlichen Bogen über denselben hinüber steigen, wodurch die wohltätige Schlange ihnen einen glänzenden Weg bereitete. Hatte man bei Tage die durchsichtigen Edelsteine bewundert, woraus die Brücke zusammengesetzt schien, so erstaunte man bei Nacht über ihre leuchtende Herrlichkeit. Oberwärts schnitt sich der helle Kreis scharf an dem dunklen Himmel ab, aber unterwärts zuckten lebhafte Strahlen nach dem Mittelpunkte zu und zeigten die bewegliche Festigkeit des Gebäudes. Der Zug ging langsam hinüber und der Fährmann, der von ferne aus seiner Hütte hervorsahe, betrachtete mit Staunen den leuchtenden Kreis und die sonderbaren Lichter, die darüber hinzogen.

Kaum waren sie an dem andern Ufer angelangt, als der Bogen nach seiner Weise zu schwanken und sich wellenartig dem Wasser zu nähern anfing. Die Schlange bewegte sich bald darauf ans Land, der Korb setzte sich zur Erde nieder und die Schlange zog aufs neue ihren Kreis umher, der Alte neigte sich vor ihr und sprach: was hast du beschlossen?

Mich aufzuopfern, ehe ich aufgeopfert werde, versetzte die Schlange, versprich mir daß du keinen Stein am Lande lassen willst.

Der Alte versprachs und sagte darauf zur schönen Lilie: rühre die Schlange mit der linken Hand an und deinen Geliebten mit der rechten. Lilie kniete nieder und berührte die Schlange und den Leichnam. Im Augenblicke schien dieser in das Leben überzugehen, er bewegte sich im Korbe ja er richtete sich in die Höhe und saß, Lilie wollte ihn umarmen, allein der Alte hielt sie zurück, er half dagegen dem Jüngling aufstehn und leitete ihn, indem er aus dem Korbe und dem Kreise trat.

Der Jüngling stand, der Kanarienvogel flatterte auf seiner Schulter, es war wieder Leben in beiden, aber der Geist war noch nicht zurück gekehrt; der schöne Freund hatte die Augen offen und sah nicht, wenigstens schien er alles ohne Teilnehmung anzusehn und kaum hatte sich die Verwunderung über diese Begebenheit einigermaßen gemäßigt als man erst bemerkte, wie sonderbar die Schlange sich verändert hatte. Ihr schöner schlanker Körper war in tausend und tausend leuchtende Edelsteine zerfallen, unvorsichtig hatte die Alte, die nach ihrem Korbe greifen wollte, an sie gestoßen und man sah nichts mehr von der Bildung der Schlange, nur ein schöner Kreis leuchtender Edelsteine lag im Grase.

Der Alte machte sogleich Anstalt die Steine in den Korb zu fassen, wozu ihm seine Frau behilflich sein mußte. Beide trugen darauf den Korb gegen das Ufer an einen erhabenen Ort und er schüttete die ganze Ladung nicht ohne Widerwillen der Schönen und seines Weibes, die gerne davon sich etwas ausgesucht hätten, in den Fluß. Wie leuchtende und blinkende Sterne schwammen die Steine mit den Wellen hin, und man konnte nicht unterscheiden ob sie sich in der Ferne verloren oder untersanken.

Meine Herren sagte darauf der Alte ehrerbietig zu den Irrlichtern, nunmehr zeige ich Ihnen den Weg und eröffne den Gang, aber Sie leisten uns den größten Dienst, wenn Sie uns die Pforte des Heiligtums öffnen, durch die wir diesmal eingehen müssen und die außer Ihnen niemand aufschließen kann.

Die Irrlichter neigten sich anständig und blieben zurück, der Alte mit der Lampe ging voraus in den Felsen, der sich vor ihm auftat, der Jüngling folgte ihm, gleichsam mechanisch, still und ungewiß hielt sich Lilie in einiger Entfernung hinter ihm, die Alte wollte nicht gerne zurückbleiben und streckte ihre Hand aus, damit ja das Licht von ihres Mannes Lampe sie erleuchten könne. Nun schlossen die Irrlichter den Zug, indem sie die Spitzen ihrer Flammen zusammen neigten und mit einander zu sprechen schienen.

Sie waren nicht lange gegangen, als der Zug sich vor einem großen ehernen Tore befand, dessen Flügel mit einem goldenen Schloß verschlossen waren. Der Alte rief sogleich die Irrlichter herbei, die sich nicht lange aufmuntern ließen sondern geschäftig mit ihren spitzesten Flammen Schloß und Riegel aufzehrten.

Laut tönte das Erz als die Pforten schnell aufsprangen und im Heiligtum die würdigen Bilder der Könige, durch die hereintretenden Lichter beleuchtet, erschienen. Jeder neigte sich vor den ehrwürdigen Herrschern, besonders ließen es die Irrlichter an krausen Verbeugungen nicht fehlen.

Nach einiger Pause fragte der goldne König woher kommt ihr? – aus der Welt antwortete der Alte. Wohin geht ihr? fragte der silberne König – in die Welt! sagte der Alte – Was wollt ihr bei uns? fragte der eherne König – euch begleiten, sagte der Alte.

Der gemischte König wollte eben zu reden anfangen als der goldne zu den Irrlichtern, die ihm zu nahe gekommen waren, sprach: hebet euch weg von mir, mein Gold ist nicht für euren Gaum. Sie wandten sich darauf zum silbernen und schmiegten sich

an ihn, sein Gewand glänzte schön von ihrem gelblichen Widerschein. Ihr seid mir willkommen, sagte er, aber ich kann euch
nicht ernähren, sättigt euch auswärts und bringt mir euer Licht. Sie
entfernten sich und schlichen, bei dem ehernen vorbei, der sie
nicht zu bemerken schien, auf den zusammengesetzten los. Wer
wird die Welt beherrschen? rief dieser mit stotternder Stimme. –
Wer auf seinen Füßen steht, antwortete der Alte – Das bin ich!
sagte der gemischte König – Es wird sich offenbaren, sagte der
Alte, denn es ist an der Zeit.

Die schöne Lilie fiel dem Alten um den Hals und küßte ihn aufs
herzlichste. Heiliger Vater! sagte sie, tausendmal dank ich dir,
denn ich höre das ahnungsvolle Wort zum dritten Mal. Sie hatte
kaum ausgeredet, als sie sich noch fester an den Alten anhielt, denn
der Boden fing unter ihnen an zu schwanken, die Alte und der
Jüngling hielten sich auch an einander, nur die beweglichen Irrlichter merkten nichts.

Man konnte deutlich fühlen daß der ganze Tempel sich bewegte,
wie ein Schiff das sich sanft aus dem Hafen entfernt, wenn die
Anker gelichtet sind, die Tiefen der Erde schienen sich vor ihm
aufzutun als er hindurch zog. Er stieß nirgends an, kein Felsen
stand ihm in den Weg.

Wenig Augenblicke schien ein feiner Regen durch die Öffnung
der Kuppel hereinzurieseln, der Alte hielt die schöne Lilie fester
und sagte zu ihr: Wir sind unter dem Flusse und bald am Ziel.
Nicht lange darauf glaubten sie still zu stehn doch sie betrogen
sich, der Tempel stieg aufwärts.

Nun entstand ein seltsames Getöse über ihrem Haupte. Bretter
und Balken in ungestalter Verbindung, begannen sich zu der Öffnung der Kuppel krachend herein zu drängen. Lilie und die Alte
sprangen zur Seite, der Mann mit der Lampe faßte den Jüngling
und blieb stehen. Die kleine Hütte des Fährmanns, denn sie war es
die der Tempel, im Aufsteigen, vom Boden abgesondert und in
sich aufgenommen hatte, sank allmählich herunter und bedeckte
den Jüngling und den Alten.

Die Weiber schrien laut, und der Tempel schütterte wie ein
Schiff das unvermutet ans Land stößt. Ängstlich irrten die Frauen
in der Dämmerung um die Hütte, die Türe war verschlossen und
auf ihr Pochen hörte niemand. Sie pochten heftiger und wunderten
sich nicht wenig als zuletzt das Holz zu klingen anfing. Durch die
Kraft der verschlossenen Lampe war die Hütte von innen heraus zu
Silber geworden. Nicht lange, so veränderte sie sogar ihre Gestalt;
denn das edle Metall verließ die zufälligen Formen der Bretter,

Pfosten und Balken und dehnte sich zu einem herrlichen Gehäuse von getriebener Arbeit aus. Nun stand ein herrlicher kleiner Tempel in der Mitte des großen oder wenn man will, ein Altar des Tempels würdig.

Durch eine Treppe, die von innen heraufging trat nunmehr der edle Jüngling in die Höhe, der Mann mit der Lampe leuchtete ihm und ein anderer schien ihn zu unterstützen, der in einem weißen kurzen Gewand hervorkam und ein silbernes Ruder in der Hand hielt, man erkannte in ihm sogleich den Fährmann, den ehemaligen Bewohner der verwandelten Hütte.

Die schöne Lilie stieg die äußeren Stufen hinauf, die von dem Tempel auf den Altar führten, aber noch immer mußte sie sich von ihrem Geliebten entfernt halten. Die Alte, deren Hand, so lange die Lampe verborgen gewesen, immer kleiner geworden war, rief: soll ich doch noch unglücklich werden, ist bei so vielen Wundern durch kein Wunder meine Hand zu retten. Ihr Mann deutete ihr nach der offenen Pforte und sagte: siehe der Tag bricht an, eile und bade dich im Flusse. – Welch ein Rat! rief sie, ich soll wohl ganz schwarz werden und ganz verschwinden, habe ich doch meine Schuld noch nicht bezahlet – Gehe, sagte der Alte, und folge mir! alle Schulden sind abgetragen.

Die Alte eilte weg, und in dem Augenblick erschien das Licht der aufgehenden Sonne an dem Kranze der Kuppel, der Alte trat zwischen den Jüngling und die Jungfrau und rief mit lauter Stimme: Drei sind die da herrschen auf Erden: die Weisheit, der Schein und die Gewalt. Bei dem ersten Worte stand der goldne König auf, bei dem zweiten der silberne und bei dem dritten hatte sich der eherne langsam empor gehoben, als der zusammengesetzte König sich plötzlich ungeschickt niedersetzte.

Wer ihn sah' konnte sich, ohngeachtet des feierlichen Augenblicks, kaum des Lachens enthalten, denn er saß nicht, er lag nicht, er lehnte sich nicht an, sondern er war unförmlich zusammengesunken.

Die Irrlichter, die sich bisher um ihn beschäftigt hatten, traten zur Seite, sie schienen, obgleich blaß beim Morgenlichte, doch wieder gut genährt und wohl bei Flammen, sie hatten auf eine geschickte Weise die goldnen Adern des kolossalen Bildes mit ihren spitzen Zungen bis aufs innerste herausgeleckt, die unregelmäßigen leeren Räume, die dadurch entstanden waren, erhielten sich eine Zeit lang offen und die Figur blieb in ihrer vorigen Gestalt. Als aber auch zuletzt die zartesten Äderchen aufgezehrt waren, brach auf einmal das Bild zusammen und leider grade an den Stellen die ganz bleiben, wenn der Mensch sich setzt, dagegen blieben die Gelenke, die sich hätten biegen sollen, steif. Wer nicht lachen konnte, mußte seine Augen wegwenden, das Mittelding zwischen Form und Klumpen war widerwärtig anzusehn.

Der Mann mit der Lampe führte nunmehr den schönen aber immer noch starr vor sich hinblickenden Jüngling vom Altare herab, und gerade auf den ehernen König los. Zu den Füßen des mächtigen Fürsten lag ein Schwert, in eherner Scheide. Der Jüngling gürtete sich – Das Schwert an der Linken, die Rechte frei! rief der gewaltige König. Sie gingen darauf zum silbernen, der sein Szepter gegen den Jüngling neigte. Dieser ergriff es mit der linken Hand, und der König sagte mit gefälliger Stimme: Weide die Schafe. Als sie zum goldenen Könige kamen, drückte er mit väterlich segnender Gebärde dem Jüngling den Eichenkranz aufs Haupt und sprach: erkenne das Höchste.

Der Alte hatte während dieses Umgangs den Jüngling genau bemerkt. Nach umgürtetem Schwert hob sich seine Brust, seine Arme regten sich und seine Füße traten fester auf; indem er den Szepter in die Hand nahm, schien sich die Kraft zu mildern und durch einen unaussprechlichen Reiz noch mächtiger zu werden; als aber der Eichenkranz seine Locken zierte, belebten sich seine Gesichtszüge, sein Auge glänzte von unaussprechlichem Geist und das erste Wort seines Mundes war Lilie.

Liebe Lilie! rief er, als er ihr die silbernen Treppen hinauf entgegen eilte, denn sie hatte von der Zinne des Altars seiner Reise zugesehn, liebe Lilie! was kann der Mann, ausgestattet mit allem, sich Köstlicheres wünschen als die Unschuld und die stille Neigung, die mir dein Busen entgegenbringt? O! mein Freund, fuhr er fort, indem er sich zu dem Alten wendete und die drei heiligen Bildsäulen ansah. Herrlich und sicher ist das Reich unserer Väter, aber du hast die vierte Kraft vergessen, die noch früher, allgemeiner, gewisser die Welt beherrscht, die Kraft der Liebe. Mit diesen Worten fiel er dem schönen Mädchen um den Hals, sie hatte den Schleier weggeworfen und ihre Wangen färbten sich mit der schönsten unvergänglichsten Röte.

Hierauf sagte der Alte lächelnd: Die Liebe herrscht nicht, aber sie bildet und das ist mehr.

Über dieser Feierlichkeit, dem Glück, dem Entzücken hatte man nicht bemerkt, daß der Tag völlig angebrochen war, und nun fielen auf einmal durch die offne Pforte ganz unerwartete Gegenstände der Gesellschaft in die Augen. Ein großer mit Säulen umgebener Platz machte den Vorhof, an dessen Ende man eine lange und prächtige Brücke sah, die mit vielen Bogen über den Fluß hinüber reichte; sie war an beiden Seiten mit Säulengängen für die Wanderer bequem und prächtig eingerichtet, deren sich schon viele tausende eingefunden hatten, und emsig hin und wider gingen. Der große Weg in der Mitte war von Herden und Maultieren, Reitern und Wagen belebt, die an beiden Seiten, ohne sich zu hindern, stromweise hin und her flossen, sie schienen sich alle über die Bequemlichkeit und Pracht zu verwundern, und der neue König mit seiner Gemahlin war über die Bewegung und das Leben dieses großen Volks so entzückt, als ihre wechselseitige Liebe sie glücklich machte.

Gedenke der Schlange in Ehren, sagte der Mann mit der Lampe, du bist ihr das Leben, deine Völker sind ihr die Brücke schuldig, wodurch diese nachbarlichen Ufer erst zu Ländern belebt und verbunden werden. Jene schwimmenden und leuchtenden Edelsteine, die Reste ihres aufgeopferten Körpers, sind die Grundpfeiler dieser herrlichen Brücke, auf ihnen hat sie sich selbst erbaut und wird sich selbst erhalten.

Man wollte eben die Aufklärung dieses wunderbaren Geheimnisses von ihm verlangen, als vier schöne Mädchen zu der Pforte des Tempels herein traten. An der Harfe, dem Sonnenschirm und dem Feldstuhl erkannte man sogleich die Begleiterinnen Liliens, aber die vierte, schöner als die drei, war eine unbekannte, die scherzend schwesterlich mit ihnen durch den Tempel eilte und die silbernen Stufen hinanstieg.

Wirst du mir künftig mehr glauben, liebes Weib, sagte der Mann mit der Lampe zu der Schönen, wohl dir und jedem Geschöpfe, das sich diesen Morgen im Flusse badet!

Die verjüngte und verschönerte Alte, von deren Bildung keine Spur mehr übrig war, umfaßte mit belebten jugendlichen Armen den Mann mit der Lampe, der ihre Liebkosungen mit Freundlichkeit aufnahm. Wenn ich dir zu alt bin, sagte er lächelnd, so darfst du heute einen andern Gatten wählen, von heute an ist keine Ehe gültig, die nicht aufs neue geschlossen wird.

Weißt du denn nicht, versetzte sie, daß auch du jünger geworden bist – Es freut mich, wenn ich deinen jungen Augen als ein wackrer Jüngling erscheine, ich nehme deine Hand von neuem an, und mag gern mit dir in das folgende Jahrtausend hinüberleben.

Die Königin bewillkommte ihre neue Freundin und stieg mit ihr und ihren übrigen Gespielinnen in den Altar hinab, indes der König in der Mitte der beiden Männer nach der Brücke hinsah' und aufmerksam das Gewimmel des Volks betrachtete.

Aber nicht lange dauerte seine Zufriedenheit, denn er sahe einen Gegenstand, der ihm einen Augenblick Verdruß erregte. Der große Riese, der sich von seinem Morgenschlaf noch nicht erholt zu haben schien, taumelte über die Brücke her und verursachte daselbst große Unordnung. Er war, wie gewöhnlich, schlaftrunken aufgestanden und gedachte sich in der bekannten Bucht des Flusses zu baden, anstatt derselben fand er festes Land und tappte auf dem breiten Pflaster der Brücke hin. Ob er nun gleich zwischen Menschen und Vieh auf das ungeschickteste hineintrat, so ward doch seine Gegenwart zwar von allen erstaunt, doch von niemand empfunden; als ihm aber die Sonne in die Augen schien und er die Hände aufhub sie auszuwischen, fuhr der Schatten seiner ungeheuren Fäuste hinter ihm, so kräftig und ungeschickt, unter der Menge hin und wider, daß Menschen und Tiere in großen Massen zusammen stürzten, beschädigt wurden, und Gefahr liefen in den Fluß geschleudert zu werden.

Der König, als er diese Untat erblickte, fuhr mit einer unwillkürlichen Bewegung nach dem Schwerte, doch besann er sich und blickte ruhig erst sein Szepter, dann die Lampe und das Ruder seiner Gefährten an. Ich errate deine Gedanken, sagte der Mann mit der Lampe, aber wir und unsere Kräfte sind gegen diesen Ohnmächtigen ohnmächtig. Sei ruhig, er schadet zum letztenmal, und glücklicherweise ist sein Schatten von uns abgekehrt.

Indessen war der Riese immer näher gekommen, hatte vor Verwunderung über das, was er mit offenen Augen sah, die Hände sinken lassen, tat keinen Schaden mehr, und trat gaffend in den Vorhof herein.

Grade ging er auf die Türe des Tempels zu, als er auf einmal in der Mitte des Hofes an dem Boden festgehalten wurde. Er stand als eine kolossalische mächtige Bildsäule, von rötlich glänzendem Steine, da, und sein Schatten zeigte die Stunden, die in einem Kreis auf dem Boden um ihn her, nicht in Zahlen, sondern in edlen und bedeutenden Bildern, eingelegt waren.

Nicht wenig erfreut war der König, den Schatten des Ungeheuers in nützlicher Richtung zu sehen, nicht wenig verwundert war die Königin, die, als sie mit größter Herrlichkeit geschmückt aus dem Altare, mit ihren Jungfrauen, herauf stieg, das seltsame Bild erblickte, das die Aussicht aus dem Tempel nach der Brücke fast zudeckte.

Indessen hatte sich das Volk dem Riesen nachgedrängt, da er stillstand, ihn umgeben und seine Verwandlung angestaunt, von da wandte sich die Menge nach dem Tempel, den sie erst jetzt gewahr zu werden schien und drängte sich nach der Türe.

In diesem Augenblick schwebte der Habicht mit dem Spiegel hoch über dem Dom, fing das Licht der Sonne auf und warf es über die auf dem Altar stehende Gruppe. Der König, die Königin und ihre Begleiter erschienen in dem dämmernden Gewölbe des Tempels, von einem himmlischen Glanze erleuchtet, und alles Volk fiel auf sein Angesicht. Als die Menge sich wieder erholt hatte und aufstand, war der König mit den Seinigen in den Altar hinabgestiegen, um durch verborgene Hallen nach seinem Palaste zu gehen, und das Volk zerstreute sich in dem Tempel, seine Neugierde zu befriedigen. Es betrachtete die drei aufrecht stehenden Könige mit Staunen und Ehrfurcht, aber es war desto begieriger zu wissen, was unter dem Teppiche in der vierten Nische für ein Klumpen verborgen sein möchte, denn, wer es auch mochte gewesen sein, wohlmeinende Bescheidenheit hatte eine prächtige Decke über den zusammen gesunkenen König hingebreitet, die kein Auge zu durchdringen vermag und keine Hand wagen darf wegzuheben.

Das Volk hätte kein Ende seines Schauens und seiner Bewunderung gefunden, und die zudringende Menge hätte sich in dem Tempel selbst erdrückt, wäre ihre Aufmerksamkeit nicht wieder auf den großen Platz gelenkt worden.

Unvermutet fielen Goldstücke, wie aus der Luft, klingend auf die marmornen Platten, die nächsten Wanderer stürzten darüber her, um sich ihrer zu bemächtigen, einzeln wiederholte sich dies Wunder, und zwar bald hier und bald da. Man begreift wohl, daß die abziehenden Irrlichter sich hier nochmals eine Lust machten und das Gold aus den Gliedern des zusammengesunkenen Königs auf eine lustige Weise vergeudeten. Begierig lief das Volk noch eine Zeitlang hin und wider, drängte und zerriß sich, auch noch da keine Goldstücke mehr herabfielen. Endlich verlief es sich allmählig, zog seine Straße und bis auf den heutigen Tag wimmelt die Brücke von Wanderern, und der Tempel ist der besuchteste auf der ganzen Erde.

WILHELM HEINRICH WACKENRODER
Das merkwürdige musikalische Leben
des
Tonkünstlers
Joseph Berglinger

In zwei Hauptstücken

ERSTES HAUPTSTÜCK

Ich habe mehrmals mein Auge rückwärts gewandt, und die Schätze der Kunstgeschichte vergangener Jahrhunderte zu meinem Vergnügen eingesammelt; aber jetzt treibt mich mein Gemüt, einmal bei den gegenwärtigen Zeiten zu verweilen, und mich an der Geschichte eines Künstlers zu versuchen, den ich seit seiner frühen Jugend kannte, und der mein innigster Freund war. Ach leider bist du bald von der Erde weggegangen, mein Joseph! und nicht so leicht werd' ich deinesgleichen wieder finden. Aber ich will mich daran laben, der Geschichte deines Geistes, von Anfang an, so wie du mir oftmals in schönen Stunden sehr ausführlich davon erzählt hast, und so wie ich selbst dich innerlich kennen gelernt habe, in meinen Gedanken nachzugehen, und denen, die Freude daran haben, deine Geschichte erzählen. –

Joseph Berglinger ward in einem kleinen Städtchen im südlichen Deutschlande geboren. Seine Mutter mußte die Welt verlassen, indem sie ihn darein setzte; sein Vater, schon ein ziemlich bejahrter Mann, war Doktor der Arzneigelehrsamkeit, und in dürftigen Vermögensumständen. Das Glück hatte ihm den Rücken gewandt; und es kostete ihn sauren Schweiß, sich und sechs Kinder, (denn Joseph hatte fünf weibliche Geschwister,) durch das Leben zu bringen, zumal da ihm nun eine verständige Wirtschafterin mangelte.

Dieser Vater war ursprünglich ein weicher und sehr gutherziger Mann, der nichts lieber tun mochte, als helfen, raten und Almosen geben, so viel er nur vermögend war; der nach einer guten Tat besser schlief als gewöhnlich; der lange, mit herzlicher Rührung und Dank gegen Gott, von den guten Früchten seines Herzens zehren konnte, und seinen Geist am liebsten mit rührenden Empfindungen nährte. Man muß in der Tat allemal von tiefer Wehmut und herzlicher Liebe ergriffen werden, wenn man die beneidenswerte Einfachheit dieser Seelen betrachtet, welche in den gewöhnlichen Äußerungen des guten Herzens einen so unerschöpflichen Abgrund von Herrlichkeit finden, daß dies völlig ihr Himmel auf Erden ist, wodurch sie mit der ganzen Welt versöhnt, und immer in zufriedenem Wohlbehagen erhalten werden. Joseph hatte ganz diese Empfindung, wenn er seinen Vater betrachtete; – aber *ihn* hatte der Himmel nun einmal so eingerichtet, daß er immer nach etwas *noch Höherem* trachtete; es genügte ihm nicht die bloße *Gesundheit* der Seele, und daß sie ihre ordentlichen Geschäfte auf Erden, als arbeiten und Gutes tun, verrichtete; – er wollte, daß sie auch in üppigem Übermute dahertanzen, und zum Himmel, als zu ihrem Ursprunge, hinaufjauchzen sollte.

Das Gemüt seines Vaters war aber auch noch aus andern Dingen zusammengesetzt. Er war ein emsiger und gewissenhafter Arzt, der Zeit seines Lebens an nichts als an der Kenntnis der seltsamen Dinge, die im menschlichen Körper verborgen liegen, und an der weitläuftigen Wissenschaft aller jammervollen menschlichen Gebrechen und Krankheiten, seine Lust gehabt hatte. Dieses eifrige Studium nun war ihm, wie es öfters zu geschehen pflegt, ein heimliches, nervenbetäubendes Gift geworden, das alle seine Adern durchdrang, und viele klingende Saiten des menschlichen Busens bei ihm zernagte. Dazu kam der Mißmut über das Elend seiner Dürftigkeit, und endlich das Alter. Alles dieses zehrte an der ursprünglichen Güte seines Gemüts; denn bei nicht starken Seelen geht alles, womit der Mensch zu schaffen hat, in sein Blut über, und verwandelt sein Inneres, ohne daß er es selber weiß.

Die Kinder des alten Arztes wuchsen bei ihm auf, wie Unkraut in einem verwilderten Garten. Josephs Schwestern waren teils kränklich, teils von schwachem Geiste, und führten ein kläglich einsames Leben in ihrer dunklen kleinen Stube.

In diese Familie konnte niemand weniger passen, als *Joseph,* der immer in schöner Einbildung und himmlischen Träumen lebte. Seine Seele glich einem zarten Bäumchen, dessen Samenkorn ein Vogel in das Gemäuer öder Ruinen fallen ließ, wo es zwischen harten Steinen jungfräulich hervorschießet. Er war stets einsam und still für sich, und weidete sich nur an seinen inneren Phantaseien; drum hielt der Vater auch ihn ein wenig verkehrt und blödes Geistes. Seinen Vater und seine Geschwister liebte er aufrichtig; aber sein Inneres schätzte er über alles, und hielt es vor andern heimlich und verborgen. So hält man ein Schatzkästlein verborgen, zu welchem man den Schlüssel niemanden in die Hände gibt.

Seine Hauptfreude war von seinen frühesten Jahren an, die *Musik* gewesen. Er hörte zuweilen jemanden auf dem Klaviere spielen, und spielte auch selber etwas. Nach und nach bildete er sich durch den oft wiederholten Genuß auf eine so eigene Weise aus, daß sein Inneres ganz und gar zu Musik ward, und sein Gemüt, von dieser Kunst gelockt, immer in den dämmernden Irrgängen poetischer Empfindung umherschweifte.

Eine vorzügliche Epoche in seinem Leben machte eine Reise nach der bischöflichen Residenz, wohin ein begüterter Anverwandter, der dort wohnte, und der den Knaben liebgewonnen hatte, ihn auf einige Wochen mitnahm. Hier lebte er nun recht im Himmel: sein Geist ward mit tausendfältiger schöner Musik ergötzt, und flatterte nicht anders als ein Schmetterling in warmen Lüften umher.

Vornehmlich besuchte er die Kirchen, und hörte die heiligen Oratorien, Kantilenen und Chöre mit vollem Posaunen- und Trompetenschall unter den hohen Gewölben ertönen, wobei er oft, aus innerer Andacht, demütig auf den Knien lag. Ehe die Musik anbrach, war es ihm, wenn er so in dem gedrängten, leisemurmelnden Gewimmel der Volksmenge stand, als wenn er das gewöhnliche und gemeine Leben der Menschen, als einen großen Jahrmarkt, unmelodisch durcheinander und um sich herum summen hörte; sein Kopf ward von leeren, irdischen Kleinigkeiten betäubt. Erwartungsvoll harrte er auf den ersten Ton der Instrumente; – und indem er nun aus der dumpfen Stille, mächtig und langgezogen, gleich dem Wehen eines Windes vom Himmel hervorbrach, und die ganze Gewalt der Töne über seinem Haupte daherzog, – da war es ihm, als wenn auf einmal seiner Seele große Flügel ausgespannt, als wenn er von einer dürren Heide aufgehoben würde, der trübe Wolkenvorhang vor den sterblichen Augen verschwände, und er zum lichten Himmel emporschwebte. Dann hielt er sich mit seinem Körper still und unbeweglich, und heftete die Augen unverrückt auf den Boden. Die Gegenwart versank vor ihm; sein Inneres war von allen irdischen Kleinigkeiten, welche der wahre Staub auf dem Glanze der Seele sind, gereinigt; die Musik durchdrang seine Nerven mit leisen Schauern, und ließ, so wie sie wechselte, mannigfache Bilder vor ihm aufsteigen. So kam es ihm bei manchen frohen und herzerhebenden Gesängen zum Lobe Gottes ganz deutlich vor, als wenn er den König David im langen königlichen Mantel, die Krone auf dem Haupt, vor der Bundeslade lobsingend hertanzen sähe; er sah sein ganzes Entzücken und alle seine Bewegungen, und das Herz hüpfte ihm in der Brust. Tausend schlafende Empfindungen in seinem Busen wurden losgerissen, und bewegten sich wunderbar durcheinander. Ja bei manchen Stellen der Musik endlich schien ein besonderer Lichtstrahl in seine Seele zu fallen; es war ihm, als wenn er dabei auf einmal weit klüger würde, und mit helleren Augen und einer gewissen erhabenen und ruhigen Wehmut, auf die ganze wimmelnde Welt herabsähe.

So viel ist gewiß, daß er sich, wenn die Musik geendigt war, und er aus der Kirche herausging, reiner und edler geworden vorkam. Sein ganzes Wesen glühte noch von dem geistigen Weine, der ihn berauscht hatte, und er sah alle Vorübergehende mit andern Augen an. Wenn er dann etwa ein paar Leute auf dem Spaziergange zusammenstehn und lachen, oder sich Neuigkeiten erzählen sah, so machte das einen ganz eignen widrigen Eindruck auf ihn. Er dachte: du mußt Zeitlebens, ohne Aufhören in diesem schönen poetischen Taumel bleiben, und dein ganzes Leben muß *eine* Musik sein.

Wenn er dann aber zu seinem Anverwandten zum Mittagsessen ging, und es sich in einer gewöhnlich-lustigen und scherzenden Gesellschaft hatte wohl schmecken lassen, – dann war er unzufrieden, daß er so bald wieder ins prosaische Leben hinabgezogen war, und sein Rausch sich wie eine glänzende Wolke verzogen hatte.

Diese bittere Mißhelligkeit zwischen seinen angebornen ätherischen Enthusiasmus, und dem irdischen Anteil an dem Leben eines jeden Menschen, der jeden täglich aus seinen Schwärmereien mit Gewalt herabziehet, quälte ihn sein ganzes Leben hindurch. –

Wenn Joseph in einem großen Konzerte war, so setzte er sich, ohne auf die glänzende Versammlung der Zuhörer zu blicken, in einen Winkel, und hörte mit eben der Andacht zu, als wenn er in der Kirche wäre, – eben so still und unbeweglich, und mit so vor sich auf den Boden sehenden Augen. Der geringste Ton entschlüpfte ihm nicht, und er war von der angespannten Aufmerksamkeit am Ende ganz schlaff und ermüdet. Seine ewig bewegliche Seele war ganz ein Spiel der Töne; – es war als wenn sie losgebunden vom Körper wäre und freier umherzitterte, oder auch als wäre sein Körper mit zur Seele geworden, – so frei und leicht ward sein ganzes Wesen von den schönen Harmonien umschlungen, und die feinsten Falten und Biegungen der Töne drückten sich in seiner weichen Seele ab. – Bei fröhlichen und entzückenden vollstimmigen Symphonien, die er vorzüglich liebte, kam es ihm gar oftmals vor, als säh' er ein munteres Chor von Jünglingen und Mädchen auf einer heitern Wiese tanzen, wie sie vor- und rückwärts hüpften, und wie einzelne Paare zuweilen in Pantomimen zu einander sprachen, und sich dann wieder unter den frohen Haufen mischten. Manche Stellen in der Musik waren ihm so klar und eindringlich, daß die Töne ihm *Worte* zu sein schienen. Ein andermal wieder wirkten die Töne eine wunderbare Mischung von Fröhlichkeit und Traurigkeit in seinem Herzen, so daß Lächeln und Weinen ihm gleich nahe war; eine Empfindung, die uns auf unserm Wege durch das Leben so oft begegnet, und die keine Kunst geschickter ist auszudrücken, als die Musik. Und mit welchem Entzücken und Erstaunen hörte er ein solches Tonstück an, das mit einer muntern und heitern Melodie, wie ein Bach, anhebt, aber sich nach und nach unvermerkt und wunderbar in immer trüberen Windungen fortschleppt, und endlich in heftig-lautes Schluchzen ausbricht, oder wie durch wilde Klippen mit ängstigendem Getöse daherrauscht. – Alle diese mannigfaltigen Empfindungen nun drängten in seiner Seele immer entsprechende sinnliche Bilder und neue Gedanken hervor: – eine wunderbare Gabe der Musik, – welche Kunst wohl überhaupt um so mächtiger auf uns wirkt, und alle Kräfte unsers Wesens um so allgemeiner in Aufruhr setzt, je dunkler und geheimnisvoller ihre Sprache ist. –

Die schönen Tage, die Joseph in der bischöflichen Residenz verlebt hatte, waren endlich vorüber, und er mußte wieder nach seiner Vaterstadt in das Haus seines Vaters zurückkehren. Wie traurig war der Rückweg! Wie kläglich und niedergedrückt fühlte er sich wieder in einer Familie, deren ganzes Leben und Weben sich nur um die kümmerliche Befriedigung der notwendigsten physischen Bedürfnisse drehte, und bei einem Vater, der so wenig in seine Neigungen einstimmte! Dieser verachtete und verabscheute alle Künste als Dienerinnen ausgelassener Begierden und Leidenschaften, und Schmeichlerinnen der vornehmen Welt. Schon von jeher hatte er es mit Mißvergnügen gesehen, daß sein Joseph sich so sehr an die Musik gehängt hatte; und nun, da diese Liebe in dem Knaben immer höher wuchs, machte er einen anhaltenden und ernstlichen Versuch, ihn von dem verderblichen Hange zu einer Kunst, deren Ausübung nicht viel besser als Müßiggang sei, und die bloß die Lüsternheit der Sinne befriedige, zur Medizin, als zu der wohltätigsten, und für das Menschengeschlecht allgemein-nützlichsten Wissenschaft zu bekehren. Er gab sich viele Mühe, ihn selber in den Anfangsgründen zu unterweisen, und gab ihm Hilfsbücher in die Hände.

Dies war eine recht quälende und peinliche Lage für den armen Joseph. Er preßte seinen Enthusiasmus heimlich in seine Brust zurück, um seinen Vater nicht zu kränken, und wollte sich zwingen ob er nicht nebenher eine nützliche Wissenschaft erlernen könnte. Aber das war ein ewiger Kampf in seiner Seele. Er las in seinen Lehrbüchern eine Seite zehenmal, ohne zu fassen, was er las; – immer sang seine Seele innerlich ihre melodischen Phantasien fort. Der Vater war sehr bekümmert um ihn.

Seine heftige Liebe zur Musik nahm in der Stille immer mehr überhand. War in einigen Wochen kein Ton in sein Ohr gekommen, so ward er ordentlich am Gemüte krank; er merkte, daß sein Gefühl zusammenschrumpfte, es entstand eine Leerheit in seinem Innern, und er hatte eine rechte Sehnsucht sich wieder von den Tönen begeistern zu lassen. Dann konnten selbst gemeine Spieler an Fest- oder Kirchweihtagen, mit ihren Blasinstrumenten ihm Gefühle einflößen, wovon sie selber keine Ahndung hatten. Und so oft in den benachbarten Städten eine schöne große Musik zu hören war, so lief er mit heißer Begierde, im heftigsten Schnee, Sturm und Regen hinaus.

Fast täglich rief er sich mit Wehmut die herrliche Zeit in der bischöflichen Residenz in seinen Gedanken zurück, und stellte sich die köstlichen Sachen, die er dort gehört hatte, wieder vor die Seele. Oftmals sagte er sich die auswendig-behaltenen, so lieblichen und rührenden Worte des geistlichen Oratoriums vor, welches das erste gewesen war, das er gehört, und welches einen vorzüglich tiefen Eindruck auf ihn gemacht hatte:

> Stabat Mater dolorosa
> Juxta crucem lacrymosa,
>   Dum pendebat filius:
> Cujus animam gementem,
> Contristantem et dolentem
>   Pertransivit gladius.
>
> O quam tristis et afflicta
> Fuit illa benedicta
>   Mater unigeniti:
> Quae moerebat et dolebat
> Et tremebat, cum videbat
>   Nati poenas inclyti.

Und wie es weiter heißt.

Ach aber! – wenn ihm nun so eine entzückte Stunde, da er in ätherischen Träumen lebte, oder da er eben ganz berauscht von dem Genuß einer herrlichen Musik kam, dadurch unterbrochen wurde, daß seine Geschwister sich um ein neues Kleid zankten, oder daß sein Vater der ältesten nicht hinreichend Geld zur Wirtschaft geben konnte, oder der Vater von einem recht elenden, jammervollen Kranken erzählte, oder daß eine alte, ganz krummgebückte Bettelfrau an die Tür kam, die sich in ihren Lumpen vor dem Winterfrost nicht schützen konnte; – ach! es gibt in der Welt keine so entsetzlich bittere, so herzdurchschneidende Empfindung, als von der Joseph alsdann zerrissen ward. Er dachte: »Lieber Gott! ist denn *das* die Welt wie sie ist? und ist es denn Dein Wille, daß ich mich so unter das Gedränge des Haufens mischen, und an dem gemeinen Elend Anteil nehmen soll? Und doch sieht es so aus, und mein Vater predigt es immer, daß es die Pflicht und Bestimmung des Menschen sei, sich darunter zu mischen, und Rat und Almosen zu geben, und ekelhafte Wunden zu verbinden und, häßliche Krankheiten zu heilen! Und doch ruft mir wieder eine innere Stimme ganz laut zu: Nein! nein! du bist zu einem höheren, edleren Ziel geboren!« – Mit solchen Gedanken quälte er sich oft lange, und konnte keinen Ausweg finden; allein eh' er es sich versah, waren die widrigen Bilder, die ihn gewaltsam in den Schlamm dieser Erde herabzuziehen schienen, aus seiner Seele verwischt, und sein Geist schwärmte wieder ungestört in den Lüften umher.

Allmählig ward er nun ganz und gar der Überzeugung, daß er von Gott deshalb auf die Welt gesetzt sei, um ein recht vorzüglicher Künstler in der Musik zu werden; und zuweilen dachte er wohl daran, daß der Himmel ihn aus der trüben und engen Dürftigkeit, worin er seine Jugend hinbringen mußte, zu desto höherem Glanze hervorziehen werde. Viele werden es für eine romanhafte und unnatürliche Erdichtung halten, allein es ist reine Wahrheit, wenn ich erzähle, daß er oftmals in seiner Einsamkeit, aus inbrünstigem Triebe seines Herzens, auf die Knie fiel, und Gott bat, er möchte ihn doch also führen, daß er einst ein recht herrlicher Künstler vor dem Himmel und vor der Erde werden möchte. In dieser Zeit, da sein Blut, von den immer auf denselben Fleck gehefteten Vorstellungen bedrängt, oft in heftiger Wallung war, schrieb er mehrere kleine Gedichte nieder, die seinen Zustand, oder das Lob der Tonkunst schilderten, und die er mit großer Freude, auf seine kindisch-gefühlvolle Weise in Musik setzte, ohne die Regeln zu kennen. Eine Probe von diesen Liedern ist folgendes Gebet, welches er an diejenige unter den Heiligen richtete, die als Beschützerin der Tonkunst verehrt wird:

Siehe wie ich trostlos weine
In dem Kämmerlein alleine,
 Heilige *Cäcilia!*
Sieh' mich aller Welt entfliehen,
Um hier still vor Dir zu knien:
 Ach ich bete, sei mir nah!

Deine wunderbaren Töne,
Denen ich verzaubert fröne,
 Haben mein Gemüt verrückt.
Löse doch die Angst der Sinnen, –
Laß mich in Gesang zerrinnen,
 Der mein Herz so sehr entzückt.

Möchtest Du auf Harfensaiten
Meinen schwachen Finger leiten,
 Daß Empfindung aus ihm quillt;
Daß mein Spiel in tausend Herzen
Laut Entzücken, süße Schmerzen,
 Beides hebt und wieder stillt.

Möcht' ich einst mit lautem Schalle
In des Tempels voller Halle
 Ein erhabnes Gloria
Dir und allen Heil'gen weihen,
Tausend Christen zu erfreuen:
 Heilige *Cäcilia!*

Öffne mir der Menschen Geister,
Daß ich ihrer Seelen Meister
 Durch die Kraft der Töne sei;
Daß mein Geist die Welt durchklinge,
Sympathetisch sie durchdringe,
 Sie berausch' in Phantasei! –

Über ein Jahr lang wohl quälte sich und brütete der arme Joseph in der Einsamkeit über einen Schritt, den er tun wollte. Eine unwiderstehliche Macht zog seinen Geist nach der herrlichen Stadt zurück, die er als ein Paradies für sich betrachtete; denn er brannte für Begierde, dort seine Kunst von Grund aus zu erlernen. Das Verhältnis gegen seinen Vater aber preßte sein Herz ganz zusammen. Dieser hatte wohl gemerkt, daß Joseph sich gar nicht mehr mit

Ernst und Eifer in seiner Wissenschaft anlegen wollte, hatte ihn auch schon halb aufgegeben, und sich in seinen Mißmut, der mit zunehmendem Alter immer stärker ward, zurückgezogen. Er gab sich wenig mehr mit dem Knaben ab. Joseph indessen verlor darum sein kindliches Gefühl nicht; es kämpfte ewig mit seiner Neigung, und er konnte immer nicht das Herz fassen, in des Vaters Gegenwart über die Lippen zu bringen, was er ihm zu entdecken hatte. Ganze Tage lang peinigte er sich, alles gegen einander abzuwägen, aber er konnte und konnte aus dem entsetzlichen Abgrunde von Zweifeln nicht herauskommen, all' sein inbrünstiges Beten wollte nichts fruchten: das stieß ihm beinahe das Herz ab. Von dem über alles trübseligen und peinlichen Zustande, worin er sich damals befand, zeugen auch folgende Zeilen, die ich unter seinen Papieren gefunden habe:

Ach was ist es, das mich also dränget,
Mich mit heißen Armen eng umfänget,
Daß ich mit ihm fern von hinnen ziehen,
Daß ich soll dem Vaterhaus' entfliehen?
Ach was muß ich ohne mein Verschulden
Für Versuchung und für Marter dulden!

Gottes Sohn! um Deiner Wunden willen,
Kannst Du nicht die Angst des Herzens stillen?
Kannst Du mir nicht Offenbarung schenken,
Was ich innerlich soll wohl bedenken?
Kannst Du mir die rechte Bahn nicht zeigen?
Nicht mein Herz zum rechten Wege neigen?

Wenn Du mich nicht bald zu Dir errettest,
Oder, in den Schoß der Erde bettest,
Muß ich mich der fremden Macht ergeben,
Muß, geängstigt, dem zu Willen leben,
Was mich zieht von meines Vaters Seite,
Unbekannten Mächten Raub und Beute! –

Seine Angst ward immer größer, – die Versuchung nach der herrlichen Stadt zu entfliehen, immer stärker. Wird denn aber, dachte er, der Himmel dir nicht zu Hilfe kommen? wird er dir gar kein Zeichen geben? – Seine Leidenschaft erreichte endlich den höchsten Gipfel, als sein Vater bei einer häuslichen Mißhelligkeit ihn einmal mit einer ganz andern Art, als gewöhnlich, anfuhr, und ihm seitdem immer zurückstoßend begegnete. Nun war es beschlossen; allen Zweifeln und Bedenklichkeiten wies er von nun an die Tür; er wollte nun durchaus nicht mehr überlegen. Das Osterfest war nahe; das wollte er noch zu Hause mitfeiern, aber sobald es vorüber wäre, – in die weite Welt.

Es war vorüber. Er wartete den ersten schönen Morgen ab, da der helle Sonnenschein ihn bezaubernd anzulocken schien; da lief er früh aus dem Hause fort, wie man wohl an ihm gewohnt war, – aber diesmal kam er nicht wieder. Mit Entzücken und mit pochendem Herzen eilte er durch die engen Gassen der kleinen Stadt; – ihm war zu Mut, als wollte er über alles, was er um sich sah, hinweg, in den offenen Himmel hineinspringen. Eine alte Verwandte begegnete ihm an einer Ecke: – »So eilig, Vetter?« fragte sie, – »will er wieder Grünes vom Markt einholen für die Wirtschaft?« – Ja ja! rief Joseph in Gedanken, und lief vor Freude zitternd das Tor hinaus.

Wie er aber eine kleine Strecke auf dem Felde gegangen war, und sich umsah, brachen ihm die hellen Tränen hervor. Soll ich noch umkehren? dachte er. Aber er lief weiter, als wenn ihm die Fersen brennten, und weinte immerfort, und es ließ, als wollte er seinen Tränen entlaufen. So ging's nun durch manches fremde Dorf, und manchen fremden Gesichtern vorbei: – der Anblick der fremden Welt gab ihm wieder Mut, er fühlte sich frei und stark, – er kam immer näher, – und endlich, – gütiger Himmel! welch Entzücken! – endlich sah er die Türme der herrlichen Stadt vor sich liegen. – – –

ZWEITES HAUPTSTÜCK

Ich kehre zu meinem Joseph zurück, wie er, mehrere Jahre, nachdem wir ihn verlassen haben, in der bischöflichen Residenz Kapellmeister geworden ist, und in großem Glanze lebt. Sein Anverwandter, der ihn sehr wohl aufgenommen hatte, war der Schöpfer seines Glücks geworden, und hatte ihm den gründlichsten Unterricht in der Tonkunst geben lassen, auch den Vater über den Schritt Josephs nach und nach ziemlich beruhigt. Durch den lebhaftesten Eifer hatte Joseph sich empor gearbeitet, und war endlich auf die höchste Stufe des Glücks, die er nur je hatte erwünschen können, gelangt.

Allein die Dinge der Welt verändern sich vor unsern Augen. Er schrieb mir einst, wie er ein paar Jahre Kapellmeister gewesen war, folgenden Brief:

»Es ist ein elendes Leben, das ich führe: – je mehr Ihr mich trösten wollt, desto bitterer fühl' ich es.« –

»Wenn ich an die Träume meiner Jugend zurückdenke, – wie ich in diesen Träumen so selig war! – Ich meinte, ich wollte in einem fort umher phantasieren, und mein volles Herz in Kunstwerken auslassen, – aber wie fremd und herbe kamen mir gleich die ersten Lehrjahre an! Wie war mir zu Mut, als ich hinter den Vorhang trat! Daß alle Melodien, (hatten sie auch die heterogensten und oft die wunderbarsten Empfindungen in mir erzeugt,) alle sich nun auf einem einzigen, zwingenden mathematischen Gesetze gründeten! Daß ich, statt frei zu fliegen, erst lernen mußte, in dem unbehilfli- chen Gerüst und Käfig der Kunstgrammatik herum zu klettern! Wie ich mich quälen mußte, erst mit dem gemeinen wissenschaft- lichen Maschinen-Verstande ein regelrechtes Ding heraus zu brin- gen, eh' ich dran denken konnte, mein Gefühl mit den Tönen zu handhaben! – Es war eine mühselige Mechanik. – Doch wenn auch! ich hatte noch jugendliche Spannkraft, und hoffte und hoffte auf die herrliche Zukunft! Und nun? – Die prächtige Zukunft ist eine jämmerliche Gegenwart geworden.« –

»Was ich als Knabe in dem großen Konzertsaal für glückliche Stunden genoß! Wenn ich still und unbemerkt im Winkel saß, und all' die Pracht und Herrlichkeit mich bezauberte, und ich so sehn- lich wünschte, daß sich doch einst um *meiner* Werke willen diese Zuhörer versammeln, ihr Gefühl *mir* hingeben möchten! – Nun sitz' ich gar oft in eben diesem Saal, und führe auch meine Werke auf; aber es ist mir wahrlich sehr anders zu Mute. – Daß ich mir einbilden konnte, diese in Gold und Seide stolzierende Zuhörer- schaft käme zusammen, um ein Kunstwerk zu genießen, um ihr Herz zu erwärmen, ihre Empfindung dem Künstler darzubringen! Können doch diese Seelen selbst in dem majestätischen Dom, am heiligsten Feiertage, indem alles Große und Schöne, was Kunst und Religion nur hat, mit Gewalt auf sie eindringt, können sie dann nicht einmal erhitzt werden, und sie sollten's im Konzert- saal? – Die Empfindung und der Sinn für Kunst sind aus der Mode gekommen und unanständig geworden; – bei einem Kunstwerk zu empfinden, wäre grade eben so fremd und lächerlich, als in einer Gesellschaft auf einmal in Versen und Reimen zu reden, wenn man sich sonst im ganzen Leben mit vernünftiger und gemein-ver- ständlicher Prosa behilft. Und für diese Seelen arbeit' ich meinen Geist ab! Für diese erhitz' ich mich, es so zu machen, daß man dabei was soll empfinden können! Das ist die hohe Bestimmung, wozu ich geboren zu sein glaubte!«

»Und wenn mich einmal irgend einer, der eine Art von halber Empfindung hat, loben will, und kritisch rühmt, und mir kritische Fragen vorlegt, – so möcht' ich ihn immer bitten, daß er sich doch nicht so viel Mühe geben möchte, das Empfinden aus den Büchern zu lernen. Der Himmel weiß wie es ist, – wenn ich eben eine Musik, oder sonst irgend ein Kunstwerk, das mich entzückt, genossen habe, und mein ganzes Wesen voll davon ist, da möcht' ich mein Gefühl gern mit *einem* Striche auf eine Tafel hinmalen, wenn's eine Farbe nur ausdrücken könnte. – Es ist mir nicht möglich mit künstlichen Worten zu rühmen, ich kann nichts kluges herausbringen.« –

»Freilich ist der Gedanke ein wenig tröstend, daß vielleicht in irgend einem kleinen Winkel von Deutschland, wohin dies oder jenes von meiner Hand, wenn auch lange nach meinem Tode, einmal hinkommt, ein oder der andre Mensch lebt, in den der Himmel eine solche Sympathie zu meiner Seele gelegt hat, daß er aus meinen Melodien grade das herausfühlt, was ich beim Niederschreiben empfand, und was ich so gern hineinlegen wollte. Eine schöne Idee, womit man sich eine Zeitlang wohl angenehm täuschen kann!« –

»Allein das allerabscheulichste sind noch alle die andern Verhältnisse, worin der Künstler eingestrickt wird. Von allen dem ekelhaften Neid und hämischen Wesen, von allen den widrig-kleinlichen Sitten und Begegnungen, von aller der Subordination der Kunst unter den Willen des Hofes; – es widersteht mir *ein* Wort davon zu reden, – es ist alles so unwürdig und die menschliche Seele so erniedrigend, daß ich nicht *eine* Silbe davon über die Zunge bringen kann. Ein dreifaches Unglück für die Musik, daß bei dieser Kunst grade so eine Menge Hände nötig sind, damit das Werk nur existiert! Ich sammle und erhebe meine ganze Seele, um ein großes Werk zu Stande zu bringen; – und hundert empfindungslose und leere Köpfe reden mit ein, und verlangen dieses und jenes.«

»Ich gedachte in meiner Jugend dem irdischen Jammer zu entfliehen, und bin nun erst recht in den Schlamm hineingeraten. Es ist wohl leider gewiß; man kann mit aller Anstrengung unsrer geistigen Fittige der Erde nicht entkommen; sie zieht uns mit Gewalt zurück, und wir fallen wieder unter den gemeinsten Haufen der Menschen.« –

»Es sind bedauernswürdige Künstler, die ich um mich herum

sehe. Auch die edelsten so kleinlich, daß sie sich für Aufgeblasenheit nicht zu lassen wissen, wenn ihr Werk einmal ein allgemeines Lieblingsstück geworden ist. – Lieber Himmel! sind wir denn nicht die eine Hälfte unsers Verdienstes der Göttlichkeit der Kunst, der ewigen Harmonie der Natur, und die andre Hälfte dem gütigen Schöpfer, der uns diesen Schatz anzuwenden Fähigkeit gab, schuldig? Alle tausendfältigen lieblichen Melodien, welche die mannigfachsten Regungen in uns hervorbringen, sind sie nicht aus dem einzigen wundervollen Dreiklang entsprossen, den die Natur von Ewigkeit her gegründet hat? Die wehmutsvollen, halb süßen und halb schmerzlichen Empfindungen, die die Musik uns einflößt, wir wissen nicht wie, was sind sie denn anders, als die geheimnisvolle Wirkung des wechselnden Dur und Moll? Und müssen wir's nicht dem Schöpfer danken, wenn er uns nun grade das Geschick gegeben hat, diese Töne, denen von Anfang her eine Sympathie zur menschlichen Seele verliehen ist, so zusammenzusetzen, daß sie das Herz rühren? – Wahrhaftig, die *Kunst* ist es, was man verehren muß, nicht den Künstler; – der ist nichts mehr als ein schwaches Werkzeug.«

»Ihr seht, daß mein Eifer und meine Liebe für die Musik nicht schwächer ist als sonst. Nur eben darum bin ich so unglücklich in diesem – – doch ich will's lassen, und Euch mit der Beschreibung von all' dem widrigen Wesen um mich herum, nicht verdrießlich machen. Genug, ich lebe in einer sehr unreinen Luft. Wie weit idealischer lebte ich damals, da ich in unbefangener Jugend und stiller Einsamkeit die Kunst noch bloß *genoß;* als itzt, da ich sie im blendendsten Glanze der Welt, und von lauter seidenen Kleidern, lauter Sternen und Kreuzen, lauter kultivierten und geschmackvollen Menschen umgeben, ausübe! – Was ich möchte? – Ich möchte all' diese Kultur im Stiche lassen, und mich zu dem simplen Schweizerhirten ins Gebirge hinflüchten, und seine Alpenlieder, wonach er überall das Heimweh bekömmt, mit ihm spielen.« – – –

Aus diesem fragmentarisch-geschriebenen Briefe ist der Zustand, worin Joseph sich in seiner Lage befand, zum Teil zu ersehen. Er fühlte sich verlassen und einsam unter dem Gesumme so vieler unharmonischen Seelen um ihn her; – seine Kunst ward tief entwürdigt dadurch, daß sie auf keinen einzigen, so viel er wußte, einen lebhaften Eindruck machte, da sie ihm doch nur dazu gemacht schien, das menschliche Herz zu rühren. In manchen trüben Stunden verzweifelte er ganz, und dachte: »Was ist die Kunst so seltsam und sonderbar! Hat sie denn nur für mich allein so geheimnisvolle Kraft, und ist für alle andre Menschen nur Belustigung der

Sinne und angenehmer Zeitvertreib? Was ist sie denn wirklich und in der Tat, wenn sie für alle Menschen Nichts ist, und für mich allein nur Etwas? Ist es nicht die unglückseligste Idee, diese Kunst zu seinem ganzen Zweck und Hauptgeschäft zu machen, und sich von ihren großen Wirkungen auf die menschlichen Gemüter tausend schöne Dinge einzubilden? von dieser Kunst, die im wirklichen irdischen Leben keine andre Rolle spielt, als Kartenspiel oder jeder andre Zeitvertreib?«

Wenn er auf solche Gedanken kam, so dünkte er sich der größte Phantast gewesen zu sein, daß er so sehr gestrebt hatte, ein ausübender Künstler für die Welt zu werden. Er geriet auf die Idee, ein Künstler müsse nur für sich allein, zu seiner eignen Herzenserhebung, und für einen oder ein paar Menschen, die ihn verstehen, Künstler sein. Und ich kann diese Idee nicht ganz unrecht nennen. –

Aber ich will das Übrige von meines Josephs Leben kurz zusammen fassen, denn die Erinnerungen daran werden mir sehr traurig.

Mehrere Jahre lebte er als Kapellmeister so fort, und seine Mißmütigkeit, und das unbehagliche Bewußtsein, daß er mit allem seinen tiefen Gefühl und seinem innigen Kunstsinn für die Welt nichts nütze, und weit weniger wirksam sei, als jeder Handwerksmann, – nahm immer mehr zu. Oft dachte er mit Wehmut an den reinen, idealischen Enthusiasmus seiner Knabenzeit zurück, und daneben an seinen Vater, wie er sich Mühe gegeben hatte, ihn zu einem Arzte zu erziehen, daß er das Elend der Menschen mindern, Unglückliche heilen, und so der Welt nützen sollte. Vielleicht wär's besser gewesen! dachte er in manchen Stunden.

Sein Vater war indes bei seinem Alter sehr schwach geworden. Joseph schrieb immer seiner ältesten Schwester, und schickte ihr zum Unterhalt für den Vater. Ihn selber zu besuchen konnte er nicht übers Herz bringen; er fühlte, daß es ihm unmöglich war. Er ward trübsinniger; – sein Leben neigte sich hinunter.

Einst hatte er eine neue schöne Musik von seiner Hand im Konzertsaal aufgeführt: es schien das erstemal, daß er auf die Herzen der Zuhörer etwas gewirkt hatte. Ein allgemeines Erstaunen, ein stiller Beifall, welcher weit schöner, als ein lauter ist, erfreute ihn mit der Idee, daß er vielleicht diesmal seine Kunst würdig ausgeübt hätte; er faßte wieder Mut zu neuer Arbeit. Als er hinaus auf die Straße kam, schlich ein sehr armselig gekleidetes Mädchen an ihn heran, und wollte ihn sprechen. Er wußte nicht, was er sagen sollte; er sah sie an, – Gott! rief er: – es war seine jüngste Schwester im elendesten Aufzuge. Sie war von Hause zu Fuß hergelaufen, um ihm die Nachricht zu bringen, daß sein Vater todkrank niederliege, und ihn vor seinem Ende sehr dringend noch einmal zu sprechen verlange. Da war wieder aller Gesang in seinem Busen zerrissen; in dumpfer Betäubung machte er sich fertig, und reiste eilig nach seiner Vaterstadt.

Die Szenen, die am Todbette seines Vaters vorfielen, will ich nicht schildern. Man glaube nicht, daß es zu weitläuftigen und wehmütigen gegenseitigen Erörterungen kam; sie verstanden sich ohne viele Worte sehr inniglich; – wie denn darin überhaupt die Natur unserer recht zu spotten scheinet, daß die Menschen sich erst in solchen kritischen letzten Augenblicken recht verstehen. Dennoch ward Joseph von Allem bis ins Innerste zerrissen. Seine Geschwister waren im betrübtesten Zustande; zwei davon hatten schlecht gelebt, und waren entlaufen; die älteste, der er immer Geld schickte, hatte das meiste vertan, und den Vater darben lassen; diesen sah er endlich vor seinen Augen elendiglich sterben: – ach! es war entsetzlich, wie sein armes Herz durch und durch verwundet und zerstochen ward. Er sorgte für seine Geschwister so gut er konnte, und kehrte zurück, weil ihn Geschäfte abriefen.

Er sollte zu dem bevorstehenden Osterfest eine neue Passionsmusik machen, auf welche seine neidischen Nebenbuhler sehr begierig waren. Helle Ströme von Tränen brachen ihm aber hervor, so oft er sich zur Arbeit niedersetzen wollte; er konnte sich vor seinem zerrissenen Herzen nicht erretten. Er lag tief daniedergedrückt und vergraben unter den Schlacken dieser Erde. Endlich riß er sich mit Gewalt auf, und streckte mit dem heißesten Verlangen die Arme zum Himmel empor; er füllte seinen Geist mit der höchsten Poesie, mit lautem, jauchzendem Gesange an, und schrieb in einer wunderbaren Begeisterung, aber immer unter heftigen Gemütsbewegungen, eine Passionsmusik nieder, die mit ihren durchdringenden, und alle Schmerzen des Leidens in sich fassenden Melodien, ewig ein Meisterstück bleiben wird. Seine Seele war wie ein Kranker, der in einem wunderbaren Paroxysmus größere Stärke als ein Gesunder zeigt.

Aber nachdem er das Oratorium am heiligen Tage im Dom mit der heftigsten Anspannung und Erhitzung aufgeführt hatte, fühlte er sich ganz matt und erschlafft. Eine Nervenschwäche befiel, gleich einem bösen Tau, alle seine Fibern; – er kränkelte eine Zeitlang hin, und starb nicht lange darauf, in der Blüte seiner Jahre. – –

Manche Träne hab' ich ihm geschenkt, und es ist mir seltsam zu Mut, wenn ich sein Leben übersehe. Warum wollte der Himmel, daß sein ganzes Leben hindurch der Kampf zwischen seinem ätherischen Enthusiasmus und dem niedrigen Elend dieser Erde, ihn so unglücklich machen, und endlich sein doppeltes Wesen von Geist und Leib ganz von einanderreißen sollte!

Wir begreifen die Wege des Himmels nicht. – Aber laßt uns wiederum die Mannigfaltigkeit der erhabenen Geister bewundern, welche der Himmel zum Dienste der Kunst auf die Welt gesetzt hat.

Ein Raphael brachte in aller Unschuld und Unbefangenheit die allergeistreichsten Werke hervor, worin wir den ganzen Himmel sehn; – ein Guido Reni, der ein so wildes Spielerleben führte, schuf die sanftesten und heiligsten Bilder; – ein Albrecht Dürer, ein schlichter nürnbergischer Bürgersmann, verfertigte in eben der Zelle, worin sein böses Weib täglich mit ihm zankte, mit emsigem mechanischem Fleiße, gar seelenvolle Kunstwerke; – und Joseph, in dessen harmonischen Werken so geheimnisvolle Schönheit liegt, war verschieden von diesen allen!

Ach! daß eben seine *hohe Phantasie* es sein mußte, die ihn aufrieb? – Soll ich sagen, daß er vielleicht mehr dazu geschaffen war, Kunst zu *genießen* als *auszuüben*? – Sind diejenigen vielleicht glücklicher gebildet, in denen die Kunst still und heimlich wie ein verhüllter Genius arbeitet, und sie in ihrem Handeln auf Erden nicht stört? Und muß der Immerbegeisterte seine hohen Phantasien doch auch vielleicht als einen festen Einschlag kühn und stark in dieses irdische Leben einweben, wenn er ein echter Künstler sein will? – Ja, ist diese unbegreifliche Schöpfungskraft nicht etwa überhaupt ganz etwas anderes, und – wie mir jetzt erscheint – etwas noch Wundervolleres, noch Göttlicheres, als die Kraft der Phantasie? –

Der Kunstgeist ist und bleibet dem Menschen ein ewiges Geheimnis, wobei er schwindelt, wenn er die Tiefen desselben ergründen will; – aber auch ewig ein Gegenstand der höchsten Bewunderung: wie denn dies von allem Großen in der Welt zu sagen ist. – –

Ich kann aber nach diesen Erinnerungen an meinen Joseph nichts mehr schreiben. – Ich beschließe mein Buch, – und möchte nur wünschen, daß es einem oder dem andern zur Erweckung guter Gedanken dienlich wäre. –

ANHANG

1700 Johann Christoph Gottsched in Juditten bei Königsberg am 2. Februar geboren, Sohn eines Predigers.

1714 G. bezieht die Universität Königsberg; Studium zunächst der Theologie, dann der Philosophie und der »Schönen Wissenschaften« (1723 Magister).

1724 Flucht vor dem preußischen Militärdienst nach Leipzig; Aufnahme im Hause von Burckhard Mencke, Mittelpunkt des Leipziger literarischen Lebens, als Erzieher seines Sohnes.

1725 Beginn von G.s Vorlesungen über die Schönen Wissenschaften; Herausgabe der Moralischen Wochenschrift *Die vernünftigen Tadlerinnen* (1725/26).

1727 Herausgabe der moralischen Wochenschrift *Der Biedermann* (1727–1729). Bekanntschaft mit der Schauspieltruppe der Friederike Karoline Neuber.

1728 Veröffentlichung von G.s *Redekunst*.

1729 Beginn des Briefwechsels mit Luise Adelgunde Victorie Kulmus, seiner späteren Frau.

1730 G. wird außerordentlicher Professor der Dichtkunst in Leipzig; Veröffentlichung des *Versuchs einer Critischen Dichtkunst*.

1732 Veröffentlichung der Tragödie *Sterbender Cato* (bereits 1731 aufgeführt); Beginn der Veröffentlichung der Zeitschrift *Beyträge zur Critischen Historie der Deutschen Sprache, Poesie und Beredsamkeit* (8 Bde., bis 1744).

1734 Ernennung G.s zum ordentlichen Professor für Logik und Metaphysik; *Erste Gründe der gesammten Weltweisheit, darinnen alle philosophische Wissenschaften in ihrer natürlichen Verknüpfung in zween Teilen abgehandelt werden.*

1735 Vermählung mit L.A.V. Kulmus in Danzig (19. April).

1736 *Gedichte.*

1737 Vertreibung des Harlekin von der Bühne in Leipzig (am Ende eines von der Neuberin verfaßten Vorspiels *Der alte und der neue Geschmack* und vor der Aufführung von Racines *Mithridate*).

1739 Übersetzung der englischen Moralischen Wochenschrift *The Spectator* (9 Bde., abgeschlossen 1743).

1740 Beginn der Auseinandersetzung mit den Schweizern.

1741 Beginn des Erscheinens von Pierre Bayles *Dictionnaire historique et critique* in der Übersetzung G.s, seiner Frau und anderer Mitarbeiter (4 Bde., 1744 abgeschlossen); Beginn der Publikation musterhafter Dramen (eigener und fremder) in der Sammlung *Die Deutsche Schaubühne, nach den Regeln und Exempeln der Alten* (6 Bde., bis 1745). Zerwürfnis mit F. K. Neuber, von Johann Christoph Rost in einem satirischen Epos *Das Vorspiel* (1742) erfolgreich literarisch vermarktet.

1744 Übersetzung von Leibniz' *Theodizee*.

1745 Beginn des Erscheinens der Zeitschrift *Neuer Büchersaal der Schö-*

nen Wissenschaften und Freyen Künste (10 Bde., bis 1754); G.s Frau
übersetzt die Moralische Wochenschrift *The Guardian* unter dem
Titel *Der Aufseher, oder Vormund.*

1748   *Grundlegung einer Deutschen Sprachkunst.*

1750   *Neueste Gedichte.*

1751   Beginn der Zeitschrift *Das Neueste aus der Anmuthigen Gelehrsamkeit* (12 Bde., bis 1762).

1752   Neuausgabe von Heinrich von Alkmars Tierfabelepos *Reineke der Fuchs* in nhd. Sprache.

1757   *Nöthiger Vorrath zur Geschichte der Deutschen dramatischen Dichtkunst von 1450 an* (der zweite Bd. erscheint 1765).

1759   Im 17. Brief der von Friedrich Nicolai, Lessing und Moses Mendelssohn herausgegebenen *Briefe, die neueste Litteratur betreffend,* erscheint Lessings vernichtender Angriff auf G.

1760   *Handlexikon der Schönen Wissenschaften;* im gleichen Jahr erscheint G.s Übersetzung von Claude-Adrien Helvétius' *De l'esprit (Discurs über den Geist des Menschen).*

1762   26. Juni: Tod von G.s Frau.

1765   1. August: G. heiratet Ernestine Susanna Katharina von Neunes.

1766   12. Dezember: Tod des Schriftstellers.

›Die gute Ehefrau‹

Erstdruck und Druckvorlage: Der Biedermann. Erster Theil Darinnen fünfzig wöchentliche Blätter enthalten sind. Mit einem vollständigen Register. Leipzig, bei Wolffgang Deer, 1728. Daraus: Der Biedermann. Drittes Blatt 1727. den 15. May. S. 9–12; Der Biedermann. Vierdtes Blatt 1727. den 22. May. S. 13–16; Der Biedermann. Zehntes Blatt 1727. den 7. Julii. S. 37–40; Der Biedermann. Zwölfftes Blatt 1727. den 21. Julii. S. 45–48.

Der Titel der Erzählung für die vier Blätter des Biedermann wurde vom Hg. (W. P.) gewählt.

Die Bedeutung des Erzählens in
Gottscheds Moralischer Wochenschrift ›Der Biedermann‹

Schon Wolfgang Martens, der Herausgeber des Neudrucks von Gottscheds Moralischer Wochenschrift *Der Biedermann,* hat im Nachwort zu dieser Ausgabe auf die beiden, hier abgedruckten Erzählungen einer »guten Ehefrau« hingewiesen (Biedermann, Ausg. Martens 1975, S. 20★). Es sind in ihrer Thematik überraschende Erzählungen moralisierenden Charakters, von denen vor allem die erste durch die makabren Züge des Berichts eigentlich die Grenze der steifleinenen Didaktik überschreitet, die man einem Gottsched zutrauen möchte. Die zweite wiederum nimmt ein Kardinalthema des 18. Jahrhunderts vorweg, die Geschichte eines Mädchens, das seine Unschuld vor den listigen und gewaltsamen Nachstellungen eines Mächtigen zu retten sucht: Richardson, Diderot, Lessing, Lenz und Goethe werden sich dieses Erzählmotivs – neben vielen anderen – bemächtigen, und auch hier erscheint Gottsched innerhalb einer Traditionslinie, in der man ihn, dessen Bild durch Lessing so negativ festgeschrieben worden ist, eigentlich nicht vermuten möchte. Es sind die Themen, die diese beiden Erzählungen am Beginn des 18. Jahrhunderts besonders interessant werden lassen; die erste belegt das Ausklingen einer narrativen Tradition, die schon seit dem Mittelalter andauert und satirisches wie grausiges, komisches wie sentimentales Erzählgut transportiert und zur Ausprägung des negativen Begriffes des »Romanhaften«, d.h. des »Unwahren«, »Erlogenen« und Anrüchigen dieser Erzählmaterien geführt hat. Vor allem die romanische Erzähltradition hat, mit den lateinischen *Gesta Romanorum* (einer um 1300 entstandenen Sammlung unterhaltsamer und erbaulicher Erzählungen) und dem italienischen *Novellino* beginnend, über Boccaccio, Bandello, Marguerite de Navarre und Cervantes, aber auch in England mit Chaucers *Canterbury Tales,* hervorragende Beispiele solcher, oft in komplexen Formen der Rahmenerzählung gestalteter Stoffbehandlung geliefert.

Im 17. Jahrhundert beginnt jedoch eine Krise der »romanhaften« Erzählstoffe: In den großen höfischen Barockromanen verselbständigt sich der Stoff, beginnt seine Wucherung zu einer möglichst breiten Ansammlung von traurigen, wunderbaren, rührenden, komischen und makabren Ereignissen, die Zwecke der Unterhaltung und Belehrung verschwinden hinter einem rhetorischen Prunkgewand und unter der Last kuriosen und gesuchten Wissens. Dies führt zur ersten Verurteilung der Gattung »Roman«, die mehr ein stoffliches Arsenal als eine präzise künstlerische Form bezeichnet (u. a. durch Cyrano de Bergerac, Boileau und Hédelin d'Aubignac), die aber auch eine erste konsequente Verteidigung des »romanhaften« Erzählens auf den Plan ruft: 1670 erscheint als Anhang zur »histoire espagnole« *Zaide* des Gelehrten und Schriftstellers J. R. Segrais der *Traitté de l'origine des romans,* dessen Autor der gelehrte Skeptiker, Philologe und spätere Bischof von Avranches Pierre Daniel Huet ist. Den ästhetisch wie moralisch motivierten Bedenken gegenüber den Romanstoffen und ihrer Formung in Prosa führt Huet drei wesentliche Aspekte ins Feld, die die Legitimität des Erzählens in einem niedrigen Prosastil erweisen sollen: 1. Das Ziel dieses Erzählens ist die moralische Unterweisung des Lesers durch einen Stoff, der die Belohnung der Tugend und die Bestrafung des Lasters zeigt; dabei wirken die Prosaform und der stoffliche Anreiz als Lockmittel, das den Leser dazu bringt, die bittere Pille der moralischen Belehrung ohne Widerstände zu schlucken. 2. Die Form der »romanhaften« Erzählung eignet sich besonders gut für diesen Zweck, weil sie allen Menschen gleich verständlich ist, weil sie kein großes Nachdenken und das Verfolgen von Vernunftschlüssen verlangt, sondern auf dem Weg über das »niedere Seelenvermögen« der Phantasie unmittelbar den Weg zum Herzen und ins moralische Bewußtsein des Lesers oder Hörers findet. 3. Diese Form des Erzählens ist von hohem sozialen Nutzen, der den möglichen Schaden der Darstellung schlechter Handlungen oder niedriger Leidenschaften überwiegt; denn wenn es schon praktisch nicht möglich ist, den Menschen in Wirklichkeit vom Niedrigen und Gemeinen fernzuhalten, dann gibt es die Möglichkeit, die Lektüre zur Schule der moralischen Verhaltensweisen und der guten gesellschaftlichen Lebensart zu machen (vgl. dazu Huet 1966, S. 5f., S. 85f., S. 95f.).

Diese Haltung Huets wurde zwar von dem Schweizer Pastor Gotthard Heidegger in seiner Schrift *Mythoscopia romantica oder Discours von den so benanten Romans* (1698) zurückgewiesen, in dem er gegen die Listen des Teufels wetterte, die sich in der »Hoffart« und den »Fratz-Possen« der Literatur verstecken und nur dazu führen, daß dem einfältigen dem gelehrten Leser »dann die Einfalt der [Hl.] Schrift nicht mehr schmeket« (Ausg. Zürich 1968, S. 99). Es ist die Weltoffenheit der »romanhaften« Welt der Prosa-Erzählung, die Hinwendung zu innerweltlichen Problemen, die Heidegger anprangert, aber genau diese ist es, die sich die Moralischen Wochenschriften, nach den englischen Vorbildern, zu eigen gemacht haben; Was sie lehren wollten, war nicht kunstfeindliche Abstinenz von Lektüre oder angenehmer Zerstreuung durch die Schönen Künste, sondern ihre Einbettung in ein Programm der Erziehung zur »vernünfftigen« Geselligkeit, in dem dem unterhaltenden Element ein ebenso bedeutender Anteil an der Belehrung zukommen sollte, wie dem moralischen Diskurs, in dem ein rigoroser Vernunftbegriff expliziert wurde. In seinen *Vernünfftigen Gedanken von der Menschen Thun und Lassen, zu Beförderung ihrer Glückseligkeit, denen Liebhabern der Wahrheit mitgetheilet* (Halle 1723) hatte der Philosoph Christian Wolff vier Jahre vor dem Erscheinen des *Biedermann* geschrieben: »Weil doch aber keine Vorstellung einen Bewegungsgrund abgeben kann, als die eine Überführung oder Überredung mit sich führet; so muß man auch die Vorstellungen dergestalt einrichten, daß der andere, den ich lencken will, an ihrer Gewißheit keinen Zweiffel hat. Und da die Exempel viel dazu beytragen; so ist es über die Maßen dienlich, wenn man solches entweder durch wahre Exempel, oder, wo man dergleichen nicht haben kann, durch erdichtete (welche Fabeln genennet werden) zu erhalten suchet. Und erhellet hieraus der Nutzen der Fabeln, wenn sie so eingerichtet sind, daß der Erfolg der guten und der bösen Handlungen dadurch handgreiflich wird« (§ 373 »Über die Besserung des Willens durch lebendige Erkenntnis des Guten«; zit. nach Martens 1971, S. 446, Anm. 91). Die Bedeutung, die damit dem »Exemplum«, in dem ein Problem der Sittenlehre praktisch-anschaulich abgehandelt wird, macht nach dieser Vorgabe Wolffs für Gottsched die Behandlung der »Fabel«, d. h. des Bezuges eines Stoffes zu einem festgelegten System der Moral, zu einem Zentralpunkt seines Interesses.

Im *Versuch einer critischen Dichtkunst* heißt es deshalb: »Denn ein Gedicht [d. h. jedes artistische sprachliche Gebilde] hält in der That das Mittel zwischen einem moralischen Lehrbuche, und einer wahrhaftigen Geschichte. Die gründlichste Sittenlehre ist für den großen Haufen der Menschen viel zu mager und zu trocken. Denn die rechte Schärfe in Vernunftschlüssen ist nicht für den gemeinen Verstand unstudirter Leute. Die nackte Wahrheit gefällt ihnen nicht: es müssen schon philosophische Köpfe seyn, die sich daran vergnügen sollen. Die Historie aber, so angenehm sie selbst den Ungelehrten zu lesen ist, so wenig ist sie ihm erbaulich. Sie erzählt lauter besondre Begebenheiten, die sich das tausendstemal nicht auf den Leser schicken: und, wenn sie sich gleich ungefähr einmal schickten, dennoch viel Verstand zur Ausdeutung bey ihm erfordern würden. Die Poesie hingegen ist so erbaulich, als die Morale, und so angenehm als die Historie; sie lehret und belustiget, und schicket sich für Gelehrte und Ungelehrte: darunter jene die besondre Geschicklichkeit des Poeten, als eines künstlichen Nachahmers der Natur, bewundern; diese hergegen einen beliebten und lehrreichen Zeitvertreib in seinen Gedichten finden (*Versuch einer critischen Dichtkunst*. Leipzig ⁴1751, S. 167). Diese Mitte zwischen »individueller Wahrheit« der Historie und der stereotypen Weltdeutung erprobt die Erzählung von der ungetreuen Ehefrau, die Euphrosyne liest. Die Normen selbst sind dabei nicht didaktisch-abstrakt präsentiert, sondern sie werden in der Geschichte des Brautstandes von Sophroniscus und Euphrosyne und in der Schilderung ihres Zusammenlebens im Kontrast zur »Historie« der ungetreuen Ehefrau als praktisch bewährte Werte dargestellt.

Die zweite Geschichte, die Euphrosyne ihren Töchtern zur Lektüre gibt, reflektiert exemplarisch den dritten Punkt der angeführten Überlegungen Huets (s. o.). Euphrosyne ist eben der Ansicht, daß dies eine geeignete Geschichte für ihre heranwachsenden Töchter ist, weil sie eine Lektion in richtigem sozialen Verhalten darstellt. Die Geschichte der tugendhaften Charlotte, für die sich vorläufig keine Quelle nachweisen läßt, dürfte durchaus auf die Art und Weise entstanden sein, die Gottsched in der *Critischen Dichtkunst* als exemplarisch vorführt, zumal sie sich noch mit dem dort angeführten Lehrsatz inhaltlich berührt. Zur Erfindung einer Fabel, die das »Hauptwerk« in der ganzen Poesie ist, »wähle man sich einen lehrreichen moralischen Satz, der in dem ganzen Gedichte zum Grunde liegen soll, nach Beschaffenheit der Absichten, die man sich zu erlangen, vorgenommen. Hierzu ersinne man sich eine ganz allgemeine Begebenheit, worinn eine Handlung vorkömmt, daran dieser erwählte Lehrsatz sehr augenscheinlich in die Sinne fällt. Z.E. Gesetzt, ich wollte einem jungen Prinzen die Wahrheit nahebringen: Ungerechtigkeit und Gewaltthätigkeit wären abscheuliche Laster. Diesen Satz auf angenehme Art recht sinnlich und fast handgreiflich zu machen, erdenke ich folgende allgemeine Begebenheit, die sich dazu schicket: ›Es war jemand, wird es heißen, der schwach und unvermögend war, der Gewalt eines Mächtigern zu widerstehen. Dieser lebte still und friedlich; that niemanden zu viel, und war mit dem wenigen vergnügt, was er hatte. Ein Gewaltiger, dessen unersättliche Begierden ihn verwegen und grausam machten, ward dieses kaum gewahr, so griff er den Schwächern an, that mit ihm, was er wollte, und erfüllete mit dem Schaden und dem Untergang desselben seine gottlosen Begierden‹. Dieses ist der erste Entwurf einer poetisch-moralischen Fabel. Die Handlung, die darinn stecket, hat die folgenden vier Eigenschaften. 1) Ist sie allgemein, 2) nachgeahmt, 3) erdichtet, 4) allegorisch, weil eine moralische Wahrheit darinn verborgen liegt. Und so muß der Grund aller guten Fabeln beschaffen seyn, sie mögen Namen haben, was sie wollen« (ebd., S. 161 f.).

Trotz der Betonung des fiktionalen Elements der Stoffgestaltung und seiner Anbindung an die Stereotypie moralischer Wertungen lenkt damit

Gottsched die Aufmerksamkeit auf »wirkliche Fälle« bzw. er motiviert durch seine Vorschriften seine Schriftstellerkollegen, Beispiele aus der Erfahrungswirklichkeit zu finden, die einen größeren Grad von Anwendbarkeit auf das praktische Leben besitzen, als es die »romanhaften« Erzählfiktionen bis dahin zugelassen hatten. Seine eigene Fiktion der Geschichte der Charlotte bahnt damit den Weg, den Lessing und Schiller mit den »plots« ihrer bürgerlichen Trauerspiele gehen sollten.

Erläuterungen

S. 7 *Besser:* Johann von Besser (1654–1729), zählt mit dem Freiherrn von Canitz (1654–1699), Christoph Heinrich Amthor (1678–1721) und Johann Valentin Pietsch (1690–1733) sowie Johann Ulrich König (1688–1744) zu den sogenannten »Hofpoeten«; vor allem Besser und König erobern sich ihre Stellung an den Höfen in Dresden und Berlin durch panegyrische Gedichte auf hohe Personen und höfische Anlässe. Andererseits gehören sie zu den Dichtern, die eine Reinigung des lyrischen Stils nach französischem Vorbild anstreben. Von G.s Zitat ist allerdings nur die erste Zeile nachweisbar; Besser fährt in seinem Gedicht ›Verhängniß treuer Liebe aus dem Ehrengedächtniß der sel. Frau Besserin‹ fort: »Ein treuverknüpfftes Paar, das sich von Hertzen meinet,/Ist alles Zweiffels frey vom Himmel zwar vereinet« (Des Herrn von Besser Schriften [. . .] Zweyter Theil. [Hg. von Joh. Ulrich König] Leipzig 1732, S. 378. – *Euphrosyne:* Sprechender Name, dem griechischen »euphron« als künstliche weibliche Adjektivform (»die Wohlwollende«, die »Verständige«) nachgebildet. – *Sophroniscus:* Ebenfalls sprechender Name, nach dem griechischen Adjektiv »sophronikós« (»der Verständige«, »der Besonnene«).

S. 10 *folgende Geschicht:* Das Motiv der bestraften untreuen Frau, die entweder den Leichnam ihres Liebhabers vor Augen haben oder ihn gar (meist das Herz) verzehren muß, ist ein typisches Novellenmotiv bereits des Mittelalters (vgl. die Verserzählung des *Châtelain de Couci* und die scheinbar echte Biographie des provençalischen Lyrikers Guilhem de Cabestaing, Vorlage für die neunte Novelle des vierten Tages von Boccaccios *Decamerone*). Mögliches Vorbild ist die anonym erschienene Erzählung *Les amans malheureux ou le Comte de Comminge* (Amsterdam 1706), in der ein betrogener Ehemann seine Frau und deren Geliebten überrascht, die Frau zwingt, ihren Liebhaber in ihrem Zimmer zu erhängen und diese dann einmauert.

S. 12 *Boileau:* Nicolas Boileau-Despréaux (1636–1711), von Gottsched vor allem wegen seines grundlegenden Lehrgedichts *L'art poétique* (1674) geschätzt, dessen Anweisungen für die Ausübung der Dichtkunst für ihn vorbildlich waren. Das Zitat aus den (zwischen 1666 und 1716) erschienenen *Satiren* entstammt der fünften Satire (À M. Marquis de Dangeau; entst. 1663/64, Erstdruck 1666), VV. 77/78. In Canitz' Übersetzung lautet der von G. – aus einer Frage bei Boileau ins Affirmative gewandt – verwendete Text: »doch wer schwört einen Eyd,/ Daß binnen solcher Frist, der Mütter keusches Lieben/ Den

Männern immer treu, den Buhlern feind geblieben;« (VV. 80–82; Canitz, *Gedichte,* Hg. von Joh. Ulrich König, Leipzig 1734, S. 138/139).

S. 16   *Paters du Bosc Tractat:* Jacques Du Bosc, Franziskanermönch, geb.
Ende des 16. Jh.s. Seine Schrift *L'Honneste Femme* erschien 1632 in
Paris (Kommentar der Ausgabe Martens, S. 1*).

S. 17   *abzuwechseln gewohnt bin:* Ein Satz, der hier anschließt, vom Hg.
weggelassen. Gottsched kündigt an, der Biedermann werde sich zunächst mit den Söhnen seines Freundes beschäftigen. – *Fontenelle Poes.
Past.:* Bernard Le Bouvier de Fontenelle (1657–1757), vielseitiger Ge-
lehrter und Schriftsteller, dessen *Entretiens sur la pluralité des mondes*
(1686) und *Dialogues des Morts* (1683) Gottsched übersetzt hatte (*Gespräche von mehr als einer Welt,* 1726 und *Gespräche der Todten,* 1727).
Fontenelles *Poesies pastorales,* aus denen G. hier zitiert, waren 1688
erschienen.

S. 18   *Charlotte . . .:* Die Quelle der Geschichte der tugendhaften Charlotte
ist nicht ermittelt; es handelt sich vermutlich um eine Erfindung G.s.

S. 22   *Neukirch:* Benjamin Neukirch (1665–1729) war zunächst Anhänger
der Schlesischen Schule Lohensteins und Hofmannswaldaus, wandte
sich dann vom Schwulststil ab und vertrat das neue, von Boileau
geprägte Ideal. Von 1695 bis 1727 gab er die sog. »Neukirchsche
Sammlung« *Herrn von Hoffmannswaldau und andrer Deutschen auserlese-
ner und bißher ungedruckter Gedichte 7 Thle.* heraus; Gottsched veröffentlichte nach seinem Tod 1744 eine Sammlung *Auserlesene Gedichte* Neu-
kirchs.

Literaturhinweise

Ausgabe: Gottsched, Johann Christoph: Der Biedermann. Faksimiledruck
der Originalausgabe Leipzig 1727–1729 mit einem Nachwort und Erläuterungen hg. von Wolfgang Martens. (Deutsche Neudrucke, Reihe Texte des 18. Jahrhunderts. Hg. von Paul Böckmann und Friedrich Sengle)
Metzler. Stuttgart 1975.

Birke, Joachim: Christian Wolffs Metaphysik und die zeitgenössische Literatur und Musiktheorie: Gottsched, Scheibe, Mizler. (Quellen und For-
schungen zur Sprach- und Kulturgeschichte der germanischen Völker
N.F. Bd. 21) Berlin 1966.

Ders.: ›Gottscheds Neuorientierung der deutschen Poetik an der Philosophie Wolffs‹. In: ZschfdtPh 85 (1966), S. 560–575.

Ders.: ›Der junge Lessing als Kritiker Gottscheds‹. in: Euphorion 62
(1968), S. 392–404.

Braitmaier, Friedrich: Geschichte der poetischen Theorie und Kritik von
den Diskursen der Maler bis auf Lessing. 2 Bde. Frauenfeld 1888/89.

Brandes, Helga: Die ›Gesellschaft der Mahler‹ und ihr literarischer Beitrag
zur Aufklärung. Eine Untersuchung zur Publizistik des 18. Jahrhunderts. (Studien zur Publizistik 21) Bremen 1974.

Brüggemann, Fritz (Hg.): Gottscheds Lebens- und Kunstreform in den
zwanziger und dreißiger Jahren. (Deutsche Literatur in Entwicklungsrei-
hen. Reihe Aufklärung Bd. 3) Leipzig 1935.

Crüger, Johannes (Hg.): Joh. Christ. Gottsched und die Schweizer J. J. Bodmer und J. J. Breitinger. (Deutsche National-Litt. Bd. 42) Berlin – Stuttgart 1883.

Danzel, Theodor W. (Hg.): Gottsched und seine Zeit. Auszüge aus seinem Briefwechsel. Leipzig 1848.

Heidegger, Gotthard: Mythoscopia Romantica oder Discours von den so benanten [!] Romans. Faksimiledruck nach dem Originaldruck von 1698. Hg. von Walter Erich Schäfer. Bad Homburg v. d. H. u. a. 1969.

Huet, Pierre Daniel: Traité de l'origine des Romans. Faksimiledrucke nach der Erstausgabe von 1670 und der Happelschen Übersetzung von 1682. Mit einem Nachwort von Hans Hinterhäuser. Stuttgart 1966.

Koch, Max: Gottsched und die Reform der deutschen Literatur im achtzehnten Jahrhundert. Hamburg 1887.

Lachmann, Hans: Gottscheds Bedeutung für die Geschichte der deutschen Philologie. (Mitt. d. Deutschen Gesellschaft zur Erforschung vaterländischer Sprache und Altertümer in Leipzig Bd. 13) Leipzig 1931.

Lengauer, Hubert: Zur Sprache Moralischer Wochenschriften. Untersuchungen zur rhetorischen Vermittlung der Moral in der Literatur des 18. Jahrhunderts. Diss. Wien 1975.

Martens, Wolfgang: Die Botschaft der Tugend. Die Aufklärung im Spiegel der Moralischen Wochenschriften. Stuttgart ²1971.

Ders.: Der ›Patriot‹. Nach der Originalausgabe Hamburg 1724–26 in drei Textbänden und einem Kommentarband. Hg. von W. M. Berlin 1969 ff.

Ders.: ›Die Geburt des Journalisten in der Aufklärung‹. In: Günther Schulz (Hg.). Wolfenbütteler Studien zur Aufklärung I (1974), S. 84–98.

Ders.: ›Leserezepte für Frauenzimmer. Die Frauenzimmerbibliotheken der deutschen Moralischen Wochenschriften‹. In: Archiv für Geschichte des Buchwesens XIV (1975). Spp. 1143–1200.

Nasse, Peter: Die Frauenzimmer-Bibliothek des Hamburger ›Patrioten‹ von 1724. Zur weiblichen Bildung in der Frühaufklärung. 2 Bde. Stuttgart 1976.

Rieck, Werner: Johann Christoph Gottsched. Eine kritische Würdigung seines Werkes. Berlin 1972.

Sauder, Gerhard: ›Moralische Wochenschriften‹. In: Rolf Grimminger (Hg.). Hansers Sozialgeschichte der deutschen Literatur vom 16. Jh. bis zur Gegenwart Bd. 3: Deutsche Aufklärung bis zur Französischen Revolution 1680–1789. München 1980, S. 267–279.

Scherpe, Klaus R.: Gattungspoetik im 18. Jahrhundert. Historische Entwicklung von Gottsched bis Herder. (Studien zur Allgemeinen und Vergleichenden Literaturwissenschaft Bd. 2) Stuttgart 1968.

Waniek, Gustav: Gottsched und die deutsche Litteratur seiner Zeit. Leipzig 1897.

Wolff, Eugen: Gottscheds Stellung im deutschen Bildungsleben. 2 Bde. Kiel – Leipzig 1895–97.

W. P.

1692   7. November: Johann Gottfried Schnabel in Sandersdorf bei Bitterfeld als Sohn eines Pfarrers geboren.

1694   Tod beider Eltern; S. vermutlich bei Verwandten in Pflege.

1702   Besuch der Lateinschule in Halle. Hinweise auf die Jugendgeschichte von S. finden sich in der Erzählung des Wundarztes Kramer im zweiten Teil der *Insel Felsenburg* (1732; S. 176–235). Demnach hat S. ein Medizinstudium (in Helmstedt oder Leipzig) und eine praktische Ausbildung als Barbier absolviert.

1708–12 Teilnahme an der Endphase des Spanischen Erbfolgekriegs unter Prinz Eugen von Savoyen in den Niederlanden, vermutlich als Feldscher. Keine weiteren Lebensdokumente bis 1724.

1719   Erstdruck von Daniel Defoes *Robinson Crusoe*.

1724   24. August: S. legt in Stolberg (Harz) den Bürgereid ab. »Kammerdiener«, »Hofbalbier«, auch (ab 1737) »Hofagent« lauten die Bezeichnungen seiner Tätigkeit im Dienst des Erbgrafen Christoph Ludwig Stolberg. S. ist bereits verheiratet und Vater eines Sohnes; Geburtsdatum, Mädchenname von S.s Frau Johanna Sophie und Ort der Eheschließung sind unbekannt.

1726   Erstdruck von Jonathan Swifts *Gulliver's Travels*.

1731   Erscheinen des ersten Bandes der *Insel Felsenburg* (*Wunderliche* Fata *einiger See-Fahrer . . .*), veröffentlicht unter dem Pseudonym Gisander. – Beginn der Veröffentlichung einer Zeitung, die zunächst wöchentlich, dann (ab 1737) zweimal in der Woche erscheint: *Stollbergische Sammlung Neuer und Merckwürdiger Welt-Geschichte* (erscheint bis 1741).

1732   Zweiter Bd. der *Insel Felsenburg;* Veröffentlichung der Flugschrift *Nachricht, welchergestalt die Salzburgischen Emigranten in Stolberg am 2. bis 4. August 1732 empfangen wurden* (Bericht über den Durchzug einer Gruppe von Protestanten, die vom Erzbischof Leopold Anton Graf von Firmian wegen angeblicher Verschwörung aus dem Land vertrieben wurden; sie fanden meistens Aufnahme in Preußen).

1733   Tod von Schnabels Frau; fünf Kinder sind zwischen 1721 und 1731 aus der Ehe hervorgegangen.

1736   Dritter Bd. der *Insel Felsenburg;* Huldigung an den Prinzen Eugen: *Lebens- Helden- und Todes-Geschicht des berühmtesten Feld-Herrn biß-heriger Zeiten EVGENII FRANCISCI, [. . .] Aus verschiedenen glaubwürdigen Geschicht-Büchern und andern Nachrichten zusammen getragen und kurtzgefasset herausgegeben von Gisandern.*

1737   S. veröffentlicht die Beschreibung des Vermählungsfestes seines gräflichen Herrn.

1738   Erscheinen des »galanten« Romans *Der im Irrgarten der Liebe herum taumelnde Cavalier. Oder Reise- und Liebes-Geschichte Eines vornehmen Deutschen von Adel, Herrn von St.***.*

1744	Letztes Lebensdokument S.s, ein Bittbrief an den Grafen von Stolberg.
1750	Die letzte Publikation Schnabels erscheint, der allegorisch-phantastische Roman *Der aus dem Mond gefallene und nachhero zur Sonne des Glücks gestiegene Printz, Oder Sonderbare Geschichte Christian Alexander* Lunari, alias *MEHMET KIRILLI und dessen Sohnes Francisci Alexanders. . . . ausgefertiget durch Gisandern, welcher die Felsenburgische Geschichte gesammlet hat.*
nach	
1750	Keinerlei Nachrichten über Leben, Aufenthaltsort (vermutlich hatte S. Stolberg vor 1750 verlassen) und Todesdatum des Autors. 1760 gilt er als verstorben.

›Virgilia van Cattmers‹

Erstdruck und Druckvorlage: Wunderliche/*Fata*/einiger/See-Fahrer,/absonderlich/*Alberti Julii,*/eines gebohrnen Sachsens,/Welcher in seinem 18^{den} Jahre zu Schiffe/gegangen, durch Schiff-Bruch selb4te an eine/grausame Klippe geworffen worden, nach deren Übersteigung/das schönste Land entdeckt, sich daselbst mit seiner Gefährtin/verheyrathet, aus solcher Ehe eine *Familie* von mehr als/300. Seelen erzeuget, das Land vortrefflich angebauet,/durch besondere Zufälle erstaunens-würdige Schätze ge-/sammlet, seine in Teutschland ausgekundschafften Freunde/glücklich gemacht, am Ende des 1728sten Jahres, als in/ seinem Hunderten Jahre, annoch frisch und gesund gelebt,/ und vermuthlich noch zu *dato* lebt,/entworffen/Von dessen Bruders-Sohnes-Sohnes-Sohne,/*Mons.Eberhard Julio/Curieusen* Lesern aber zum vermuthlichen/Gemüths-Vergnügen ausgefertiget, auch *par Commission*/dem Drucke übergeben/Von/*Gisandern.*/*Nordhausen,*/Bey Johann Heinrich Groß, Buchhändlern./*Anno 1731.* S. 391–415.

Der Titel der Erzählung wurde vom Hg. (W. P.) gewählt.

Aschenputtels »Wunderliche Fata«

Fast nichts wissen wir von der Biographie eines Autors, der eines der populärsten Bücher des 18. Jahrhunderts geschrieben hat, die *Wunderlichen Fata einiger Seefahrer,* bekannt unter dem Kurztitel *Insel Felsenburg.* Aber von keinem Autor sonst erfährt der Leser so vieles über das Leben des 18. Jahrhunderts, vergleichbar nur mit Grimmelshausens Darstellung der Zeit des Dreißigjährigen Krieges. Auch hier wird das bürgerliche Leben als ein »Krieg aller gegen alle« geschildert, der gesellschaftliche Zustand als Zustand der Anarchie beschrieben, der nicht zu verbessern ist und für den es nur ein Heilmittel gibt – die Flucht.

Das Thema und die Haupterzählung des Romans ist die Geschichte des Albertus Julius, der im Dienst eines holländischen Adeligen an der Entführung von dessen Geliebter teilnimmt, mit dem Paar nach Ostindien segelt und an einer paradiesischen Insel, der Insel Felsenburg – deren Vorbild die Inselgruppe Tristan da Cunha ist – strandet. Dort baut er mit Concordia, der Geliebten seines Herrn, der dem Mordanschlag eines Mitreisenden zum Opfer gefallen ist, einen neuen Idealstaat auf. Weitere Schiffbrüchige vergrößern die Kolonie, später werden von anderen Inseln noch passende Partner für die Mitglieder dieser patriarchalischen Lebensgemeinschaft geholt und schließlich einige auserwählte Redliche aus Europa in diesem Hafen des utopischen Glücks zugelassen, u. a. der Urgroßneffe von Albertus Julius, der als Erzähler der Geschichte fungiert. Das ganze Geschehen wird unter der Fiktion, es handle sich um die Papiere eines verunglückten Fremden, die der Herausgeber Gisander der Öffentlichkeit übergeben habe, präsentiert. Integriert sind dem Werk die Lebensgeschichten der Personen, die auf die Insel gelangen, und eine der Erzählungen, die einen Blick auf das Leben im alten Europa erlauben, ist die der *Virgilia van Cattmers*.

Während die Frühaufklärer vom Schlage Wolffs oder Gottscheds die Geselligkeit als Form der positiven Verwirklichung der Vernunft preisen und optimistisch in ihr, unbeschadet der realen Umstände der gesellschaftspolitischen Ordnung, die »beste der möglichen Welten« sehen, belegt jede der biographischen Episoden eine gegenteilige These. Die Menschen im alten Europa sind und handeln verderbt, an der Stelle von Altruismus, Vernunft und Toleranz regieren krassester Egoismus, die Torheiten und die Amtsanmaßung überalterter Herrschaftsformen und die maßlose Gier nach Macht und Geld. Die Erzählung ›Virgilia van Cattmers‹ entnimmt ihre Motive dem Aschenputtel-Märchen und verbindet sie mit der Thematik des – hier unterschobenen – Kindsmordes, der ein zentraler Stoff der Poetik des Mitleids im 18. Jahrhundert werden sollte (H. L. Wagner, Goethe). Aber auch die Rettung dieses Aschenputtels vor der bösen Stiefmutter durch seinen Prinzen bringt nicht das Ende von Leid und Verfolgung, erst auf der Insel Felsenburg findet sie den ungetrübten Frieden, den sonst das Happy-End des Märchens herbeiführt.

Man hat auf die Bedeutung der Robinsonade und der Utopie, als den beiden Haupteinflüssen auf Schnabels vierbändiges Werk (Bd. 1 1731, Bd. 2 1732, Bd. 3 1736 und Bd. 4 1743) hingewiesen, und tatsächlich sind die literarischen Motive von Defoe (und der satirischen Kontrafaktur von Swifts *Lemuel Gulliver*) und die politischen Vorbilder der Utopien von Thomas Morus, Francis Bacon und Tommaso Campanella im Aufbau des Inselstaats ständig präsent. Aber der Sinn sowohl der ganzen Utopie wie der scheinbar novellistisch eingestreuten Einzelbiographien der Ankömmlinge bedürfte einer genaueren Untersuchung. Der christliche Pessimismus der Erbsündenlehre mit seiner Geschichtskonstruktion vom Urzustand der Unschuld und Gnade, der im Sündenfall des Menschen zu einem Zustand des Unrechts und zur Herrschaft des Bösen führt, bis ihn eine Herrschaft des Rechts triumphierend überwindet, scheint die Haupthandlung und die »Exempla« der einzelnen Biographien als Strukturmodell zu verbinden. Diese Geschichtskonstruktion hatte, auf der Basis der politisch-religiösen Theorie des radikalen Flügels der Puritaner in der englischen Revolution, in Miltons Epos *Paradise Lost* ihren prägnantesten Ausdruck und große Verbreitung gefunden. Vorformuliert hat dieses christlich-eschatologische Geschichtsbild der »Leveller« Gerrard Winstanley (1609 – nach 1660) in seinem Manifest *Fire in the Bush* (1650), unmittelbar vor der Niederlage der radikalen Fraktion gegen die von Cromwell geführte Hauptmacht der Puritaner: Drei Zustände der menschlichen Geschichte gibt es, schreibt er; es gibt »the first estate of mankind or the living soul in his innocence, and you need not look back six thousand years to find it; for every single man and woman passes through it [. . .]. The second estate of mankind is the time of the curse, while he reigns which is the power of darkness or the dragon, that deceives the plain-hearted simple man; making him to covet after content in objects without him, and to look for a god without, and so fills him with anger, envy, hypocrisy, vexation, grief; and brings him into bondage within himself. [. . .]. The third estate of mankind is the day of Christ, or the rising up and reign of the blessing, which is the restoring power, delivering mankind from this bondage of lust and subduing the power of darkness, and drawing mankind into union with the Father, making all things new and so making peace« (Winstanley, *The Law of Freedom and other Writings*. Ed. by Christopher Hill. Harmondsworth 1973, S. 255, 257). Jede der Figuren Schnabels passiert diese drei Stufen des heilsgeschichtlichen Modells, ob sie sich nun der Herrschaft des Bösen öffnen oder nicht; und die Geschichte der Virgilia ist exemplarisch die Geschichte der vom Bösen verfolgten Unschuld, die ihre natürliche Unberührtheit durch das Schreckensstadium in die Herrschaft des Guten, auch wenn diese nur auf den idealen Inselstaat beschränkt ist, zu retten weiß.

Vielleicht liegt gerade in dieser heilsgeschichtlichen Konzeption die Anziehungskraft, die das Werk noch auf die Romantik ausgeübt hat. Denn seine Wirkung war nicht nur im 18. Jahrhundert von unglaublicher Intensität (und seine häufige Zusammenstellung mit der Bibel durchaus nicht zufällig). Der erste Band hatte acht, der zweite sieben, der dritte sechs und der vierte schließlich noch fünf Auflagen erlebt; Auszüge waren noch 1778 in A. O. Reichards *Bibliothek der Romane* und 1807/08 in Johann C. L. Hakens *Bibliothek der Robinsone* erschienen. Achim von Arnim veröffentlichte 1809 einzelne Teile des ersten Bandes der *Insel Felsenburg* (unter dem Titel *Das wiedergefundene Paradies*) in der Novellensammlung *Der Wintergarten,* und 1828 erschien, von Ludwig Tieck betreut, eine Neubearbeitung des größten Teils der *Insel Felsenburg*. Für die Gegenwart hat der Schriftsteller Arno Schmidt die Bedeutung von Schnabels Werk, allerdings als pessimistisches Zeitbild des 18. Jahrhunderts und als Vor-Bild des vom Zweiten Weltkrieg verwüsteten Europa, wiederentdeckt.

Erläuterungen

S. 42 *in seiner Geschichts-Beschreibung:* Die Geschichte der Aufnahme der Virgilia van Cattmers wird (S. 373–391 der Originalausgabe) von Albertus Julius selbst erzählt; da seine drei jüngsten Söhne noch unverheiratet sind, beschließt die Familie, durch eine Expedition von der Insel aus zu versuchen, ob sich auf einem Schiff drei »anständige Weibs-Personen« (S. 374 ff.) ausfindig machen lassen, die in die Gemeinschaft der Insel Felsenburg passen könnten. Ihr Schiff steht dem holländischen Schiff bei, auf dem sich Virgilia befindet und das von

Seeräubern bedroht wird. Es gelingt den Insel-Bewohnern, Virgilia und ihre Begleiterinnen unbemerkt auf ihr Schiff zu bringen und zur Insel Felsenburg zurückzugelangen. An die Erzählung der Virgilia selbst schließt sich der Bericht über die Hochzeit Virgilias mit Albert Julius' Sohn Johannes, Blandinas mit dem Sohn Christoph und – nach weiteren zwei Jahren – Gertrauds mit dessen Zwillingsbruder Christian an (S. 416ff.).

Literaturhinweise

Ausgaben: Schnabel, Johann Gottfried: Insel Felsenburg. Hg. von Wilhelm Voßkamp. (Rowohlts Klassiker der Literatur und der Wissenschaft) Reinbek bei Hamburg 1969. – Abdruck des ersten Bandes der *Insel Felsenburg,* ohne die *Genealogischen Tabellen* und ohne die *Lebens-Beschreibung Des Don Cyrillo de Valaro.*

Wunderliche FATA einiger See-Fahrer . . . . (Deutsche Romane des 17. und 18. Jahrhunderts. Eine Serie von Nachdrucken, ausgewählt von Ernst Weber. Frankfurt/Main 1973. – Vollständiger Photomech. Nachdruck des vierbdg. Originals.

Schnabel, Johann Gottfried: Insel Felsenburg. Hg. von Volker Meid und Ingeborg Springer-Strand. (Reclam Universal-Bibliothek Nr. 8419) Stuttgart 1982. – Abdruck des vollständigen Bandes.

Allerdissen, Rolf: Die Reise als Flucht. Zu Schnabels ›Insel Felsenburg‹ und Thümmels ›Reise in die mittäglichen Provinzen von Frankreich‹. Bern – Frankfurt/Main 1975.

Becker, Franz Karl: Die Romane Johann Gottfried Schnabels. Diss. Bonn 1911.

Bersier, Gabrielle: Wunschbild und Wirklichkeit. Deutsche Utopien im 18. Jahrhundert. Heidelberg 1981.

Brüggemann, Fritz: Utopie und Robinsonade. Untersuchungen zu Schnabels Insel Felsenburg (1731–1743). Weimar 1914.

Brunner, Horst: Die poetische Insel. Inseln und Inselvorstellungen in der deutschen Literatur. Stuttgart 1967.

Deneke, Günther: Neu aufgefundene Manuskripte des Stolberger Schriftstellers Joh. Gottfried Schnabel – Gisander. In: Zschr. des Harz-Vereins für Geschichte und Altertumskunde 72 (1939), S. 70–79.

Deneke, Otto: Robinson Crusoe in Deutschland. Die Frühdrucke 1720–1780. Göttingen 1934.

Freschi, Marino: L'utopia nel settecento tedesco. Neapel 1974.

Götz, Max: Der frühe bürgerliche Roman in Deutschland (1720–1750). Diss. (Masch.) München 1958.

Grohnert, Dietrich: »Robinson zwischen Trivialität und Sozialutopie. Bemerkungen zu Entstehung und Autorenabsicht deutscher Robinsonaden«. In: Wiss. Zschr. der Pädagogischen Hochschule Potsdam 16 (1972), S. 411–421.

Haas, Roland: Lesend wird sich der Bürger seiner Welt bewußt. Der Schriftsteller Johann Gottfried Schnabel und die deutsche Entwicklung des Bürgertums in der ersten Hälfte des 18. Jahrhunderts. Bern – Frankfurt/Main 1977.

Haas, Rosemarie: »Die Landschaft auf der Insel Felsenburg«. In: Alexander Ritter (Hg.), Landschaft und Raum in der Erzählkunst. Darmstadt 1975, S. 262–292.

Halm, Hans: »Beiträge zur Kenntnis Joh. Gottfried Schnabels«. In: Euphorion Erg.-H. 8 (1909), S. 27–49.

Hohendahl, Peter-Uwe: »Zum Erzählproblem des utopischen Romans im 18. Jahrhundert«. In: Helmut Kreuzer (Hg.), Gestaltungsgeschichte und Gesellschaftsgeschichte. Stuttgart 1969, S. 79–114.

Kimpel, Dieter: Der Roman der Aufklärung. Stuttgart 1967.

Knopf, Jan: Frühzeit des Bürgers. Erfahrene und verleugnete Realität in den Romanen Wickrams, Grimmelshausens, Schnabels. Stuttgart 1978.

Lamport, Francis John: »Utopia and ›Robinsonade‹: Schnabel's ›Insel Felsenburg‹ und Bachstrom's ›Land der Inquiraner‹«. In: Oxford German Studies 1 (1966), S. 10–30.

Mayer, Hans: »Die alte und die neue epische Form: Johann Gottfried Schnabels Romane«. In: H. M., Von Lessing bis Thomas Mann. Wandlungen der bürgerlichen Literatur in Deutschland. Pfullingen 1959, S. 35–78.

Naumann, Dietrich: Politik und Moral. Studien zur Utopie der deutschen Aufklärung. Heidelberg 1977.

Reichert, Karl: »Utopie und Staatsroman. Ein Forschungsbericht«. In: DVj 39 (1965), S. 259–287.

Schmidt, Arno: »Herrn Schnabels Spur. Vom Gesetz der Tristaniten«. In: A. S., Nachrichten von Büchern und Menschen. Bd. 1: Zur Literatur des 18. Jahrhunderts. Frankfurt/Main – Hamburg 1971, S. 28–57.

Soeffner, Hans Georg: Der geplante Mythos. Untersuchungen zur Struktur und Wirkungsbedingung der Utopie. (Forschungsber. d. Instituts f. Kommunikationsforschung u. Phonetik der Univ. Bonn 61) Hamburg 1974.

Spiegel, Marianne: Der Roman und sein Publikum im frühen 18. Jahrhundert. 1700–1767. Bonn 1967.

Steffen, Hans: J. G. Schnabels ›Insel Felsenburg‹ und ihre formengeschichtliche Einordnung. In: GRM N.F. 11 (1961), S. 51–61.

Stern, Martin: »Die wunderlichen Fata der ›Insel Felsenburg‹. Tiecks Anteil an der Neuausgabe von J. G. Schnabels Roman (1828)«. In: DVj 40 (1966), S. 109–115.

Stockinger, Ludwig: Ficta Respublica. Gattungsgeschichtliche Untersuchungen zur utopischen Erzählung in der deutschen Literatur des frühen 18. Jahrhunderts. Tübingen 1981.

Voßkamp, Wilhelm: »Theorie und Praxis der literarischen Fiktion in Johann Gottfried Schnabels Roman ›Die Insel Felsenburg‹. In: Walter Hinck (Hg.), Neues Handbuch der Literaturwissenschaft Bd. 11: Europäische Aufklärung (Teil 1). Frankfurt/Main 1974, S. 165–184.

Voßkamp, Wilhelm (Hg.): Interdisziplinäre Studien zur neuzeitlichen Utopie. 3 Bde., Stuttgart 1982.

Winter, Michael: Compendium Utopinarium. Typologie und Bibliographie literarischer Utopien. Erster Teilband von der Antike bis zur deutschen Frühaufklärung. Stuttgart 1978.

W. P.

Johann Jacob Bodmer

1698	Am 19. Juli in Greifensee bei Zürich als Sohn eines Pfarrers geboren. Nach einer erfolglosen Kaufmannslehre Studium der Humaniora; von 1725 bis zu seinem Tod Professor der Geschichte am Zürcher Gymnasium.
1721	Zusammen mit Johann Jakob Breitinger Herausgeber der Wochenschrift *Die Discourse der Mahlern*.
1732	Übersetzung von Miltons Versepos *Paradise Lost*.
1740	*Critische Abhandlung von dem Wunderbaren in der Poesie und dessen Verbindung mit dem Wahrscheinlichen*. Gegnerschaft zu Gottsched. Beginn einer Sammlung und Edition mittelalterlicher Literatur.
1750–52	Besuch Klopstocks und Wielands in Zürich.
	Mit seinen in Hexametern verfaßten Epen (*Jacob und Joseph*, 1751) und biblischen Dramen (*Der erkannte und der keusche Joseph*, 1754) hat Bodmer keinen literarischen Erfolg.
1783	Bodmer stirbt am 2. Januar in Zürich.

Salomon Gessner

1730	Am 1. April in Zürich als Sohn eines angesehenen Ratsmitgliedes und Verlagsbuchhändlers geboren.
1749	Als Buchhandelslehrling in Berlin. Entscheidung für den Künstlerberuf.
1750	Rückkehr nach Zürich. Veröffentlichung der *Idyllen*, die ein europäischer Erfolg werden.
1762	Veröffentlichung der *Schriften* in vier Teilen. Wachsende Bedeutung als Maler und Radierer arkadisch stilisierter Landschaften. Seit 1761 Teilhaber des Verlagshauses Orell, Gessner & Cie.
1773	Quartausgabe der *Idyllen*.
1788	Am 2. März stirbt Gessner in Zürich.

Inkel und Yariko

Erstdrucke und Druckvorlagen: Beide Texte erschienen 1756 anonym und ohne Angaben von Ort und Jahr in einem Lindauer Verlag unter dem schlichten Titel *Inkel und Yariko*; um die Anknüpfung an Bodmers Erzählung deutlich zu machen, hat Gessner der Überschrift den Vermerk *Zweyter Theil* hinzugefügt. J. J. Bodmer hat seine Bearbeitung des Stoffes erneut veröffentlicht in: *Calliope. Bd. 2.* Zürich 1767, S. 373–379, während Gessner die ohne Verfassernamen erschienene Erzählung nicht in die Sammlung seiner Werke aufgenommen hat; sie wurde unter seinem Namen zum ersten Mal in der posthumen Gesamtausgabe J. J. Hottingers ediert (Zürich 1789). – Bodmer hat seinem Handexemplar des Erstdrucks den im gleichen Jahr erschienenen ›Zweyten Theil‹ angeheftet und den Namen Gessners notiert. Auf einer frei gebliebenen Druckseite hat er den Anfang der Gessnerschen Prosaversion in Hexameter umgeschrieben.

Der ›edle Wilde‹

In Claude Lévi-Strauss' *Tristes Tropiques* (1955), dem wohl bekanntesten ethnologischen Werk unseres Jahrhunderts, findet sich die unpassende, weil scheinbar ohne jede wissenschaftliche Distanz gewählte Floskel vom »Guten Wilden« als eine viel- und damit entsprechend nichtssagende Kapitelüberschrift. Natürlich weiß der Autor um die romantische Aura des Wortes, die er im Text selbst mit der nüchternen, auf jede moralische Wertung verzichtenden Beschreibung der Verelendung eines brasilianischen Eingeborenenstammes aufzuheben versucht. Nicht der (selbst-)kritische Vergleich verschiedener Gesellschaftsformen, sondern die Anerkennung eines prinzipiellen Relativismus ist bei ihm die Voraussetzung für die Erforschung anderer Kulturen.

Im 18. Jahrhundert verhielt es sich nahezu umgekehrt. Durch die in der Folge der großen Entdeckungsfahrten entstandenen Reise- und Missionsberichte hatte man von den »indianischen« Völkerschaften des neuen Kontinents eine nur vage Vorstellung gewonnen. Um so größer war die Freiheit, mit der man ihre zwar primitiven, aber angeblich unverbildeten humanen Eigenschaften beschrieb und damit den eigenen verdorbenen Sitten einen Spiegel vorhielt. Die literarische Figur des »edlen Wilden« (»bon sauvage«, »noble savage«) war die eigentliche ›Entdeckung‹ des Jahrhunderts. An seinem Anfang stehen die *Nouveaux Voyages dans l'Amérique septentrionale* (1703) des Barons Louis-Armand de Lahontan (um 1660–1715), denen das fiktive Gespräch des Verfassers mit einem Huronen beigefügt ist, der sich als kluger und überlegener Kritiker der europäischen Zivilisation erweist. Das Modell ist gefunden, die Gestalt des »sauvage de bon sens« erscheint von nun an in zahlreichen Lehrgedichten und in den erzählenden Gattungen der didaktischen Aufklärungsliteratur, er belebt die Bühnen und gehört wie selbstverständlich zur Ausstattung von Singspielen und Balletten. Nur oberflächlich verdeckt der exotische Reiz das moralische Anliegen, der Kulturvergleich dient lediglich als Vorwand, die Entfremdung in der Zivilisation unter Verweis auf einen ursprünglichen Naturstand – bei den Wilden Amerikas hatte man ihn vor Augen – anzuklagen. Und wo das ethnographische Wissen eine derart geringe Rolle spielt, kann sogar, wie in Christlob Mylius' *Lehrgedicht von den Bewohnern der Cometen* (1744), über die glücklicheren Lebensumstände und die Vernunftbegabung außerirdischer Wesen mit dem Argument spekuliert werden, daß auch in fernen Weltgegenden Menschen unter klimatischen Bedingungen leben, die dem Europäer einfach ›unvorstellbar‹ bleiben (vgl. Jäger, S. 176 ff.).

Der Mythos vom »edlen Wilden« hat sich dabei im 18. Jahrhundert mit zwei weiteren, sehr viel älteren Traditionen der europäischen Religions- und Literaturgeschichte verbunden. Da ist zunächst die antike Vorstellung der *aurea aetas,* eines goldenen Zeitalters, dessen Verlust zugleich eine Verheißung bedeutet, ähnlich den biblischen Erzählungen vom Paradies, aus denen die christliche Anthropologie ihre Lehre von der im Sündenfall bewahrten Gottebenbildlichkeit des Menschen ableitet. Im Arkadienmotiv der Renaissanceliteratur kehrt die Vorstellung von einem harmonischen Anfang der Menschheitsgeschichte wieder, in der Kunst gestaltet er sich zu einem idealen Raum, dessen topische Elemente noch die Schäfer- und Landlebendichtung des 18. Jahrhunderts bestimmen. Einer ihrer wichtigsten Vertreter ist der Schweizer Salomon Gessner. Mit der Sammlung seiner *Idyllen* (1756) erlangte der Autor als erster deutschsprachiger Dichter auch im Ausland hohes Ansehen, die Zeitgenossen, unter ihnen Rousseau, waren fasziniert von der neuartigen Variation empfindsamer und rokokohafter Stilmomente; in einer für ihn charakteristischen, kunstvoll rhythmisierten Prosa entwirft Gessner Szenen eines – gänzlich idealisierten – ländlichen Daseins, seine Schäfer und Hirten leben ohne Herrschaftszwang und ständische Hierarchie im Einklang mit einer Natur, die auch den allein der Liebe frönenden Müßiggänger mit ihrem Überfluß erhält. Der Leser wird nach Arkadien versetzt, bewußt erinnert die antike Staffage an jenes »goldne Weltalter«, von dem der Autor in einer Vorrede zu den *Idyllen* schreibt, daß es »gewiß einmal da gewesen ist«, als nämlich die Menschen noch »frey von allen den Sclavischen Verhältnissen« waren, »und von allen den Bedürfnissen, die nur die unglükliche Entfernung von der Natur nothwendig machet [. . .].«

Dieser formelhafte, scheinbar naiv verwendete Satz eröffnet eine geschichtsphilosophische Perspektive, in der die Aufklärung ihr eigenes Selbstverständnis einer kritischen Prüfung unterzieht. Ihren klassischen Ausdruck hat sie in Rousseaus zweitem *Discours sur l'origine de l'inégalité parmi les hommes* (1754) gefunden. Die bleibende Bedeutung des von Rousseau beschriebenen dialektischen Verhältnisses von Kulturfortschritt und Naturentfremdung hat Claude Lévi-Strauss in einem Beitrag über den »Begründer der Wissenschaften vom Menschen« hervorgehoben:

»Jetzt, da wir das Versagen eines Humanismus aufzeigen können, der entschieden unfähig ist, im Menschen sittliches Verhalten zu begründen, kann das Denken Rousseaus uns helfen, eine Illusion zurückzuweisen, deren unheilvolle Auswirkungen wir in uns und an uns selbst beobachten können. Denn ist es nicht der Mythos von der ausschließlichen Würde der menschlichen Natur, der die Natur selbst eine erste Verstümmelung erleiden ließ, der unweigerlich weitere folgen mußten? Es hat damit begonnen, daß der Mensch von der Natur abgeschnitten wurde und daß man ihm einen eigenen Herrschaftsbereich zuwies; [. . .]. Der abendländische Mensch kann an keiner Zeit besser als an den letzten vier Jahrhunderten seiner eigenen Geschichte ablesen, daß er mit der Anmaßung des Rechtes, die Menschheit radikal von den übrigen Lebewesen zu trennen, einen verderblichen Kreislauf eröffnet hat, indem er jener zusprach, was er diesen entzog: dieselbe Grenze, fortwährend enger gezogen, diente ebenso dazu, Menschen von anderen zu trennen und zugunsten immer weiter eingeschränkter Minderheiten das Privileg eines Humanismus zu beanspruchen, der von Anfang an korrumpiert war, da er sein Prinzip und seinen Begriff von der Eigenliebe herleiten sollte.«

Die Verfallstheorie Rousseaus und seiner Nachfolger deutet an, was sich hinter den so belanglos wirkenden Schäfer-Idyllen der Rokokoliteratur verbirgt. Der paradiesische Naturraum symbolisiert bei Gessner einen Zustand vor aller Geschichte, er bildet den fernen Hintergrund, vor dem die zerstörerischen Wirkungen der Kulturentwicklung wahrnehmbar werden. Insoweit die auf einem authentischen Ereignis beruhende Geschichte von *Inkel und Yariko* (s. u.) dieses pastorale Bild humaner Natur und vollendeter Tugendhaftigkeit nur reproduziert, verliert sie für den heutigen, an der ethnologischen ›Realität‹ interessierten Leser an dokumentarischem Wert; die Zeitgenossen Bodmers und Gessners waren dagegen von dem Gehalt der Erzählung so eingenommen, daß sie das in zahllosen Versionen verbreitete moralische Exempel – noch um 1790 entstanden etwa fünfzehn Bearbeitungen des Stoffes – jeder unsentimentalen Schilderung der Naturvölker und, wie hinzuzufügen bleibt, den verheerenden Folgen der europäischen Handels- und Kolonialpolitik, vorzogen.

Doch mit der sprunghaften Zunahme des anthropologischen Wissens am Ende des 18. Jahrhunderts verblaßte allmählich auch der Mythos vom »edlen Wilden«. Die Begründung gleicher Rechte aufgrund der als ›gleich‹ erkannten Natur aller Menschen (zwischen der Urbevölkerung Amerikas und den noch immer als Sklaven behandelten Einwohnern Schwarzafrikas machte man dennoch feine Unterschiede) bildete nun ein größeres und im Sinne der Kolonialethik ernsteres Problem als es die den Primitiven attestierte Tugendhaftigkeit indirekt je zu artikulieren vermochte, obwohl diese einem populären Rousseauismus weiterhin Argumente lieferte. »Naturkundige« berichteten von ihren auf Forschungsreisen gemachten Beobachtungen nunmehr »ohne Rücksicht auf willkührliche Systeme«, wie Georg Forster in der *Vorrede* zu seiner *Reise um die Welt* (1778/80) betonte:

»Zuweilen folgte ich dem Herzen und ließ meine Empfindungen reden; denn da ich von menschlichen Schwachheiten nicht frey bin, so mußten meine Leser doch wissen, wie das Glas gefärbt ist, durch welches ich gesehen habe. Wenigstens bin ich mir bewußt, daß es nicht finster und trübe vor meinen Augen gewesen ist. Alle Völker der Erde haben gleiche Ansprüche auf meinen guten Willen. So zu denken war ich immer gewohnt. Zugleich war ich mir bewußt, daß ich verschiedne Rechte mit jedem einzelnen Menschen gemein habe; und also sind meine Bemerkungen mit beständiger Rücksicht aufs allgemeine Beste gemacht worden, und mein Lob und mein Tadel sind unabhängig von National-Vorurtheilen, wie sie auch Namen haben mögen.«

Den Konventionen der Empfindsamkeit fühlt sich Forster noch so weit verbunden, daß er einschränkend bemerkt, bei aller Objektivität seiner Beschreibungen doch zuweilen »dem Herzen« gefolgt zu sein. Der hier dokumentierte Wahrnehmungswandel bedeutete also keine Bestätigung für die – in der religiösen Orthodoxie oder bei den radikalen Skeptikern zu findenden – Gegner jener in der Aufklärung so verbreiteten These von der angeborenen Moralität des Menschen, die mit dem Hinweis auf die Praxis der Anthropophagie den Wilden eine größere Nähe zu einer grausamen, ja tierischen, nicht aber zur ›wahren‹ humanen Natur zubilligten. Lahontan hatte darauf nur sarkastisch zu antworten gewußt, es sei bekannt, daß die Indianer das feinere Fleisch der Franzosen dem zäheren der Engländer vorzögen: damit aber bewiesen sie zumindest einen hervorragenden Geschmack (zit. nach Bitterli 1971, S. 257). Der Verteidiger des intelligenten und sittlichen Naturmenschen flüchtet sich in ein Wortspiel (»bon sens«, s. o.), um nicht die zivilisatorischen Maßstäbe seiner Gegner anlegen zu müssen, die gerade bei dieser heiklen Frage auf einer kompromißlosen ›Erziehung‹ der Wilden im Sinne der christlichen Kultur bestanden – ein Widerspruch im Menschenbild der Aufklärung, wie er sich mit großer Genauigkeit in Daniel Defoes *Robinson Crusoe* (1719) abbildet, wo der Europäer seinen späteren Gefährten aus der Hand von Kannibalen befreien, ihn zu einem »noble savage« erst heranbilden muß.

Derlei grundsätzliche, fast immer einen Glaubensstandpunkt bezeichnende Aussagen über den Menschen, seine natürlichen Anlagen und die Notwendigkeit der Erziehung differenzieren sich im letzten Drittel des 18. Jahrhunderts. Jüngere Autoren finden ihr literarisches Motiv nun eher in der Wildheit als in der längst sprichwörtlichen Weisheit und Sanftmut des Naturmenschen, der aus einer größeren Distanz und mit einem spürbar anthropologischen Interesse geschildert wird, wofür Louis-Sébastien Mercier (1740–1814) mit dem fiktiven Bericht *L'homme sauvage* (1767) ein für seine Generation typisches, weil gegen die literarische Tradition opponierendes Beispiel liefert.

Allgemein wächst in der Spätaufklärung die Skepsis sowohl gegenüber den Schemata der Zivilisationskritik wie dem autoritären Überlegenheitsgefühl der aufgeklärten Vernunft. Mitunter lassen sich in dem Werk eines Autors beide Denkmuster finden, in besonders aufschlußreicher Weise bei dem von Gessner bewunderten älteren Landsmann Albrecht von Haller (1708–1777). In einem Lehrgedicht über *Die Falschheit menschlicher Tugenden* (1730) zitiert Haller eine Stelle aus Lahontans *Nouveaux Voyages,* und auch in dem 1734 entstandenen Gedicht *Über den Ursprung des Übels* nimmt die moralphilosophische Reflexion ganz selbstverständlich ihren Ausgang vom Stichwort des »edlen Wilden«, dem Huronen Lahontans:

»Doch nur im Zierat herrscht im Unterscheid der Gaben,
Was jedem nötig ist, muß auch ein jeder haben;

Kein Mensch verwildert so, dem eingebornes Licht
Nicht, wann er sich vergeht, sein erstes Urteil spricht.
Die Kraft von Blut und Recht erkennen die Huronen,
Die dort an Michigans beschneiten Ufern wohnen,
Und unterm braunen Süd fühlt auch der Hottentott
Die allgemeine Pflicht und der Natur Gebot.« (Zweites Buch, V. 205–212)

Die Handlungsweise der Wilden dient hier jedoch, anders als in dem frühen Lehrgedicht, lediglich als Beispiel, nicht als statuarisches Vorbild; der »verwilderte« Barbar gehorcht (wie der »rohe Skythe« Thoas am Schluß von Goethes *Iphigenie auf Tauris,* 1779) dem »Gebot« der Natur entgegen – nicht aufgrund seines unkultivierten Entwicklungsstandes (vgl. Guthke, S. 60 ff.). In Rezensionen von Reisebeschreibungen hat sich Hallers zivilisationskritische Emphase später völlig verloren. An ihre Stelle tritt nicht einfach die Überzeugung von der Notwendigkeit des wissenschaftlichen und gesellschaftlichen Fortschritts, sondern eine desillusionierte Haltung gegenüber der menschlichen Natur, die – und hier trübt sich der Blick des in der calvinistischen Schweiz lebenden Gelehrten – als von Grund auf korrumpiert erscheint. Die christliche Lehre von der Erbsünde, gegen die sich die Aufklärung gerade auch mit dem Bild vom »edlen Wilden« gewandt hatte, kann aus den wiederum in Bruchstücke und Teilbilder zerfallenen, ursprünglich optimistischeren Theorien über die natürliche Sozialität des Menschen und seine archaische Herkunft, die selbst – man erinnere sich an die profanisierten Paradieseserzählungen – aus einer theologischen ›Konkursmasse‹ hervorgegangen waren, neu zusammengefügt werden (vgl. Schmidt-Biggemann).

Im 19. Jahrhundert verliert sich die Spur des »edlen Wilden« als einer legendären Gestalt der Aufklärungsliteratur. Sie lebt fort in der Idealisierung des ethnographischen Denkens. Denn trotz des empirischen Charakters ihrer Untersuchungen und der starken Betonung szientifischer Methoden, hat sich in der modernen Sozialanthropologie ein Hang zu romantischen Deutungen erhalten. So schreibt Claude Lévi-Strauss in dem eingangs erwähnten Reisebericht *Tristes Tropiques* nach einem wiederholten Hinweis auf Rousseau und die für ihn noch immer wegweisenden »philosophischen Thesen des 18. Jahrhunderts«, er habe bei seiner Suche nach archaischen Gesellschaften als dem Ur-Modell des sozialen Lebens letztlich »nur Menschen« gefunden. Es ist dieser Humanismus, der auch einem heutigen Leser, ignoriert er den von Literarhistorikern schon am Ende des 18. Jahrhunderts spöttisch als »nachschleppende Moral« (K. H. Joerdens, S. 142) vermerkten didaktischen Stil, einen unmittelbaren Zugang zu den Erzählungen von *Inkel und Yariko* erschließt.

›Inkel und Yariko‹

Der erste Teil des Kommentars konnte nur mit wenigen Beispielen andeuten, wie tiefgreifend sich das europäische Denken durch die Begegnung mit fremden Kulturen verändert hat. Ihr Medium waren die seit dem 16. Jahrhundert in großer Zahl gedruckten Reisebeschreibungen, aus denen die Kulturphilosophen ihre Argumente und die Schriftsteller ihre Anregungen bezogen. Der Bericht eines englischen Reisenden, Richard Ligons *A True and Exact History of the Island of Barbados* (1657), lieferte so auch die Vorlage für die literarischen Bearbeitungen der tragischen Geschichte des Indianermädchens Yariko. Sie erschien zuerst in einer kurzen, ganz auf die moralische Aussage konzentrierten Fassung von Richard Steele in der Zeitschrift *The Spectator* (1711), dem Vorbild der deutschen ›Moralischen Wochenschriften‹, die eine fast unveränderte Übersetzung des Textes mehrfach nachgedruckt haben (*Der Vernünfftler, das ist: Ein teutscher Auszug aus den Engeländischen Moral-Schriften des Tatler und Spectator* [...], Hamburg 1713; *Der Spectateur, oder Vernünftige Betrachtungen über die verderbten Sitten der heutigen Welt,* Frankfurt und Leipzig 1719; *Der Zuschauer aus dem Englischen,* Leipzig 1739). Den Rahmen für die Erzählung bildet hier, entsprechend den ›Gattungsregeln‹ der moralischen Wochenschriften, ein Gespräch im bürgerlichen Salon, bei dem einer der Teilnehmer »durch Citirung vieler Passagen aus Opern und alten Liedern«, wie der *Vernünfftler* schreibt, »die Untreu des weiblichen Geschlechts und die Leichtsinnigkeit desselben beweisen will«. Die Gastgeberin Arietta erwidert darauf mit der von Ligon berichteten Episode und widerlegt durch dieses eine Beispiel tugendhaften Handelns den gesamten »Zierath« einer gebildeten, dem höfischen Muster folgenden galanten Konversation. »Diese Geschicht«, läßt sich stellvertretend für das Lesepublikum ein Zuhörer am Ende vernehmen, »rührte mir das Hertz dermassen / daß ich das Zimmer mit wässerichten Augen verließ: welches die vernünfftige Arietta gewißlich für einen grössern Applausum hielte / als alle Complimente die ihr deswegen gemacht werden möchten«. Die Rührung wird zum Mittel der Belehrung, womit die Kunst den Zweck der moralischen Besserung erfüllt. Dieses starre Schema ändert sich bei den späteren Aneignungen des Stoffes, anhand deren sich eine Gattungsgeschichte der empfindsamen Literatur schreiben ließe, die von den frühen bürgerlichen Wochenschriften über C. F. Gellerts Verserzählung *Inkel und Yariko* (1746) bis in die sechziger Jahre des 18. Jahrhunderts reicht, wo der Leipziger Jurastudent J. W. Goethe, ein Hörer der Vorlesungen des Moralpräzeptors Gellert, seiner Schwester von dem Entwurf eines Dramas nach Frankfurt berichtet: »j'ai commencé de former le Sujet d'Ynkle et d'Jariko pour le Theatre, mais j'y ai trouvé beaucoup plus de difficultés que je ne croiois, et je n'espere pas, d'en venir à bout« (13. Okt. 1766). Verwirklicht hat Goethe den Plan nicht, im Gegenteil, der Avantgardismus seines wenige Jahre später erschienenen *Werther* steht gegen die Konventionen der Leipziger Zeit und damit zugleich für eine neue, die letzte Phase der Empfindsamkeit in Deutschland. Zieht man den *Werther* jedoch zum Vergleich heran, läßt sich mit etwas Mut zur Vereinfachung behaupten, daß es »vielleicht kein zweites literarisches Produkt jenes Zeitalters [giebt], das in seinem *äußeren* Schicksal so starke Verwandtschaft mit Werther zeigte, wie die kleine, schlichte, 1710 [sic!] im *Spectator* veröffentlichte Anekdote von »Incle und Yarico« [...]. Sie bietet eine Synthese vieler Elemente, die nachher einzeln und mit verstärkter Kraft auf die Ausbildung der Sentimentalität in

Deutschland, Frankreich und England gewirkt haben, und bildet eine Etappe in der Vorgeschichte der Rousseauischen Idee von der Überlegenheit der Natur über die Kultur.« (v. Waldberg, S. *8 f.)

Als eigentliches Vorbild wirkte im deutschen Sprachraum die 1746 von Gellert veröffentlichte Verserzählung, die von keiner der folgenden Bearbeitungen des Themas übertroffen werden sollte – in den oft gedruckten *Fabel*-Sammlungen Gellerts ist sie auch für den heutigen Leser noch leicht greifbar. Der Autor verzichtet auf die bis dahin obligatorische Rahmenhandlung, sein Werk will weniger didaktisch als poetisch erscheinen, ist dabei aber so nah mit der zeitgenössischen Realität verbunden, daß bereits die erste Strophe des Gedichts eine ebenso knappe wie treffende Charakteristik des kapitalistischen Gewinnstrebens enthält, die das moralische Versagen Inkels motivieren wird:

> »Die Liebe zum Gewinst, die uns zuerst gelehrt,
> Wie man auf leichtem Holz durch wilde Fluten fährt;
> Die uns beherzt gemacht, das liebste Gut, das Leben,
> Der ungewissen See auf Brettern Preis zu geben;
> Der Liebe zum Gewinst, der deutliche Begriff
> Von Vorteil und Verlust, trieb Inklen auf ein Schiff.
> Er opferte der See die Kräfte seiner Jugend;
> Denn Handeln war sein Witz, und Rechnen seine Tugend.
>
> Ihn lockt das reiche Land, das wir durchs Schwert bekehrt,
> Das wir das Christentum und unsern Geiz gelehrt.«

Die Schemata der Kulturkritik sind bekannt. Der koloniale Eroberer erweist sich trotz oder vielmehr aufgrund seiner europäischen Bildung als der eigentliche ›Barbar‹, während ihm die edle Wilde mit natürlicher Humanität begegnet:

> »Ein plötzliches Geräusch erschreckt sein schüchtern Ohr.
> Ein wildes Mädchen springt aus dem Gebüsch hervor,
> Und sieht mit schnellem Blick den Europäer liegen.
> Sie stutzt. Was wird sie tun? Bestürzt zurücke fliegen?
> O nein! so streng und deutsch sind wilde Schönen nicht.«

Gellert legt Wert auf die dramatische Gestaltung einzelner Szenen, mühelos paßt er den Vers dem Fluß der Handlung an, die nicht durch moralische Belehrungen unterbrochen wird. Aus dem gleichen Grund übergeht der Autor einige der von den moralischen Wochenschriften erwähnte Details, etwa die Geschenke, die Yariko von ihren Verehrern empfängt, um sie an Inkel weiterzugeben; Gellert formt das Motiv um und fügt es seinem gleichzeitig entstandenen Roman *Leben der Schwedischen Gräfin von G*** (1746) ein. Aufgrund dieser ›poetischen Ökonomie‹, d. h. der überlegten Wahl und Anordnung der ihm zur Verfügung stehenden Motive, erreicht der Erzähler sein didaktisches Ziel allein mit literarischen Mitteln, der angehängte Epilog (»O Inkle! du Barbar, dem keiner gleich gewesen; / O möchte deinen Schimpf ein jeder Weltteil lesen!«) wirkt überflüssig.

Doch gerade dieser negative, den Leser absichtlich verstörende und zur Reflexion anregende Schluß hat J. J. Bodmer zu einer Antwort auf Gellerts Gedicht veranlaßt:

> »Also erzählt die Geschichte mein Autor, und schweigt und bedenkt nicht
> Daß er uns traurig da stehn läßt, die Brust mit Abscheu erfüllet.
> Dürft' ich dazu was dichten, so dichtet' ich dieses: [...]« (S. 47)

Mehr als die Andeutung eines glücklichen Endes gibt Bodmer jedoch nicht. Das kurze Auftreten eines gottesfürchtigen Sklavenbesitzers und der unerschütterlich an ihrer Nächstenliebe festhaltenden Yariko soll den christlichen Leser offenbar nur die Irritation über die ungesühnte Schlechtigkeit der Welt nehmen. Bodmer verändert nicht den Gang der Erzählung, sondern die Form der Darstellung. Er schreibt sie um in die behäbigen Hexameter seiner biblischen Epen (*Noachide,* 1741/1765), die beim Publikum einen weitaus geringeren Erfolg hatten als die beiden Teile des *Inkel und Yariko,* was mit »der Materie« zu tun habe, wie er selbst in einem Brief bemerkt: »Ich glaube, wenn wir anstatt der patriarchalischen Sujets Erzählungen aus dem Boccaccio genommen hätten, dass sie den Beifall erhalten hätten, den ›Abraham‹ und ›Noah‹ nicht erhalten haben.« (9. Mai 1756, an Zellweger)

Zugleich versucht Bodmer den Kulturpessimismus der Gellertschen Fabel abzuschwächen, da von diesem nicht einmal der Gedanke der christlichen Mission ausgenommen war (s. o.). Wo Gellert einen inhumanen Kaufmannsgeist kritisiert, trägt Bodmer den Grund für den Sklavenhandel nach (»der Zucker/Würde zu teuer, wenn man die Zuckerröhre zu pflanzen/Nicht die Sklaven gebrauchte [...]«); zwar nimmt er Anstoß daran, daß man »Menschen mit Kaltsinn wie Tier'« verkauft, doch kann selbst dafür noch Verständnis aufgebracht werden, da es sich um Heiden handelt, »die von dem Kopfe zum Fuß ganz schwarz sind, die Nase/Platt gedrücket, so daß sie niemand bedaurt und man zweifelt,/Ob in der rußigen Wohnung auch eine Seele sich findet.« (S. 45) Dagegen wird die Handlungsweise der »edlen Wilden« mit biblischen Metaphern beschrieben und so dem eigenen religiösen Selbstverständnis angepaßt. Die Zivilisationsskepsis wird auf das Maß der religiösen Erbauungsliteratur zurückgeschnitten. Wo Gellert den Sinn der Erzählung allein durch die Handlung vermittelt und die Tugendhaftigkeit Yarikos unmittelbar vor Augen führt, muß diese bei Bodmer ihre moralische Gesinnung dem Fremden gegenüber wortreich beteuern (vgl. S. 44) und am Schluß nochmals in einer homiletischen »Rede« zusammenfassen (S. 46), die sich zu einer veritablen Kanzelpredigt entwickelt. In seinen *Betrachtungen über das Erhabene und das Naive in den schönen Wissenschaften* (1758) hat Moses Mendelssohn die Schwäche der Bodmerschen Epenfassung unmißverständlich zum Ausdruck gebracht:

»Wir erinnern uns einst von dieser *Gellertschen* Erzählung [sc. Inkle und Yariko] eine vermeinte Verbesserung, in Hexametern, gelesen zu haben. Unter andern schien dem ungenannten Verbesserer diese Rede der *Yariko* zu kurz, und er legte ihr, wenn wir uns dessen recht erinnern, eine sehr lange Rede von Tugend, Dankbarkeit, Menschenliebe, Bestrafung der Sünde u. d. g. in den Mund; kurz, er läßt sie alles sagen, was sie *Gellert* hat empfinden lassen, und vielleicht auch das, was sie, nach ihrem Charakter, nicht hat empfinden können. Diese Verbesserung scheinet uns ungefähr von eben der Gattung, als wenn ein Bildhauer, dem antiken *Laocoon,* den Mund weiter aufreißen wollte, damit er heftig genug zu schreyen scheinen möchte.«

Gessner dürfte den bezeichneten Mangel ebenso gespürt haben. Sein ›Zweiter Theil‹ versucht die Intention Bodmers mit anderen, dem empfindsamen Sujet angemesseneren sprachlichen Mitteln zu erfüllen und zugleich den aufklärerischen Sinn der Fabel zu bewahren: Inkel nimmt die ihm von der Vorsehung geschickte Strafe an, er verzichtet auf seinen Judaslohn (S. 48) und zeigt jene »marternde Buße« (S. 51), durch welche ein gläubiger Christ sich für seine Sünden rechtfertigt. Doch die Verzeihung gewährt nicht Gott, sondern die Geliebte. In das Vertrauen auf die natürliche Moralität des Menschen, wie sie für die Literatur der Aufklärung die Figur des »edlen Wilden« verkörperte, weiß sich am Ende von Gessners Erzählung auch der Europäer einbezogen, denn

»So sehr kann die Güte kein Herze verlassen, daß nicht ein Rückfall der Tugend, kein Schauer der Reue, mächtig ihn fasse, daß nicht seine Fähigkeit gut zu sein, durch das Unkraut der Leidenschaften in seinem Busen mächtig hinauf bebe.« (S. 48)

Literaturhinweise

Atkinson, Geoffroy: Les Relations de Voyages du XVIIe Siècle et L'Évolution des Idées. Genf 1972.

Bien, Günther: Zum Thema des Naturstands im 17. und 18. Jahrhundert. In: Arch. für Begriffsgesch. 15 (1971), S. 275–298.

Bitterli, Urs: Der Eingeborene im Weltbild der Aufklärungszeit. In: Archiv für Kulturgeschichte 53 (1971), S. 249–263.

Ders.: Die ›Wilden‹ und die ›Zivilisierten‹. Grundzüge einer Geistes- und Kulturgeschichte der europäisch-überseeischen Begegnung. München 1976.

Duchet, Michèle: Anthropologie et Histoire au siècle des lumières. Paris 1971.

Fairchild, Hoxie N.: The Noble Savage [1928]. New York 1961.

Guthke, Karl S.: Edle Wilde mit Zahnausfall. Haller und die Indianer. In: Das Abenteuer der Literatur: Studien zum literarischen Leben der deutschsprachigen Länder von der Aufklärung bis zum Exil. Bern – München 1981, S. 55–72 u. 321–324.

Hofer, Hermann: Befreien französische Autoren des 18. Jahrhunderts die schwarzen Rebellen und die Sklaven aus ihren Ketten? oder Versuch darüber, wie man den Guten Willen zur Strecke bringt. In: Die andere Welt. Studien zum Exotismus. Hg. v. T. Koebner u. G. Pickerodt. Frankfurt/M. 1987, S. 137–170.

Jäger, Hans-Wolf: Weltbürgertum in der deutschen Lehrdichtung des 18. Jahrhunderts. In: Gonthier-Louis Fink (Hg.): Cosmopolitisme, Patriotisme et Xénophobie en Europe au Siècle des Lumières (Actes du Colloque International, Strasbourg 2–5 octobre 1985). Strasbourg 1987, S. 175–186.

Joerdens, K. H.: Lexikon deutscher Dichter und Prosaisten. Bd. 6. Leipzig 1811, S. 142.

Klein, Jürgen/Gerhardi, Gerhard C.; Rousseau und Lévi-Strauss. Die Verlockung des Wilden Denkens zur Revokation des historischen Progresses. In: Archiv für Kulturgeschichte 60 (1978), S. 187–202.

Krauss, Werner: Der Mythos vom »bon sauvage«. In: Zur Anthropologie des 18. Jahrhunderts. Die Frühgeschichte der Menschheit im Blickpunkt der Aufklärung. Hg. v. H. Kortum u. C. Gohrisch. München – Wien 1979, S. 32–47.

Lange, Thomas: Idyllische und exotische Sehnsucht. Formen bürgerlicher Nostalgie in der deutschen Literatur des 18. Jahrhunderts. Kronberg/Ts. 1976.

Meyer, Reinhart: Restaurative Innovation. Theologische Tradition und poetische Freiheit in der Poetik Bodmers und Breitingers. In: C. Bürger u. a. (Hg.), Aufklärung und literarische Öffentlichkeit. Frankfurt/M. 1980, S. 39–82.

Moravia, Sergio: Beobachtende Vernunft. Philosophie und Anthropologie in der Aufklärung [1970]. München 1973.

Price, Lawrence Marsden: Inkle and Yarico Album. Berkeley UP 1937.

Sauder, Gerhard: Empfindsamkeit. Band I: Voraussetzungen und Elemente. Stuttgart 1974.

Schmidt-Biggemann, Wilhelm: Mutmaßungen über die Vorstellung vom Ende der Erbsünde. In: Deutschlands kulturelle Entfaltung 1763–1789. Hg. v. W. Schmidt-Biggemann u. R. Vierhaus (Studien zum 18. Jahrhundert Bd. 2/3). München 1980, S. 171–191.

von Waldberg, Max: Goethe und die Empfindsamkeit. In: Berichte des Freien deutschen Hochstiftes 15 (1899), S. *1–*21.

F. V.

CHRISTOPH MARTIN WIELAND

1733   Am 5. September in Oberholzheim (im Gebiet der Freien Reichsstadt Biberach) als Sohn eines protestantischen Geistlichen geboren.

1751   *Die Natur der Dinge* (antimaterialistisches Lehrgedicht). Beginn der Beschäftigung mit Shaftesbury.

1752	Oktober: Übersiedelung nach Zürich auf Einladung J. J. Bodmers.
1754	Wieland verläßt Bodmers Haus. Religiös-empfindsame (»seraphische«) Dichtungen. In den folgenden Jahren Beschäftigung u. a. mit Diderot, Helvétius, Lukian und Swift (Wieland entwickelt sich in der Folge zum sensualistischen Skeptiker).
1760	Rückkehr nach Biberach aufgrund der Wahl zum Senator.
1761	Beginn der Arbeit an der Prosaübersetzung der Dramen Shakespeares (bis 1764).
1763	*Die Abenteuer des Don Sylvio von Rosalva* (Roman).
1766	*Geschichte des Agathon* (1. Teil).
1768	*Musarion*.
1769	Berufung nach Erfurt als Professor für Philosophie.
1772	*Der goldene Spiegel* (utopischer Staatsroman). Berufung nach Weimar als Erzieher des Erbprinzen Karl August.
1773	Gründung der Zeitschrift *Der Teutsche Merkur*.
1800	Scharfer Angriff der Brüder Schlegel in der Zeitschrift *Athenäum*.
1801	*Aristipp und einige seiner Zeitgenossen* (Roman).
1805	*Das Hexameron von Rosenhain* (Novellenzyklus).
1808	Begegnung mit Napoleon.
1813	20. Januar: Tod Wielands.

Musarion

Erstdruck und Druckvorlage: [Anonym:] Musarion, oder die Philosophie der Grazien. Ein Gedicht, in drey Büchern. Leipzig, bey Weidmanns Erben und Reich, 1768.

Die latinisierte Schreibung griechischer Namen ist als Stileigentümlichkeit Wielands bzw. seiner Zeit beibehalten worden: z. B. »Cleanthes« für »Kleanthes« oder »Circe« für »Kirke«; die inkonsequente Setzung von Anführungszeichen wurde in Einzelfällen vorsichtig normalisiert.

Textgeschichte und Quellen

Der erste Hinweis auf die Arbeit an *Musarion* findet sich in einem Brief an den Zürcher Verleger Salomon Gessner vom 29. 8. 1764, in dem Wieland die Idee zu seiner Verserzählung skizziert: »eine Art von comischem Lehrgedicht, ..., welches die Bekehrung eines Platonikers und die Widerlegung des ganzen Phantastischen Systems dieses Weisen Mannes enthalten soll«. Das damals entstandene Fragment ist jedoch nicht überliefert. Am 10. Juli 1766 kündigt Wieland dem befreundeten Arzt J. G. Zimmermann die baldige Fertigstellung von *Musarion* an und erbittet vom Briefempfänger eine Beurteilung des Werkes. Aus dem Brief an Gessner vom 21. Juli 1766 geht dann hervor, daß das »Gedicht in drey Gesängen, *Musarion* benannt, welches ein ziemlich systematisches Gemisch von Philosophie, Moral und Satyre ist«, zu diesem Zeitpunkt in der ersten Fassung fertiggestellt ist. Nach einer Überarbeitung bietet Wieland die Verserzählung am

19. August 1767 seinem Zürcher Verlag Orell, Gessner und Cie. für den Preis von 16 Speziesdukaten an – da man sich über das Honorar aber nicht einigen kann, erscheint *Musarion* auf Vermittlung des Erfurter Philosophie-professors Riedel nicht in Zürich, sondern im »Rokoko-Leipzig« (Sengle, 1949, S. 203).

Den unmittelbaren literarischen Bezugspunkt bildet der englische Dichter Matthew Prior (1664–1721), speziell dessen Verserzählung *Alma, or the progress of the mind* (1718), die eine Reihe von formalen und inhaltlichen Übereinstimmungen mit *Musarion* aufweist. Als zweites wichtiges Vorbild diente der griechische Satiriker Lukian (ca. 120–180 n. Chr.), dessen Gesamtwerk Wieland zwischen 1786 und 1789 ins Deutsche übersetzen und kommentieren sollte (vgl. hierzu die Studie von J. R. Asmus); der Name »Musarion« entstammt einer erotischen Erzählung des griech. Autors Aristainetos (5. Jh. n. Chr.).

Der Verkaufserfolg von *Musarion* machte bereits zu Ostern 1769, d. h. ein knappes halbes Jahr nach der Erstveröffentlichung, eine zweite Auflage möglich, die aber ebenso wie die folgenden von Wieland selbst betreuten Editionen (1784, 1789, 1795) gegenüber der Erstfassung nur geringfügige inhaltliche, stilistische und orthographische Veränderungen aufwies (z. B. wurde auf allzu abgelegene Anspielungen verzichtet). Für diese zweite Auflage hat Wieland in Gestalt eines Briefes an einen befreundeten Dichterkollegen, den »Herrn Creyßsteuereinnehmer [Christian Felix] Weisse in Leipzig«, auch eine Vorrede verfaßt, in der die philosophische Absicht von *Musarion* erläutert und die Rolle der Intellektuellen in der Gesellschaft thematisiert wird.

Das wichtigste Zeugnis zur Frührezeption liegt in einem 1811 erschienenen Passus von Johann Wolfgang Goethes Autobiographie *Dichtung und Wahrheit* (II, 7) vor: »Musarion wirkte am meisten [von allen Werken Wielands] auf mich, und ich kann mich noch des Ortes und der Stelle erinnern, wo ich den ersten Aushängebogen zu Gesichte bekam ... Hier war es, wo ich das Antike lebendig und neu wieder zu sehen glaubte.«

Spöttisches Erzählen

So witzig und durchaus in moderner Bedeutung sinnenfroh Wielands berühmteste Verserzählung ist, so sehr dürfte sie doch gerade den genauen Leser vor erhebliche Verständnisprobleme stellen. Schon Wieland selbst war sich der Notwendigkeit bewußt geworden, die zahllosen gelehrten Anspielungen zu erläutern, und fügte deshalb der Ausgabe letzter Hand (1795) eine Reihe von Anmerkungen hinzu (s. hierzu auch die umfangreichen Anmerkungen im vorliegenden Band). Anspruchsvoll ist *Musarion* aber nicht nur des klassischen Bildungsgutes oder der heute nicht mehr geläufigen Versform wegen – in ihrem ganzen Sinngehalt erschließt sich die Erzählung erst dann, wenn man sich ihren kulturellen und philosophischen Hintergrund vergegenwärtigt und (mit Arno Schmidt zu reden) sein Gehirn »in die Falten der Zeit« legt.

Im Brief an Gessner vom 29. 8. 1766 hat Wieland *Musarion* als »eine neue Art von Gedichten« bezeichnet, »welche zwischen dem Lehrgedichte, der

Komödie und der Erzählung das Mittel hält, oder von allen dreyen etwas hat« (vgl. Rowland). In der Tat weist die Verserzählung die für das Rokoko typische Mischung poetischer Formen auf und versucht, auf spielerische Art einen ernsthaften, philosophischen Inhalt zu vermitteln. Wieland hat zu diesem Zweck zwei Erzählhaltungen kombiniert, die zwischen Text und Leser einen unmittelbaren, lebendigen Kontakt herstellen: es dominiert ein souveräner, individuell-psychologisch zwar nicht problematisierter, aber sich nachdrücklich als wertende Instanz zur Geltung bringender Erzähler, der die Situation überblickt und seine Figuren so genau beobachtet, daß er ihr Verhalten zuverlässig erläutern und kommentieren kann – dennoch machen sich die fünf Personen vielfach selbständig, wenn der Erzähler zurücktritt und der rein szenische Dialog die Verserzählung zur Komödie tendieren läßt. Die Stillage bleibt dabei stets durch die allgegenwärtige Ironie bestimmt, die, abgesehen von Wortspielen und koketten Aperçus, im wesentlichen durch zwei komplementäre Mittel erzeugt wird: direkt durch den Erzählerkommentar und indirekt durch den Verlauf der Handlung, die auf die Entlarvung des Mißverhältnisses zwischen den pathetisch vorgetragenen philosophischen Systemen und dem tatsächlichen Verhalten der Schwärmer ausgerichtet ist (so läßt sich z. B. der überreiche Alkoholgenuß Cleanths mit dem stoischen Ideal der Beherrschung der Sinnlichkeit durch den Geist wohl kaum vereinbaren).

Vor allem diese Technik der spöttischen Demaskierung verweist auf den englischen Skeptiker Shaftesbury (1671–1713), den für Wieland wichtigsten moralphilosophischen Gewährsmann. Dieser hatte u. a. in seinem *Letter on Enthusiasm* (1708) den »test of ridicule« (»Probierstein des Lächerlichen«) als Mittel vorgeschlagen, um den falschen, unehrlichen Enthusiasmus (d. h. Fanatismus) vom aufrichtigen zu unterscheiden: die individuelle Überzeugung von der Wahrheit einer bestimmten religiösen oder philosophischen Lehre muß sich dabei z. B. in der Konfrontation mit einer lächerlichen Situation oder dem Spott gegenüber durch Gelassenheit und Würde bewähren. Genau diese Prüfung durch Lächerlichkeit, die Shaftesbury als Prinzip der praktischen Philosophie verstand, wird von Wieland als Erzähltechnik benützt, wenn er in *Musarion* den Stoiker Cleanth und den Pythagoreer bzw. Platoniker Theophron dem »test of ridicule« aussetzt. Beide scheitern an dieser Probe, weil sich ihre dogmatisch vorgetragenen Systemphilosophien an den kulinarischen und erotischen Versuchungen als unecht erweisen, so daß das praktische Versagen der Dogmatiker die Diskrepanz zwischen Reden und Handeln deutlich macht. Wieland selbst spielt wiederholt auf den im 18. Jahrhundert berühmten »test« Shaftesburys an, z. B. wenn es in bezug auf Phanias heißt, daß »Amor selbst die neue Denkart prüft, / Die Gram, Philosophie und Not ihm eingegossen« (S. 55).

Diese ironische Kontrasttechnik bestimmt jedoch nicht nur den Handlungsverlauf, sondern ermöglicht auch noch im mikrologischen Bereich Wortspiele, an denen sich falsches Pathos entlarvt. So zieht etwa die Wortidentität zwischen den Planeten-»Sphären«, die den Pseudoidealisten Theophron allein interessieren dürften, und den viel konkreteren »Sphären« von Musarions Busen (vgl. S. 73) das vorgeblich rein geistige Interesse auf sinnlicheren Boden und offenbart die Weltentrücktheit des Platonikers als künstlich und erzwungen.

Aus dieser vielfältig ironischen Erzählstruktur ergibt sich eine Abfolge von Signalen an den Leser, die diesen zu einer individuellen Stellungnahme und zu weltanschaulichen Schlußfolgerungen anregen wollen. Insofern handelt es sich bei *Musarion* tatsächlich um ein Lehrgedicht, also um ein Beispiel für diejenige Gattung, die für die Mitte des 18. Jahrhunderts besonders charakteristisch war. Auf den ersten Blick entspricht Wielands Verserzählung diesem literarischen Typ auch im Versmaß: *Musarion* besteht größtenteils aus Alexandrinern, von denen die Lyrik des Barock und der ersten Hälfte des 18. Jahrhunderts geprägt war. Dieses an sich starre Versmaß wird allerdings bewußt nachlässig gehandhabt (neben den sechshebigen Jamben des Alexandriners mit beweglicher Zäsur finden sich auch zahlreiche fünf- und sogar vierhebige Jamben; ein konsequentes Reimschema liegt nicht vor, und die Länge der Strophen variiert erheblich) – auf der inhaltlichen Ebene entspricht diesem freizügigen Umgang mit den poetischen Formalitäten die Distanzierung von der doktrinären Zielsetzung des Lehrgedichts. Das Wechselspiel zwischen Erzählerbericht und szenischer Unmittelbarkeit, die Fülle rokokotypisch überzogener Metaphern, die ironische Grundhaltung, die witzige Destruktion des antikisierenden Dekors durch Anspielungen auf die Neuzeit und insbesondere die Dominanz des Erotischen verhindern darüber hinaus die Trockenheit der traditionell dozierenden Gedichte, wie sie der junge Wieland unter dem Einfluß seines Mentors Bodmer in Zürich selbst noch verfaßt hatte. Dennoch hat Wieland für *Musarion* zu Recht philosophischen Wert reklamiert. Die Ironisierung des konventionellen Lehrgedichts führt keineswegs zu der weltanschaulichen Beliebigkeit und bloßen Witzelei, die Wieland schon von Zeitgenossen (etwa den Dichtern des sog. »Göttinger Hains«) gerne vorgeworfen wurde. Dies belegt allein schon die Strukturbeobachtung Sengles: »Die drei Gesänge entsprechen genau einem logischen Dreischritt: Philosophie, Sinnlichkeit, ›reizende Philosophie‹!« (Sengle, ›Von Wielands Epenfragmenten . . .‹, S. 276); um so mehr erweist sich die philosophische Dignität von *Musarion* an der konsequenten Formulierung, witzigen Illustrierung und poetischen Demonstration eines kohärenten weltanschaulichen Konzepts, der »Philosophie der Grazien«.

Die Philosophie der Grazien

Die aus enttäuschter Liebe entstandene Schwärmerei des Phanias wird sowohl durch vernünftige Argumente als auch durch erotische Reize in das naturgemäße Gleichgewicht von Geistigkeit und Körperlichkeit zurückverwandelt, so daß am Ende von *Musarion* ein unentfremdeter und ungefährdeter Glückszustand steht. Ähnlich wie in dem Rokoko-Roman *Die Abenteuer des Don Sylvio von Rosalva,* der in der Erstausgabe 1764 den bezeichnenden Haupttitel *Der Sieg der Natur über die Schwärmerei* trug, wird also die Heilung eines jungen Mannes von seiner Überspanntheit vorgeführt (sowohl von der anfänglichen dogmatischen Sinnenfeindlichkeit wie dann auch vom entgegengesetzten Extrem der undifferenzierten Ablehnung jeglicher philosophischen Spekulation).

Wielands scheinbar frivole Verserzählung entwirft auf diese Weise ein ernsthaftes Lebenskonzept, das auf die Harmonie von Sinnlichkeit und Vernunft abzielt und dessen Basis in der grundsätzlichen Ablehnung von Einseitigkeit und Übertreibung besteht. Philosophisch ist diese Haltung insbesondere von Shaftesbury in seinem *Soliloquy or Advice to an author* formuliert worden: »The most ingenious way of becoming foolish is by a system« (»Auf geistreichste Weise zum Narren wird man durch ein System«). Dieser Skeptizismus, der für Wieland nach seiner Distanzierung vom sittenstrengen Calvinismus das ganze Leben hindurch bestimmend blieb, beruht auf der Anerkennung der Sinnlichkeit als ethischem Wert: daß der Mensch nicht nur ein geistiges, sondern auch ein körperliches Wesen ist, wird nicht länger als Gefahr verstanden, sondern als Chance zur Kultivierung aufgefaßt. Diese positive Einstellung zur Sinnlichkeit setzt freilich die grundsätzliche Überwindung des christlichen Axioms von der Minderwertigkeit des irdischen Lebens voraus – es erscheint nun als möglich, schon in dieser Welt glücklich zu werden, ohne doch an der Seele Schaden zu nehmen. Wielands Philosophie ist somit optimistisch, da sich sinnliches Wohlergehen und Tugend für sie nicht ausschließen, sondern wechselseitig befördern. Moralität braucht sich nicht im Kampf gegen die Natur zu erweisen – vielmehr gilt die Natur schon an sich als moralisch, da die allen Menschen angeborenen Triebe jeden zu sozialem und damit auch ethischem Verhalten motivieren (so lange zumindest, als sie frei und unverfälscht wirken können).

Diese Idee der ursprünglichen Versöhntheit von Geist und Körper bildet die Grundlage für das Prinzip der Skepsis, das für Wieland wie für Shaftesbury den Kern des Philosophierens ausmacht – Stoizismus und Platonismus enden demgegenüber gleichermaßen in der Zerstörung der Humanität und in der Entfremdung von der Natur, da sie den Menschen zu einem bloß geistigen, unsinnlichen Wesen halbieren.

Die damit verbundene Aufwertung der Sinnlichkeit, die als zentrale Idee der Aufklärung gelten darf, bedingt die Abkehr von jeglichem Dogmatismus: Weil niemand von seiner individuellen Bedingtheit abstrahieren kann, kann es auch keine Wahrheit geben, die von persönlichen, historischen und klimatischen Umständen unabhängig wäre – der Wert einer Weltanschauung hat sich vielmehr in ihrem praktischen, sozialen Sinn zu bewähren. Es kommt folglich weniger auf den Inhalt einer Lehre an als auf die subjektive Ehrlichkeit der Person, die sie vertritt, und genau daran scheitern in *Musarion* die Fanatiker Cleanth und Theophron.

Den Kern der »Philosophie der Grazien« bilden daher die geselligen Tugenden, die den einzelnen dazu befähigen, in Harmonie mit den anderen sowohl sich selbst als auch die Allgemeinheit zu entwickeln und zu vervollkommnen. Grundvoraussetzung hierfür ist das von Musarion vertretene und gelebte Prinzip des anspruchslosen Genießens sowie der »Gelassenheit« und des »Maßes«, d. h. der »Geschmack« bzw. die Fähigkeit, das individuelle Verhalten auf die sozialen Konventionen abzustimmen und zum natürlichen Miteinander aller beizutragen: »ein weiser Mann trägt sich wie andre Leute« (S. 61). Im Unterschied zur Zivilisationsfeindlichkeit rousseauistischer Prägung versteht Wieland unter dem Einfluß Shaftesburys die gesellschaftliche Entwicklung der Menschheit also keineswegs als Dekadenzprozeß, sondern als Vollendung der Natur (vgl. S. 84). Auf der Basis des optimistischen Gedankens von der ursprünglichen Einheit des Wahren, Guten und Schönen, der Harmonie von Triebhaftigkeit und Vernunft, muß der kulturelle Fortschritt nicht notwendig zum Verlust natürlicher Qualitäten führen, sondern macht vielmehr die Vervollkommnung der natürlichen Anlagen erst möglich. Diese höhere Natürlichkeit, die mit der primitiven Natürlichkeit vorgesellschaftlicher Lebensformen nichts zu tun hat, entwickelt die im Menschen angelegte »moralische Schönheit« (Shaftesburys »moral grace«), die auf dem inneren, seelischen Gleichgewicht beruht und den Menschen gleichzeitig sinnlich glücklich und sittlich gut macht: »Mein Element ist heitre sanfte Freude« (S. 80).

Rokoko-Arkadien

Ein beträchtlicher Teil von Wielands Werken (insbesondere die großen Romane *Agathon, Die Abderiten, Aristipp*) spielt in antiker Kulisse. Wie in *Musarion* handelt es sich aber überall nur an der Oberfläche um ein griechisches Ambiente, in dem z. B. die Götter römische Namen tragen und selbst die griechischen Namen in latinisierter Form verwendet werden. Auf diese Weise wird deutlich, daß es Wieland nicht um die poetische Vergegenwärtigung des authentischen Griechentums ging – vielmehr werden Griechenland und Rom bedenkenlos miteinander vermengt. Es war der Rokokotradition, in der auch *Musarion* steht, um 1768 noch fremd, was Winckelmann 1755 in seinen *Gedanken über die Nachahmung der griechischen Werke* und 1764 in der *Geschichte der Kunst des Altertums* auf höchstem Niveau nachdrücklich zur Geltung gebracht hatte: der besondere Charakter der griechischen Kultur im Unterschied zur römischen. Von diesem historischen Bewußtsein ist in Wielands Verserzählung keine Spur zu finden. Hatte Winckelmann die deutschen Künstler aufgefordert, durch die Nachahmung des wahren Griechentums selbst unnachahmlich zu werden, so geht es Wieland nicht um historische Stimmigkeit, sondern um die Funktionalisierung kultureller Details der »Alten« zur literarischen Staffage, die die poetische Diskussion moderner philosophischer Fragen sinnlich reizvoll machen sollte.

Griechenland, wie es in *Musarion* gestaltet ist, dient somit nur als Dekor, und dennoch beruht die Wahl Griechenlands zum Schauplatz der skeptischen Verserzählung nicht auf bloßer Willkür oder auf Zufall. Denn bei aller bewußten geschichtlichen Oberflächlichkeit läßt sich Griechenland in *Musarion* weder gegen den Orient noch gegen die Südsee, noch weniger aber gegen Mitteleuropa austauschen: dem 18. Jahrhundert erschien das griechische Altertum ja als das einzige historische Beispiel für ein Miteinander von Hochkultur und sinnenfrohem, natürlichem Leben – erst gegen Ende des 19. Jahrhunderts sollte dann Nietzsche in seiner Erstlingsschrift *Der Ursprung der Tragödie aus dem Geist der Musik* die scheinbar unbeschwerte Heiterkeit des Griechentums als Verdrängung eines tiefen tragischen

Pessimismus entzaubern. Gerade in Griechenland konnte Wieland daher seine »Philosophie der Grazien« poetisch erproben, während es dem Orient an geistiger Klarheit und der Südsee an Zivilisiertheit gefehlt hätte.

Das Rokokoideal vom arkadischen Griechenland, das in *Musarion* noch einmal gestaltet wurde, hatte freilich nicht mehr lange Bestand. Seit der Mitte des 18. Jahrhunderts machte sich in der mitteleuropäischen Kulturgeschichte die Tendenz geltend, den lockeren griechischen Staatenbund mit seiner überwiegend ästhetischen Kultur dem zentralistisch organisierten und verstandesbetonten Rom entgegenzusetzen. In der zweiten Hälfte des 18. Jahrhunderts ließ sich dieser Dualismus bequem auf das aktuelle Verhältnis zwischen Deutschland und Frankreich übertragen und führte dazu, daß die Deutschen begannen, sich mit Winckelmann, Goethe und Schiller als die legitimen Erben der griechischen Kultur zu begreifen und den Weg zur nationalen Einheit in der Überwindung der fremden französischen Kultur zu suchen (im Unterschied zum monarchischen Zentralstaat Frankreich als republikanischer Staatenbund).

Die damit verbundene sentimentalische Überhöhung der Griechensehnsucht, die u. a. Schiller in seinen Briefen *Über die ästhetische Erziehung* seiner Zeit als kritisches Ideal entgegengehalten hat, ist Wieland jedoch ebenso fremd wie die Ablehnung der französischen Kultur. Seiner unhistorischen Verwendung des Griechenland-Topos als Kulisse ist das Bewußtsein vom Verlust griechischer Natürlichkeit nicht gemäß – im Konzept der »reizenden Philosophie« erscheint Griechenland (d. h. das naturgemäße Leben) jederzeit als individuell realisierbar. Der entscheidende Charakterzug in Wielands Griechenbild, wie es insbesondere in *Musarion* literarisch fruchtbar wird, besteht darin, daß es ein dezidiertes Gegenbild zur sinnenfeindlichen Lebensform des christlichen Abendlandes verkörpert und gleichzeitig die Hoffnung auf eine Identität von Schönem und Gutem in der Harmonie von Körper und Geist durch ein historisches Exempel ermutigt.

Erläuterungen

[Die sich auf altphilologische Gegenstände beziehenden Anmerkungen wurden von Anette Syndikus besorgt; alle Erläuterungen, die auf den Anmerkungen Wielands zur Ausgabe von 1784 beruhen, sind am Ende mit einem »W« gekennzeichnet.]

S. 52 *Phanias:* häufiger griech. Männername, wohl ohne Bezug auf eine historische Persönlichkeit. – *Timon:* Figur des Menschenhassers; die Anspielung bezieht sich nicht auf Shakespeares Drama *Timon of Athens* (1763 von Wieland übersetzt), sondern auf den 1788 von Wieland übersetzten Dialog Lukians *Timon* [W]. – *Crates:* übereifriger Kyniker (4. Jh. v. Chr.), dem sein Lehrer Diogenes einen Mantel überbreitete, als er in Athen den Beischlaf mit seiner Gattin öffentlich vollzog [W]. – *Diogen:* wichtigster Vertreter der kynischen (= »hündischen«) Philosophie, der extreme Bedürfnislosigkeit in provokativer Opposition zur Schau trug (vgl. S. 64: »Diogen, der Hund«). – *Platons:* idealistischer Philosoph aus Athen (427–347 v. Chr.) – in späteren Fassungen:

»Sokraten«. – *Comus:* Personifikation eines ausgelassenen Symposions, das von Umzügen unterbrochen wurde. – *Medusen:* die Medusa ist eine der drei Gorgonen, ein Ungeheuer mit Schlangenhaaren, bei deren Anblick die Betrachter zu Stein wurden.

S. 53   *Chloens Fuß:* Chloe ist ein beliebter Mädchenname der antiken Hirtendichtung (vgl. Longos' Roman aus dem 2./3. Jh. *Daphnis und Chloe*). – *Phrynens Busen:* die griech. Hetäre (4. Jh. v. Chr.) erzielte einmal vor Gericht einen Freispruch, als ihr Geliebter ihren einzigartig schönen Busen entblößte (vgl. Plutarch, *Moralia* 849e). – *König Salomon:* vgl. Prediger Salomo 1,2 / 12,8. – *Danae:* Geliebte des Zeus, den sie in Gestalt eines goldenen Regens empfing. – *Patroklus:* Patroklos und Achill aus Homers *Ilias* gehören zu den vorbildlichen Freundespaaren der Antike. – *Lais:* häufiger Name für griech. Hetären; weibliche Hauptfigur in Wielands Roman *Aristipp und einige seiner Zeitgenossen* (1800/01). – *Hercules . . . Scheideweg:* der Fabel des Sophisten und Rhetors Prodikos (5. Jh. v. Chr.) zufolge wählte Herkules den mühseligen Weg der Tugend und nicht den bequemen der Lust (vgl. Wielands Singspiel von 1773: *Die Wahl des Herkules*).

S. 54   *Platz im Sternenplan . . . Plutarch:* nach antiker Vorstellung verleiht eine Versetzung unter die Gestirne ewigen Nachruhm; »Unsterblichkeit« erlangten auch die griech. und röm. Helden, die der griech. Schriftsteller Plutarch (ca. 50–125) in seine Parallelbiographien aufnahm. – *Dichter:* Horaz war in der Schlacht bei Philippi (42 v. Chr.) geflohen [W] – vgl. *Oden* 2.7. – *Süß ists . . .:* Horaz: *Oden* 3.2.13. – *die Weisheit . . . von seinen Flecken waschen:* gemeint ist die Philosophie im allgemeinen; daß die »Bekehrung« des Phanias noch keine genaue Richtung genommen hat, zeigen die Hinweise auf fast alle wichtigen Philosophenschulen der Antike im folgenden Abschnitt (am Beginn steht die platonische Schau der Ideen (vgl. Anm. zu S. 72). – *Die Wahrheit . . . entkleidet überraschen:* Anspielung auf den ägyptischen Mythos vom Standbild der Wahrheit zu Sais, der bei Pausanias und Plutarch überliefert ist. – *Sphären . . . Tanz:* Anspielung auf die pythagoreische Lehre von der harmonischen Bewegung der Planeten um ein Zentralfeuer. – *Vermutungen . . . Titans Söhnen gleich:* Hesiod (um 700 v. Chr.) schildert in der *Theogonie* den scheiternden Kampf der alten Göttergeschlechts der Titanen gegen die Kroniden um Zeus; in Vergils *Georgica* (1.279–283) versuchen die Titanen vergeblich, den Olymp auf die benachbarten Berge zu »türmen«. – *Minervens:* Minerva (griech.: Athene) ist die Göttin der Weisheit. – *Kein nächtliches Phantom . . .:* die Epikureer waren davon überzeugt, die Menschen von ihrer Furcht vor übernatürlichen Kräften befreien zu können – dazu gehörte auch die Furcht vor Bestrafungen in der Unterwelt, für die hier die Flüsse Styx und Acheron stehen; als Atomisten sahen sie den Weg dazu in der Erkenntnis vom gesetzmäßigen Aufbau der Welt. – *Philipps Sohn:* Alexander der Große (356–323 v. Chr.). – *Ninyas:* untätiger, verweichlichter assyrischer König [W].

S. 55   *ein Halbgott . . . sich zu freun:* der stoische Weise kommt den Göttern gleich, da er im Besitz des einzigen wahren Gutes, der Tugend, ist; diese ist nur möglich durch die völlige Ausschaltung der Affekte (welche als unvernünftige Seelenregungen verstanden werden). – *jede Leidenschaft . . . im Triumphe führt:* in Ovids *Amores* (1.3.31 f.) führt umgekehrt der triumphierende Amor seine Gegner, die Vernunft und die Scham, gefesselt neben seinem Wagen. – *Phalaris:* der agrigentinische Tyrann Phalaris (6. Jh. v. Chr.) ließ seine Feinde in einer glühenden Stierfigur aus Erz verbrennen (vgl. den griech. Historiker Diodor, 19.108.1). – *Xenocrat:* Schüler Platons (4. Jh. v. Chr.); Phryne soll erfolglos gewettet haben, ihn zu verführen. – *Wette:* im Schönheitswettbewerb der drei Göttinnen Pallas Athene, Hera und Aphrodite entschied sich der Trojaner Paris für die Liebesgöttin, die ihm zum Dank die Liebe der Helena versprach (vgl. Wielands Verserzählung *Das Urteil des Paris;* 1765). – *Witz:* hier im Sinne von »geistreiches Plaudern«.

S. 56 *Bruder Luz:* Figur in Jean de La Fontaines kurzer Verserzählung *L'Hermite* von 1667 (für die Identifizierung bin ich Prof. Johannes Hösle zu Dank verpflichtet, A.M.). – *Arimasp:* Angehöriger des einäugigen Skythenvolks, das versucht, den Greifvögeln ihr Gold zu stehlen [W]. – *blöder:* im 18. Jh. überwiegend im Sinn von »schüchtern«, »zurückhaltend«. – *Oreade:* Bergnymphe. – *Zephirfüßen:* das sanfte Wehen des Westwindes Zephyros kündigt den Frühlingsbeginn an. – *ohne Haß:* in späteren Auflagen sinnvoller »ohne Hast«. – *Figuren . . . wandte sich nicht um:* Anspielung auf Archimedes, der während der Eroberung so aufmerksam geometrische Figuren in den Sand zeichnete, daß er seinen Mörder, einen röm. Plünderer, gar nicht beachtete (vgl. den röm. Historiker Livius 25.31.9). – *Daphne . . . Apollo:* vgl. Ovids Erzählung in den *Metamorphosen* (1.452–567): als die Nymphe Daphne den Nachstellungen Apolls nicht mehr entgehen kann, wird sie in einen Lorbeerbaum verwandelt.

S. 57 *Du kehrst es um:* vgl. hierzu die analoge Umkehrung des Apoll/Daphne-Mythos in Shakespeares *A Midsummer-Night's Dream* (II, 3), von Wieland 1762 als *St. Johannis Nachts-Traum* übersetzt. – *Zwei Jahre liebt' ich dich . . . :* mit ähnlicher Bitterkeit blickt der röm. Elegiker Properz (3.25.3) auf seine fünf Jahre dauernde Liebe zurück. – *Syrenenmund:* in Homers *Odyssee* locken die weiblichen Meerdämonen die Schiffer durch ihren schönen Gesang in den Tod. – *Pflaum:* Flaum.

S. 58 *Hirt von Ilion:* Paris. – *Adon . . . Göttin von Cythere:* der schöne Jüngling Adonis wurde von Aphrodite (bzw. Venus) geliebt [W] – vgl. Ovids *Metamorphosen* 10.520–559; die Liebesgöttin wurde u. a. auf der Insel Kythera verehrt. – *Nächte durch . . . zu netzen:* vor der verschlossenen Tür der Geliebten zu klagen, gehört zu den beliebten Motiven der antiken Liebesdichtung (vgl. v. a. Horaz und Properz). – *Zenons Bart:* der griech. Philosoph Zeno (333/32 – 262 v. Chr.) hat die stoische Philosophie begründet.

S. 59 *Glycerens:* Glycera war ein gebräuchlicher Hetärenname. – *passen:* veraltet für »warten«, »verbringen«. – *dithyrambische Begeistrung:* hier »wild«, »verzückt«. – *diese Geisterart kann keinen Scherz ertragen:* direkte Anspielung auf Shaftesburys »test of ridicule«. – *Schwärmerei steckt wie der Schnuppen an:* vgl. hierzu Shaftesburys *Letter on Enthusiasm,* insbesondere den 2. und 6. Abschnitt (für den Hinweis danke ich Dr. Wolfram Benda, A.M.). – *ich müsse mich zerstreuen:* den Ratschlägen aus Ovids Lehrgedicht *Heilmittel gegen die Liebe* zufolge ist es am ratsamsten, bereits den Anfängen zu widerstehen (V. 81–84; 91–94); auch neue Geliebte verschaffen Erleichterung (V. 441–446).

S. 60   *zum wenigsten:* hier: »zumindest«, »allemal«. – *Bathyll:* Inbegriff des schönen Jünglings in der anakreontischen Liebeslyrik. – *Gott . . . Wurm:* Zitat aus Edward Youngs empfindsamer Gedichtsammlung *Night-thoughts on life, death and immortality* (1743).

S. 61   *noch glücklicher zu leben:* Musarions Erklärung bezieht sich im folgenden auf die Epikureer, deren Lebensideal die Befreiung von Schmerz, Furcht und innerer Unruhe war; im Kreise von Freunden bemühte man sich um die Verwirklichung dieses Ideals, um die richtig verstandene, maßvolle Lust. – *ungezwungen gähnt . . . gähnen machen sollen:* ähnlich charakterisiert der Epikureer Lukrez in seinem Lehrgedicht *Von der Natur der Dinge* (3.1060–1065) das vergebliche Streben von Menschen, die lediglich vor sich selbst fliehen. – *Nicht im Getümmel . . . die holde Freude:* auch Horaz zieht als Vertreter epikureischer Lebensführung ein erfülltes Leben auf seinem Landgut dem rastlosen Treiben in Rom vor (*Satiren* 2.6); der schattigen Quelle Blandusia ist eine Ode gewidmet (3.13; vgl. besonders V 1 f.; 14–16).

S. 62   *Ein Sklave trägt . . . :* Sklaven, die zum ersten Mal verkauft wurden, wurden mit weißem Kalk an den Füßen gekennzeichnet (vgl. Ovid, *Amores* 1.8.64; Juvenal, *Satiren* 1.11). – *Fortunens Kugel:* Anspielung auf das Sinnbild von der auf einer sich drehenden Kugel stehenden Glücksgöttin, d. h. auf die Unbeständigkeit des irdischen Glücks (z. B. in Shakespeares *Timon of Athens* I, 1). – *Indus:* hier im Sinn von »üppiger Orient«. – *schlechte Speisen:* im Sprachgebrauch des 18. Jh.: »einfache«, »schlichte« Speisen.

S. 63   *Gnathons:* beim röm. Komödienautor Terenz ist Gnathon (wörtl.: »Kinnbacke«) ein Schmarotzer. – *Midas:* mythische Gestalt eines phrygischen Königs, dem Silen (der Begleiter des Bacchus) die Gabe verlieh, alles von ihm Berührte in Gold zu verwandeln. – *Irus:* Bettler in Homers *Odyssee* (18.1–107).

S. 64   *Endymion:* die Mondgöttin Selene küßt ihren Geliebten jede Nacht; der schöne Hirte erbittet sich daraufhin von Zeus ewigen Schlaf. – *Diogen, der Hund:* vgl. Anm. zu S. 52 (vgl. hierzu auch Wielands philosophische Erzählung *Sokrates Mainomenos;* 1770); Phanias' Preis der Philosophie geht hier allerdings nicht von den Maximen der kynischen, sondern der stoischen Güterlehre aus.

S. 65   *Sancho . . . Magellonens Pferd:* Anspielung auf Cervantes' Roman *Don Quijote* II,41 [W]. – *die Sphären singen:* die Sphärenharmonie der Pythagoreer wird von den Himmelskörpern erzeugt, die sich in von einfachen Zahlenverhältnissen bestimmten Abständen um das Zentrum des Alls bewegen; hinter dieser Vorstellung steht eine Welterklärung, die von Zahlen und ihren harmonischen Proportionen als Grundprinzip ausgeht. – *Coypel:* Charles-Antoine C. (1694–1752), frz. Rokoko-Maler. – *Ziegenfüßlern:* Satyrn.

S. 66 *Cleanth:* Namensgebung nach dem griech. Stoiker Kleanthes (gest. 332/31). – *Ceres:* röm. Göttin des Ackerbaus. – *Pythagoräer:* von Pythagoras (6. Jh. v. Chr.) begründeter Orden mit Geheimlehre, für den die Reinheit der Seele als Vorbedingung der Erkenntnis galt; religiöses Hauptdogma war die Seelenwanderung (vgl. die Lehren des Archytas in Wielands Roman *Geschichte des Agathon,* 13. Buch, 1. Kap.; 16. Buch, 3. Kap.). – *Mentorn:* hier: »weise Führer«; in der Gestalt des Mentor, eines Jugendfreundes des Odysseus, unterstützt die Weisheitsgöttin Pallas Athene Odysseus und dessen Sohn Telemach (vgl. Homers *Odyssee* 22.205 ff. und François Salignac de la Mothe Fénelons Erziehungsroman *Les aventures de Télémaque;* 1699).

S. 67 *West:* Westwind, Zephyr. – *den Pythagorischen:* vgl. Anm. zu S. 66.

S. 68 *beim Anubis!:* bei Lukian Schwur des Sokrates (Anubis: ägypt. Unterweltsgott mit Hundekopf). – *Steckenpferden:* nicht nur Anspielung auf die Agesilaos-Anekdote (vgl. die folgende Anm.), sondern auch auf Laurence Sternes Roman *Tristram Shandy* (1759–1767), wo das Reiten auf einem »Steckenpferd« (»hobby-horse«) als Metapher für eine individuelle Marotte gebraucht wird. – *Agesilas:* eigtl. Agesilaos bzw. Agesilaus (die frz. Form des Namens beruht auf Reimzwang); Plutarch berichtet, der spartanische König und Kriegsheld habe in der Öffentlichkeit mit seinen Kindern auf Steckenpferden gespielt [W]. – *Philosophie, die keine Bohnen ißt:* die pythagoreische, der es auch auf körperliche Reinheit ankam. [W]. – *scythischen:* hier: »roh«; die Scythen waren ein Barbarenvolk im Gebiet der heutigen Ukraine. – *Menandern:* griech. Komödiendichter (342/41–293/92 v. Chr.). – *Goldon:* Carlo Goldoni (1707–1793); der berühmteste Lustspielautor seiner Zeit. – *Mäander:* im Altertum wegen seiner vielen Windungen berühmter kleinasiatischer Fluß. – *Petrons Encolp:* Wollüstling in dem Petronius Arbiter zugeschriebenen lateinischen Roman *Satyricon* (1. Jh.); 1773 von Wilhelm Heinse als *Die Begebenheiten des Enkolp* übersetzt. – *Roms Demosthenes:* der röm. Redner, Politiker und Philosoph M. Tullius Cicero (106–43 v. Chr.) sah in dem attischen Redner Demosthenes (384–322 v. Chr.) sein Vorbild. – *Milon:* Cicero verteidigte T. Annius Milo 52 v. Chr. in einer politisch prekären Situation ohne Erfolg. – *Circens:* nicht die gleichnamige Zauberin aus Homers *Odyssee,* sondern Lebedame im *Satyricon,* bei der der Held Encolp von Impotenz befallen wird (vgl. 128.1–5; 132.1–5).

S. 69 *Amadis:* Held des häufig bearbeiteten span. Ritterromans *Amadis de Gaula* (1508) von Garci Rodriguez (auch Ordoñez) de Montalvo. – *Sophroniscus weisem Sohn:* Sokrates. – *Apathie:* das stoische Ideal der Leidenschaftslosigkeit. – *arkadisch Tier:* das Schaf.

S. 70 *Ganymedes:* als Schönster der Sterblichen von Zeus in den Olymp entführt, um dort als Mundschenk der Götter ewige Jugend zu genießen.

S. 70 *Catius:* durch Horaz bekannter Epikureer; vgl. Horaz *Satiren* 2.4 [W]. – *Schüssel:* hier »Gericht«, »Gang«.

S. 71 *zu vieles Licht:* ironische Anspielung auf Platons Höhlengleichnis (*Politeia* 514a–518d): wer aus der Höhle ins Sonnenlicht (d. h. zur Schau der Ideen) hinaufsteigt, ist zunächst geblendet und hält die Schatten der früheren Umgebung (d. i. die sichtbare Welt) für wirklicher (515d). – *akademische Gefecht:* die athenische »Akademie« war der Versammlungsort der Schüler Platons, sozusagen die erste Universität der Welt. – *Don Esplandian:* Sohn des Amadis (vgl. Anm. zu S. 69). – *Cypriens Figur:* in Gestalt der aus Zypern stammenden Aphrodite bzw. Venus. – *Sohn der Myrrha:* Adonis, der Geliebte der Aphrodite/Venus [W].

S. 72 *Pfülben:* Variante zu »Pfühl«: weiches Ruhekissen. – *Citharist:* die Kithara war ein antikes Saiteninstrument. – *Grillenfänger:* Sonderling, Mensch mit wunderlichem, eigenartigem Verhalten. – *im Schlamm des Stoffes:* Anspielung auf den pythagoreisch-platonischen Glauben an eine geistige Existenz der Seele vor ihrem Sturz in die Materie [W]. – *Corybant:* ekstatischer Kulttänzer der kleinasiatischen Gottheit Kybele. – *begeistert . . . nur wesenlose Schatten:* bevor Theophron zu pythagoreischen Geheimlehren vorstößt, ist Platon sein Ausgangspunkt: zur Idee des Schönen wird die Seele des Weisen durch den Anblick des Abbilds, der irdischen Schönheit, hingezogen; darüber verfällt sie in einen Zustand der Verzückung (vgl. *Phaidros* 249d–250d). – *Deucalion:* Heros im griech. Sintflut-Mythos, also Inbegriff der Urzeit. – *aus der alten Nacht . . . Virgils Silen:* in Vergils 6. Ekloge besingt Silen u. a. die Weltentstehung (V. 31–40), die Sintflut, die nur Deukalion und Pyrrha überlebten, und das goldene Zeitalter (V. 41).

S. 73 *Wurme:* hier die Raupe des Schmetterlings. – *Sinus und Tangenten:* anzügliches Spiel mit der wörtlichen Bedeutung der mathematischen Begriffe: »Busen« und »die Berührende«. – *Kontur:* von Wieland in seiner Anm. nachdrücklich von »Umriß« unterschieden: »*Kontur* [. . .] bezeichnet eigentlich die Vorstellung, die wir von einer körperlichen Form vermittelst des *Gefühls* und Betastens erhalten.« [W]. – *Lambert:* bedeutendster zeitgenössischer deutscher Mathematiker und Astronom (1728–1777).

S. 74 *Charitinnen:* Begleiterinnen der Aphrodite, Grazien. – *Prodicus:* vgl. Anm. zu S. 53 [6]. – *Amathunt:* Stadt auf Zypern, Heimatort der Aphrodite. – *Sybarit:* die Einwohner der griech. Kolonie Sybaris in Unteritalien waren in der Antike als Wollüstlinge verrufen. – *Gnid:* eigtl. Knidos; in der kleinasiatischen Stadt befand sich im berühmten Heiligtum der Aphrodite ein Kultbild von Praxiteles.

S. 75 *zu mehr als Göttern machen:* Anspielung auf Seneca (*Briefe an Lucilius* 53.11; 73.14); weil ein wahrer Stoiker ebenso wie ein Gott von Leidenschaften frei wäre, dies aber im Unterschied zu den Göttern durch den eigenen Willen herbeigeführt hätte, wäre er in dieser Hinsicht den Göttern überlegen [W]. – *des Urbilds Anschaun:* im Rückgriff auf Platons *Phaidros* (250e) rühmt Theophron den Weisen: nur dieser kann die Idee des Schönen »anschauend verehren«, während alle anderen sich lediglich der fleischlichen Lust ergeben. – *Adept:* Eingeweihter. – *der Seele Fittich ... immer höhern Flug:* im platonischen Bild (*Phaidros* 246a–e) wird die Seele durch ihr Gefieder aus der Fesselung der irdischen Existenz zu ihrem göttlichen Ursprung, ins Reich der Ideen, zurückgetragen. – *Scipio ... Sphären:* im Bericht über seinen Traum erklärt Scipio, warum die meisten Menschen die Sphärenharmonie nicht hören können; vgl. aus Ciceros erst 1819 fragmentarisch wiederentdeckter Schrift *De re publica* den sog. *Traum Scipios* (hier 6.18 f.). [W].

S. 76 *Milzsucht:* Hypochondrie, Übellaunigkeit. – *Salomonis Siegel:* in orientalischen Märchen wurde dem biblischen König Salomon ein Zauberring zugeschrieben. – *Mattheson:* Joh. M. M. (1681–1764); einer der wichtigsten Musiker und Musikschriftsteller des 18. Jh., Hauptgegner des rationalistischen Gottsched. – *Fricker:* Joh. Ludwig F. (1729–1766); ev. Pfarrer, als Anhänger Oetingers (vgl. die folgende Anm.) math.-musikalischen Spekulationen zugeneigt. – *Abt von Murrhardt:* der schwäbische Mystiker Friedrich Christoph Oetinger (1702–1782). – *purgieren:* »reinigen« (im medizinischen Sinne von »abführen«). – *Diapent' und Diatessaron:* Quinte und Quarte. – *Oreaden:* Bergnymphen. – *Pomonen ... Floren:* nach der röm. Göttin des Obstes bzw. der Blumen. – *Theosoph:* wörtl. »Gottesweiser«; im 18. Jh. häufig abwertend für »Schwärmer«, »Geisterseher«. – *pythagorisch Schweigen:* die pythagoreischen Geheimlehren durften an Uneingeweihte nicht weitergegeben werden.

S. 77 *Hebens Dienste:* Hebe, die Göttin der Jugendschönheit, war die Schenkin der olympischen Götter. – *Bacchanal:* Geheimriten einer antiken mystischen Bewegung; hier allgemein orgiastisches Fest. – *bärtige Apoll:* der Gott der Künste und insbesondere der Musik ist nie mit Bart dargestellt worden. – *Oktochordon:* Musikinstrument mit acht Saiten. – *Die unterm Zwerchfell thront:* »Plato gibt in seinem Timäus dem Menschen *drei* Seelen, wovon die erste göttlicher und unsterblicher Natur ist und ihren Sitz im Haupte hat, von den beiden andern sterblichen aber die *eine* die Brusthöhle, und die *andere* (deren Begierden bloß auf Befriedigung der körperlichen Bedürfnisse gehen) die Gegend zwischen dem Zwerchfell und Nabel zu ihrer Wohnung angewiesen bekommen hat ...« [W].

S. 78 *Hogarths Laune:* William Hogarth (1697–1764), der damals berühmteste satirische Maler und Kupferstecher. – *wie dort Horaz:* wie Phanias sich in sein Schicksal ergeben muß, läßt auch Horaz, unterwegs von einem aufdringlichen Schwätzer überrascht, »wie ein übellaunig Müllertierchen [...] die Ohren sinken« (*Satiren* 1.9.20 in Wielands Übersetzung von 1786). – *Aristipp ... Circens Stall:* sinngemäß: Cleanth erklärt die sinnenfrohen Hedoniker wie Aristipp für Schweine. Die Zauberin Kirke verwandelt in Homers *Odyssee* die Begleiter des Odysseus in Schweine; der griech. Philosoph Aristipp (ca. 435–355 v. Chr.) ist Titelfigur von Wielands letztem großen Roman *Aristipp und einige seiner Zeitgenossen.* – *Lieblingssatz der Halle:* die Stoiker haben ihren Namen von der »Stoa«, einer überdachten Säulenhalle, in der Zeno und seine Nachfolger lehrten [W]; mit dem »Lieblingssatz« ist wohl die Autarkie der Tugend gemeint, die allein zur Glückseligkeit hinreichend ist. – *Planetentanz:* »Vermutlich ein Pythagorischer Tanz, der die Bewegungen der Planeten nachahmt . . .« [W]. – *Ägypter und Chaldäer:* Pythagoras soll seine Lehre von diesen Völkern entlehnt haben [W].

S. 79 *Virgils Silenen:* vgl. Anm. zu S. 72 [55]. – *bacchischem Triumph:* die Bacchantinnen folgten ihrem Gott Dionysos im orgiastischen Zug durch die Wälder.

S. 80 *bei Dianen:* die Jagdgöttin Diana (griech. Artemis) schützte die Jugend und die Jungfräulichkeit; später wurde sie auch mit der Mondgöttin Selene gleichgesetzt.

S. 81 *Phyllis:* Mädchenname in Vergils Hirtengedichten und in den Oden des Horaz. – *mit stumpfen Nägeln wehret:* Anspielung auf Horaz' *Oden* 1.6.17f.

S. 82 *der stärkre Sinn:* vgl. Horaz' *Brief an die Pisonen* (Briefe 2.3.180–182): »Was durch die *Ohren* in die Seele geht, / rührt immer schwächer, langsamer, als was / die *Augen* sehen, deren Zeugnis uns / ganz anders überzeugt, als fremder Mund.« (Übersetzung Wielands). – *Ovid:* Publius Ovidius Naso (43–18 n. Chr.) hat ein Lehrgedicht über die *Liebeskunst (Ars amandi)* verfaßt.

S. 84 *Heracliden:* Nachkommen des Herkules. – *Aristiden . . . Phocions . . . Leonidas:* Aristeides (gest. um 467 v. Chr.) und Phokion (402/01–318 v. Chr.) waren athenische Politiker und Heerführer; der spartanische König Leonidas starb 480 v. Chr. in der Thermopylenschlacht. – *Zeno:* Begründer der Stoa (gest. 262 v. Chr.). – *Archytas:* tarentinischer Pythagoreer der 1. Hälfte des 4. Jh. v. Chr., Heerführer und Freund Platons (vgl. Anm. zu S. 66). – *Anacreon:* ionischer Liebeslyriker (6. Jh. v. Chr.). – *Zeuxes:* Zeuxis (gest. ca. 390 v. Chr.), einer der großen Maler der griech. Antike.

S. 85 *Mann im Faß:* Anspielung auf die berühmte Anekdote, in der Diogenes Alexander den Großen nur darum bittet, ihm aus der Sonne zu gehen.

S. 86 *Sympathie:* hier die Fähigkeit, die Empfindungen des anderen mitzufühlen. – *bürgerliche Sturm:* Athen war berüchtigt für die Launenhaftigkeit und Mißgunst des Volkes, der häufig verdiente Männer zum Opfer fielen. – *Witz:* hier Klugheit.

S. 87 *Hain . . . Purpurtraube:* alle hier genannten Vorzüge rühmt auch Horaz in seinen Gedichten; am schattigen Bach beispielsweise wird die Siesta (*Episteln* 1.14.35; 1.16.3–16) durch Wein (*Oden* 2.11.13–24) oder die Geliebte noch angenehmer (*Oden* 1.17.17-22; 2.3.5–14). – *Thasos:* ägäische Insel. – *Horazens Nachbarn:* »Unter seinen Sabinischen landwirthschaftlichen Nachbarn herrschte größtentheils noch die gute alte Sitte, die Einfalt, Häuslichkeit, Gutherzigkeit und Jovialität [. . .]« (Wieland in der Einleitung zu seiner Übersetzung der *Satire* 2.6.; vgl. dort besonders die Gestalt des Cervius, V. 77ff.).

S. 88   γνῶθι σεαντόν: »gnothi sauton« (»erkenne dich selbst!«), die Worte, die über dem Eingang zum Tempel von Delphi standen – der beste Rat, »den der Delphische Gott allen Sterblichen, die sich bei ihm Rates erholten, erteilen konnte.« [W]

Literaturhinweise

Asmus, J. R.: Die Quellen von Wielands ›Musarion‹. In: Euphorion. Zeitschrift für Litteraturgeschichte. 5. Band. Jg. 1898, S. 267–290.

Boa, Elisabeth: Wieland's ›Musarion‹ and the Rococo Verse Narrative. In: J. M. Ritchie (Hg.): Periods in German Literature. Part II: Texts and Contexts. London 1969, S. 21–41.

Köppe, Charlotte: Christoph Martin Wielands Beziehungen zur Antike in der Verserzählung ›Musarion‹ (1768). In: Wieland-Kolloquium Halberstadt 1983. Hg. von Thomas Höhle. Halle 1985, S. 143–153.

Rowland, Herbert: ›Musarion‹ and Wieland's Concept of Genre. Göppingen 1975.

Sengle, Friedrich: Von Wielands Epenfragmenten zum ›Oberon‹. In: Festschrift für Paul Kluckhohn und Hermann Schneider. Gewidmet zu ihrem 60. Geburtstag. Hg. von ihren Tübinger Schülern. Tübingen 1948, S. 266–285.

Sengle, Friedrich: Christoph Martin Wieland. Stuttgart 1949.

Sommer, Cornelius: Wielands Epen und Verserzählungen: Form und dichtungstheoretischer Hintergrund. Phil. Diss. Tübingen 1964.

Staiger, Emil: Wielands ›Musarion‹. In: Wieland: 4 Biberacher Vorträge, 1953, gehalten von Friedrich Beißner, Emil Staiger, Friedrich Sengle, Hans Werner Seiffert. Wiesbaden 1959, S. 33–54.

A. M.

JAKOB MICHAEL REINHOLD LENZ

1751	Am 23. Januar in Seßwegen, Livland, als Sohn eines Predigers und späteren Generalsuperintendenten geboren.
1759	Übersiedlung der Familie nach Dorpat. Besuch der Lateinschule.
1768	Beginn des theologischen Studiums in Königsberg.
1771	Reise mit den Brüdern Friedrich Georg und Ernst Nikolaus von Kleist über Berlin und Leipzig nach Straßburg; Bekanntschaft mit Goethe und der Gesellschaft des Aktuars Salzmann; Vorträge vor der literarischen Sozietät in Straßburg.
1772–74	Mit den Brüdern von Kleist in den Garnisonen Weißenburg, Landau und der Rheinfestung Fort Louis; Besuche in Sesenheim bei Friederike Brion; *Plautus*-Übertragungen, *Anmerkungen übers Theater, Der Hofmeister, Der neue Menoza, Meinungen eines Laien.*
1774	Trennung von den Brüdern Kleist; Einkünfte durch Unterrichtslektionen.
1775	Zusammentreffen mit Goethe; *Pandaemonium Germanicum, Die Soldaten;* Konflikt mit Wieland (*Die Wolken,* verloren).

1776	Verehrung für Henriette Waldner von Freundstein; Reise nach Weimar; *Die Freunde machen den Philosophen, Der Engländer, Der tugendhafte Taugenichts;* in Berka (Thüringer Wald) entstehen *Der Waldbruder* und die Satire *Tantalus;* Ende November Ausweisung aus Weimar.
1777	Bei Freunden im Südwesten Deutschlands und der Schweiz; in Emmendingen bei Schlosser; *Der Landprediger;* Anzeichen einer Geisteskrankheit.
1778	Bei Pfarrer Oberlin in Waldersbach/Elsaß; Ausbruch der Schizophrenie, Selbstmordversuche.
1779	In Jena, Versuch der Aufnahme eines Studiums; mit dem Bruder Karl Reise nach Riga, wo sein Vater zum Generalsuperintendenten ernannt worden war.
1780	Erfolglose Berufssuche; *Philosophische Vorlesungen für empfindsame Seelen,* Übersetzungen aus dem Russischen; Fortschreiten der Krankheit.
1792	4. Juni: Lenz wird tot auf einer Moskauer Straße gefunden.

Der Waldbruder

Erstdruck und Druckvorlage: Der Waldbruder, ein Pendant zu Werthers Leiden, von dem verstorbenen Dichter Lenz. In: Die Horen. Bd. X/3. Jg. (1797), Stück 4, S. 85–102 und Stück 5, S. 1–30. – Der Briefroman entstand im Sommer 1776 in Berka (Thüringer Wald). Eine Anfrage Schillers nach dem in Weimar befindlichen Nachlaß des Autors führte zu der Veröffentlichung in den *Horen,* bei der man, trotz einiger von Goethe geäußerter Vorbehalte gegenüber den »wunderlichen Hefte[n]«, eine redaktionelle Bearbeitung des Textes wohl ausschließen kann.

»Und ohne Mitleid elend seyn.« Zur Entstehungsgeschichte

Die Überschrift zitiert einen Vers aus dem »Dramolet« *Tantalus,* einer kleinen Bühnendichtung, die Lenz 1776 zusammen mit dem *Waldbruder* entworfen hat. In seiner satirischen Absicht läßt sich das Stück leicht durchschauen, der Schauplatz ist »auf dem Olymp«, also in Weimar, wo Lenz seit einigen Monaten in der Nähe seines Straßburger Jugendfreundes Goethe lebte. Daß er sich dort wie der mythische König Tantalos gefühlt habe, den die Götter zwar zu ihrer Tafel zulassen, aber jeden Genuß verwehren, will die Handlung zu verstehen geben; und ähnlich reflektiert auch der *Waldbruder* – gattungsgeschichtlich ein Briefroman – die Erfahrungen mit der Weimarer Hofgesellschaft, aus der sich Lenz während des Sommers für einige Zeit nach Berka im Thüringer Wald zurückgezogen hatte, um literarische Abrechnung zu halten. Goethes Urteil über den *Tantalus,* ausgesprochen in einem Brief an Merck vom 16. September 1776, scheint denn auch weniger Mitleid als Herablassung zu zeigen: »*Lenz* ist unter uns wie ein krankes Kind, wir wiegen und tänzeln ihn, und geben und lassen ihm von Spielzeug was er will. Er hat *Sublimiora* gefertigt. Kleine Schnitzel, die Du auch haben sollst.« Für den bereits mit der *Iphigenie* – einem in ganz anderer Weise »sublimen« Kunstwerk – beschäftigten Weimarer Legationsrat waren die ironischen Skizzen des Freundes kaum mehr als spielerische, von Launen diktierte Gelegenheitsarbeiten. Sie stimmen offenbar zu dem Porträt, das Goethe in *Dichtung und Wahrheit* (14. Buch) von Lenz gezeichnet hat, wo er dessen »entschiedenen Hang zur Intrige, und zwar zur Intrige an sich« erwähnt, die noch im selben Jahr 1776 zum Bruch zwischen den Freunden und zur Ausweisung Lenz' aus Weimar führen sollte. Die näheren Umstände des Skandals konnten nie aufgeklärt werden, zum Bedauern der für alle Intimitäten des Weimarer Hofes aufgeschlossenen Literaturliebhaber.

Weil so vieles in der Lebensgeschichte des Autors verworren erschien, hat sich die Literaturgeschichtsschreibung lange Zeit mit dem Erinnerungsbild Goethes begnügt, das sich zur Erklärung des ambivalenten Charakters oder, wie man heute genauer weiß, der krankhaften Züge des *Sturm und Drang*-»Genies« und seiner aus Verehrung und Konkurrenz zu Goethe entstandenen Werke anbot, wobei sich bei einem Vergleich mit dem Vorbild beiläufig noch der rüde gesellschaftskritische Ton der Lenzschen Dramen tadeln ließ. Umgekehrt haben die Avantgardebewegungen des 19. und 20. Jahrhunderts gerade in dem so kompromiß- wie haltlosen Außenseiter einen Vorläufer entdeckt, die Figur des unangepaßten, zur Identifikation reizenden Künstlers, als die Lenz dann auch von der neueren Forschung beschrieben worden ist. Wer sich um das Verständnis der Werke bemüht, wird sich von den hier angedeuteten Vorurteilen der Rezeptionsgeschichte freimachen müssen. Da sich damit jedoch noch kein unmittelbarer Zugang zu einer so anspielungsreichen und vielschichtigen Erzählung wie der vorliegenden – Lenz' bedeutendster Prosaarbeit – erschließt, werden im folgenden etwas ausführlichere Erläuterungen zur Entstehung und zur historischen Situation des Textes gegeben. Dem Untertitel darf man dabei kein Vertrauen schenken; bei dem Briefroman handelt es sich nicht um eine der zu Recht vergessenen ›Wertheriaden‹, sondern um den moralischen Kommentar zu einer Gesellschaft, die in den imaginierten Leiden Werthers nur sittliche Verderbnis zu erkennen vermochte oder dieselben in ästhetischen Genuß verwandelte.

Als Mentor eines adligen Brüderpaares kommt Lenz 1771 ins Elsaß, wo er sich in den literarischen Kreisen Straßburgs den Ruf eines unkonventionellen Kritikers und Übersetzers erwirbt. Bereits mit seinen ersten Veröffentlichungen stellt sich der Erfolg und damit zugleich ein merkwürdiger Kontrast zu der Abhängigkeit ein, in der er als ein bloßer »Gesellschafter« in der Universitätsstadt lebt. Es folgen unglückliche Liebesaffären und lähmende Gefühlskrisen, die Lenz in einem *Tagebuch* (1774/75) protokolliert. Wenig später verliert er mit der Abreise des livländischen Barone, deren Reise er bis dahin begleitet hatte, seinen Lebensunterhalt und muß Lektionen geben, »informieren«, wie es im *Waldbruder* (S. 101, vgl. auch S. 105) heißt. In dieser wahrhaft zwiespältigen Situation, geteilt zwischen literarischem Ruhm und äußerer Bedürftigkeit, entwickelt Lenz eine schwärmerische Leidenschaft für die junge Henriette Luise von Waldner, von der er allerdings nur Briefe kennt, die an Dritte gerichtet sind: fast unvermittelt geht seine Biographie in die literarische Fiktion des Briefromans über. Er schildert die ihm Unbekannte als das »Ideal weiblicher Vollkommenheit« und bittet Lavater, ihr Porträt in die *Physiognomik* aufzunehmen. Lavater geht auf den Vorschlag ein (der Kupferstich erscheint als Tafel XCIII im *Dritte[n] Versuch* der *Physiognomische[n] Fragmente* 1777) und beschreibt das Bild mit Formulierungen, die den Einfluß der enthusiastischen Schilderungen von Lenz verraten. Dieser schreibt im Januar 1776 an Lavater:

> »Gott welche Seele mahlt sich in dem Profil – welch ein Meisterstück von edler Erziehung unter den Grossen, mit alledem verbunden was ein unauslöschlicher Durst nach allem was vollkommen ist, was Kenntniß heißt und das Herz eröfnet, aus uns selber machen kann. [...] Verzeyh mir Lavater! die Romantische Sprache. Ists Idolatrie so kann sie mir Gott nicht zurechnen, es ist sein Geschöpf: sein Bild.«

Im Frühjahr 1776 ist der fast mittellose Autor gezwungen, Straßburg zu verlassen. Auf der Reise nach Weimar erfährt er, daß die Baronesse von Waldner die Braut eines Offiziers aus standesgemäßer Familie ist. Sofort wird der phantasierte Verlust für ihn zu einem Motiv der schwärmerischen Verehrung, die ihr neues Objekt im Porträt Henriettes findet: »ihr Bild oder ich sinke eh alles gethan ist«, schreibt Lenz am 1. April 1776 an Lavater, und nimmt damit jene Geste brieflich geäußerter Verzweiflung vorweg, mit der er sein alter ego Herz im vierten Teil der Erzählung charakterisieren wird. Was in der Handlung des *Waldbruder*-Romans wie eine Stilisierung empfindsamer Motive wirkt, verdankt Lenz also zum Teil eigenen ›Erlebnissen‹. Selbst die Namen der Personen sind kaum verschlüsselt, so daß sich für den Leser die konkreten Lebensumstände des Autors zu enthüllen scheinen.

Goethe wird als der erfolgreiche und zynische »Poet« Rothe dargestellt, der sich »überall hinzupassen und aus allem Vorteil zu ziehen weiß« (S. 94). Für Herz ist er der wohlmeinende Ratgeber, die hilfreich-überlegene Instanz der Vernunft. In dieser Rollenverteilung dürfte Lenz die in Weimar erneuerte Freundschaft mit Goethe empfunden haben, wie ein ironischer Hinweis im Text vermuten läßt; denn Rothes lakonische Antwort auf den ersten Brief des Einsiedlers, sein auf »einen Zettel [...] mit Bleistift« notiertes »Du dauerst mich!« (S. 90), stimmt wörtlich mit einem Billett überein, das Goethe im Juni 1776 an den nach Berka – »in's Eremum«, wie Wieland spottete – abgereisten Lenz schrieb. Und es finden sich weitere Anspielungen auf reale, im Wortsinn alltägliche Begebenheiten. So hat die geschwätzige Schatouilleuse ihr Vorbild in der Weimarer Hofdame Luise von Göchhausen, deren Neigung zur Exaltation ebenso verbürgt ist wie die Unbedachtsamkeit, mit der Lenz gegen die höfische Etikette verstoßen und sich zum Gespött Weimars gemacht hat: »Lenz am Hofe – Was dünkt euch dazu? Seit er hier ist, ist kaum ein Tag vergangen, wo er nicht einen oder den anderen Streich hätte ausgeführt, der jeden anderen als ihn in die

Luft gesprengt hätte. Dafür wird er nun freilich auch was Rechtes geschoren.« (Wieland an Merck, 13. Mai 1776) Erkennt man in der Figur der Honesta Frau von Stein (die Lenz sehr freundlich entgegenkam) und in der Witwe Hohl seine Straßburger Wirtin (bei der er Briefe Henriette von Waldners gelesen hat), deckt sich die literarische Konstellation fast völlig mit der biographischen, wobei Bemerkungen wie die über Herz' russische Herkunft, seine unglücklichen Liebschaften und das Hofmeisteramt den Eindruck der Authentizität noch verstärken.

Auf einer rein fiktiven Ebene erweisen sich die Personen des Romans jedoch als nicht weniger genau bestimmt. *Stella* war der Titel von Goethes im selben Jahr erschienenen *Schauspiel für Liebende*, das die Situation eines Mannes zwischen zwei Frauen beschrieb, ein im bürgerlichen Roman und Drama (Weiße, Gellert, Lessing) bereits mehrfach erprobtes Sujet, was Lenz mit dem aus Goethes Drama übernommenen Namen der Titelfigur andeutet; und mit den von Wieland in der Verserzählung *Der neue Amadis* (1771) verwendeten Namen »Schatouilleuse« und »Olinde« (für Witwe Hohl, S. 101) zitiert Lenz noch einen zweiten Weimarer Autor. Nimmt man die im Text erwähnten Dichter (Petrarca, Cervantes, Fénelon, Klopstock, Rousseau) und die mit ihren Werken verbundenen Topoi der Empfindsamkeit hinzu, läßt sich ein Muster literarischer Bezüge erkennen, das der Erzählung eine andere als nur autobiographische Bedeutung verleiht. Verständlich wird damit auch die Distanz, aus der heraus sich Lenz im *Waldbruder* selbstironisch porträtiert. Es geht ihm nicht um die in einer Lebensbeichte ausgesprochene Anklage einer Gesellschaft und ihrer Zwänge, die dem individuellen Schicksal gegenüber gleichgültig bleibt – und die sich ebenso vordergründig auch nur darstellen ließe –, sondern um die Frage nach den Bedingungen des gesellschaftlichen Handelns und seiner möglichen Moralität, die sich zwischen den Extremen eines schwärmerischen Egoismus und einer zynischen Rationalität zu behaupten hat. Das Publikum kenne nur »steife Sitten«, schreibt Lenz in seinen *Briefe[n] über die Moralität der Leiden des jungen Werthers* (1775), »wo man ein ewiges Gerede von Pflichten und Moral hört und nirgends Kraft und Leben spürt, nirgends Ausübung dessen was man hundertmal demonstriert hat und immer wieder von neuem demonstriert, wo man in den eisernen Fesseln einer altfränkischen Etikette alle seine edelsten Wünsche und Neigungen in den berauchten Wänden seiner Studierstube vorsichtig ersticken läßt und so bald sie sich melden, irgend ein System der Moral dagegen schreibt, oder in neuern Zeiten jämmerlich süßtönende Klagen, Idyllen und Romanzen und Spaziergänge und daß des Dings kein Ende ist – [. . .].« Die Philosophie der Aufklärung hatte dem »Gefühl« eine eigene, wenn auch untergeordnete Erkenntnisfunktion zugeschrieben. Eine Aufwertung des Emotionalen erfolgte mit der Einsicht, daß es eben die Empfindung als ›sinnliche Erkenntnis‹ sei, die den Menschen vervollkommnen und eher als jede »vernünftige« Morallehre zu einem gesellschaftlichen Wesen erziehen könne. In der ersten Fassung von Herders Abhandlung *Übers Erkennen und Empfinden in der menschlichen Seele* (1774) heißt es entsprechend:

»Kein Erkennen ist ohne Empfindung, d. i. ohne Gefühl des Guten und Bösen, der Bejahung und Verneinung, des Vergnügens und Schmerzes: sonst könnte die Neugierde, erkennen, sehen zu wollen, weder dasein noch reizen. Die Seele muß fühlen daß, indem sie erkennet, sie Wahrheit sehe, mithin sich genieße, ihre Kräfte des Erkennens wohl angewandt, sich also fortstrebend, sich vollkommner wisse: je inniger und unaufgehalten sie das gewahr wird, desto inniger empfindet sie Wollust.«

Doch im »Genuß« bleibt die Sinnlichkeit zweideutig, sie kennt kein Kriterium für die Wahrheit und moralische Qualifikation des Erlebten. Das Versagen des Gefühls wird daher im *Sturm und Drang* zu einem immer wieder behandelten Thema. Dann nämlich, wenn der Enthusiasmus leer wird und das Gefühl ohne Gegenstand sich nur zum Selbstgenuß inszeniert – oder, wie Lenz in einem etwa gleichzeitig mit dem *Waldbruder* entstandenen Text knapper und kritischer urteilt: »Nachgemachtes Gefühl verdient die allerschärfste Beize der Laune.« Und er fügt – vielleicht mit einem Blick auf den Roman – hinzu: »Der Probierstein dafür ist noch ein Geheimnis.«

Täuschungen. Zur Technik des Erzählens

Um die bedrängenden Gefühle seiner selbstgewählten Einsamkeit zu beschreiben, greift Herz im ersten Brief an Rothe zu einem Vergleich. Weder die Schilderung der Landschaft noch die seines Umgangs mit den Bauern, die »ihren Witz« über seine »Unbehelfsamkeit wissen spielen zu lassen«, scheinen dem Briefschreiber zur Deutung eines Zustandes zu genügen, der »durch die äußern Symptome, die er veranlaßt, schon seit Petrarchs Zeiten jedermann zum Gespött dienen muß« (S. 89). Das private Geständnis entdeckt an sich selbst parodistische Züge. Der »neue Werther«, wie er später genannt wird (S. 97), sieht sich in der langen Tradition jener unglücklichen Liebhaber, denen Leidenschaft ausschließlich Verzicht fordert. Petrarcas *Sonetti e Canzoni in morte di Madonna Laura* galten als das literarische Muster dieser Liebeskonzeption, an die Rousseau mit dem Motto zu *Julie ou la Nouvelle Héloïse* (1761) erinnert, so wie Goethe in *Die Leiden des jungen Werthers* (1774) das in dem empfindsam-psychologischen Roman Rousseaus vorgebildete Motiv der Natureinsamkeit und des Konflikts zwischen Individuum und Gesellschaft aufgreift. Der in die ländliche Abgeschiedenheit Fliehende wird zum Melancholiker, der, wie es im *Waldbruder* heißt, von »schwermütige[r] Wollust« (S. 90) ergriffen wird. Seine Freunde schildern ihn als einen »höchstgefährlichen Kranken«, der »Mitleid« verdient und dem man, so der obligatorische Rat Rothes an Plettenberg, wie ein »weiser Arzt« (S. 116) begegnen muß.

Den Theoretikern der Empfindsamkeit war daran gelegen, die gesellschaftlichen Tugenden des Menschen und damit das Allgemeinwohl zu fördern; wo diese Verbindlichkeiten aufgekündigt werden und der Enthusiasmus des Fühlens in die Isolation führt, statt der Soziabilität des einzelnen zu dienen, zeigt die aufklärerische Kritik wenig Toleranz. Die alle Normen der empfindsamen Moral mißachtende Handlungsweise Werthers, sein übersteigerter Subjektivismus, wirken als Schock. Das Thema

des einsamen und melancholischen Schwärmers, eine »Obsession des
18. Jahrhunderts« (Kurz, S. 110), ist hier zu einer letzten Konsequenz geführt worden, vor der jede – in der Literatur bis dahin stets erfolgreiche –
pädagogische Korrektur versagt.

Mit der äußeren Form seines Briefromans knüpft Lenz demnach bewußt
an die älteren Vorbilder der Gattung an. Dies geschieht jedoch mit einer so
auffallend imitatorischen Geste, daß man der Absicht des Autors sogleich
mißtraut, obwohl das von ihm gewählte poetische Verfahren die Ironie
einer der üblichen Wertherparodien ausspart: die Erwartungshaltung des
Lesers wird auch in dieser Hinsicht, also gleich zweifach enttäuscht.

Zunächst scheint jedoch die Handlungsweise der Personen keine Rätsel
aufzugeben. Da ist auf der einen Seite der kalte Skeptiker Rothe, mit dessen
»Epikuräismus« (S. 95) der zeitgenössische Leser etwa durch die Figur des
Hippias aus Wielands *Geschichte des Agathon* (1766/67) vertraut sein konnte,
der seine Lebensweisheit ebenfalls in einer ›gefälligen‹ Maxime zusammen-
faßte. Seine Philosophie

> »wußte alle Gestalten anzunehmen; sie vergötterte die Großen, kroch
> vor ihren Dienern, tändelte mit den Damen, und schmeichelte allen,
> welche es bezahlten«.

Für Rothe erwächst dabei die Einsicht in die Notwendigkeit des täuschen-
den Rollenspiels nicht aus dem Zwang eines politisch-klugen Verhaltens
bei Hof, das allein der Sicherung adlig-feudaler Privilegien zu dienen hat;
seine »Schmeichelei« habe vielmehr einen gesellschaftlichen Nutzen, wie er
Herz mit der brieflichen Beschreibung eines Hauskonzertes zu verstehen
gibt, wo ihm »jede herzlichfalsche Lobeserhebung« der jungen Sängerin
»mit einem feurigen Blick« bezahlt wurde (S. 94). Die Menschen wollen zu
ihrem eigenen Glück betrogen werden. Rothe argumentiert hier ganz im
Sinne der Kritiker einer frühkapitalistischen Konkurrenzgesellschaft, die,
wie etwa Bernard Mandeville in seiner berühmten *Fable of the Bees* (1705/
1728), mit einem Sinn für das Paradoxe die öffentlichen Wohltaten als
Folge privaten Gewinnstrebens erklärten und dafür eine anthropologische
Begründung bereithielten, die Lenz an zentraler Stelle in den eben zitierten
Brief einführt: »Die Selbstliebe ist immer das, was uns die Kraft zu den
anderen Tugenden geben muß« (S. 94). Erkauft werden diese »Tugenden«
allerdings mit einer völligen Empfindungslosigkeit, wie sie die Briefpart-
nerin Rothes, Schatouilleuse, charakterisiert, die sich bei der Mitteilung der
Verlobung Stellas Gedanken darüber macht, ob sich Herz aufgrund dieser
Nachricht wohl erschießen werde, um im nächsten Satz die für sie offenbar
noch wichtigere Frage zu stellen, wieviel »gute weiche Flockseide« in
Braunsberg koste. (S. 102)

Der lebensuntüchtige Herz scheint dagegen selbst dann noch an die
Wahrheit einer von allem egoistischen Interesse freien Empfindung für das
Gute im Menschen zu glauben, als sich herausstellt, daß ihm auf einer
»Maskerade« [!] nicht die Gräfin Stella – sein personifiziertes Ideal –, son-
dern eine beliebige fremde Person vorgestellt worden ist. Der Leser be-

ginnt zu ahnen, daß sich Herz' schwärmerische Verehrung gerade deshalb täuschen mußte, weil sie gar nichts anderes als »das süße Gefühl des Mitleids« mit *sich selbst* gesucht hat. (S. 96)

Was sich hier andeutet, wird von Lenz im zweiten Teil des Briefwechsels ausgeführt. Die Figuren lassen sich in ihrer Handlungsweise nicht mehr voneinander unterscheiden, die Stereotypen lösen sich auf. Erschien der Einsiedler zu Beginn als ein durchaus sympathischer Kritiker der gesellschaftlichen Doppelmoral, erweist er sich nun in seinem Verhältnis zur Witwe Hohl als ein berechnender Intrigant, der sein selbstbezogenes Handeln gegenüber Rothe fast mit dessen eigenen Worten zu rechtfertigen versucht (S. 101). Und umgekehrt wird auch Herz für die Witwe zu einem »Probierstein ihres Witzes«, der hier nicht zur Aufdeckung eines falschen Gefühls (s. o.), sondern im Gegenteil dem Versuch dient, Herz durch ein geschicktes psychologisches Spiel zu ihrem »Staatsgefangenen« (S. 109) zu machen. Die beiden Personen, zwischen denen sich allein durch die Briefe Stellas eine Verbindung herstellt, werden zu Opfern ihrer gegenläufigen Intrigen.

Das Porträt der Gräfin rückt dabei in den Mittelpunkt eines Geschehens, bei dem alle Beteiligten ihre wahren Absichten nicht nur voreinander zu verbergen suchen. Mit großer erzähltechnischer Raffinesse gelingt es Lenz, den Leser in ein ähnlich täuschendes Spiel einzubinden, wie er es für die Figuren des Romans inszeniert (vgl. Heine, S. 187f.). Bis zum dritten Teil, der ganz den kommentierenden Briefen der von außen hinzutretenden Honesta gehört, bleibt für den Leser unerklärt, aus welchem Grund sich die Gräfin im Hause der Witwe malen läßt. Honesta deckt zwar den Plan der Intrige auf, der »grausam genug«, aber »doch der einzig erträgliche für einen so gespannten Menschen als Herz ist« (S. 111), zugleich teilt sie dem Leser jedoch weitere Einzelheiten mit, die ihn an seinem bisherigen Verständnis des Handlungsverlaufes vollends zweifeln lassen müssen. Geldschulden haben Herz dazu gezwungen, sein Leben in der Stadt mit einem Einsiedlerdasein zu vertauschen, der Bericht von dem Diebstahl des Bauern (S. 90) sollte mithin – wie zahlreiche der folgenden brieflichen Mitteilungen in anderer Weise – über seine wahre Situation nur hinwegtäuschen. Die melancholische »Schwärmerei« offenbart ihre banalen materiellen Gründe.

Die Technik des ›polyperspektivischen‹ Erzählens erfährt damit bei Lenz eine bewußte Umbildung, die sich nicht mehr der Wirkungsabsicht der empfindsamen Gattung unterstellt. War es nach dem Muster der Romane Richardsons und Rousseaus der wesentliche Zweck des Briefromans, den Leser an einer Folge »kommunikativer« Ereignisse teilnehmen zu lassen, die mit einer möglichst authentischen psychologischen Darstellung der korrespondierenden Personen auch deren Empfindungen und Gefühle, kurz ihre subjektive Wirklichkeitswahrnehmung dem Leser vergegenwärtigen sollten, um ihn zu einem sympathetischen Fühlen und einem dementsprechenden Urteil zu erziehen, wird diese Absicht von Lenz in ihr Gegenteil verkehrt. Nach und nach enthüllt sich die Korruption aller gesellschaftlichen Beziehungen, die Plettenberg im letzten Brief der Sammlung nur noch zu einem resignierenden Vorwurf an Rothe veranlaßt. Die Technik der zeitlichen Überschneidung und Versetzung einzelner Briefe, die Einfügung retardierender Momente und nachgeschobener Erklärungen dient nicht mehr der Spannungserzeugung oder der Aufforderung an den »mündigen« Leser, eigene Antworten zu entwerfen; zu einem solchen – moralischen – Urteil läßt der Autor dem Leser keinen Raum, es sei denn, zu einem negativen.

Empfindsamkeit und Moral

Der Schluß des Romans bietet zwar eine überraschende Lösung, aber nur für jene unsentimentalen Charaktere, die sich den konventionellen Verhältnissen anzupassen wissen. Die in Aussicht gestellte ›Ehe zu dritt‹ entspringt nicht dem Wunsch nach einem empfindsamen Seelenbund, wie er das Thema der Romane Rousseaus (*Julie ou la Nouvelle Héloïse,* 1761) und F. H. Jacobis (*Woldemar. Eine Seltenheit aus der Naturgeschichte,* 1779) ist, sondern der nüchternen Überlegung eines alternden Bräutigams. Und, wie hinzuzufügen bleibt, der Neigung des Autors zu frivolen, die ›geheime‹ Moral der Gesellschaft bloßlegenden Anspielungen. In dem bereits erwähnten *Tagebuch* zitiert Lenz einen Gesprächspartner mit dem Satz: »Er meinte wenn eine Frau einen Mann hätte der sie nicht befriedigen könnte, wär' es ihr keine Sünde einen andern zu halten nur daß es niemand erführe.«

Der »Träumer« und »Phantast« Herz bleibt wiederum ausgeschlossen. Überdeutlich wird seine weltfremde Selbstbezogenheit karikiert, die es ihm nur erlaubt ein ›Bild‹ zu lieben und zu besitzen, über dessen Schicksal er in eine lächerliche Verwirrung gerät. Mit dem Terenz-Zitat (S. 92) greift Lenz dabei einen Topos der Schwärmerkritik auf, der noch für Kant in der *Kritik der Urteilskraft* (1790) zur Kennzeichnung jener »unglückliche[n] Leidenschaft« (S. 106) dienen wird, welche

»ein Wahn ist, über alle Grenze der *Sinnlichkeit* hinaus etwas sehen, d. i. nach Grundsätzen träumen (mit Vernunft rasen) zu wollen [...].« (§ 29)

In der Wertherdebatte tritt Lenz damit jedoch nicht auf die Seite der altersweisen Aufklärungskritik, wenn er im Gegenteil versucht, in einem Aufsatz die »Moralität« des Goetheschen Briefromans und – man betrachte das oben wiedergegebene Zitat aus diesem Text – die autonome Entscheidung des Individuums zu verteidigen, selbst wenn sich diese gegen alle Normen der geltenden Moral wendet. Das angebliche »Unheil, das solche Schriften anrichten«, findet im *Waldbruder* nur eine ironische Erwähnung (S. 97), der Protagonist des Romans ist von der Konsequenz Werthers ebensoweit entfernt wie von der philiströsen Aufforderung der »vernünftigen« Ratgeber, die eigenen Affekte zu kontrollieren und die Empfindungen in ein Gleichgewicht zu bringen, das zu einem – im Roman heißt es vielsagend: »mittelmäßig[en]« (S. 114) – bürgerlichen Leben befähigt. Nur in einem Brief wird kurz auf einen Weg aus der verhängnisvollen Alternative gewiesen. Es ist die einzige Stelle des Romans, an der der Autor für sich selbst zu sprechen scheint, wie eine Reihe von Parallelen in anderen Schriften bezeugen.

Gleich zu Anfang denkt der in die Natureinsamkeit versetzte Herz über die Forderung Rousseaus nach, der Mensch solle nicht verlangen, was nicht in seinen Kräften stehe (S. 91), sein Glück also in einem leidenschaftslosen Zustand der *aurea mediocritas* suchen. Doch gerade das Streben nach Idealen erscheint dem Einsiedler als notwendige Bedingung dafür, das eigene Selbst zu vervollkommnen. Diesen Begriff der »Vollkommenheit« hat der Autor in einer philosophischen Abhandlung unter dem Titel *Versuch über das erste Principium der Moral* ausführlich erörtert:

»Rousseau ist für den Zustand der Ruhe, oder der kleinstmöglichsten Bewegung. Allein sollte dieser Zustand einem Wesen wohl der angemessenste sein, welches in sich einen Grundtrieb zu einer immer höhern Vervollkommnung, zu einer immer weitern Entwickelung seiner Fähigkeiten spürt? Nein! Der höchste Zustand der Bewegung ist unserm Ich der angemessenste, das heißt derjenige Zustand, wo unsere äußern Umstände unsere Relationen und Situationen so zusammenlaufen, daß wir das größtmöglichste Feld vor uns haben, unsere Vollkommenheit zu erhöhen zu befördern und andern empfindbar zu machen, weil wir uns alsdenn das größtmöglichste Vergnügen versprechen können, welches eigentlich bei allen Menschen in der ganzen Welt in dem größten Gefühl unserer Existenz, unserer Fähigkeiten, unsers Selbst besteht.«

Lenz resümiert hier die um den Rousseauschen Begriff der *perfectibilité* geführte Diskussion, wobei er der optimistischen, das Vernunft- als ein Fortschrittsprinzip fassenden Deutung der deutschen Aufklärer (Mendelssohn, Lessing, Iselin, Wieland) zustimmt; nicht der im Naturzustand lebende, über seine Fähigkeit zur Vervollkommnung nur *in potentia* verfügende Mensch ist dem zivilisierten vorzuziehen, wenn allein die Kultur das Individuum zu einer höheren Stufe der harmonischen Identität aller humanen »Kräfte« sowie, im Sinne einer teleologischen Geschichtsphilosophie, zu kollektiver Emanzipation führen kann.

Im Roman nimmt sich das Resümee skeptischer aus. Als einsiedlerischer »Naturmensch« kann Herz seinen hohen Anspruch auf ein Ideal menschlichen Lebens und empfindsamer Moralität nicht verwirklichen; und erst recht muß ihm dies mißlingen, als er in die Gesellschaft zurückkehrt.

Erläuterungen

S. 91 *Ixion an Jupiters Tafel:* Als entsühnter Mörder wird I. von Zeus an die Tafel der Götter geladen. Er begehrt Hera, die er in einem von Zeus geschaffenen Trugbild umarmt, wofür er zur Strafe auf ein feuriges Rad geflochten wird, den Ruf ausstoßend: »Seid dankbar euren Wohltätern!« – *Tantalus in dem Acheron:* Vgl. die Stelle in Homers *Odyssee, 11, 582 ff.:* »Und weiter sah ich den Tantalos in harten Schmerzen, stehend in einem See, der aber schlug ihm bis ans Kinn. Und er gebärdete sich, als ob ihn dürste, und konnte ihn doch nicht

erreichen, um zu trinken [. . .].« – *Qui pro quo:* Verwechslung einer
Person mit einer anderen.

S. 92 *wie Shakespeare sagt:* Anspielung auf eine Stelle aus S.s *Love's La-
bour's Lost* (V/2); Lenz übersetzte das Drama. – *insanire cum ratione
volunt:* »mit Verstand unsinnig handeln wollen«; bei Terenz (*Eunuchus*
I, 16–18) lautet die Stelle: »[. . .] incerta haec si tu postules/ratione certa
facere, nihilo plus agas/quam si des operam ut cum ratione insanias.«

S. 97 *Idris:* der Held aus Wielands »romantischem Gedicht« *Idris und
Zenide* (1768).

S. 100 *Megäre:* Megaira, eine der Erinnyen, gilt als personifizierter »Neid
mit dem bösen Blick«. – *wie Moses:* Vgl. im alttestamentlichen Buch
Exodus Kap. 34, 29: »Moses aber wußte nicht, daß seine Gesichtshaut
durch die Unterredung mit Gott strahlend geworden war.« – *Medusenkopf:* nach Medusa, einem weiblichen Ungeheuer der griechischen
Sage, deren schrecklicher Blick versteinernd wirkt; vgl. auch eine Stelle in Lenz' *Tagebuch:* »Ich werde dieses Betragen sovielmöglich noch
immer beibehalten, so lang ich bei ihm [einem der Barone v. Kleist]
bin, um ihn ganz auszuholen und seinen geheimen Entwürfen entgegen zu minieren. Hernach kann ich den Medusenkopf schon auskeh-
ren.«

S. 108 *Terzianfieber:* Malariafieber; Wortspiel mit lat. *tertius,* der dritte
(Tag).

S. 115 *Nymphe des Telemachs:* nach einer Episode im siebten Buch von
Fénelons *Suite du quatrième livre de l'Odyssée d'Homère, ou les Avantures
de Télémaque, fils d'Ulysse* (1699/1717). – *Ninon:* de Lenclos (1620–
1705), durch Bildung und Schönheit berühmte Kurtisane. – *Cidli:*
Tochter des Jairus und die Geliebte Semidas in Klopstocks *Messias*
(1748 ff.); vgl. im Text »Messiasheldin«. – *Agnese:* Name für den Typus der unschuldigen Naiven in Molières *L'École des femmes* (1663).

Literaturhinweise

Diffey, Norman R.: Lenz, Rousseau, and the Problem of Striving. In:
Seminar 10 (1974), S. 165–180.

Heine, Thomas: Lenz's ›Waldbruder‹: Inauthentic narration as social criti-
cism. In: German Life and Letters 33 (1979/80), S. 183–189.

Kurz, Gerhard: Empfindsame Geselligkeit. Die Bedeutung von ,,Freund-
schaft" und ,,Liebe" in Jacobis Werk. In: G. K. (Hg.): Düsseldorf in der
deutschen Geistesgeschichte 1750–1850). Düsseldorf 1984, S. 109–119.

Tubach, Frederic C.: Perfectibilité: der zweite Diskurs Rousseaus und die
deutsche Aufklärung. In: Études Germaniques 15 (1960), S. 144–151.

Waldberg, Max v. (Hg.): J. M. R. Lenz ›Der Waldbruder‹. Berlin 1882.

F. V.

1759	Am 10. November als Sohn des Wundarztes Johann Caspar Schiller in Marbach/Neckar geboren.
1773	Eintritt in die Militärakademie auf der Solitude bei Stuttgart (1774 umgewandelt zur *Hohen Karlsschule* mit Sitz in Stuttgart).
1774	Beginn des Medizinstudiums.
1780	Dissertation: *Versuch über den Zusammenhang der tierischen Natur des Menschen mit seiner geistigen.*
1781	Regimentsmedicus in Stuttgart.
1782	Uraufführung der *Räuber* in Mannheim. Am 22. September Flucht nach Mannheim (aufgrund eines Schreibverbots durch den Herzog Karl Eugen).
1784	*Was kann eine gute stehende Schaubühne eigentlich wirken?*
1786	*Der Verbrecher aus Infamie* erscheint in der *Thalia*.
1788	Ernennung zum Professor für Geschichte in Jena.
1791	Studium von Kants ›Kritik der Urteilskraft‹.
1794	Beginn des Briefwechsels mit Goethe.
1797	Gemeinsam mit Goethe: Abfassung der literaturpolemischen *Xenien*.
1798/99	Uraufführung der *Wallenstein*-Trilogie.
1799	Übersiedelung nach Weimar.
1805	9. Mai: Tod Schillers.

Der Verbrecher aus Infamie

Erstdruck und Druckvorlage: Thalia./Herausgegeben/von/Schiller./Erster Band/welcher das I. bis IV. Heft enthält.//Leipzig./bey Georg Joachim Göschen./1787./Zweytes Heft. 1786(!). S. 20–58.
[Die unlogische Setzung von Anführungszeichen wurde der Übersichtlichkeit halber vorsichtig normalisiert.]

Quellen und spätere Bearbeitungen

Schillers Erzählung, die seit dem geringfügig gekürzten und stilistisch unwesentlich veränderten Zweitdruck von 1792 den Titel *Der Verbrecher aus verlorener Ehre* trägt, geht auf den historischen Kriminalfall des in Ebersbach an der Fils geborenen Gastwirtssohnes Friedrich Schwa[h]n (1729–1760) zurück. Genauere Informationen erhielt Schiller v. a. durch seinen Lehrer Jacob Friedrich Abel, dessen Vater 1760 den volkstümlich »Sonnenwirtle« genannten F. Schwa[h]n festgenommen hatte. In die Gerichtsprotokolle hat Schiller keine Einsicht genommen, und J. F. Abels im Vergleich zu Schiller sachlich korrektere *Geschichte eines Räubers. Geschichte einer Räuberin.* dürfte erst nach dem *Verbrecher aus Infamie* entstanden sein.

Neben einer Reihe von historischen Aufarbeitungen des Falles Schwa[h]n hat Schillers Erzählung zahlreiche dramatische und epische Bearbeitungen zur Folge gehabt. Die literarisch bedeutendste darunter stellt

269

der (1980 gut kommentiert neu aufgelegte) Roman des radikalen Demokraten Hermann Kurz (1813–1873) dar: *Der Sonnenwirth. Schwäbische Volksgeschichte aus dem vorigen Jahrhundert.* Frankfurt am Main 1855.

Die wesentlichen bibliographischen Angaben zu den Quellen und Bearbeitungen finden sich bei Brandstätter, S. 124–126.

Analytisches Erzählen

Die Reflexionen des auktorialen Erzählers über Erzähltechnik und Kriminalpsychologie rücken die Lebensgeschichte des Sonnenwirts von Anfang an in die Nähe eines wissenschaftlichen Experiments. So wie sich durch empirische Untersuchungen z. B. das Phänomen des Vulkanismus studieren und begreifen läßt (vgl. S. 119f.), so will auch die psychologisch reflektierte Geschichte Friedrich Schwa[h]ns zur Vertiefung des Verständnisses für Außenseiter und abweichendes Verhalten beitragen, um damit warnend bzw. belehrend zu wirken. Diese aufklärerische Absicht bedingt eine Erzählstrategie, die die freie Kommunikation zwischen Text und Leser garantieren soll: der Erzähler zielt nicht auf die primär emotionale und daher unreflektierte Identifikation des Lesers mit der Hauptfigur ab. Es gilt vielmehr, durch eine distanzierte und daher vorrangig den Verstand ansprechende Schilderung einer exemplarischen Biographie die Mechanismen herauszuarbeiten, die allgemein das Verhältnis zwischen Individuum und Gesellschaft bestimmen.

Der grundsätzliche Verzicht auf traditionelle Bestandteile von Kriminalgeschichten (Schilderung grausiger Details, auf das Ende gerichtete Spannung, evtl. Darstellung grausamer Strafen) dient der Konzentration des Lesers auf die Umstände und Ursachen des Verbrechens. Entscheidend ist bei Schiller deshalb nicht das, was geschieht, sondern die Frage nach den Gründen des Geschehens. Da bei der retrospektiven Erzählung des Lebenslaufs des Sonnenwirts der Ausgang von Anfang an außer Frage steht, kann sich die Aufmerksamkeit des Lesers von der Oberfläche der Handlung weg auf die ihr zugrundeliegenden sozialen Strukturen und auf die psychische Verfassung des Täters richten. Schiller konstruiert zu diesem Zweck eine Doppelperspektive, in der der Blick des abstrakt bleibenden Erzählers durch den autobiographischen Rückblick des reuigen Verbrechers ergänzt wird. Diese an sich ganz unterschiedlichen Sichtweisen stimmen aber in einer zentralen Hinsicht überein, denn beide Male wird aus einer distanzierten, überlegenen Position heraus gesprochen: beim Erzähler, weil der Sonnenwirt für ihn ein Fremder ist; beim Sonnenwirt, weil das von ihm Berichtete hinter ihm liegt und moralisch bewältigt ist.

Aus dieser dualistischen Grundstruktur entwickelt sich dennoch eine konsequente Erzählstrategie. Auf die anfänglichen allgemeinen Reflexionen des auktorialen Erzählers folgt die Konzentration auf den konkreten Einzelfall Christian Wolf, dessen Lebensumstände in Kindheit und Jugend knapp skizziert werden. Mit der Schilderung der Festungshaft setzt dann der autobiographische Bericht Wolfs ein, der stellenweise (in der kommentarlosen Wiedergabe von Wechselreden) szenischen Charakter annimmt. Mit Hilfe einer Art Zeitraffertechnik faßt der Erzähler anschließend die

Ereignisse zwischen Wolfs Aufnahme in die Räuberbande bis zur Verhaftung zusammen und läßt die Geschichte in einen kaum unterbrochenen (S. 136ff.), szenisch angelegten Dialog zwischen dem Sonnenwirt und dem Amtmann ausmünden. Von der abstrakten Reflexion zur dramatischen Gestaltung manifestiert sich somit eine zunehmende Unmittelbarkeit des Erzählens, d. h. der Leser wird kontinuierlich an den als historische Wahrheit ausgegebenen Einzelfall herangeführt.

Diese auf den Leser und dessen sowohl emotionale wie rationale Reaktionen berechnete Darstellungsweise macht mißtrauisch gegen die Behauptung des Erzählers, die »republikanische Freiheit des lesenden Publikums« (S. 119) nicht antasten zu wollen. Zwar vermeidet der Erzähler in der Tat Belehrungen und beschränkt sich darauf, den Kriminalfall sachlich zu präsentieren und nur Fragen aufzuwerfen – im Zusammenhang mit der sich steigernden Unmittelbarkeit der Darstellung entsteht aber verdeckt eine manipulative Erzählstruktur, mit deren Hilfe die Wertung der Leser determiniert wird. Wichtiger als der symbolische Wert mancher Szenen (insbesondere bei der Stilisierung des Räubers zu einer Art Teufel, (S. 128ff.), der der intendierten Kälte des »Vortrags« zuwiderläuft, ist in dieser Hinsicht die mikrologische Kombination von Motiven. Wenn sich z. B. der Sonnenwirt damit rechtfertigen will, daß sein »böses Herz« seine »Vernunft angesteckt« habe, so dementiert er sich gleichzeitig selbst, indem er von seinen Tränen berichtet (S. 124) – im Widerspruch zur Selbstinterpretation Wolfs ist dessen Herz, d. h. seine angeborene Moralität, noch nicht völlig zerstört. Durch solche Signale wird zwar einerseits immer wieder an den Leser appelliert, selbständig über den Fall zu reflektieren; da aber andererseits die weltanschaulichen bzw. anthropologisch-psychologischen Konsequenzen (vgl. hierzu weiter unten) suggeriert werden, handelt es sich bei der behaupteten »republikanischen Freiheit« letztlich doch um einen »Etikettenschwindel« (Brandstätter, S. 122), da der Leser trotz allem zu dem vom Erzähler gewünschten Ergebnis gelangen muß.

Sosehr die anfänglichen Überlegungen zur Differenz zwischen einem »hinreißenden Vortrag« und einer Darstellung, die den Leser »erkalten« läßt (S. 119), eine Erzähltechnik erwarten lassen, die den seit der ›Poetik‹ des Aristoteles geläufigen Unterschied zwischen epischer und dramatischer Gestaltung berücksichtigt (vgl. den kleinen Gemeinschaftsessay von Goethe und Schiller: *Über epische und dramatische Dichtung; 1797*) und strikt episch bleibt, weist der *Verbrecher aus Infamie* dennoch Elemente des Dramas auf. Die wichtigste Affinität, neben der streckenweise szenischen Erzählweise, besteht darin, daß Schiller mit seinem analytischen Ansatz schon 1786 auf eine dramaturgische Form vorgreift, die er später in seinen klassischen Dramen anwendet: auf die Technik des analytischen Dramas, die sich von Euripides herleitet und bei Schiller z. B. die *Wallenstein*-Trilogie oder *Die Braut von Messina* prägt. In diesen Stücken sind alle Voraussetzungen der Endsituation von Anfang an gegeben, so daß es nicht mehr auf die Auflösung ankommen kann, sondern vielmehr auf die Analyse der Ursachen, die die Schlußkatastrophe herbeiführen. In vieler Hinsicht deutet dieses Darstellungskonzept auf Bertolt Brechts Entwurf des »epischen

Theaters« voraus, bei dem in ähnlicher Weise wie in Schillers Erzählung jede dramatische Illusion zerstört werden soll, um das kühl urteilende Publikum in die Lage zu versetzen, über das Vorgeführte nachzudenken und die Beschaffenheit der Wirklichkeit kritisch zu erfassen.

Die Psychologie der Kriminalität

Wie der Erzähler eingangs betont, soll der Leser den Sonnenwirt seine Taten »nicht bloß *vollbringen,* sondern auch *wollen* sehen« (S. 119). Schillers Erzählung erhebt also den Anspruch, eine genaue Innensicht vom Denken und Empfinden eines Verbrechers zu ermitteln, um auf diese Weise die »Quellen« (S. 119) krimineller Handlungen aufzudecken. Dabei geht die zentrale Frage dahin, ob die Neigung zur Asozialität von Anfang an im jeweiligen Individuum angelegt, d. h. angeboren ist oder ob sie erst aus den konkreten Lebensumständen heraus entsteht. In bezug auf den Sonnenwirt lautet diese Frage daher, »ob er wirklich ohne Rettung für den Körper des Staats verloren war?« (S. 120).

Die detaillierte Aufzählung der ursprünglichen persönlichen Eigenschaften Christian Wolfs und seiner Sozialisationsbedingungen durch den Erzähler ermöglicht dem Leser die Einschätzung der Ausgangssituation: Wolf ist einerseits frech, aber intelligent, häßlich, sinnlich, bequem, unwissend, stolz und weichlich; andererseits lebt er überwiegend im Müßiggang, da die »schlechte« Wirtschaft, die er anfangs noch gemeinsam mit der Mutter führt, wenig Mühe verursacht, allerdings auch wenig Geld einbringt. Stärkste Kraft in dieser Konstellation von unglücklichen Voraussetzungen ist die Sinnlichkeit, da sie aufgrund von Wolfs Häßlichkeit nicht im Rahmen der gesellschaftlichen Konventionen befriedigt werden kann: die körperlichen Mängel machen den Sonnenwirt zu einem Außenseiter, der seine erotischen (und damit auch sozialen) Defizite nur durch Geld ausgleichen kann. Da legale Mittel hierzu nicht ausreichen, wählt Wolf den bequemen Ausweg des in seinen Kreisen legitimierten Wilderns. Der entscheidende Abstieg von dieser Form des immer noch »*honett*[en]« Stehlens (S. 121) zum Mord und zum Leben in einer Räuberbande wird dann hauptsächlich durch die stetige Zerstörung der Ehre bzw. Selbstachtung verursacht, die ebenso aus der gesellschaftlichen Mißachtung wie aus den menschenunwürdigen Haftbedingungen auf der Festung resultiert (S. 122 f.). Der ursprüngliche Stolz, der zunächst noch die Distanzierung von den gänzlich asozialen Verbrechern möglich gemacht hatte (S. 123), wird somit »verwundet« und verwandelt sich allmählich in Haß und Rachebedürfnis (vgl. 123 f.), d. h., das Leiden an der Mißachtung schlägt um in Aggression.

Sosehr dieser Haß dem Sonnenwirt anfangs als endgültig erscheint, so sehr wird doch deutlich, daß es sich dabei nur um die masochistische Kompensation eines an sich positiven sozialen Bedürfnisses handelt: nach der Entlassung aus der Festungshaft begibt sich Wolf nicht nur in seine Heimatstadt zurück, sondern will sogar einem Kind ein Geldstück schenken (S. 124). An dieser Szene ebenso wie an einer Reihe ähnlicher Momente macht sich die zentrale These der optimistischen Aufklärung (insbesondere von Leibniz und Shaftesbury) geltend, in deren Tradition auch Schiller steht. Jeder Mensch wird als grundsätzlich gut und gesellig aufgefaßt, da ihm Bedürfnisse und Affekte angeboren sein sollen, die ihn in positiver Weise an die anderen Menschen binden, so daß jeder einzelne nur in Gesellschaft glücklich werden kann.

Dieser fundamentale Trieb zur Gemeinschaft kann beschädigt und deformiert werden; Schillers Erzählung will jedoch demonstrieren, daß er sich keinesfalls endgültig zerstören läßt. Bei Christian Wolf wird dies vor allem daran deutlich, daß er (abgesehen vom Mord – vgl. hierzu den folgenden Abschnitt) selbst bei seinen kriminellen Taten die Form der Sittlichkeit wahrt. So wird der Ertrag der Wilderei »treulich« der Geliebten abgeliefert (S. 121), und sogar nach dem Mord will der Sonnenwirt zwar »für einen persönlichen Feind des Erschossenen, nicht aber für seinen Räuber gehalten« werden (S. 127); bezeichnenderweise fällt auch bei der Wahl zwischen den beiden Frauen der Räuberbande die Entscheidung gegen die schönere, aber »freche« Margarete und zugunsten der schüchternen Marie (S. 132).

Der exemplarische Fall des Sonnenwirts soll also beweisen, daß Kriminalität nicht angeboren ist, sondern aus der Entartung einer an sich positiven Kraft entsteht: aus dem Bedürfnis nach Geselligkeit und aus dem Stolz bzw. Selbstwertgefühl. Wenn äußere Umstände die natürliche Integration in die Gesellschaft verhindern oder zumindest erschweren, muß der soziale Trieb allerdings zur Feindseligkeit degenerieren. Verbrechen und Sittlichkeit stehen sich somit nicht antagonistisch gegenüber, sondern bilden nur Modifikationen derselben Grundkraft, die sich je nach den individuellen Bedingungen sowohl positiv wie negativ auswirken kann (vgl. S. 118). Da aber die Substanz des sozialen Triebes als unzerstörbar gilt, bleibt auch die Rückkehr vom Laster zur Tugend, von der Kriminalität zur Sittlichkeit, immer möglich. Daß Christian Wolf ähnlich wie Karl Moor in Schillers erstem Drama *Die Räuber* (1781) am Ende seiner Verbrecherlaufbahn den bislang bekämpften Staat als Organ der Sittlichkeit anerkennt und sich der Justiz ausliefert, ist daher weltanschaulich und psychologisch konsequent: die moralische Ordnung der Welt kann zwar angezweifelt werden – der moralische Sinn, den vor allem die englische Moralphilosophie des 18. Jahrhunderts propagiert hat (»moral sense«) und der die instinktive Unterscheidung zwischen Gut und Böse erlaubt (ähnlich wie durch die Zunge zwischen süß und bitter), bleibt dennoch stetig wirksam und hält selbst im Verbrecher das Bedürfnis nach Sühne wach, das auch ex negativo noch die positive Beziehung auf die Gesellschaft garantiert.

Die »Leichenöffnung des Lasters« als Kriminalgeschichte

Die Entwicklung Christian Wolfs zum Mörder und Räuber scheint einer eindeutigen Kausalität zu unterliegen: ein körperlich und sozial Benachteiligter gerät in die Mühlen einer inhumanen Justiz und wird dadurch in eine Verbrecherrolle gedrängt, aus der er sich nicht mehr befreien kann. Die jüngere Forschung hat Schillers Erzählung deshalb überwiegend als sozialkritisch verstanden, und so heißt es z. B. bei Herbert Kraft: »Die Geschichte von Christian Wolf wird zur Geschichte einer Gesellschaft, in der Freiheit und Gleichheit nicht zusammen verwirklicht sind.« (Kraft, S. 107). Gegen die einseitige Schuldzuweisung an die sozialen Verhältnisse spricht freilich, daß gerade diese These innerhalb der Erzählung von einem mit satanischen Zügen ausgestatteten Räuber vertreten wird: »Weil du ein paar Schweine geschossen hast, die der Fürst auf unsern Ackern und Feldern füttert, haben sie dich Jahre lang im Zuchthaus und auf der Festung herumgezogen, haben sie dich um Haus und Wirtschaft bestohlen, haben sie dich zum Bettler gemacht.« (S. 130). Der Sonnenwirt empfindet sich denn auch nur anfangs als »Märtyrer des natürlichen Rechts, und als ein Schlachtopfer der Gesetze« (S. 123) – zum Schluß hingegen liefert er sich eben diesen Gesetzen aus.

Über bloße Schuldzuweisungen hinaus geht es im *Verbrecher aus Infamie* deshalb um die exemplarische Diskussion der Beziehungen zwischen dem einzelnen und der Allgemeinheit und damit ebensowohl um das Thema der sozialen Gerechtigkeit wie um das der individuellen Freiheit. Dem offensichtlichen Versagen der sozialen Instanzen, die dem Sonnenwirt keine (Re-)Sozialisierungschancen eröffnet haben, entspricht dessen persönliches Versagen, das im Mord an seinem Rivalen deutlich wird: Christian Wolf schildert diese Tat als Wahl zwischen »Rache und Gewissen« (S. 126), wobei der Affekt über das Bewußtsein der sittlichen Verpflichtung siegt (vgl. hierzu die Schiller bekannte Analyse dieses Konflikts in Adam Smiths »Theorie der ethischen Gefühle«, 3. Teil, 4. Kap.). Im Rahmen der zeitgenössischen Philosophie handelt es sich hierbei um eine freie Entscheidung zugunsten des Bösen, von der Wolf weiß, daß das erlittene Unrecht sie nicht rechtfertigen kann (S. 126).

Bei der zweiten Wahlmöglichkeit scheint der Sonnenwirt dann zur Sittlichkeit fähig geworden zu sein, da er sich der Justiz übergibt und unter sein bisheriges affektbestimmtes Leben einen Schlußstrich zieht. An dieser Stelle kollidiert Schillers psychologische Genauigkeit allerdings mit seinem Interesse an der weltanschaulichen Harmonisierung: daß sich der Sonnenwirt dem freundlichen Amtmann zu erkennen gibt, ist psychologisch plausibel, aber um eine wirklich freie Tat kann es sich dabei nicht handeln, weil das humane Verhalten des Amtmanns nur auf Taktik beruht. Christian Wolf geht in diese an sich leicht durchschaubare Falle, weil sein Bedürfnis nach sozialer Anerkennung übermächtig geworden ist, so daß sich die Selbstauslieferung an die Justiz wiederum nur als affektbestimmte Handlung darstellt, nicht aber als Resultat einer freien Entscheidung für Sittlichkeit.

Mag hier auch eine ästhetische Unstimmigkeit vorliegen, so konnte Schillers Erzählung dennoch Aufklärung leisten. Wie K. Oettinger herausgearbeitet hat, macht Schiller mit seiner sozialpsychologischen Analyse des Verbrechens die »Prinzipien der Aufklärungsjustiz« (Oettinger, S. 267) gegen die damals herrschende Rechtsauffassung geltend, bei der es nur um die Beurteilung der Tat an sich ging, ohne die individuellen Motive des Täters zu berücksichtigen.

Schillers Erzählung darf deshalb nicht bloß als »Urteilsschelte« (Brandstätter, S. 105) in einem speziellen Fall verstanden werden, sondern als viel umfassenderer Versuch, das Lesepublikum über die komplexen Beziehungen zwischen persönlicher Schuld und sozialen Mechanismen, d. h. über Freiheit in praktischer Hinsicht, aufzuklären. Schiller hat seine Erzählung zu diesem Zweck an eine literarische Tradition angeknüpft, die ihr Breitenwirkung sichern sollte. Literarische Aufbereitungen authentischer Kriminalfälle genossen damals große Popularität; besonders erfolgreich waren die »Causes célèbres« des französischen Juristen Pitaval (1673–1743), die aufsehenerregende Verbrechen schilderten und moralische Reflexionen einschlossen. Im Unterschied zu Pitaval, für den sich Schiller sehr interessierte, spielen im *Verbrecher aus Infamie* Erzählerkommentare aber kaum eine Rolle – der »Fall erzählt sich also im wesentlichen selbst« (Marsch, S. 110). In Deutschland wird Schillers Art der Kriminalerzählung vor allem von August Gottlieb Meißner fortgeführt, der sich freilich darin von Schiller unterscheidet, daß für ihn zwischen dem Verbrecher und dem sittlichen Menschen eine grundsätzliche Differenz besteht, während bei Schiller gerade die innere Verwandtschaft von Gut und Böse betont wird. Bei Schiller konnte die scheinbar an der populären Form der Kolportage orientierte Fallgeschichte daher nicht zuletzt dem Zweck dienen, seine Leser für anthropologisch-moralische Einsichten zu interessieren, zu denen sie sonst keinen Zugang finden würden. Der an die Leseerwartungen des breiten Publikums appellierende *Verbrecher aus Infamie* ermöglichte somit – durch den unmittelbaren Einblick in die Psyche eines Verbrechers – im Leser die Selbsterkenntnis, daß auch seine Sittlichkeit gefährdet ist.

Erläuterungen

S. 118 *Linnäus:* Carl von Linné (1707–1778); schwed. Naturforscher. Linné hat das binäre Klassifikationssystem für Pflanzen entwickelt. – *Borgia:* Cesare Borgia (1475/76–1507); Inbegriff des zügellosen Genußmenschen und Gewalttäters. – *Ritter:* der 1757 geadelte Linné.

S. 119 *Usurpation:* hier »unerlaubter Übergriff«.

S. 121 *Die Wirtschaft war schlecht:* hier »die Wirtschaft ging schlecht«.

S. 123 *natürlichen Rechts . . . Gesetze:* die Distinktion zwischen dem universal gültigen Natur- bzw. Vernunftrecht und den positiv (vom Regenten) festgelegten Gesetzen gehört zu den Grundlagen der aufklärerischen Rechtsphilosophie.

S. 124 *Galliotendienst:* hier »Zuchthausstrafe mit Zwangsarbeit«. – *Zimmerplatz:* »ein platz, auf welchem das holz für einen bau nach einer zeichnung geschnitten und bearbeitet wird« (Grimm's *Deutsches Wörterbuch*).

S. 125 *Infamie:* hier »Verlust der Ehre« (deshalb trägt die Erzählung seit der zweiten Ausgabe von 1792 den Titel »Der Verbrecher aus verlorener Ehre«).

S. 128 *Rabensteine:* »der gemauerte richtplatz unter dem galgen« (Grimm's *Deutsches Wörterbuch*).

S. 134 *siebenjährige Krieg:* Krieg der europ. Staaten (1756–1763), der Preußen zur Großmacht werden ließ. – *Supplikant:* »seit dem 16. jh. geläufige bezeichnung für denjenigen, der dem absoluten fürsten in eigener sache ein dringendes anliegen vorträgt« (Grimm's *Deutsches Wörterbuch*).

S. 135 *Janhagel:* »pöbel, hergelaufenes volk, aus dem ersonnenen eigennamen ›Johannes Hagel‹ . . . entstanden« (Grimm's *Deutsches Wörterbuch*).

S. 136 *Nemesis:* strafende Gerechtigkeit; besonders im 18. Jh. geläufige Vorstellung, die sowohl als göttliche Macht wie auch rein innerweltlich (als Selbstbestrafung des Lasters durch seine unausbleiblichen Folgen) aufgefaßt werden konnte (vgl. Herders Aufsatz *Nemesis*).

Literaturhinweise

Brandstätter, Horst (Hg.): Der Verbrecher aus verlorener Ehre. Eine wahre Geschichte von Friedrich Schiller. Berlin 1984 (= Wagenbachs Taschenbücherei 117); enthält u.a. Materialien zum historischen Kriminalfall Schwa[h]n und die wichtigsten bibliographischen Angaben zu den Quellen und Bearbeitungen.

Fink, Gonthier-Louis: Théologie, psychologie et sociologie du crime. Le conte moral de Schubart à Schiller. In: Recherches Germaniques 6 (1976), S. 55–111.

Herbst, Hildburg: Zur Sprache des Sonnenwirts in Schillers Erzählung ›Der Verbrecher aus verlorener Ehre‹. In: Friedrich Schiller. Kunst, Humanität und Politik in der späten Aufklärung. Ein Symposium. Hg. von Wolfgang Wittkowski. Tübingen 1982, S. 48–54.

Kraft, Herbert: Geschichtsschreibung mit dem Bedürfnis nach Einmischung: ›Der Verbrecher aus verlorener Ehre‹. Eine wahre Geschichte. In: H. K.: Um Schiller betrogen. Pfullingen 1978, S. 104–109.

Marsch, Edgar: Die Kriminalerzählung. Theorie, Geschichte, Analysen. München 1972.

Oettinger, Klaus: ›Der Verbrecher aus Infamie‹. Ein Beitrag zur Rechtsaufklärung der Zeit. In: Jahrbuch der Deutschen Schillergesellschaft 16 (1972), S. 266–276.

A. M.

JEAN PAUL

1763	21. März: Geburt Johann Paul Friedrich Richters in Wunsiedel (Fichtelgebirge) als erster Sohn des Hilfsgeistlichen und Organisten Johann Christian Christoph Richter.
1765	Der Vater wird in Joditz a. d. Saale Pfarrer. Hausunterricht.
1776	Umzug nach Schwarzenbach a. d. Saale. Mentoren R.s: der Kaplan Johann Samuel Völkel, der Rektor Karl August Werner und der Pfarrer Erhard Friedrich Vogel.
1778	Beginn der Exzerptenhefte R.s (Auszüge aus Büchern und Zeitschriften, die Pfarrer Vogels Bibliothek entliehen wurden); starke Beeinflussung durch heterodoxe Schriften.

1779   Erstmals Besuch einer öffentlichen Schule (Gymnasium in Hof).
        Beginn der Freundschaft mit Christian Georg Otto (1763–1828),
        Adam Lorenz von Oerthel (1763–1786) und Johann Bernhard
        Hermann (1761–1790). 25. April: Tod des Vaters. 13. Oktober:
        Schulrede *Über den Nutzen des frühen Studiums der Philosophie.*

1780   11. Oktober: Rede R.s zur Schulentlassung *Über den Nutzen und
        Schaden der Erfindung neuer Wahrheiten.* Entstehung der beiden er-
        sten Hefte *Übungen im Denken.*

1781   Januar: Erster literarischer Versuch *Abelard und Heloise* (nach Goe-
        thes *Werther* und J. M. Millers *Siegwart);* Mai: Abreise zum Stu-
        dium der Theologie nach Leipzig mit Oerthel, Immatrikulation
        19. Mai. Wichtigster Lehrer R.s: der Physiologe und Professor
        der Philosophie Ernst Platner (1744–1818), für Logik, Metaphy-
        sik und Ästhetik. Abhandlung *Über den Menschen* und die Samm-
        lung philosophisch-theologischer Aufsätzchen *Rhapsodien;* Arbeit
        an der dem Vorbild des Erasmus folgenden Satire *Das Lob der
        Dumheit.* November: Entschluß zum Abbruch des Theologiestu-
        diums zugunsten freier schriftstellerischer Tätigkeit.

1782   Juni/November: Erster Teil der Sammlung unverbundener Sati-
        ren *Grönländische Prozesse,* im Dezember von dem Berliner Verle-
        ger Voß zum Druck akzeptiert. Arbeit am zweiten Teil der
        Sammlung (bis August 1783).

1783   *Grönländische Prozesse.* Einfluß von Platners Skeptizismus. Mißer-
        folg des Erstlingswerks.

1784–89 12. November: Flucht R.s vor seinen Gläubigern aus Leipzig; bit-
        terste Armut. 1786 Tod J. A. von Oerthels, 1789 Selbstmord des
        Bruders Justus Heinrich Wilhelm R. (*1770). *Auswahl aus den
        Teufels Papieren* (Gera 1789), unter dem Pseudonym J. P. F. Ha-
        sus. Im selben Jahr Arbeit an einer weiteren Satirensammlung
        Abrakadabra oder Baierische Kreuzerkomödie am längsten Tag im Jahr,
        1790 abgebrochen.

1790   Einfluß Platners durch die Lektüre von F. H. Jacobi *Über die Lehre
        des Spinoza in Briefen an Moses Mendelssohn* (1785) überlagert. Aus-
        bildung des Ideals des »Hohen Menschen«. R. Hofmeister der
        Kinder seiner Freunde Vogel, Völkel und des Fabrikanten H. G.
        Cloeter; Übersiedlung nach Schwarzenbach. Beginn platonisch-
        schwärmerischer Frauenbeziehungen. 15. November: »Todes-
        Erlebnis« R.s.

1791   *Leben des vergnügten Schulmeisterlein Wuz in Auenthal* (Januar/Fe-
        bruar, im Herbst des Jahres überarbeitet), Abschluß der bereits
        1790 skizzierten satirisch-idyllischen Texte *Des Rektor Florian Fäl-
        bels und seiner Primaner Reise nach dem Fichtelberg* und *Des Amts-
        Vogts Josuah Freudel Klaglibell gegen seinen verfluchten Dämon* (ver-
        öffentlicht im Anhang zu *Quintus Fixlein,* 1796). 15. März: Be-
        ginn der Niederschrift der *Unsichtbaren Loge.* Abhandlung *Über
        die Fortdauer der Seele und ihres Bewußtseins* (R.s neues weltan-
        schauliches Credo).

1792   Ende Februar: Abschluß der Arbeit an der *Unsichtbaren Loge;* Vermittlung eines Verlegers für *Loge* und *Wuz* durch K. Ph. Moritz. Vorarbeiten zu *Hesperus* (Juli/August), Erstentwurf zum späteren *Titan* (Dezember).

1793   Publikation der *Unsichtbaren Loge* (im Januar) unter dem Namen »Jean Paul«; Tod Moritz' (26. April). Arbeit an *Hesperus,* Entwurf des *Quintus Fixlein.* September: Reise nach Bayreuth, Bekanntschaft mit dem jüdischen Kaufmann Emanuel Samuel (»Osmund«).

1794   Rezension der *Loge* durch Knigge in Nicolais *Neuer Allgemeiner Deutscher Bibliothek.* Rückkehr nach Hof, weitere Unterrichtstätigkeit, Abschluß des *Hesperus* und Beginn der Arbeit an *Quintus Fixlein* bis Januar 1795, nochmals im Mai überarbeitet. Arbeit an den *Biographischen Belustigungen unter der Gehirnschale einer Riesin* und an *Siebenkäs.*

1795   *Hesperus;* positive Reaktion bei Wieland, Herder, negative bei Goethe und Schiller.

1796   Abschluß des *Siebenkäs.* Juni: Aufenthalt in Weimar auf Einladung Charlotte von Kalbs. Engste Beziehungen zu Herder und seiner Familie; Begegnungen mit Goethe, Schiller, mit der Herzogin-Mutter Anna Amalia, Karl Ludwig von Knebel, Böttiger und Einsiedel. Politische Differenzen zwischen dem Zirkel um Herder und Wieland, Parteigängern der Französischen Revolution, und Goethe und Schiller; Partei J. P.s für Herder. *Siebenkäs.*

1797   Januar/Februar: *Das Kampanerthal; Jubelsenior;* Ausarbeitung des ersten Bandes des *Titan* begonnen. Bearbeitung des *Hesperus* für eine Zweitauflage. Polemik gegen Klassizismus und Frühromantik. *Geschichte meiner Vorrede zur zweiten Auflage des Quintus Fixlein* fertiggestellt, gedruckt 1800. 25. Juli: Tod der Mutter. November: Übersiedlung nach Leipzig.

1798   *Palingenesien;* überarbeitete Fassung des *Hesperus.* Besuche in Dresden, Halberstadt (Gleim), im August zweiter Aufenthalt in Weimar, wohin J. P. im Oktober übersiedelt. Enger Anschluß an Herder.

1799   Intensive Arbeit am *Titan.* Auseinandersetzung mit dem Werk Fichtes.

1800–06 Erster Band des *Titan* und *Clavis Fichtiana.* Bekanntschaft mit Friedrich Schlegel. Mai/Juni: Aufenthalt in Berlin. 9. Juni: Bekanntschaft mit Karoline Mayer (1777–1860), Tochter eines Geheimen Obertribunalrates. Oktober: Übersiedlung nach Berlin. Verlobung mit Karoline Mayer (November). 1801 Zweiter Band des *Titan,* Arbeit am dritten Band und an den *Flegeljahren.* 23. Mai: Heirat mit Karoline Mayer. Besuch in Weimar (Juni 1801) und Übersiedlung nach Hildburghausen. Dritter Band des *Titan* (Mai 1802); Beendigung des letzten Bandes im Dezember 1802. 20. September 1802: Geburt der ersten Tochter Emma. 1803: Abschluß der ersten drei Bände der *Flegeljahre,* Erscheinen des letzten *Titan*-Bandes, Beginn der Arbeit an der *Vorschule der Ästhetik*. Letztes Zusammentreffen mit Herder in Weimar (Januar/Februar). Übersiedlung nach Coburg; Geburt des Sohnes Max (9. November). Tod Herders (18. Dezember 1803). Im August 1804 übersiedelt J. P. nach Bayreuth, seinem endgültigen Wohnsitz; Geburt der zweiten Tochter Odilie (9. November 1804). Abschluß des vierten Bandes der *Flegeljahre* (Mai 1805). Beginn der Arbeit an der pädagogischen Schrift *Levana* (erscheint 1806).

1807–25 Spätwerk J. P.s; stärkere Rückwendung zu den Satiren (1809 erscheinen *Des Feldpredigers Schmelzle Reise nach Flätz* und *Dr. Katzenbergers Badereise*, 1812 das *Leben Fibels, des Verfassers der Bienrodischen Fibel*); Plan eines großen komischen Romans, dessen Verwirklichung die drei Bände des unabgeschlossenen Romans *Der Komet* (1820–1822) leistet. Politische Schriften: *Freiheits-Büchlein* (1805), *Friedenspredigt an Deutschland* (1808), *Dämmerungen für Deutschland* (1809), *Mars' und Phöbus' Thronwechsel im Jahre 1814* (1814), *Politische Fastenpredigten während Deutschlands Marterwoche* (1817). Zurückgehender Erfolg als Schriftsteller: kleine Publikationen in verschiedenen Zeitschriften und Almanachen (gesammelt in den Bänden der *Herbst-Blumine* 1810, 1815 und 1820); Umarbeitungen und Erweiterungen bisheriger Werke. Negative Entwicklung der Ehe mit Karoline Mayer; Reise nach Heidelberg im Juli/August 1817, wo ihm die philosophische Fakultät die Ehrendoktorwürde verleiht. Beziehung zu der jungen Sophie Paulus (1791–1847), die im folgenden Jahr Friedrich Schlegel heiratet. 1818 *Selberlebensbeschreibung*, Fragment einer Autobiographie; letztes Projekt eines komischen Romans, der das ganze Personal seiner Romane und deren Themen umfassen sollte *(Der Papierdrache)*. Tod seines Sohnes Max (25. September 1821), schwere, zur Erblindung führende Augenerkrankung. Letztes, unvollendetes Werk *Selina*, die zweite Schrift über die Unsterblichkeit der Seele. September 1825: Angebot des Berliner Verlegers Georg Andreas Reimer für eine Gesamtausgabe, das J. P. für ein Honorar von 35000 Talern akzeptiert. Oktober: Eintreffen von J. P.s Neffen Richard Otto Spazier (1803–1854) in Bayreuth, um J. P. bei den Vorbereitungen zu dieser Ausgabe zu helfen; er wird sein erster Biograph. Am 14. November 1825 abends stirbt J. P. und wird am 17. unter großer Anteilnahme beerdigt. Am 2. Dezember 1825 hält Ludwig Börne seine berühmte *Denkrede auf Jean Paul* in Frankfurt.

Leben des vergnügten Schulmeisterleins
Maria Wuz in Auenthal

Erstdruck und Druckvorlage: Leben des vergnügten Schulmeisterleins Wuz in Auenthal. In: Die /unsichtbare Loge./Eine Bio-

graphie von/Jean Paul./Zweiter Theil./Mit Churf.Sächs.Privile-
gio./Berlin, 1793./in Karl Matzdorffs Buchhandlung. S. 369–446.

Entstehung

Jean Pauls Angaben zufolge ist die Erzählung vom *Leben des vergnügten
Schulmeisterleins Wuz* im Dezember 1790 entstanden. Eduard Berend, der
Herausgeber der hist.-krit. Ausgabe, hat 1927 dieses Datum soweit korrigiert, daß wohl ein Erstentwurf aus der von Jean Paul angegebenen Zeit
stammt, daß aber der eigentliche Text (ohne den Schluß) zwischen dem 2.
und 17. Februar 1791 niedergeschrieben und dann von seinem Freund
Christian Otto durchgesehen wurde. Im März wurde diese Fassung revi-
diert, Ergänzungen angebracht (vor allem in der Jugendgeschichte des
Wuz: so die Episode mit den Potentaten und den Pfefferkuchen) und der
Schluß, Wuz' Tod, angefügt; eine weitere Revision ist für den Herbst des
gleichen Jahres anzusetzen. Am 6. Juli 1792 sandte Jean Paul das Manu-
skript an Karl Philipp Moritz nach Berlin, dem er bereits am 7. Juni seinen
ersten Roman *Die unsichtbare Loge* mit der Bitte zugesandt hatte, sich für
eine Publikation des Werkes einzusetzen. Moritz' enthusiastische Reaktion
ist bekannt; er gewann den Berliner Verleger Matzdorff für die Veröffentlichung, die aus Jean Paul mit einem Schlag einen berühmten Autor machte.
Auch auf die Übersendung des *Wuz*, den Jean Paul »eine exzentrische
Idylle, ein *dessein à la plume* von einem Geschöpf, dem der sinliche Freudendünger die höhere Sonne vergütet«, genannt hatte, antwortete Moritz mit
Begeisterung: »Wer Wuz' Geschichte verfaßt hat, ist nicht sterblich!« Dem
Wunsch Jean Pauls entsprechend erschien der Text als Anhang zu dem
handlungsmäßig nicht abgeschlossenen Roman *Die unsichtbare Loge*, der im
Januar 1793 gedruckt wurde.

Entstanden ist die Idylle Jean Pauls damit an einem wichtigen Schnitt-
punkt in der schriftstellerischen und geistigen Entwicklung des Autors.
Nach einer seit 1780 andauernden Bemühung um eine Karriere als sati-
risch-philosophischer Schriftsteller, als deren Idealmodell Jean Paul sich
wohl Lichtenberg vorgenommen hatte, die aber trotz der Veröffentlichung
der Satirensammlungen *Grönländische Prozesse* (1783) und *Auswahl aus des
Teufels Papieren* (1789) als gescheitert gelten mußte, wendet er sich von der
Prosasatire ab und den erzählenden Gattungen zu. Es entstehen kleine,
erzählende Satiren, ferner »Geschichten«, die im Miniaturformat bereits
die Handlungskerne der späteren Romane enthalten und die im wesentlichen auf Rousseaus *Nouvelle Héloïse* und Goethes *Werther* zurückgehen, den
Jean Paul in seinem ersten Romanversuch *Abelard und Héloïse* nachgeahmt
hatte *(Das Leben nach dem Tode, Zwei Geschichten für Kinder)*. Gleichzeitig
legt Jean Paul seine geistige Grundhaltung, den Skeptizismus, ab und wendet sich der »Daseinsphilosophie« von Friedrich Heinrich Jacobi und Herder zu. Dokument dieser inneren Wendung ist die Abhandlung *Über die
Fortdauer der Seele und ihres Bewußtseins*, die während der Niederschrift der
Unsichtbaren Loge entsteht. Die Abkehr von der Philosophie ist davon motiviert, daß diese versucht, begriffliche Vorstellungen von dem zu geben,
»was schlechterdings nur gefühlt werden kann«. Es ist eine Kritik, die an

Jacobis Schrift *Über die Lehre des Spinoza in Briefen an Herrn Moses Mendelssohn* anschließt (1785, erweitert 1789); Jacobi hatte dort festgestellt, daß zwar das bloße Dasein das »Princip aller Erkenntniß« sei: »alles lebendige Daseyn geht aus sich selbst hervor, ist progressiv und productiv«, und festzuhalten ist dieses in einem Augenblick erzeugte Leben nur durch Sprache, die eben dem Augenblick Dauer verleiht. Aber die Sprache selbst hat die Tendenz zur Abstraktion, die zur Zergliederung des Daseins führt, und die entstehenden Abstraktionen stehen für die Dinge selbst: »Wir eignen uns das Universum zu, indem wir es zerreissen, und eine unseren Fähigkeiten angemessene, der wirklichen ganz unähnliche *Bilder- Ideen-* und *Wort-*Welt erschaffen. [...] was sich auf diese Weise nicht erschaffen läßt, verstehen wir nicht« *(Beylage VIII zu den Spinoza-Briefen)*. Die Sprache, vom Gefühl des Daseins erzeugt, verweigert sich in ihren Abstraktionen dem Ausdruck des Daseins, das ins unartikulierte Gefühl zurückweicht. Diesem Gefühl durch eine neue poetische Sprache Ausdruck zu verleihen, wird das Ziel der Schriftstellertätigkeit Jean Pauls. Denn der Feind des Daseins und seines Strebens nach Fortdauer ist der Tod, vor dem das Gefühl zurückschauert. Nur die Poesie kann darüber hinwegtragen und so der Sprache ihre eigentliche Funktion zurückgeben.

Schon in dem Stück der unveröffentlichten Satirensammlung *Baierische Kreuzerkomödie* (1789/90) mit dem Titel *Des todten Shakespear's Klage unter todten Zuhörern in der Kirche, daß kein Got sei*, hatte Jean Paul das Gefühl der Fortdauer dem Erlebnis des Todes und dem Bild einer alles Leben vernichtenden Natur gegenübergestellt; später sollte der Text in einer noch kühneren Fassung als *Rede des toten Christus vom Weltgebäude herab, daß kein Gott sei*, in den Roman *Siebenkäs* eingefügt werden. Beide Fassungen enden mit dem Erwachen des Träumers aus seinem Alptraum, und er preist das Gefühl des Daseins und des Glaubens an Gott, der dieses rechtfertigt, auch wenn es nur eine Illusion sein sollte; denn nur die Annahme eines »höheren Prinzips« kann der Überzeugung des Herzens Geltung verschaffen, wo die der Vernunft versagt: »Die Wahrheit wird öfter vom Herzen als Kopfe gefunden« *(Über die Fortdauer der Seele und ihres Bewußtseins)*. Schon Jacobi hatte die Idee der Vernichtung des Menschen, das Aufhören des Daseins, als ein Gespenst bezeichnet, das ihn nahe an den Wahnsinn geführt habe, und Jean Pauls eigene Todesvision, so real das Erlebnis gewesen sein mag, ist der von Jacobi beschriebenen Situation völlig nachgestaltet (vgl. *Beylage III* zu den *Spinoza-Briefen*). Das Dasein selbst in seinen trivialsten Formen, auch unter den Bedingungen einer Illusion, die sein Bewußtsein beherrscht, wird deshalb zum Mittelpunkt der Dichtung Jean Pauls, und das *Leben des vergnügten Schulmeisterleins Wuz* ist die erste große Gestaltung dieses Themas.

»Eine Art Idylle«

Mit Recht hat Jean Paul unter den Titel seiner Erzählung die relativierende Gattungsbezeichnung gesetzt. Denn was er vorführt, ist keineswegs mehr die alte Gattung des Hirtengedichts, die Gessner in Prosa übertragen und zu solcher Höhe, ja sogar – durch die Übersetzung Diderots ins Französische – zu europäischem Erfolg geführt hatte. Auch die modernen Veränderungen der Stofflichkeit und der Requisiten der Idylle, die Mahler Müller (vor allem mit der *Schaaf-Schur* von 1775) und Johann Heinrich Voß zu größerer Realitätsnähe geführt hatten, reichen nicht aus, um das Spezifische von Jean Pauls Text zu beschreiben. Während die Idylle für gewöhnlich den Menschen im überpersönlichen Zusammenhang mit der Natur zeigt und damit im Kontrast zu der Verdorbenheit des gesellschaftlichen Zustandes, wodurch der Leser den Abstand der Zivilisation von ihrem Ursprung und den Grad des Abfalls von einer paradiesischen Glückseligkeit ermessen kann, zeigt Jean Paul ein idyllisch verlaufendes Leben, das aber von der Idiosynkrasie des Charakters seines Helden geprägt ist, nicht jedoch vom sicheren Bewußtsein seiner Einbettung in die Natur. Eduard Berend spricht deshalb in seinem Vorwort zur Ausgabe der *Unsichtbaren Loge* (1927, S. LIV) davon, daß die Neuheit des *Wuz* durch die Verschmelzung zweier literarischer Gattungen zustandekomme, der Idylle und der Charakterbeschreibungen, die La Bruyère zu einer eigenen literarischen Gattung entwickelt hatte (*Les caractères*, 1688). Dies bedeutet, daß Jean Paul stofflich die Requisiten der modernen Idylle in ihrer Trivialität aufgreift, liebevoll ausführt – sogar die Zuhörer der Geschichte werden im Rahmen der Erzählsituation aufgefordert, sich die Schlafmützen überzuziehen –, aber ihre Gemüthaftigkeit resultiert nicht mehr aus einer poetischen Qualität dieser Gegenstände selbst, sondern sie ist vom subjektiven Glücksempfinden seines skurrilen Helden abhängig. Für Jean Paul ist im übrigen, wie er im Idyllenparagraphen der *Vorschule der Ästhetik*, der 1812 der zweiten Auflage eingefügt wurde, der Schauplatz und seine Requisiten gleichgültig, »ob Alpe, Trift, Otaheiti, ob Pfarrstube oder Fischerkahn«. Intention des Idyllikers ist, wie die berühmte Definition lautet, die »epische Darstellung des *Vollglücks* in der *Beschränkung*« (*Vorschule der Ästhetik*, XII. Programm: *Über den Roman*, § 73). Die Präsenz des Erzählers im *Wuz* – der die eingangs geschilderte fiktionale Situation immer wieder durchbricht, indem er sich plötzlich auch als schreibenden Verfasser einbezieht – distanziert den Hörer/Leser durch seine liebevoll-ironischen Kommentare von jedem Ansatz zur Identifikation mit dem geschilderten selbstzufriedenen Bewußtsein des Helden seiner Idylle. Gleichzeitig ist es gerade diese Distanz, die den Hörer/Leser auf das hinlenkt, was Jean Pauls zentrales Interesse war: sie führt ihn zurück zu seinem eigenen Bewußtsein. Denn die Skurrilität des beschriebenen Lebenslaufes, die Trivialität von Wuz' unheroischer, ja fast bedeutungsloser Geschichte ist ein Sonderfall der Belanglosigkeit jeder menschlichen Existenz, die sich in der winzigen Zeitspanne zwischen Geburt und Tod abspielt und die nur Bedeutung erlangen kann, wenn der Mensch dieser Zeit ein Daseinsgefühl abringen kann, das eben diese Bedeutungslosigkeit aufhebt. Im Schlußkapitel der 1795 veröffentlichten Idylle *Leben des Quintus Fixlein* wird Jean Paul dies als Maxime formulieren: »Genieße dein Sein mehr als deine Art zu sein, und der liebste Gegenstand deines Bewußtseins sei dieses Bewußtsein selber!« Aber dieses Bewußtsein, dessen Subjektivität die Bedingung eines idyllischen Glücksgefühls ist, leidet unter einer Situation, die spezifisch modern ist und die sich von der historischen Bedingtheit der antiken Idylle, ihrer tatsächlichen Naivität bei Theokrit, wesentlich unterscheidet, die Mahler Müller und Voß in einem modernen Gewand zu restituieren vermeinten.

Modernität und Idylle

An seinen Freund, den Rektor Wernlein, schrieb Jean Paul in einem Brief vom (vermutlich) 20. April 1791 über die Entwicklung des Geschmacks von den antiken zu den modernen Autoren:

> Das athenische [Volk] und seine Autoren hatten weniger Geschmak als wir und gleichwol ist das Vergnügen an ihren Produkten die Neuner- und Tiegelprobe des besten Geschmaks. Die uns unerreichbare, eben deswegen geniesbare Simplizität der Alten fühlten die Alten – nicht. Die griechische ist von der der Morgenländer, Wilden und Kinder*) nur im Genie verschieden, womit das heitere griechische Klima iene Einfachheit auszeichnete; sie ist nicht eine Wirkung sondern Vorläuferin der Kultur. Eben ungebildete Völker schreiben einfach 1) wegen geringerer Ein-, Aus-, Übersichten wie bei Kindern etc. 2) [wegen der] Neuheit, die sie an [den] Gegenstand heftet und vom Puz wegreisset 3) [wegen ihres] thätigen Lebens, das Zeit und Willen dem unnüzen Schminken nimt. Die Alten fühlten so wenig wie Wilde und Kinder die Reize ihrer Komposizion, weil dieses [?] Gefühl erst vom Vergleich und Kontrast scharf wird: die einfache Natur, womit der tyrolische Hiesel die Bewohner und Kenner der geschnörkelten Natur entzükt, kan der Hiesel selbst nicht fühlen und wenn die römischen Grossen sich am Spielen nakter Kinder labten, womit sie ihre Zimmer puzten: so haben die Grossen, nicht die Kinder das Vergnügen und den Geschmak. Die Alten schrieben mit Geschmak ohne ihn zu haben (wie [bei] Haman etc. oft der entgegengesezte Fal ist) – die Athener**) beklatschten keine Redner mehr als die Antithesenfabrikanten; die Römer liebten Wortspiele etc. Hätt' einer so geschrieben wie Shakesp[eare]: sie hätten sich alle um ihn gestelt. Ihrem ungebildeten Geschmak fehlten nur die luxuriösen Autoren, die der Luxus erst giebt. Denn es ist unmöglich, daß man vom besten Geschmak zum schlimmen steige; wer einmal einen am Einfachen gefunden, behält ihn ewig und wäre bei einem ganzen Volk der Besiz eines Vorzugs von Auserwählten möglich: so könt' es ihn verlieren. – Den Geschmak am Geist der Alten können nicht einzelne Personen – denn das Gefühl für iene Rundheit der Komposizion mus durch die Uebung an allen Arten von

---

* In einer Erzählung eines Kinds ist die nämliche Verschmähung des Puzes und der Kürze, die nämliche Naivete, die uns oft Laune scheint und keine ist und das Vergessen der Erzählers Rolle über die Erzählung wie bei einem Griechen etc.

** Plato, Sophokles haben oft die geschmaklosesten Auswüchse; ihre übrige Geschmakh[aftigkeit] verdanken sie also nicht ihrem Geschmak sondern ihrem Genie.

Schönem, deren [iedes] Säkul neue zeugt, von Jahrhundert zu Jahrhundert empfindlicher werden – sondern [nur] ganze Völker [verlieren], um die durch[?] Verdorbenheit der Sitten der stinkende Nebel immer schwärzer wird, hinter dem iene Grazien stehen wie homerische Götter hinter ihren Wolken (Hist.-krit. Ausgabe III/1, S. 332 f.).

Aber der Rückweg zu diesem »einfachen Geschmack« ist nicht allen Menschen möglich; dazu müßte – neben dem Luxus – vor allem der Erkenntnisballast des überzüchteten 18. Jahrhunderts wegfallen, der das Empfinden des Daseins zugunsten der zergliedernden Analyse aufgegeben hat. Schon 1783 findet sich ein Eintrag in Jean Pauls *Bemerkungen über den Menschen*, in dem es heißt:

> »Was ist das Leben? Ich wolt' ich wüste es nicht; ich wolte, iene glückliche Selbstvergessenheit des Wilden wäre mir zum Lose zugefallen, so fänden meine Leiden nicht den Kopf, sondern nur die Sinnen zum Eingange offen. [...] Der unaufhörliche Bürgerkrieg meiner Gedanken und Empfindungen ermüdet meine Begierde nach Glükseligkeit. Da bin ich, sehe hinüber an die neblichten Ufer der Kindheit (des einzigen Alters, wo der Mensch glüklich ist) und sehe schöne Träume, aus deren Verlust ich meine Weisheit beweise« (Hist.-krit. Ausg. II/4, S. 8).

Die Konsequenz, die Jean Paul daraus, vor der Lektüre Jacobis zog, war der Skeptizismus und das unglückliche Bewußtsein des Verlustes eines festen Standpunktes gegenüber den unentscheidbar konkurrierenden Weltinterpretationen der Philosophie. Erst nach dem »Todeserlebnis« und der Begegnung mit der Daseinsphilosophie findet er die Lösung, daß es Menschen gibt, die sich über dieses unglückliche Bewußtsein mit der Kraft ihres Glaubens an ein höheres, hilfreiches Prinzip erheben können, die »hohen Menschen« seiner späteren Romane. In einem Brief an Wernlein vom 27./28. April 1790 heißt es, im Kontext einer Auseinandersetzung über den Wert von Bildung für Charakter und künstlerische Fähigkeiten eines Menschen:

> »Unsre Erziehungen taugen nur zur Beschleunigung der Ausbildung, nicht zur Ausbildung selbst. – Vollends Menschen höherer Gattung behalten in ihren Gehirnen so wenig Eindrücke von der Schulbank, worauf sie sassen, als das der Schulbank nächste Glied. Nur der stärkere, höchstens gleiche Geist wirkt und bildet am andern Geist mit Erfolg. [...] Über iedes Menschen Triebe herrscht ein höheres, sie alle tingierendes Prinzip, das allein seinen Werth bestimmt. [...] Man könte das Wesen dieses Prinzips in Losreissung vom Irdischen sezen oder Anpichung an dasselbe [...] solche Menschen, die alles auf der Erde für Mittel, nicht für Zwek ansehen, die wie Shakesp[eare] und die meisten Engländer das Gefühl der Eitelkeit aller Dinge in ihrem Busen tragen, die, von der hiesigen irdischen Bestrebung nicht mitfortgerissen, von unsern Menschenfreuden und Leiden unbetäubt, ge-

niessen, leiden und thun nur mit dem besonnenen Blik entweder nach
einer andern Welt oder nach dem Grabe – können nur von der Natur
gebildet und vom Schiksal nie gemisbildet werden. – Diese Denkungsart wird weder von der Philosophie noch Religion noch Poesie
verliehen aber wol gestärkt; und durch Geselschaften, Arbeiten, Ämter – entnervt« (Hist.-krit. Ausgabe III/1, S. 292).

Es gibt für den »modernen« Menschen das Glück der Rückkehr zum Zustand der Einheit mit dem naturhaften Leben nicht mehr, und deshalb auch
kein eigentliches »Glück«, außer in der Kindheit (aus der man durch die
Schulpädagogik schnell genug vertrieben wird); es gibt nur »drei Wege,
glücklicher (nicht glücklich) zu werden«, wie Jean Paul im »Billet an meine
Freunde«, das dem *Quintus Fixlein* vorangeht, formuliert:

> Der erste, der in die Höhe geht, ist: so weit über das Gewölke des
> Lebens hinauszudringen, daß man die ganze äußere Welt mit ihren
> Wolfsgruben, Beinhäusern und Gewitterableitern von weitem unter
> seinen Füßen nur wie ein eingeschrumpftes Kindergärtchen liegen
> sieht. – Der zweite ist: – gerade herabzufallen ins Gärtchen und da sich
> so einheimisch in eine Furche einzunisten, daß, wenn man aus seinem
> warmen Lerchennest heraussieht, man ebenfalls keine Wolfsgruben,
> Beinhäuser und Stangen, sondern nur Ähren erblickt, deren jede für
> den Nestvogel ein Baum und ein Sonnen- und Regenschirm ist. – Der
> dritte endlich – den ich für den schwersten und klügsten halte – ist der,
> mit den beiden andern zu wechseln.

Denn bei jeder dieser drei Arten, »glücklicher zu werden«, ist das für Jean
Paul entscheidende Moment der Befreiung des Gefühls von den Verstan-
desabstraktionen, die die Welt zerstückeln, und von der Zweckhaftigkeit
des bürgerlichen Lebens gegeben, das dem Leben selbst das »höhere Prinzip« der »Losreißung vom Irdischen« abhanden kommen läßt. Und gerade
die Figuren, die in ihrer Sonderlichkeit das bürgerliche Leben eher zufällig
bewältigen, weil sie sich der gesellschaftlichen, zielgerichteten Lebenspra-
xis verweigern und naiv den »sinnlichen Freudendünger« des Lebens genießen, sind in ihrem »spleen« noch Träger dieses idealisch-idyllischen
Moments. Dies gilt für Wuz, Fixlein, aber auch für die satirischen Weltver-
ächter vom Schlage Leibgebers, Gianozzos oder Dr. Katzenbergers, für die
Jean Paul Swifts satirische Haltung zum Vorbild nahm. Unter diesem
Aspekt wird auch das satirisch betrachtete bürgerliche Leben poetisch:

> »Man muß dem *bürgerlichen* Leben und seinen Mikrologien [. . .] einen
> künstlichen Geschmack abgewinnen, indem man es liebt, ohne es zu
> achten, indem man dasselbe, so tief es auch unter dem *menschlichen*
> stehe, doch als eine andere Verästung des menschlichen so poetisch
> genießet, als man bei dessen Darstellung in Romanen tut. Der erha-
> benste Mensch liebt und sucht mit dem am tiefsten gestellten Men-
> schen *einerlei* Dinge, nur aus höheren Gründen, nur auf höheren We-
> gen. –« (*Leben des Quintus Fixlein*, letztes Kapitel).

Auch an dem »mir sonst verhaßtem Zwinger und Schuldturm des bürgerlichen Lebens« glimmt für Jean Paul ein »idealischer Mondschein«: »Auch im Komischen kann man wirkliche Toren«, wie Wuz, »zu gut durchgeführten komischen Charakteren idealisieren« (Fixlein-Anhang: *Über die natürliche Magie der Einbildungskraft*).

Diese Poesie des idyllisch Komischen, der der »Aufflug« des Erzählers Jean Paul kontrastierend beigegeben ist, kennzeichnet die Erstfassung des Textes ganz besonders. Er ist noch nicht von den Fremd- und Lehnwörtern gereinigt, wie in der Zweitfassung von 1822. Der Kontrast der lächerlichen Gelehrsamkeit zur idyllisch-erhabenen Sphäre tritt damit deutlicher hervor.

Erläuterungen

S. 139   *Leben . . . Auenthal:* Von der Handschrift des *Wuz* hat sich das Blatt des Anfangs erhalten, das Eduard Berend in der hist.-krit. Ausgabe im Faksimile veröffentlicht, aber nicht transkribiert hat (nach S. 408). Der Titel lautet dort: ›Leben des vergnügten Schulmeisterlein Maria Wuz in ⟨Sausenhofen⟩ Bittelbron‹. Der Untertitel ›Eine Art Idylle‹ fehlt. Vor dem jetzigen Anfang ›Wie war den Leben . . .‹ ist noch ein Satz vorgeschaltet, den J. P. in der Druckfassung auf Anraten seines Freundes Christian Otto gestrichen hat, der aber zum Verständnis der Metaphorik wichtig erscheint: »Wenn Könige u[nd] Vicekönige u[nd] Landkommenthure u[nd] selbst ich, weil wir alle auf der Peripherie des Rades der Fortuna sizen u[nd] wie Aequatorbewohner die grösten und stürmischsten Kreise auf diesem wirbelnden Rade beschreiben, wenn ieder Ruk desselben ein durchrolter Bogen der Erdbahn ist, in dem wir Stürmen entgegenfahren: so liegt ein Schulmeisterlein wie ein Polbewohner fast am Zentrum des Rades u[nd] ⟨bewegt sich⟩ regt, wand- und nagelfest sich wenig oder nicht. « – *Epochen:* (griech.) »Haltepunkt«, hier im astronomischen Sinn wie in dem gestrichenen Einleitungssatz: Position eines Himmelskörpers auf seiner Umlaufbahn in einem bestimmten Moment. – *grand monde . . . palais royal:* Im Kontrast zur heimeligen Szene der Erzählsituation wird der »großen Welt« und exemplarisch des »Palais royal« gedacht, das – 1629–36 für Kardinal Richelieu gebaut, dann königliches Palais, seit 1781 umgebaut und der Öffentlichkeit teilweise zugänglich – seit Ausbruch der Revolution Treffpunkt von tout le monde geworden war. – *mein lieber Christian:* Christian Otto, erster Leser des *Wuz*, auf den verschiedene Korrekturanregungen und Erweiterungen des Textes zurückgehen. – *dephlogistisierten:* Mit der Lehre vom »Phlogiston« (vom griech. »phlogízein«, in Brand stecken, substantiviert »das Entzündliche«) hatte die sich entwickelnde Chemie erstmals eine wissenschaftliche Erklärung für Brennvorgänge anzubieten: die Lehre vom »Phlogiston« als einem hypothetisch in allen brennbaren Gegenständen vorhandenen Element geht auf den Arzt Ernst Georg Stahl (1660–1734) zurück; dieser lehrte, daß sich im Verbrennungsvorgang das Phlogiston von den übrigen Elementen des jeweiligen Körpers trenne und in die Luft entweiche, während die Restbestände des »dephlogistisierten« Gegenstandes seine eigentlichen Elemente darstellten (hier bei J. P. also im Sinne von »wesentlich«, »eigentümlich« gebraucht). Diese Lehre wurde durch Lavoisiers Arbeiten (zwischen 1770 und 1790) widerlegt.

S. 140 *Cobers Kabinettsprediger:* In den Jahren 1711 und 1714 veröffentlichte der Prediger Gottlieb Cober (1682–1717) zwei Teile seiner Predigtsammlung *Der auffrichtige Cabinet-Prediger, Welcher bey abgelegten Visiten Hohen und Niedrigen Standes Persohnen Ihre Laster, Fehler und Anliegen, nebst dem heutigen verkehrten Welt-Lauffe, In Hundert Sententiösen und annehmlichen Discours-Predigten bescheidentlich entdecket, dieselbe wohlmeynend warnet, ernstlich vermahnet und kräfftig tröstet* (Titel der ersten Sammlung). Cober wurde nach Erscheinen des ersten Teils wegen der pietistischen Tendenzen seiner Sammlung für einige Monate inhaftiert, was dem Buch einen Skandalerfolg bescherte. – *architektorisch:* Von J. P. in der ersten Ausgabe nicht korrigiert, vielleicht durchaus als »pun« (Wortwitz) intendiert. – *Trinitatis:* Erster Sonntag nach Pfingsten, von Papst Johannes XXII. 1334 als Fest der Dreieinigkeit eingeführt.

S. 141 *Approchen:* (frz.) »Annäherungsversuche«. – *Wolfsmonat:* Dezember. – *Lorettohäusgen:* Das Haus der Jungfrau Maria wurde der Legende nach von Engeln im Jahr 1295 nach Loreto in Italien versetzt und wird dort heute noch im Dom verehrt. – *Erinnerungs- hohen- Opern . . . Rousseauischen Spaziergängen:* Die Erinnerungen Wuz' werden von ihm selbst mit der Gattung der »opera seria« verglichen, deren ästhetische Kategorie – ganz treffend – das »Erstaunen«, die Bewunderung ist. Rousseaus *Rêveries d'un promeneur solitaire* erschienen posthum erstmals 1782 (entstanden 1776–78), die erste deutsche Ausgabe erschien 1783 in München. – *in Lavaters Fragmenten . . . Comenii orbis pictus:* J. P. spielt hier auf die Lehre von den sieben Lebensaltern an, die bereits in der Rede des Melancholikers Jacques in Shakespeares *Wie es euch gefällt* ihren klassischen Ausdruck gefunden hatte (II/7). Im Werk des Zürcher Pastors und Schriftstellers Johann Caspar Lavater (1741–1801) *Physiognomische Fragmente zu Beförderung der Menschenkenntniß und Menschenliebe* (4 Bde., 1775–1778), an denen auch Herder und Goethe mitgearbeitet hatten und die Lichtenbergs empörte Gegnerschaft auf den Plan riefen, findet sich eine Darstellung der Lebensalter im vierten Band (mit Bildern von Chodowiecki); im 17. Jh. findet sich ein illustrierter Beleg im Werk des großen Pädagogen und Gegners des scholastischen Denkens Jan Amos Komenský (latinisierter Name Comenius, 1592–1670), dessen voller Titel lautet: *Orbis Sensualium Picti Omnium fundamentalium in mundo rerum, et in vita actionum, Pictura & Nomenclatura. Der sichtbaren Welt erster Teil Das ist: Aller vornehmsten Welt-Dinge/und Lebens-Verrichtungen/Vorbildung und Benahmung* (Nürnberg 1657); die Abbildung auf Tafel 36 entspricht genau der von J. P. gegebenen Schilderung.

S. 142 *kein verdammter Nachdrucker:* Die Frage des unautorisierten Nachdrucks von Büchern wurde in der Zeit zwischen 1770 und 1790 aus wirtschaftlichen, juristischen und buchhändlerischen Aspekten ausführlich diskutiert, und J. P. hat noch 1815 in einem Aufsatz *(Sieben letzte oder Nachworte gegen den Nachdruck)* gegen diese Form des Diebstahls Stellung bezogen; vgl. dazu *Der Buchmarkt der Goethezeit. Eine Dokumentation.* Zusammengestellt und mit einem Nachwort versehen von Ernst Fischer. 2 Bde., Hildesheim 1986 (vgl. besonders hierzu Bd. 2, Nachwort S. 419–424). – *Federschen Traktat:* Johann Georg Heinrich Feder (1740–1821), Professor für Philosophie in Coburg und Göttingen, gehörte zu den ersten Rezensenten von Kants *Kritik der reinen Vernunft* (1781), die er in seiner Streitschrift *Über Raum und Causalität. Zur Prüfung der Kantischen Philosophie* (1782) attackierte. – *Menses:* (lat.) Monate, wohl in Anspielung auf den Menstruationszyklus der Frau (die »Monate« sozusagen aus ärztlicher Sicht). – *Balleien:* Verwaltungsbezirk eines Ritterordens.

S. 143 *Friedrich Nicolai:* Einflußreicher Schriftsteller und Verleger der Aufklärung (1733–1811), mit Lessing und Mendelssohn Herausgeber der *Briefe, die neueste Litteratur betreffend* (1759–64) und der *Allgemeinen deutschen Bibliothek* (1765–1806), leistete dem Sturm und Drang, der Kantischen Philosophie und der beginnenden Romantik heftigen Widerstand. Zu seinen Mitarbeitern zählte noch 1795/98 der junge Ludwig Tieck. – *Sturms Betrachtungen:* Das Werk des Hamburger Pastors Christoph Christian Sturm (1740–1786) *Betrachtungen über die Werke Gottes im Reiche der Natur und der Vorsehung* erschien erstmals 1772 und wurde mehrmals aufgelegt (so bereits 1775–76) und u. a. ins Französische, Schwedische und Englische übersetzt. – *Schillers . . . Kants: Die Räuber* und die *Kritik der reinen Vernunft* erschienen erstmals im selben Jahr 1781 in Frankfurt/Leipzig bzw. in Riga. – *um den Südpol . . . Cookische Reise:* Anspielung auf James Cooks zweite Weltumsegelung (1772–1775), die vom Kap der Guten Hoffnung am südlichen Polarkreis entlang nach Neuseeland und weiter nach Tahiti führte; Quelle J. P.s ist die von Georg Forster (1754–1794) verfaßte *Reise um die Welt,* erschienen zunächst als *A voyage round the world* in London (1777), dann 1778/80 in zwei Bänden in Berlin. Forster hatte als Begleiter seines Vaters Johann Reinhold Forster (1729–1798), der offiziell als Botaniker für Cooks zweite Reise angeheuert worden war, an der Fahrt teilgenommen; wichtigstes Resultat des Buches war jedoch die Entwicklung der Methode der physischen Geographie, die die wissenschaftlichen Entdeckungsreisen des 19. Jh.s nachhaltig beeinflussen sollte. – *Leibnizens . . . Harmonie:* Das wesentliche Ergebnis des Leibnizschen Denkens war die Erkenntnis, daß Körper und Seele, die Descartes so radikal voneinander getrennt hatte, vom Schöpfer so gebildet sind, daß sie – obwohl jedes seinen eigenen Gesetzen gehorcht – sich immer in vollkommenem Einklang befinden (vgl. den Aufsatz von 1696 *Zur prästabilierten Harmonie,* in: G. W. Leibniz, *Hauptschriften zur Grundlegung der Philosophie.* Hg. von Ernst Cassirer. Bd. 2, Hamburg ³1966, S. 272–275). – *Forsters, Brydone, Björnstähls:* Zu Georg Forster s. o.; Patrick Brydone (1740–1818) veröffentlichte 1773 seine Reisebeschreibung *A Tour through Sicily and Malta* (dt. 1774: *Patrick Brydones Reise durch Sizilien und Malta in Briefen an William Beckford Esqu. zu Somerly in Suffolk)*; Jacob Jonas Björnsthäl (1731–1779), schwedischer Orientalist, Professor in Lund, veröffentlichte die Beobachtungen einer achtjährigen Reise (dt. 1780–83: *Reise nach Frankreich, Italien . . . der Türkei und Griechenland*). – *Isolierschemel der versteinerten Zirbeldrüse . . . aus ihren fünf Kanker-Spinnwarzen*: Seit Descartes in seiner Schrift über den Menschen (*De l'homme*, 1633 entstanden, als Teil des Werkes *Du monde*, wegen des Prozesses gegen Galilei vom Autor nicht veröffentlicht; Erstdruck lat. 1662) die Zirbeldrüse (»glandula pinealis«) zum Sitz der Seele und zum Ausgangspunkt der Bewegung der Lebensgeister gemacht hatte, wurde diese These heftig von den Physiologen diskutiert; J. P.s metaphorische Präsentation der wissenschaftlichen Thematik spielt darauf an, daß sich die Zirbeldrüse auf einem Höcker zwischen der dritten und vierten Hirnhöhle befindet (»Isolierschemel«), und als »versteint« wird sie einmal deshalb bezeichnet, weil sich in ihr der sogen. »Hirnsand« (sandähnliche Konkremente aus Kalk) befindet, zum andern, weil die Sinneseindrücke nach Descartes materielle Spuren, Abdrücke in der Zirbeldrüse hinterlassen sollen, an denen sie sich bei Erinnerungen orientiert. Die Ironie, mit der Jean Paul die cartesianische Lehre behandelt, liegt darin begründet, daß Descartes, der Körper und Seele immer als zwei getrennte Substanzen behandelt, hier einem winzigen Organ im Inneren des Gehirns die ganze Last der Verbindung dieser Substanzen zumutet (vgl. auch Descartes' Abhandlung über die Leidenschaften der Seele: *Traité des passions de l'âme*, 1649, bes. § 31 ff.). Deshalb karikiert J. P. diese Zirbeldrüse als Spinne (»Kanker«), die aus ihren »fünf Spinnwarzen«, nämlich den fünf Sinnen, deren Nerven sich nach Descartes in der Zirbeldrüse verbinden, die ganze Realität neu herausspinnt. Descartes' These hat auf die materialistische Deutung der Sinnesphänomene (bei La Mettrie und Helvétius) eingewirkt, und gegen sie wendet sich hier J. P. ebenso wie gegen monistisch-idealistische Ansätze bei Leibniz oder Kant, wo die Außenwelt als bedeutungslos für das Seelenleben erscheinen könnte. Seine Argumente, die ein Abschnitt des Romans *Hesperus* besonders deutlich zusammenfaßt *(Viktors Aufsatz über das Verhältnis des Ich zu den Organen)*, beruhen vor allem auf Hermann Samuel Reimarus' Schrift *Betrachtungen über die Triebe der Thiere, hauptsächlich ihre Kunsttriebe* (Hamburg 1760; [2]1762, bes. §§ 124 und 126) und durchgängig auf Ernst Platners *Anthropologie für Ärzte und Weltweise* (Leipzig 1772; bes. die Kapitel 2, 3 und 4).

S. 144 *Rousseau's Bekenntnisse:* Rousseaus epochemachendes Werk, 1770 abgeschlossen, wurde in zwei Teilen 1782 und 1789 veröffentlicht; Knigges dt. Übersetzung erschien 1782/90. – *Dionysius Ohr:* Anspielung auf Dionysios d. Ä., Tyrann von Syrakus (herrschte von 406–367 v. Chr.), berüchtigt für seine Grausamkeit und sein Mißtrauen. Ein trichterförmig zugehauener Felsgang in Form des äußeren Gehörganges soll ihm erlaubt haben, die Gespräche seiner Gefangenen in den

Steinbrüchen (»Latomien«) von Syrakus zu belauschen. – *Adam nach dem Fall ... alles vergessen hatte:* Daß Adam nach dem Sündenfall sein ganzes Wissen verlor, das Gott ihn gelehrt hatte, geht vermutlich auf kabbalistische Lehren zurück, vor allem auf Isaak Luria (1534–1572) und seine Schule (vgl. Gershom Sholem, Zur Kabbala und ihrer Symbolik. Frankfurt/Main ³1981, S. 154f.). – *annulus Platonis:* J. P. bezieht sich auf *Annulus Platonis oder physikalisch-chymische Erklärung der Natur nach ihrer Entstehung, Erhaltung und Zerstörung von einer Gesellschaft ächter Naturforscher aufs neue verbessert und mit vielen wichtigen Anmerkungen herausgegeben* (Berlin und Leipzig 1781). Es handelt sich dabei um einen Neudruck eines 1723 erstmals erschienenen Werkes, das unter dem Titel *Aurea Catena Homeri* fünf deutsche Auflagen und 1762 eine lateinische Version für Friedrich II. erfuhr; als ihr Autor gilt der Arzt und Rosenkreuzer Joseph Kirchweger von Forchenbronn (?–1746), der darin eine mythische Kosmogonie vorführt. – *vierten Deklination ... pulexque:* Wuz hat demnach die ersten drei Deklinationen auf -a, -o und -i (bzw. in einem Konsonanten endigend) durchlaufen, bis auf die Ausnahmeregeln der letztgenannten Deklination, nach der die auf -x endigenden Wörter Maskulina sind (»thorax«: Brustharnisch; »caudex«: Baumstamm, meton. Buch; »pulex«: Floh), wobei Wuz aber bereits die Wörter kennt. Es müßten nun in der letzten Klasse (»Prima«) die Deklinationen auf -e und -u folgen.

S. 145 *Misanthropin ... Philanthropin:* »Philanthropin« (»menschenfreundliche Anstalt«) nannte Johann Bernhard Basedow 1774 die von ihm in Dessau begründete Schule, in der die Kinder nicht nach strengen Zuchtregeln und durch Anhäufung von sinnlosem Ballast erzogen wurden, sondern moderne, von Rousseau beeinflußte Erziehungsmethoden angewendet wurden; im Gegensatz steht dazu das »Misanthropin« – eine Wortschöpfung J. P.s –, die »menschenfeindliche« Institution der herkömmlichen Schule. – *Mortifikationen:* Bußübungen zur Abtötung der Sinnlichkeit. – *Carminati ... Supernumerär-Magensaft:* Bassanio Carminati (1750–1830), Professor der Medizin in Pavia, hatte 1785 eine Schrift über die Verwendung des Magensaftes in der Heilkunde veröffentlicht *(Ricerche sulla natura e sugli usi del succo gastrico in medicina ed in chirurgia).* Jean Paul greift mit diesem Gedanken, den »überschüssigen« (»supernumerären«) Magensaft der hungrigen Schüler zu Heilzwecken zu verwenden, auf eine frühere Satire (*Meine Magensaft-Bräuerei,* um 1789) zurück.

S. 147 *Kunst stets fröhlich zu sein:* J. P. spielt damit auf die *Ars semper gaudendi* (1664–67) des Theologen Alfonso de Sarasa an, nach der Johann Peter Uz eine Abhandlung *Versuch über die Kunst stets fröhlich zu sein* (1760) verfaßte. J. P. selbst plante, als Fortsetzung zu den beiden Texten, ein »Freudenbüchlein«, von dem er Bruchstücke in der Frankfurter Zeitschrift *Museum* veröffentlichte *(Bruchstücke aus der »Kunst, stets heiter zu sein«).* In einer Anmerkung sagt er über die Intention und den Anlaß der Fortsetzung der beiden Autoren: »D'Alembert sprach das Atheisten-Wort aus: le malheur d'être. So wäre denn nichts glück-

lich als das Nichts, und Gott als der Ur-Seiende der Unglücklichste.
Alle Wesen aber sagen: le bonheur d'être, und beweisen es, indem sie
sogar ihren Schmerzen ungern absterben«. – *Briefschreiben . . . Regel
Detri:* Die Kunst des Briefschreibens ist im 18. Jh. ein wichtiges Mittel
zur Ausbildung eines geschmeidigen Prosastils; vorbildhaft gewirkt
hat hier vor allem Gellert mit seiner *Praktischen Abhandlung von dem
Guten Geschmack in Briefen* (1751), die junge Leute, besonders »Frauenzimmer«, zu einer »natürlichen« Schreibart erziehen soll. Die »Regel
Detri« ist die Lehre vom Dreisatz in der Arithmetik (lat. »regula de
tribus«).

S. 149 *Kanikularferien:* Hundstagsferien; in der Zeit zwischen 24. Juni und
23. August wurde nachmittags nicht, wie sonst üblich, unterrichtet. –
»Werthers Freuden«: J. P. spielt damit auf Friedrich Nicolais Parodie auf
Goethes *Die Leiden des jungen Werthers* (1774) an, die 1775 unter dem
Titel *Freuden des jungen Werthers – Leiden und Freuden Werthers des Mannes* erschienen war. – *Kapfenster:* Aus dem Dach hervorragendes Fenster, nach Art der Mansarden. – *Tempe-Tal:* Tal im griechischen Thes-
salien zwischen dem Olymp und dem Ossa; klassischer Ort idyllischer
Schönheit und Harmonie.

S. 150 *Ripienist:* Musiker, der nur Tutti-Stellen im Orchester zu spielen
hat, im Gegensatz zur Solo-Stimme. – *Johanna-Therese-Charlotte-Mariana-Klarissa-Heloise-Justel:* Wuz' Verlobte erscheint hier in Verbindung mit einer ganzen Reihe empfindsamer Heroinen der Literatur,
die jedoch in den ersten beiden Fällen nicht mit Gewißheit identifiziert
werden können; »Johanna« wäre demnach die empfindsame Heroine
aus Wielands Tragödie *Lady Johanna Gray* (1758), »Therese«, die historische Thérèse Levasseur (1721–1801), erst Geliebte, dann Ehefrau
Rousseaus; die Begegnung mit ihr schildert Rousseau im siebten Buch
der *Confessions* ganz im Stil empfindsamer Romane, und die Züge der
Schüchternheit passen durchaus zu Wuz' Verlobter. »Charlotte« ist
selbstverständlich Werthers Geliebte, »Mariana« die weibliche Heldin
aus Johann Martin Millers *Siegwart. Eine Klostergeschichte* (1776), »Kla-
rissa« die Hauptgestalt von Samuel Richardsons *Clarissa Harlowe*
(1747/48) und »Heloise« wiederum eine Anspielung auf die Zentralfigur von Rousseaus *Nouvelle Héloise* (deren eigentlicher Name Julie ist)
und auf die Heldin seines eigenen ersten kleinen Romans *Abelard und
Heloise*, den J. P. 1781 verfaßt hatte. – *die russische Kaiserin (die vorige):*
Zarin Elisabeth, Tochter Peters d. Gr. (1709–1762, seit 1741 Kaiserin);
ihr Nachfolger war zunächst ihr Neffe Peter III., der nach wenigen
Monaten der Herrschaft von seiner Gemahlin Katharina II. beseitigt
wurde.

S. 151 *Melioration:* (lat.) Verbesserung, hier etwas zynisch im Sinn von
»Standeserhebung«.

S. 152 *H. Gedikens:* Friedrich Gedike (1754–1803), an den bedeutendsten
Berliner Schulen tätiger Schulmann, Hg. der *Berliner Monatsschrift*
1783–1791, führend beteiligt am Aufbau des preußischen Schulwesens. Gedike stammte aus ärmlichsten Verhältnissen, aus denen er sich

emporgearbeitet hatte; er verband Ideen des Basedowschen Philanthropin mit neuhumanistischen Ansätzen. – *Scibile:* (lat.) Wissensstoff. – *Norcia . . . li quatri illiterati:* J. P.s genaue Quelle ist für diese Bemerkung nicht zu ermitteln; jedoch enthält Bd. XI der Enzyklopädie von d'Alembert und Diderot einen Artikel »Norcia«, in dem die Anekdote als Tatsache wiederholt wird: »Quoique sujette au pape, son gouvernement est en forme de république. Elle élit quatre magistrats qui ne doivent savoir ni lire ni écrire« (»Obwohl dem Papst untertan, wird Norcia wie eine Republik regiert. Man wählt vier Staatsbeamte, die des Lesens und Schreibens unkundig sein müssen«); vgl. *Encyclopédie* XI (N–Pa), Neufchastel 1765, S. 226 Sp. a. – *im hallischen Waisenhause:* August Heinrich Francke, seit 1692 Professor für Orientalistik an der Universität Halle, versuchte durch Einrichtung von Schulen (einer Armenschule, einer Lateinschule) das Niveau der Allgemeinbildung, vor allem für die niederen Stände, zu verbessern. Dazu gehörte auch ein Waisenhaus, das durch die Einkünfte eines Druck- und Verlagsbetriebes finanziert wurde. – *nach Realschulen schrie:* Zur Entwicklung des Schulwesens im späten 18. Jahrhundert, die zu einer nach den Bedürfnissen der verschiedenen Stände ausgerichteten Neuorientierung des Schulwesens führte, vgl. Georg Jäger, *Schule und literarische Kultur. Sozialgeschichte des deutschen Unterrichts an höheren Schulen von der Spätaufklärung bis zum Vormärz.* Bd. 1: *Darstellung:* Stuttgart 1981. Was J. P. hier vorführt, ist natürlich die Parodie einer »Realschule«, die sich nach den Vorstellungen eines Comenius, Locke oder Herder (vgl. dessen *Journal meiner Reise im Jahre 1769*) statt mit unnützem abstraktem Wissen mit der Vermittlung sachhaltiger Kenntnisse beschäftigen sollte.

S. 153   *Symbolum Athanasii:* Dem Bischof von Alexandrien Athanasius (295–373) zugeschriebene Zusammenfassung der wichtigen Konzilsentscheidungen um die Natur Gottes aus dem 4. Jh., im 7. Jh. unter diesem Namen bekannt, jedoch ungewisser Herkunft. – *Langens geistliches Recht:* Heinrich Arnold Lange, *Geistliches Recht der evangelisch-lutheranischen Landesherren und ihrer Untertanen* (1786).

S. 154   *Messiade . . . die drei letzten Gesänge:* Die ersten Gesänge des *Messias*-Epos, zu dem Klopstock durch das Vorbild von John Miltons *Paradise lost* (in Bodmers Prosa-Übersetzung 1732) angeregt wurde, waren bereits 1747 erschienen. Erst 1773 wurden die letzten fünf Gesänge veröffentlicht (nicht »drei«, wie J. P. schreibt); sie standen im Ruf besonderer »Dunkelheit«, was Wuz zur Technik des unleserlich Schreibens führt, um dem Original wenigstens teilweise nahezukommen.

S. 155   *hotel de Baviére . . . Römer:* J. P. bezieht sich auf einen berühmten Gasthof in Leipzig und den Marktplatz der Stadt Frankfurt/Main, an dem eine Reihe hervorragender Gasthäuser zu finden war. – *Sportularium:* Einnahme-Buch: »Sporteln« sind die für Wuz' Amtshandlungen zu entrichtenden Gebühren. – *Nößel:* Flüssigkeitsmaß, ca. ⅛ Liter. – *pragmatische Fingerzeige:* J. P. beginnt hier das in seinem Werk so wichtige Spiel mit der Theorie der »pragmatischen Geschichtsschreibung«,

die – aus Schottland kommend – vor allem die Göttinger Historiker-
schule (Gatterer, Schlözer) so nachhaltig beeinflußte. Das Neue dieser
Geschichtsschreibung ist vor allem ihre Methodik, die auf die ursächli-
che Verkettung der Ereignisse des Geschichtsprozesses und die detaillierte Beschreibung von einflußreichen Faktoren (Umstände von Zeit,
Ort, Charakter der handelnden Personen) besonderes Gewicht legte.
Wielands *Geschichte des Agathon* (1766/67, ²1773) und Friedrich von
Blanckenburgs *Theorie des Romans* (1774) sind ohne diesen Einfluß
nicht denkbar. J. P. dagegen folgt dem durch Abschweifungen cha-
rakterisierten Erzählstil Laurence Sternes, in dem diese Digressionen
wichtiger sind als die »Geschichte« selbst (vgl. dazu ausführlich
W. Hahl, *Reflexion und Erzählung*. Ang. s. Literatur zum Nachwort).

S. 157 *Christi Thränen . . . setzte:* Anspielung auf einen Dessertwein (aus
dem Gebiet rund um den Vesuv), der den Namen »Lacrima Christi«
trägt. – *Allotriis:* (griech.) »übrige Dinge«, hier: unter den übrigen
Vergnügungen (des Essens und des Gesprächs).

S. 158 *o wie schön . . . :* J. P. zitiert die Schlußstrophe von Christian Ludwig Höltys *Aufmunterung zur Freude* (1777); die Anfangszeile lautet im
Original: »Wie wunderschön ist Gottes Erde.«

S. 159 *8. Jul.:* Irrtum J. P.s im Original (»8. Jun.«), vom Hg. durchge-
hend korrigiert. – *Esel . . . indifferentistische . . . bileamische:* Anspielung
auf das Dilemma, das der Bestimmung des Willens durch den scholastischen Philosophen Jean Buridan (ca. 1300–1358) mit dem Beispiel
des Esels zwischen zwei vollkommen identischen Heuhaufen, zwischen denen er verhungern müßte, entgegengehalten wurde. »Indif-
ferentistisch« ist die Haltung, die von der Stoa in der Lehre von der
Unerkennbarkeit des Guten eingenommen worden war. Die Anspielung auf »Bileams Eselin« bezieht sich auf das Buch *Numeri* des A. T.
(22,21 ff.), in dem das Tier plötzlich den Propheten anzureden beginnt. – *nachbossierte:* »bozzo« (ital.) ist der aus leicht formbarem Ma-
terial (Ton, Wachs etc.) gebildete Entwurf zu einer Plastik.

S. 160 *in zwei corporibus piis:* in zwei »frommen Körperschaften«. – *Rinds-
haar-Touren:* falsche Haarteile. – *»Schulz von Paris«:* Friedrich Schulz,
Über Paris und die Pariser. 2 Bde., Berlin 1791 (vgl. Bd. 1, S. 397 ff.). –
Alpheus . . . : Der Alpheus ist der größte Fluß auf der Peloponnes.

S. 161 *Sand:* wurde nach dem Putzen zum Trocknen auf die Böden gestreut. – *Die Gesetze des Romans:* Das Wort »Roman« wird noch im
Sinn von »romanhaft«, »unglaubwürdig« gebraucht. J. P. insinuiert,
er würde sich hier an die Vorschriften des »pragmatischen Erzählens«
halten (s. o. zu S. 155). – *Parisische Bluthochzeit:* Wenige Tage nach der
Hochzeit des protestantischen Heinrich von Navarra (später Heinrich
IV.) mit der katholischen Schwester Margarethe von Valois des Königs Karl IX., die zur Entspannung zwischen den verschiedenen Kon-
fessionen führen sollte, wurden auf Anstiften der Königinmutter Katharina von Medici in der Nacht zum 24. August 1572 die Anführer
der prot. Hugenotten und ihre Anhänger ermordet. Das Massaker
dehnte sich von Paris über das ganze Land aus.

S. 162 *Assessor:* (lat.) hier wörtlich »Beisitzer« (beim Ofen). – *Antezessor:* (lat.) »Vorgänger«, d. h. Wuz' Vater.

S. 164 *Residentin von Bouse:* J. P. verknüpft mehrfach – durch die Verlegung von »Auenthal« in das Fürstentum Scheerau und das Auftreten von Wuz' Sohn – die Handlung der *Unsichtbaren Loge* mit dem Appendix des *Wuz,* um die gemeinsame Publikation beider, inhaltlich unabhängiger Texte wenigstens etwas zu motivieren. Die Residentin von Bouse ist im Roman die Verführerin des unschuldigen Helden Gustav.

S. 165 *dessus de porte:* Türbekrönung.

S. 166 *Semiotik:* (griech.) »Deutungskunst«, hier: Wissenschaft der Ärzte von der Deutung der Krankheitssymptome.

S. 167 *Rudera:* (lat.) Überreste. – *Antikentempel zu Sanssouci:* Für Friedrich II. von Preußen von Karl von Gontard 1765 zur Aufnahme seiner kleinen Antikensammlung erbaut. – *wie des gemalten Jesuskindes seine:* Anspielung auf Corregios Gemälde »Heilige Nacht«, seit 1746 in der Dresdner Gemäldesammlung.

S. 168 *Cober:* s. o. zu S. 140.

Literaturhinweise

Ausgaben: Zur Situation der Editionen vgl. die im folgenden genannten Bibliographien und Berichte von Berend/Krogoll, Hendrik Birus sowie fortlaufend das *Jahrbuch der Jean-Paul-Gesellschaft.* 1, München 1966 ff. In der Regel folgen die Editionen des *Schulmeisterlein Wutz* (sic!) der zweiten, von Jean Paul 1822 vorgelegten Ausgabe (bei Reimer, Berlin 1822; Bd. II, S. 372–448). Eduard Berend hat diese Ausgabe seinem Abdruck in der Hist.-kritischen Ausgabe zugrunde gelegt: Jean Pauls Sämtliche Werke. Hist.-kritische Ausgabe. Hg. von der Preußischen Akademie der Wissenschaften. Weimar 1927 ff. (später: Berlin [DDR] 1952 ff.). Abtlg. I (Zu Lebzeiten des Dichters erschienene Werke) Bd. 2: Die unsichtbare Loge. Hg. von Eduard Berend. Berlin 1927, S. 408–446 »Das Leben des vergnügten Schulmeisterlein Maria Wutz in Auenthal«. Zur Kommentierung wurden ferner herangezogen: Jean Paul, Werke. Hg. von Norbert Mille. Bd. I, München 1960; Jean Paul's Schulmeisterleins Wutz. Ed. By Eva J. Engel. s'Gravenshage 1962.

Eine 1981 erschienene Neuausgabe der Erstfassung der *Unsichtbaren Loge* hat leider auf die Aufnahme des *Wuz* verzichtet: Jean Paul, Die unsichtbare Loge. Text der Erstausgabe von 1793 mit den Varianten der Ausgabe von 1826 (sic! falsch für 1822), Erläuterungen, Anmerkungen und Register. Hg. von Klaus Pauler. Edition text + kritik, München 1981.

Zur Bibliographie vgl.: Eduard Berend, Jean-Paul-Bibliographie. Neu bearbeitet und ergänzt von Johannes Krogoll. Stuttgart 1963 (Registerang. S. 277). – Hendrik Birus, Über die jüngste Jean-Paul-Forschung. In: Jean Paul. Sonderbd. text + kritik. Hg. von Heinz-Ludwig Arnold. München [3]1983, S. 216–244.

Ayrault, Roger: »Jean Paul: Leben des vergnügten Schulmeisterlein Maria Wuz in Auenthal. Oder die Anfänge des Dichters Jean Paul«. In: Jost

Schillemeit (Hg.), Interpretation. Bd. 4: Deutsche Erzählungen von Wieland bis Kafka. (Bücher des Wissens, Fischer) Frankfurt/Main ⁴1978, S. 75–86.

Bichsel, Peter: »Es wird uns allen sanft tun. Zum Leben des vergnügten Schulmeisterlein Maria Wutz in Auenthal von Jean Paul«. In: Jean Paul, Leben des vergnügten Schulmeisterlein Maria Wutz in Auenthal. Eine Art Idylle. Mit einem Nachwort von Peter Bichsel. (insel taschenbuch 778) Frankfurt/Main 1984, S. 65–103.

Blake, Kathleen: »What the Narrator learns in Jean Paul's Wutz«. In: German Quarterly 48 (1975), S. 52–65.

de Bruyn, Günther: Das Leben des Jean Paul Friedrich Richter. Eine Biographie. Frankfurt/Main 1978 (Erstdruck Halle/Saale 1975).

Fink, Gonthier-Louis: »Der proteische Erzähler und die Leserorientierung in Jean Pauls ›Leben des vergnügten Schulmeisterlein Maria Wutz‹«. In: Günther Schnitzler (Hg.), Bild und Gedanke. Festschrift für Gerhard Baumann. München 1980, S. 271–287.

Hannah, Richard W.: »The tortures of the idyll: Jean Paul's ›Wutz‹ and the loss of presence«. In: Germanic Review 56 (1961), S. 121–127.

Hecht, Wolfgang: »Das Glückseligkeitsproblem in Herders ›Ideen‹ und Jean Pauls ›Wutz‹«. In: Wiss. Zschr. der Pädagogischen Hochschule Potsdam. Gesellschafts- und sprachwiss. Reihe 2 (1956), S. 129–132.

Küpper, Helmut: Jean Pauls ›Wuz‹. Ein Beitrag zur literarhistorischen Würdigung des Dichters. (Hermaea 22) Halle 1928.

Krüger, Anna: »Wuz und Quintus Fixlein«. In: Hesperus 21 (1961), S. 38–45.

Ortheil, Hanns-Josef: »Idylle und Reflexion. Zur Geschichtlichkeit von Jean Pauls ›Wutz‹«. In: Literaturwiss. Jahrbuch 17 (1976). Berlin 1978, S. 83–97.

Ders.: Jean Paul. (rowohlt monographien 329) Reinbek bei Hamburg 1984.

Pietzcker, Carl: »Narzißtisches Glück und Todesphantasie in Jean Pauls ›Leben des vergnügten Schulmeisterlein Maria Wutz in Auenthal‹«. In: text + kontext, Sonderreihe Bd. 10 (= Klaus Bohnes (Hg.), Literatur und Psychoanalyse. Vorträge des Kolloquiums am 6. und 7. Oktober 1980; Kopenhagener Kolloquien zur deutschen Literatur 3). Kopenhagen – München 1981, S. 30–52.

Ders.: »›Mutter‹ sagt' er zu seiner Frau, ›. . . ich fress' mich aber noch vor Liebe, Mutter!‹ Oder: Jean Paul bereitet uns mit dem Leben des vergnügten Schulmeisterlein Maria Wutz' ein bekömmliches Mahl. Wir dürfen uns selber genießen«. In: Johannes Cremerius (Hg.), Freiburger literaturpsychologische Gespräche. 2. Folge. Frankfurt/Main – Bern 1982, S. 49–97.

Proß, Wolfgang: »Fälbels und Siebenkäs' Wanderungen und Johann Michael Füssels ›Fränkische Reise‹ – Empirismus, Ästhetik und soziale Wirklichkeit im Werk Jean Pauls«. In: Wolfgang Griep/Hans-Wolf Jäger (Hgg.), Reise und soziale Realität am Ende des 18. Jahrhunderts. Heidelberg 1983, S. 352–370.

W. P.

1749	Am 28. August als Sohn des Kaiserlichen Rates Dr. jur. Johann Caspar Goethe in Frankfurt a. M. geboren.
1765–68	Jurastudent in Leipzig.
1768–70	Frankfurt. Begegnung mit dem Pietismus und der hermetischen Philosophie und Alchemie.
1770–71	Straßburg. Begegnung mit Herder. *Sesenheimer Lieder.*
1771–72	Anwaltspraxis in Frankfurt. *Götz von Berlichingen.*
1772	Praktikant am Reichskammergericht in Wetzlar.
1772–75	Frankfurt. Anfänge des *Faust* und *Egmont.* 1774 *Werther.*
1775	Auf Einladung des Herzogs Karl August Übersiedlung nach Weimar. Ab 1776 Geheimer Rat.
1779	*Iphigenie* in Prosa.
1786–88	Italienreise. *Iphigenie* in Versen, *Egmont, Tasso.*
1790	Reise nach Norditalien. Naturwissenschaftliche Studien zur Anatomie, Botanik, Optik. *Metamorphose der Pflanzen.*
1794	Beginn des Briefwechsels mit Schiller.
1795	*Unterhaltungen deutscher Ausgewanderten, Märchen.*
1796	Abschluß von *Wilhelm Meisters Lehrjahre.*
1803	*Die natürliche Tochter.*
1808	Faust I; Pandora.
1809	*Die Wahlverwandtschaften.*
1810	Abschluß der *Farbenlehre.*
1811–16	*Aus meinem Leben. Dichtung und Wahrheit.*
1819	Abschluß des *Westöstlichen Divan.*
1821–29	*Wilhelm Meisters Wanderjahre.*
1831	Abschluß des *Faust II.*
1832	22. März: Tod Goethes.

Das Märchen

Erstdruck und Druckvorlage: Mährchen (zur Fortsetzung der Unterhaltungen deutscher Ausgewanderten.) In: Die Horen. Bd. IV (1795), Stück 10, S. 108–152. Nachweisliche Druck- oder Schreibfehler wurden stillschweigend korrigiert.

Entstehungskontext

Obwohl Goethe schon in seiner Jugendzeit die Gabe besaß, »aus dem Stegreife [...] sehr leicht und bequem alle Märchen, Novellen, Gespenster- und Wundergeschichten« zu erzählen (*Dichtung und Wahrheit*, 4. Buch), gehört das *Märchen* doch zu den wenigen Texten dieser Gattung, die der Dichter schriftlich ausgearbeitet hat. Neben dem *Neuen Paris* und der *Neuen Melusine* ragt das *Märchen* besonders heraus wegen seiner extrem verschlüsselten Symbolik und Vielschichtigkeit, die nicht nur unzählige Deutungsversuche nach sich gezogen, sondern oftmals auch Ratlosigkeit hervorgerufen haben. Goethe selbst bemerkte dazu – nicht ohne Schadenfreude – in einem Gespräch mit seinem Freund Riemer: »Es fühlt ein jeder, daß noch etwas drin steckt, er weiß nur nicht was.« (F. W. Riemer, Tagebuch 21. März 1809).

Um wenigstens einige Anhaltspunkte für das Verständnis des schwierigen Märchen-Textes zu gewinnen, erscheint ein Blick auf das entstehungsgeschichtliche Umfeld hilfreich. Die Niederschrift des *Märchens* im Sommer 1795 fällt in eine Zeit, die durch die Ereignisse der Französischen Revolution erschüttert war und für Goethe eine Phase tiefgreifenden Umdenkens bedeutete. 1794 nahm er die Arbeit am Wilhelm Meister-Roman wieder auf und entwickelte dort jenes Gesellschaftsbild und Konzept der ›Entsagung‹, das später für die *Wanderjahre* bestimmend werden sollte; im selben Jahr setzte auch der intensive Gedankenaustausch mit Schiller ein, der vor allem zu richtungweisenden ästhetischen Reflexionen führte; schließlich fällt der Beginn der naturwissenschaftlichen Studien Goethes in die 90er Jahre: 1790 verfaßte er die *Metamorphose der Pflanzen*, in den folgenden Jahren die ersten Arbeiten zur *Farbenlehre*.

Das *Märchen* erschien im Oktober 1795 in den *Horen* – als letzter Teil des zuvor in fünf Folgen gedruckten Novellenzyklus *Unterhaltungen deutscher Ausgewanderten*. Das Programm dieser von Schiller herausgegebenen Monatsschrift gibt einigen Aufschluß über die Intention des Goetheschen *Märchens*. Angesichts der Wirren der Französischen Revolution, vor allem der jüngsten Schrecknisse der Jakobinerherrschaft, die in Deutschland zu einem erbitterten politischen Meinungsstreit geführt hatten, sollte die Zeitschrift ein Forum für »leidenschaftsfreie Unterhaltung« bilden und fern von tagespolitischen Querelen eine Rückbesinnung auf grundlegende humane Werte ermöglichen. Den Verfassern der einzelnen Beiträge wurde zur Auflage gemacht, sich jeglichen Zeitbezugs zu enthalten und statt dessen historische, philosophische, ästhetische und wissenschaftliche Fragen zu verfolgen. Allerdings verbarg sich hinter diesem Konzept eine durchaus politische Absicht:

> »Aber indem sie [die Zeitschrift] sich alle Beziehungen auf den jetzigen Weltlauf und auf die nächsten Erwartungen der Menschheit verbietet, wird sie über die vergangene Welt die Geschichte und über die kommende die Philosophie befragen, wird sie zu dem Ideale veredelter Menschheit, welches durch die Vernunft aufgegeben, in der Erfahrung aber so leicht aus den Augen gerückt wird, einzelne Züge sammeln und an dem stillen Bau besserer Begriffe, reinerer Grundsätze und edlerer Sitten, von dem zuletzt alle wahre Verbesserung des gesellschaftlichen Zustandes abhängt, nach Vermögen geschäftig sein.« (Schiller, Ankündigung zu den Horen.)

›Das Märchen‹ im Rahmen der ›Unterhaltungen deutscher Ausgewanderten‹
Schillers Horen-Programm liest sich wie eine ›Regieanweisung‹ zu Goethes *Unterhaltungen deutscher Ausgewanderten*. Die Rahmenhandlung des Novellenzyklus gestaltet genau jene unhaltbare Situation tagespolitischen Meinungsstreits, die Schiller sein Konzept entwickeln ließ: Heftige Auseinan-

dersetzungen, die innerhalb einer aus Frankreich geflüchteten Gruppe von Adeligen zwischen den Gegnern und den Befürwortern der Revolution aufbrechen, führen zu dem Vorschlag, sich künftig des »politischen Diskurses« zu enthalten und statt dessen mit Hilfe von Erzählungen die Zeit zu vertreiben. Es ist allerdings auffällig, daß Goethe mit einem solchen Einstieg gerade nicht auf den Gegenwartsbezug verzichtet. Auch die folgenden sechs Novellen beschäftigen sich mit Themen, die den gesellschaftlichen Umwälzungsprozeß spiegeln, für den die Französische Revolution nur ein sichtbares Zeichen darstellt. Obwohl die Geschichten von Adeligen erzählt werden, rücken zunehmend bürgerliche Belange und Leitvorstellungen in den Blick; im Mittelpunkt steht immer wieder die Frage der Konstitution des bürgerlichen Subjekts (vgl. G. Neumann). In den zwei Geistergeschichten, den folgenden Liebesgeschichten und schließlich den beiden ›Entsagungs-Novellen‹ bilden dabei folgende Bereiche einen – freilich problematisch gefaßten – Rahmen: die Einbindung in ökonomische Bedingungen; die Konzeption von Liebe und Ehe; Fragen der Bildung und Erziehung; die Rechtsnorm und das moralische Gesetz. Ein grundlegender Konflikt ist den Novellen – bei aller Verschiedenheit – gemeinsam: die Spannung zwischen dem Postulat des autonomen Individuums (mit seinen Leidenschaften und privaten Bedürfnissen) und der Forderung nach verantwortlichem sozialen Handeln.

In welchem Bezug steht nun das *Märchen* zu diesen Problemzusammenhängen? Während die Novellen eher Fragen aufwerfen als Lösungen anbieten – auch die rigide Entsagungs-Kur der beiden moralischen Erzählungen bleibt letztlich unbefriedigend –, kommt das *Märchen* auf einer abstrakteren Ebene zu einer phantastischen Schlußvision, in der all die kulturellen Kräfte, die in den *Unterhaltungen* angesprochen wurden, harmonisch zusammengeführt werden. Konkret finden sich die beiden wesentlichen – sowohl in der Rahmenhandlung als auch in den Binnenerzählungen thematisierten – Konflikte im *Märchen* wieder und bilden dort einen entscheidenden Handlungsantrieb: die zerstörerische Macht der Leidenschaft auf der einen Seite (dargestellt in der todbringenden, weltabgewandten Liebe des Jünglings zur Lilie); die Spannung zwischen privaten Bedürfnissen und den Forderungen der Gemeinschaft auf der anderen (veranschaulicht in der Aufopferung der Schlange und der schwarzen Hand der Alten). Entgegen der in der Rahmenhandlung (und in der Programmatik der *Horen*) geforderten Ausschließung politischer Gegenwartsbezüge übt das *Märchen* in dieser Hinsicht keine Enthaltsamkeit und entwickelt – allerdings auf einer symbolischen Ebene – durchaus eine politische Position. Mit der traurigen Figur des Jünglings wird zunächst der Forderung Ausdruck verliehen, ›Privates‹ und ›Politisches‹ künftig nicht mehr zu trennen; die Schlußvision führt dann ein umfassendes Herrschaftsmodell vor, das der politischen Überzeugung Goethes entspricht. Gemeinsam allerdings ist beiden – der Rahmenerzählung und dem *Märchen* – die Ausgangssituation. Auch die Welt des *Märchens* ist geprägt von einer fundamentalen Zerrissenheit, die das Geschehen bestimmt und den utopischen Wandlungsprozeß erst in Gang setzt.

Der Handlungsrahmen des *Märchens* ist gekennzeichnet von unvereinbaren gegensätzlichen Welten, um deren erlösende Zusammenführung sich letztlich alles dreht. Veranschaulicht werden die in Opposition zueinander stehenden Schauplätze durch die ausgeprägte Topographie (vgl. Kreuzer). Eine wesentliche Trennungslinie bildet der Fluß; die diesseitige Welt des alten Paares und das jenseitige Reich der schönen Lilie unterscheiden sich gleich in mehrfacher Hinsicht. Die eine Gegend ist fruchtbar, wird landwirtschaftlich genutzt und repräsentiert den Bereich der Arbeit; die andere wird als unfruchtbar bezeichnet, ist mit dem Tod verbunden und gleichzeitig der Ort der Schönheit und des Musischen. Während die diesseitige Landschaft eher als rauh und archaisch beschrieben wird, erscheint das Ufer der Lilie als ein lieblicher, kultivierter Garten. Beide Bereiche werden außerdem durch die Gegensätze von ›Jugend‹ und ›Alter‹ abgegrenzt.

Der damit zugleich angesprochene zeitliche Aspekt, das Verhältnis von Vergangenheit, Gegenwart und Zukunft, kommt in einem weiteren Oppositionspaar zum Ausdruck, durch welches das *Märchen* strukturiert ist: im Gegensatz von ›oben‹ und ›unten‹. In der unterirdischen Tempelwelt liegt das in der Gegenwart nicht wirksame Macht-Potential der Könige gleichsam brach, das aus der Dunkelheit ans Licht, aus der Vergangenheit in die Zukunft überführt werden soll. Im Bann der Könige artikuliert sich noch klarer als in der Spannung der oberirdischen Bereiche die Sehnsucht, durch die das Märchengeschehen vorangetrieben wird.

Schließlich verdichtet sich die Zerrissenheit, die Unvereinbarkeit der verschiedenen Bereiche in der Figur des Jünglings, um den sich die Handlung des Märchens zentriert. Die Gegenüberstellung mit der Alten, in der uns der Jüngling zuerst begegnet, macht gleich zwei Bezüge deutlich: Einmal erscheint sein Dasein als unproduktiv (im Gegensatz zur tätigen Betriebsamkeit der Alten), indem er sich von seiner Leidenschaft zur schönen Lilie gänzlich hinreißen läßt; darüber hinaus ist der Jüngling gekennzeichnet durch eine folgenschwere Getrenntheit vom Politischen: »Krone, Szepter und Schwert sind hinweg«, klagt er der Alten (S. 182), und es sind genau diese drei Attribute, die ihm am Ende von den drei Königen erneut überreicht werden (S. 196). Während in der Ausgangssituation des *Märchens* seine Liebe als eine losgelöste, irrende, sich im Privaten verzehrende Kraft erscheint, wird sie in der Erlösungsvision des Schlusses mit den gesellschaftsmächtigen Funktionen vereint.

Die polare Anlage des *Märchens*, die sich bis in kleinste Bestandteile fortsetzt, bildet also ein Spannungsfeld, dessen versöhnliche Auflösung den Zielpunkt des Geschehens darstellt: Getrennt erscheinen einmal die Bereiche der Arbeitsproduktivität, die dem Leben zugewandt ist (Welt der Alten) und der Kunst, die eine Tötung des Lebendigen vollzieht (Garten der Lilie); unvereinbart und in ihrer Isolation unfruchtbar stehen sich ebenfalls die Kräfte der Liebe (Jüngling) und der Politik (Unterirdische Könige) gegenüber.

Es sind jedoch nicht nur die scheinbar unvereinbaren Gegensätze, die das Geschehen des *Märchens* bestimmen; dieses wird vielmehr erst möglich durch die zahlreichen partiellen Berührungspunkte, durch die das Getrennte verbunden ist: Der Fluß kann unter bestimmten Umständen überquert werden, und zwar in bloß einer Richtung mit Hilfe des Fährmanns, zu festgelegten Zeiten in beliebiger Richtung über die Schlange bzw. den Schatten des Riesen. Der Alte mit seiner Lampe hat Zutritt zum unterirdischen Tempel und kennt die Weissagung ebenso wie am anderen Ufer die Lilie, die sehnsüchtig die Erlösung vom todbringenden Bann ihrer Schönheit erwartet; der Jüngling wiederum fragt »viel nach dem Mann mit der Lampe, nach den Wirkungen des heiligen Lichtes und [scheint] sich davon für seinen traurigen Zustand künftig viel Gutes zu versprechen« (S. 183). Es ist diese Spannung von Trennung und Verbindung, aus der sich die Handlung des *Märchens* entspinnt und schließlich zum Höhepunkt steigert. Von zentraler Bedeutung sind dabei die beiden beweglichsten Kräfte, die das Geschehen vorantreiben: die Irrlichter und die Schlange.

Die Irrlichter sind in ihrer vielfältigen Lebhaftigkeit immer wieder im Zusammenhang mit zeitgenössischen Erscheinungen gedeutet worden: Sie brechen von außen in die festgefügte Welt ein und bringen diese in Unruhe (hierin wurde eine Anspielung auf die umwälzende Wirkung der Aufklärung gesehen – auch die Irrlichter bringen ja ›Licht‹); sie bezahlen mit Geld und nicht mit Naturalien, wie es noch der Fluß fordert – dies ein Hinweis auf die sich verändernden ökonomischen Strukturen; sie benehmen sich galant und auf harmlose Weise verantwortungslos, was immer wieder den Vergleich mit der dekadenten höfischen Aristokratie nach sich gezogen hat (die jüngste historisch ausgerichtete Interpretation des Märchens von P. Morgan faßt alle entsprechenden Ansätze übersichtlich zusammen). Aber auch ›zeitlose‹ Merkmale charakterisieren die Irrlichter: Das von ihnen praktizierte Prinzip der Verschwendung verweist auf die Kraft des Poetischen – man denke an das Flammengaukelspiel des ›Knaben Lenker‹ im *Faust II*, der sich selbst so benennt: »Bin die Verschwendung, bin die Poesie« (V. 5573); schließlich steht der fröhlichen Unbeschwertheit der Irrlichter ihr entscheidendes Mitwirken am zentralen Wandlungsgeschehen entgegen: Sie sind es, die das verschlossene Tor des Tempels öffnen und am Schluß die Position des vierten Königs bestimmen.

Auch die Schlange wurde in Zusammenhang mit der Aufklärung gebracht: aufgrund ihrer »Neugierde« (S. 174), die sie zur ›Erleuchtung‹ führt. Die mythologischen Anklänge binden sie aber zugleich in ein eschatologisches Modell ein. Einmal erscheint »Frau Muhme« (S. 175) mit ihrer unersättlichen Wissenslust als Repräsentantin des Sündenfalls, den sie durch ihre spätere Aufopferung zugleich sühnt und zurücknimmt (vgl. C. Lucerna). Mit ihrem heilsamen Verhalten erfüllt die Schlange auch die antike Funktion: Eine Anspielung auf die Schlange im Wappen des Äskulap findet sich noch in ihrer langsamen Bewegung »in großen Ringen« (S. 191). Im Bild der sich in den Schwanz beißenden Schlange schließlich greift Goethe außerdem auf das alchemistische Symbol des ›ouroboros‹ zurück, jener Kraft, die das ›opus magnum‹ der Gegensatzvereinigung verkörpert (alchemistische Anklänge finden sich häufig im Text, so z.B. in der immer wiederkehrenden Zahlen-Konstellation drei/vier oder in den Farbverhältnissen).

Es ist sicherlich kein Zufall, daß Goethe den phantastischen Wandlungsprozeß im *Märchen* mit den beiden komplementären Kräften der Irrlichter und der Schlange voranschreiten läßt: den »Herren von der vertikalen Linie« (S. 175) und der »horizontalen« (S. 175) bzw. später spiralförmig sich bewegenden Schlange. Damit nämlich gehorcht der ›Metamorphoseprozeß‹, den das *Märchen* vorführt, den Prämissen der *Metamorphose der Pflanzen*, wonach Goethe den Wachstumsprozeß als eine Vereinigung der ›Vertikal‹- und der ›Spiraltendenz‹, der Antipoden der männlichen und weiblichen Elemente beschreibt. Der Metamorphosegedanke des *Märchens* beschränkt sich freilich nicht nur auf das Zusammenwirken von Gegensatzpaaren, sondern wird als ein komplexes Geschehen begriffen, an dem alle Kräfte auf ihre Weise teilhaben.

»Das gegenseitige Hilfeleisten der Kräfte und das Zurückweisen aufeinander«: Die verschiedenen Themenbereiche des Märchens

Die von Goethe so formulierte zentrale Idee des *Märchens* (Schiller greift sie im Brief vom 29. August 1795 im obigen Wortlaut auf) wird in der Erzählung selbst durch den Mann mit der Lampe ausgesprochen: »Wir sind zur glücklichen Stunde beisammen, jeder verrichte sein Amt, jeder tue seine Pflicht und ein allgemeines Glück wird die einzelnen Schmerzen in sich auflösen ...« (S. 191). Dieses Argument wird auf den verschiedensten Ebenen des Textes durchgespielt. Am deutlichsten sind wohl seine politischen Implikationen, die in der Schlußvision des *Märchens* sichtbar werden und die an die in der Rahmenhandlung der *Unterhaltungen* aufgerollten Probleme anknüpfen. Präsentiert wird nicht nur ein friedliches Zusammenwirken der zuvor getrennten Bereiche der Politik, der Liebe, der Arbeit und der Kunst, sondern damit verbunden ein konkretes Herrschaftsmodell (vgl. Niggl), das der politischen Haltung Goethes zur Französischen Revolution entspricht. Das Schlußbild zeigt eine bis zur Heiligkeit idealisierte elitäre Herrschaft eines Kreises von Auserwählten, die sich durch ein höheres Bewußtsein, durch Bildung und Sinn für das Schöne, durch eine vornehme Haltung und Menschenliebe auszeichnen – all dies Eigenschaften, die Goethe für die Essenz des adeligen Wesens hält. Wesentlich erscheint in dieser Konstellation auch die Wiedervereinigung der zuvor getrennten Mächte der »Weisheit«, des »Scheins« und der »Gewalt« (S. 195) in der Gestalt des Jünglings und ihre Zusammenführung mit der höchsten Kraft, der Liebe. Der Masse des Pöbels bleibt der Sinn und das Wirken dieser Herrschaft »verborgen« (S. 199), wobei allerdings zu fragen ist, ob nicht mit dem geldgierigen Verhalten des Volkes am Schluß dem *Märchen* eine ironische Wendung gegeben wird. Deutlich ist jedenfalls, daß mit dem Postulat des »gegenseitigen Hilfeleistens« keineswegs ein demokratisches, sondern ein aristokratisches Herrschaftsmodell favorisiert wird.

Im Schlußbild kommt das Zusammenwirken der Kräfte darüber hinaus noch in anderer Hinsicht zum Tragen. Interpreten haben sich immer wieder gefragt, ob das *Märchen* etwa historische Anspielungen und eine politische Konfession enthalte oder eschatologische Züge besitze, ob es sich um ein bloßes ästhetisches Spiel handle oder um die Offenbarung von Naturzusammenhängen. Am Schluß des *Märchens* wird deutlich, daß all diese Bereiche aufeinander »zurückweisen«, daß der Text nicht *ein* Thema behandelt, sondern ein Geflecht von Themensträngen übereinanderschichtet. Auf die politische Utopie wurde bereits hingewiesen; die religiöse Untermalung des *Märchens* ist ebenfalls unverkennbar: im Bild des vom »himmlischen Glanze« umstrahlten Tempels (S. 199) und im kultischen Charakter des Geschehens, in den schon erwähnten Anklängen an das biblische Motiv des Sündenfalls und der ›Auferstehung‹ des Jünglings, der Überwindung des Todes. Den utopischen Charakter der Schlußvision, auf den besonders K. Mommsen hingewiesen hat, hebt die religiöse Verklärung bewußt hervor. Allerdings erhält die christliche Färbung des Geschehens auch eine weltliche Komponente, indem die ›Erlösung durch die Liebe‹ auf die Geschlechterbeziehung übertragen wird: Aus dem todbringenden Verhältnis der Lilie und des Jünglings geht eine glückliche Vereinigung hervor; die Verbindung des Alten und seiner verjüngten Frau greift sogar die Ehediskussion der Novellen wieder auf: »Von heute an ist keine Ehe gültig, die nicht aufs neue geschlossen wird« (S. 197). Neben den Dimensionen der Politik, der Religion und des Geschlechterverhältnisses finden sich im Schlußbild zugleich auch erkenntnisphilosophische bzw. naturwissenschaftliche Argumente: Das nur über den Spiegel des Habichts vermittelte »Licht der Sonne« (S. 198) verweist auf Goethes Erkenntnisbegriff, wonach die Wahrheit niemals direkt erkennbar, sondern nur im »Abglanz« zu schauen ist (vgl. *Faust II*: »Im farbigen Abglanz haben wir das Leben«, V. 4727); außerdem entspricht die Farbsymbolik nicht nur am Ende, sondern im Verlauf des gesamten *Märchens* genau der Theorie der *Farbenlehre* (einer Theorie, die ja ihrerseits vom »gegenseitigen Hilfeleisten der Kräfte« spricht: des Lichtes und der Finsternis).

Schließlich kommt auch Goethes ästhetisches Konzept des ›offenbaren Geheimnisses‹ in der verhüllten Figur des zusammengesunkenen vierten Königs zum Tragen. Ebenso wie im unterirdischen Tempel das »wichtigste«, das »offenbare« Geheimnis nicht preisgegeben wird – auch dort steht es in Verbindung mit dem vierten König (S. 178) – besteht der Erzähler des *Märchens* am Ende auf der ›Offenheit‹ des Verborgenen: ». . . wohlmeinende Bescheidenheit hat eine prächtige Decke über den zusammengesunkenen König hingebreitet, die kein Auge zu durchdringen vermag und keine Hand wagen darf wegzuheben« (S. 199).

»Zugleich bedeutend und deutungslos« – zum ›Sinn‹ des Märchens
Die Mahnung des Erzählers liest sich zugleich wie eine Leseanleitung zum *Märchen*. Goethe selbst weigerte sich hartnäckig, Interpretationshilfen für das Verständnis seines rätselhaften Textes zu liefern; in einem Brief an W. v. Humboldt (27. Mai 1796) äußerte er: »Es war freilich eine schwere Aufgabe, zugleich bedeutend und deutungslos zu sein.« Und der ›Alte‹, der die Erzählung im Rahmen der *Unterhaltungen deutscher Ausgewanderten* an-

kündigt, verspricht »ein Märchen, durch das Sie an nichts und an alles erinnert werden sollen«.

Dies meint nun freilich nicht, daß das *Märchen* keinerlei Bedeutung habe. Lediglich die *Eindeutigkeit* der Aussage wird zurückgewiesen; an ihre Stelle tritt ein Geflecht von vielseitigen Bezügen, die zusammen ein Ganzes bilden. Dabei fungiert die Idee des »gegenseitigen Hilfeleistens der Kräfte« und ihres »Zurückweisens aufeinander« als eine Art Strukturmodell. Dieses wird thematisiert in den vielfältigen Schichten des *Märchens*: als soziales Konzept, als politischer Entwurf, als religiöse Erwartung, als menschheitsgeschichtliche Vision, als Naturprozeß. Es wird methodisch umgesetzt, indem naturwissenschaftliche und ästhetische Überlegungen in den Text einfließen: Alchemistisches Gedankengut, das per se ein Zusammenwirken der Kräfte zum Gegenstand hat, durchzieht das *Märchen* ebenso wie Goethes Theorien der *Metamorphose* und der *Farbenlehre*. Zugleich erscheint das Geschehen des *Märchens* als freies Spiel der Phantasie.

In einer solchen Machart des *Märchens* äußert sich nicht zuletzt eine kulturkritische Perspektive: Schon früh warnte Goethe vor zunehmender Spezialisierung und dem gefährlichen Auseinanderfallen der verschiedenen kulturellen, gesellschaftlichen, geistigen und wissenschaftlichen Kräfte; in seinen naturwissenschaftlichen und dichterischen Arbeiten hält er der ›fortschrittlichen‹ Tendenz zur Differenzierung eine organische, synthetisierende Sichtweise entgegen. Das *Märchen* läßt seine ganzheitliche Weltanschauung in den vielfältigsten Bezügen deutlich werden. Goethe selbst betonte die beabsichtigte Offenheit, die Unmöglichkeit, dem Text *einen* konkreten Sinn zuschreiben zu wollen, in seiner Ankündigung an Schiller: »Ich würde die Unterhaltungen damit schließen, und es würde vielleicht nicht übel sein, wenn sie durch ein Produkt der Einbildungskraft gleichsam ins Unendliche ausliefen« (Brief vom 17. August 1795). Über die unendliche Deutungswut hat Goethe sich später immer wieder amüsiert. Schalkhaft sammelte er die verschiedensten Auslegungen und schwor, seine eigene erst preiszugeben, nachdem 99 Vorgänger ihr Glück versucht hätten; und an Schiller schrieb er am 3. September 1795: »Das Märchen wünsche ich getrennt [in zwei verschiedenen Heften der *Horen*], weil eben bei so einer Produktion eine Hauptabsicht ist, die Neugierde zu erregen. Es wird zwar immer auch am Ende noch Rätsel genug bleiben.«

Erläuterungen

S. 173 *Irrlichter:* In sumpfigem Gelände zu beobachtende, über dem Erdboden schwebende Flämmchen. Irrlichter kommen auch im *Faust* vor (V. 3860 ff.; V. 11741).

S. 174 *Weil sie aber zweifelhaft war:* Weil sie aber zweifelte.

S. 175 *Frau Muhme:* Durch diese Anrede wird ein Bezug zum Sündenfall hergestellt. Vgl. die ›Schülerszene‹ im *Faust I*, wo Mephisto, nachdem er den Verführungsspruch der biblischen Schlange (Eritis sicut Deus, scientes bonum et malum) dem Schüler ins »Stammbuch« geschrieben hat, diesem nachruft: »Folg nur dem alten Spruch und meiner Muhme, der Schlange, / Dir wird gewiß einmal bei deiner Gottähnlichkeit bange.« (V. 2049f.). – *Von seiten des Scheins:* Wegen der gemeinsamen Eigenschaft des Leuchtens.

S. 177 *Das Heiligtum (der vier Könige):* Vgl. zur Folge der goldenen, silbernen, ehernen und gemischten Könige den Traum Nebukadnezars im *Buch Daniel*, 2,31ff. des Alten Testaments, der sich auf die Vorstellung der verschiedenen Weltalter bezieht. – Die Zahlen-Konstellation der Könige (3 + 1), die sich in der Frage der ›Geheimnisse‹ wiederholt (S. 178), verweist auf die Zahlensymbolik der Alchemie. Zur Zeit der Abfassung des Märchens arbeitete Goethe am 6. Buch des Wilhelm-Meister-Romans, wo er in den ›Bekenntnissen einer schönen Seele‹ auf die Biographie Susanna Katharina von Klettenbergs zurückgriff, durch die Goethe in den frühen 70er Jahren mit alchemistischem Gedankengut vertraut gemacht wurde. – *Rotonde:* Rundbau. In Rom bezeichnete man das Pantheon als ›Rotonde‹.

S. 180 *Onyx:* Halbedelstein, normalerweise schwarzweiß gebändert. Der folgende Satz beschreibt hier allerdings eine wechselnde Färbung von ›braun‹ und ›schwarz‹.

S. 183 *Jaspis:* undurchsichtiger, intensiv gefärbter Schmuckstein (rot, gelb oder braun). – *Prasem:* grüner Edelstein. – *Smaragd:* durchsichtiger grüner Edelstein. – *Chrysopras:* lauchgrün gefärbter Schmuckstein. – *Chrysolith:* klarer, blaßgrüner Schmuckstein.

S. 185 *Reis/Reiser:* Zweig

S. 186 *Beryll:* durchscheinender, farbloser oder leicht gefärbter Edelstein (grünlichweiß, gelb, blau oder rosa). Die Reihe der insgesamt sieben Edelsteine im Märchen verweist auf die *Offenbarung Johannis*, in der die von Goethe aufgeführten Steine zu jenen gehören, die das Himmlische Jerusalem schmücken (*Offenbarung des Johannes*, 21,19–20). – *Topas:* glasglänzendes Edelstein-Mineral.

S. 188f. *Die Schlange . . . faßte das Ende ihres Schwanzes mit den Zähnen und blieb ruhig liegen:* In der Antike symbolisierte ein solches Bild die Ewigkeit (Pauly-Wissowa, 2. Reihe, Bd. 2, 1923, Sp. 550). Außerdem verweist die Figur der sich in den Schwanz beißenden Schlange auf das alchemistische Symbol des ›ourobouros‹, das die Vollendung des ›opus magnum‹ verkörpert. Das ›opum‹ in seiner Doppelbedeutung von ›Opfer‹ (offere) und ›Werk‹ (operare) findet sich auch in der ›Aufopferung‹ der Schlange.

S. 190 *Schrittschuhe:* alte Bezeichnung für Schlittschuhe. – *spratzelt:* spritzt, mit knatterndem oder knisterndem Geräusch.

Literaturhinweise

Bauschinger, Sigrid: ›Unterhaltungen deutscher Ausgewanderten‹. In: Goethes Erzählwerk. Hg. v. Paul Michael Lützeler u. James McLeod. Stuttgart 1985, S. 134–167.

Fink, Gonthier-Louis: Les mille et une lectures du conte de Goethe. Bilan de la critique. In: Goethe. Par G.-L. Fink. (= Cahiers de l'Hermétisme 1980). Paris 1980, S. 37–71.

Kreuzer, Ingrid: Strukturprinzipien in Goethes ›Märchen‹. In: Jahrbuch der Deutschen Schiller-Gesellschaft 21, 1977, S. 216–246.

Lucerna, Camilla: ›Das Märchen‹, Goethes Naturphilosophie als Kunstwerk. Leipzig 1910.

Mommsen, Katharina: »Märchen des Utopien«. Goethes ›Märchen‹ und Schillers ›Ästhetische Briefe‹. In: Literaturwissenschaft und Geistesgeschichte. Festschrift für Richard Brinkmann. Hg. v. Jürgen Brummack u. a., Tübingen 1981, S. 244–257.

Morgan, Peter: The fairy-tale as radical perspective. Enlightenment as barrier and bridge to civic values in Goethe's Märchen. In: Orbis Litterarum 40, 1985, S. 222–243.

Niggl, Günter: Verantwortliches Handeln als Utopie? Überlegungen zu Goethes ›Märchen‹. In: Goethezeit. Utopie und Verantwortung. Hg. v. Wolfgang Wittkowski. Ersch. Tübingen 1988.

Neumann, Gerhard: Die Anfänge deutscher Novellistik. Schillers ›Verbrecher aus verlorener Ehre‹ – Goethes ›Unterhaltungen deutscher Ausgewanderten‹. In: Unser Commercium. Goethes und Schillers Literaturpolitik. Hg. v. Wilfried Barner u. a., Stuttgart 1984, S. 433–460.

Ohly, Friedrich: Römisches und Biblisches in Goethes Märchen. In: Zeitschrift für Deutsches Altertum 91, 1961/62, S. 147–166.

Ch. L.

WILHELM HEINRICH WACKENRODER

1773 Am 13. Juli als Sohn des Königl. Preuß. Geheimen Kriegsrates und ersten Justizbürgermeisters Christoph Benjamin Wackenroder in Berlin geboren.

1786 Eintritt in das Friedrichwerdersche Gymnasium in Berlin. Besuch von Vorlesungen bei Karl Philipp Moritz an der Berliner Akademie. Beginn der Freundschaft mit Ludwig Tieck.

1792 Schulabschluß. Vorbereitung auf das Jurastudium. Reise nach Wörlitz, Dessau, Leipzig, Meißen und Dresden.

1793 Frühjahr: Beginn des Jurastudiums gemeinsam mit Ludwig Tieck an der preußischen Universität Erlangen. Mehrere Kunstreisen in Süddeutschland. Oktober: Fortsetzung des Jurastudiums in Göttingen.

1794 Rückkehr nach Berlin über Hamburg (dort Besuch bei Klopstock). Anstellung als Kammergerichtsreferendar im preuß. Staatsdienst.

1796 Zweite Reise nach Dresden (gemeinsam mit Tieck). Die *Herzensergießungen eines kunstliebenden Klosterbruders* erscheinen (vordatiert auf 1797). Bekanntschaft mit Friedrich Schlegel.

1798 13. Februar: Wackenroder stirbt in Berlin an einem Nervenfieber.

1799 Erstdruck der *Phantasien über die Kunst, für Freunde der Kunst* (hrsg. v. Ludwig Tieck).

Das merkwürdige musikalische Leben des
Tonkünstlers Joseph Berglinger

Erstdruck und Druckvorlage: Das merkwürdige musikalische Leben des
Tonkünstlers Joseph Berglinger. In zwey Hauptstücken. In: (Anonym:)
Herzensergießungen eines kunstliebenden Klosterbruders. Berlin. Bey Jo-
hann Friedrich Unger. 1797. S. 228–275.

Textentstehung

Lediglich vier der insgesamt 18 Beiträge zu den *Herzensergießungen,* dem
»erste[n] ›Manifest‹ der deutschen Romantik« (vgl. Strack, 1978, S. 369;
ähnlich Bollacher, 1980, S. 387), stammen nicht von Wackenroder, sondern aus der Feder Ludwig Tiecks: die Vorrede *An den Leser dieser Blätter,*
ferner die Titel *Sehnsucht nach Italien, Ein Brief des jungen florentinischen
Malers Antonio an seinen Freund Jacobo in Rom* sowie *Brief eines jungen deutschen Malers in Rom an seinen Freund in Nürnberg* (vgl. zur Frage der Verfas-
serschaft den Überblick über die Forschungsmeinungen bei Bollacher,
1983, S. 7–10).

Entstanden sind die Texte vermutlich zur Zeit von Wackenroders Tätigkeit als Jurist im preußischen Staatsdienst in Berlin. Wichtige Anregungen
für die kunsttheoretischen Reflexionen dürfte er auf seinen Reisen nach
Dresden und durch Franken erhalten haben, die er während seiner Erlanger
Studienzeit meist gemeinsam mit Ludwig Tieck unternahm.

*Die Stellung der Berglinger-Erzählung innerhalb der
Herzensergießungen*

Ein in klösterlicher Einsamkeit lebender Mönch führt sich in der Vorrede
An den Leser dieser Blätter (verfaßt von Tieck) als Erzähler der folgenden
17 Beiträge ein. Er gibt vor, sich in jungen Jahren in der Malerei versucht
zu haben, und wendet sich nun an einen ähnlichen Zuhörer- und Leser-
kreis: »Diese Blätter, die ich anfangs gar nicht für den Druck bestimmt,
widme ich überhaupt nur jungen angehenden Künstlern, oder Knaben, die
sich der Kunst zu widmen gedenken, und noch die heilige Ehrfurcht vor
der verflossenen Zeit in einem stillen, unaufgeblähten Herzen tragen«
(Wackenroder, 1984, S. 142). Jene zukünftigen Kunstschaffenden sind angesprochen, die für das ästhetische Ideal des Klosterbruders offen sind und
dessen Verklärung des späten Mittelalters und der Renaissance nachvollzie-
hen wollen. Diese spezifische Kunstauffassung wird dann an verschiedenen
Beispielen illustriert: in den zahlenmäßig überwiegenden Texten zur Malerei ebenso wie in den allgemeinen kunsttheoretischen Aufsätzen und
schließlich in der Berglinger-Erzählung.

Die Essays zur Malerei beschäftigen sich hauptsächlich mit den Viten
deutscher und italienischer Maler des späten Mittelalters und der Renaissance (vor allem Raffael, daneben Dürer, Michelangelo und Leonardo da
Vinci). Einerseits dienen diese großen Künstler als Fallbeispiele für vorbild-
liches Kunstschaffen, das im Ausdrücken und Mitteilen von innerlich ge-
schauten Bildern und Eindrücken der Seele im Unterschied zur bloßen

Imitation bereits existierender Werke besteht. Andererseits soll durch diese Exempel erläutert werden, wie Kunstwerke angemessen zu genießen seien: Kunst lasse sich nicht rational erfassen und beschreiben, sondern verlange die emotionale Einfühlung, die innige Verehrung (Wackenroder, 1984, S. 201) durch den Betrachter. Ein reisender italienischer Pater soll den Klosterbruder gelehrt haben, daß die Kenntnis des »Künstlercharakter[s]« (Wackenroder, 1984, S. 221), also der äußeren Biographie und der Persönlichkeit des Künstlers, Voraussetzung für das richtige Verstehen eines Kunstwerks sei. Der schriftstellernde Klosterbruder greift deshalb häufig auf Lebensbeschreibungen von Malern zurück, insbesondere auf Giorgio Vasaris *Le vite de piu eccellenti architetti, pittori et scultori italiani*, um dem Leser gleichzeitig ideales Kunstschaffen und ideale Kunstwahrnehmung vorzuführen. Wie in der Renaissance und im Sturm und Drang wird der künstlerische Akt als die höchste Stufe der menschlichen Vollendung begriffen und als Analogie zur göttlichen Schöpfung der Natur aufgefaßt; der Kunstgenuß besteht demgegenüber in der Einfühlung von Seele und Geist des Betrachters in das Werk und in seinen Urheber. Kunstproduktion und -rezeption werden dabei zu einem religiösen Akt überhöht: der wahre Künstler wird gottähnlich, als Verehrung des Göttlichen entspricht die wahre Kunstbetrachtung dem Gebet. Dieser Kunstauffassung widerstrebt jegliche systematische, von einzelnen Bestandteilen ausgehende Darstellung eines Werkes (vgl. *Die Malerchronik*) – ähnlich hat Wackenroders Lehrer Karl Philipp Moritz Winckelmanns detaillierte Beschreibung des Apollo im vatikanischen Belvedere in der *Geschichte der Kunst des Altertums* als Zerstörung der Vollkommenheit und Ganzheit des Kunstwerkes verurteilt. Der Einfluß Moritz' macht sich schließlich auch in dem Beitrag *Zwei Gemäldeschilderungen* geltend, der in Versen abgefaßt ist: Moritz forderte für die Abschilderung eines Kunstwerkes, daß diese »selbst wieder zum Schönen werden« müsse (vgl. Moritz: *Die Signatur des Schönen. Inwiefern Kunstwerke beschrieben werden können?*).

Die Berglinger-Erzählung nimmt sich in diesem Komplex zunächst wie ein Fremdkörper aus: sie behandelt eine fiktive, keine historisch belegte Gestalt, einen Musiker, keinen bildenden Künstler. Die Biographie der Zentralfigur will der Klosterbruder auch nicht aus Quellentexten kennen: Berglinger war vielmehr der Jugendfreund des Erzählers. Dem Leser wird keine Einzelepisode vorgeführt, sondern – analog zur Erzähltechnik des Entwicklungsromans – Berglingers ganze Lebensgeschichte in ihren Wesenszügen und markanten (Wende-)Punkten. Und dennoch schließt sich dieser Text harmonisch an die vorangestellten Ausführungen an: der erzählende Klosterbruder dient als verbindendes und integrierendes Element; die Abhandlungen über bildende Kunst stellen Einzelbausteine der Novelle dar. Abgeschlossen wird die Sammlung durch ein inhaltliches und zeitliches Gegenbild: hier wird die Gefährdung des schaffenden Subjekts durch die Musik (als die sinnlichste Kunst) geschildert und die Unmöglichkeit einer wahren Künstlerexistenz in der Gegenwart des Erzählers dargelegt.

Zwei Romane dürften von besonderer Bedeutung für die Konzeption von Wackenroders Berglinger-Erzählung gewesen sein: Goethes *Wilhelm Meisters Lehrjahre* (1795/96), das Musterbild des Entwicklungsromans, und mehr noch Karl Philipp Moritz' psychologischer und autobiographischer Roman *Anton Reiser* (1785–1790). Hatte Goethe die mühevolle Orientierung und Anpassung des Helden an seine Umwelt geschildert und die Lehrjahre nicht in die erhoffte Künstlerexistenz, sondern in die Übernahme sozialer Verantwortung als nützlich-tätiges Mitglied der Gemeinschaft einmünden lassen, so fühlt sich in Moritz' Roman ein junger – im Unterschied zu Wilhelm Meister allerdings armer – Mann zum Schauspieler berufen; weil Anton Reisers Theater-Leidenschaft jedoch nicht aus der Hingabe an die Kunst, sondern aus dem Bedürfnis nach Selbstdarstellung resultiert, muß er ein stets scheiternder Dilettant bleiben. Moritz' *Anton Reiser* versteht sich letztlich als »Lehre und Warnung« für junge Menschen – ähnlich wendet sich dann der Klosterbruder bevorzugt an junge Menschen und Künstler.

Motivgeschichtlich hat Wackenroder mit seiner Berglinger-Erzählung kein literarisches Neuland betreten, da sich die Darstellung von Musik und Musikerlebnissen in der deutschsprachigen Prosa von althochdeutschen Beispielen über das Mittelalter, den Humanismus, das Barockzeitalter und die Aufklärung kontinuierlich nachverfolgen läßt; selbst die Entscheidung für eine Musikergestalt als Protagonisten ist kein Novum (vgl. z. B. Johann Friedrich Reichardt: *Leben des berühmten Tonkünstlers Heinrich Wilhelm Gulden, nachher genannt Guglielmo Enrico Fiorino;* 1779). Die Auffassung vom Künstler und damit auch vom Musiker hat allerdings in der zweiten Hälfte des 18. Jahrhunderts gravierende Veränderungen erfahren, und dies kommt in der Berglinger-Novelle tatsächlich erstmals zum Tragen. Einerseits hat ideengeschichtlich die allmähliche Verdrängung der rationalistischen durch sensualistische Kunstkonzeptionen (der zentrale ästhetische Prozeß im 18. Jahrhundert) zu einer Aufwertung des Subjekts geführt; andererseits hat sozialgeschichtlich die sich langsam (und durchaus schmerzhaft) vollziehende Befreiung des Künstlers aus höfischen Strukturen eine neue soziale Standortbestimmung veranlaßt. Daß Wackenroder nun gerade einen Musiker ins Zentrum seiner Erzählung stellt, erklärt sich aus seiner Beurteilung der Musik als sinnlichster und deshalb für das Individuum auch bedrohlichster Kunst: »Keine andre [Kunst] vermag diese Eigenschaften der Tiefsinnigkeit, der sinnlichen Kraft, und der dunkeln, phantastischen Bedeutsamkeit, auf eine so rätselhafte Weise zu verschmelzen« (Wackenroder, 1984, S. 323).

Am Ende des ersten Teils von *Franz Sternbalds Wanderungen* weist Tieck 1798 in der Nachschrift an den Leser darauf hin, daß der Anstoß zu seinem Künstlerroman der gedanklichen und gefühlsmäßigen Symbiose mit Wackenroder entsprungen sei: »Nach jenem Buche [d. i. *Herzensergießungen*] hatten wir uns vorgenommen, die Geschichte eines Künstlers zu schreiben, und so entstand der Plan zu gegenwärtigem Roman.« Wackenroders früher Tod hat dieses Vorhaben zwar verhindert, Tiecks Roman enthält aber dennoch vor allem im ersten Teil unverkennbare Parallelen zu den *Herzensergießungen*.

Die Wirkungsgeschichte von Wackenroders Berglinger-Erzählung setzt also sehr früh und intensiv ein. Sie läßt sich dann kaum im Detail weiterverfolgen, da viele Zeitgenossen die *Herzensergießungen* für einen Text Tiecks hielten (selbst um die Jahrhundertmitte läßt sich diese Auffassung vereinzelt noch nachweisen – vgl. Bollacher, 1981, S. 35); vor allem aber muß eher von einer Wirkungsgeschichte der *Herzensergießungen* insgesamt, nicht jedoch von einer eigenständigen Rezeption der Berglinger-Erzählung ausgegangen werden (zur Aufnahme und Kritik der *Herzensergießungen* durch Goethe, Eichendorff, Heine und die geistesgeschichtliche Literaturgeschichtsschreibung vgl. Bollacher, 1981, S. 35–40).

Textstruktur

Durch die Aufspaltung des Erzählflusses in zwei Hauptstücke wird die Berglinger-Erzählung äußerlich strukturiert. Das erste »Hauptstück« enthält neben der knappen Exposition, in der der Klosterbruder in Ich-Form sein Verhältnis zu Joseph Berglinger skizziert, einen im wesentlichen auktorial und chronologisch erzählten Abschnitt aus der Lebensgeschichte der Titelfigur: geschildert werden Josephs Elternhaus, die soziale Situation und die Bildungsverhältnisse der Familie, der Aufenthalt in der Residenzstadt und die ersten Musikerlebnisse, schließlich die Flucht aus dem kunstfeindlichen Elternhaus in die Residenzstadt.

Sehr differenziert gestaltet der Erzähler das zentrale Dilemma seines Protagonisten: die Spannung zwischen dem Gefühl der Berufung zum Künstler und den Grenzen dieses »ätherischen Enthusiasmus« (S. 214). Einschränkend wirken sich dabei nicht nur die materiellen Entbehrungen des Elternhauses und die provinzielle Enge aus, mehr noch stehen der Verwirklichung von Josephs künstlerischen Empfindungen die väterlichen Vorstellungen von einem sinnvollen, d. h. nützlichen Dasein in der Gemeinschaft im Wege. Und eben diese Nützlichkeit spricht der Vater den Künsten »als Dienerinnen ausgelassener Begierden und Leidenschaften, und Schmeichlerinnen der vornehmen Welt« (S. 204) kategorisch ab. Nebensächlich ist hier die Frage, ob Wackenroders Vater als Modell gedient hat (eine ganz ähnliche Konfrontation hat sich auch in Lessings Elternhaus ereignet) – entscheidend ist vielmehr, daß es sich um einen Topos des Bildungs- und Erziehungsromans handelt, der die Widersprüche im neuen Selbstverständnis des Künstlers exemplarisch an einem Vater-Sohn-Konflikt aufzeigt.

Das zweite »Hauptstück« setzt mehrere Jahre nach Berglingers Flucht aus dem Elternhaus ein. Wieder wechselt der Klosterbruder nach einer einleitenden Passage in der Ich-Form die Erzählperspektive: er rückt einen an ihn adressierten Brief ein, in dem der inzwischen erfolgreiche Komponist und Kapellmeister seine Kunstauffassung darlegt und gleichzeitig auf deren Problematik hinweist. Stark raffend faßt der auktoriale Erzähler anschließend das weitere Geschehen zusammen. Im Mittelpunkt steht hier die Darstellung von Berglingers Unvermögen, seine künstlerische Berufung und seine Wirkungsabsicht mit den Ansprüchen und Erfordernissen des Alltags zu verbinden. Auf dem Höhepunkt seines künstlerischen Schaffens, der Uraufführung einer von ihm komponierten Passionsmusik, die ein »Meisterstück« (S. 214) geworden ist, erweisen sich Kunst und Wirklichkeit als unvereinbarer denn je – Berglinger scheitert an dem »Kampf zwischen seinem ätherischen Enthusiasmus und dem niedrigen Elend dieser Erde« (S. 215) und stirbt.

Auffallend an dieser Erzählweise ist zunächst das Festhalten an der vom Bildungsroman her bekannten Technik, die Ereignisse chronologisch zu referieren; gleichzeitig genügt die ausführliche Darstellung der Biographie Joseph Berglingers durch den Klosterbruder dessen Forderung nach Kenntnis des »Künstlercharakter[s]« (Wackenroder, 1984, S. 221). Der eingeschobene Brief Joseph Berglingers an den Klosterbruder erfüllt eine doppelte Funktion: er erweitert die vorwiegend äußerliche Biographie (Fremdbeobachtung) um die psychologisierende Innensicht (Selbstbeobachtung) und verleiht dem Text durch die Brieffiktion zugleich mehr Authentizität.

Joseph Berglingers Kunstreligion

Generell differenziert der Klosterbruder zwischen dem rezeptiven Kunstbzw. Musikgenuß und dem künstlerischen Schaffen. Er selbst hat sich nach anfänglichen Versuchen als bildender Künstler von der Welt abgewandt und ganz der bloßen Rezeption von Kunst hingegeben. Auch Joseph Berglinger ist in seiner Kindheit und Jugend zu dieser demutsvollen »innere[n] Andacht« (S. 202) fähig gewesen, zur vollkommenen physischen und psychischen Hingabe an die Gewalt der Musik. Dieses absolute Musikerleben ruft schließlich das Bedürfnis hervor, »Zeitlebens, ohne Aufhören in diesem schönen poetischen Taumel [zu] bleiben« (S. 203), den Wunsch also, selbst Künstler zu werden, um Empfindungen in Töne zu fassen und auf andere wirken zu können. Doch wenn dem sich hingebenden Joseph Berglinger während des rezeptiven Aktes die freie und gänzlich subjektive Assoziation von Bildern und sinnlichen Eindrücken sowie die völlige Distanzierung von der prosaischen Realität unmittelbar gelingt, so bleibt dies dem jungen Mann im alltäglichen Leben und insbesondere dem Künstler Joseph Berglinger im Schaffensakt versagt. Anders als Anton Reiser strebt er den Künstlerberuf zwar nicht vordergründig zur Kompensation seiner ärmlichen Lebensumstände an, sondern fühlt durchaus eine Berufung in sich; dennoch knüpft auch er an sein Künstlerdasein die Erwartung, »daß der Himmel ihn aus der trüben und engen Dürftigkeit, worin er seine Jugend hinbringen mußte, zu desto höherem Glanze hervorziehen werde« (S. 206). Berglinger unterliegt also trotz der Begründung seiner Künstlerexistenz im göttlichen Gnadenakt demselben Irrtum wie das alter ego von Karl Philipp Moritz. Deutlich wird dies nicht nur in seinem Gedicht an die heilige Cäcilie (»Öffne mir der Menschen Geister,/Daß ich ihrer Seelen Meister/Durch die Kraft der Töne sei;/Daß mein Geist die Welt durchklinge,/ ...«; vgl. S. 207), sondern auch in dem an den Klosterbruder adressierten Brief (hier spricht Berglinger von dem jugendlichen Wunsch, »daß sich doch einst um *meiner* Werke willen diese Zuhörer versammeln, ihr Gefühl *mir* hingeben möchten!–«; S. 210). Berglinger distanziert sich durchaus von jenen selbstgefälligen und eitlen (höfischen) Künstlern, deren Attitüde vom Beifall und der Anerkennung des Publikums herrührt, weil sein Kunstverständnis zwar eine Wirkung auf die Rezipienten durch die Kunst impliziert, dem Künstler selbst jedoch nur die Aufgabe eines »Werkzeug[s]« (S. 212) zuschreibt: »Und müssen wir's nicht dem Schöpfer danken, wenn er uns nun grade das Geschick gegeben hat, diese Töne, denen von Anfang her eine Sympathie zur menschlichen Seele verliehen ist, so zusammenzusetzen, daß sie das Herz rühren? – Wahrhaftig, die *Kunst* ist es, was man verehren muß, nicht den Künstler« (S. 212). Dem sich wie Anton Reiser nur irrtümlich als Prometheus fühlenden Joseph Berglinger gelingt die als Ideal vorgestellte Kunstausübung, die sich durch Selbstverzicht und Gottes-Dienst auszeichnet, dennoch nur bedingt.

Berglingers Scheitern schließlich wird textimmanent mit dem Unvermögen begründet, die Kluft zwischen den Idealbedingungen für sein Kunstschaffen und den faktischen Lebensumständen (Situation des höfischen Musikers, bürgerliche Konkurrenz, Anpassung an den Publikumsgeschmack) bzw. den praktischen Anforderungen (Erlernen der »Kunstgrammatik« und des »wissenschaftlichen Maschinen-Verstande[s]«; S. 210) zu schließen.

Zwei Aporien sind es also, die Berglingers Künstlerexistenz bedrohen: zunächst der Widerspruch zwischen der bloß kompensatorischen Kunstausübung (und damit der egoistischen Instrumentalisierung der Musik) und der göttlichen Berufung. Daraus resultiert schließlich das zweite Dilemma, stets im Konfliktfeld zwischen der realen Umwelt, den sozialen und gesellschaftlichen Zwängen, und der grenzenlosen Freiheit der Phantasie zu stehen.

Die einzig konsequente Lösung, nämlich der Kunstproduktion zu entsagen und sich in klösterlicher Abgeschiedenheit auf den bloßen Kunstgenuß zu beschränken, lebt der Erzähler selbst, der Klosterbruder, vor: »Soll ich sagen, daß er vielleicht mehr dazu geschaffen war, Kunst zu *genießen* als *auszuüben?*« (S. 215). Eine aktive Kunstausübung im idealen Sinne Joseph Berglingers und des Klosterbruders, d. h. die Vermittlung der Antipoden »irdisches Leben« und »künstlerischer Genius«, ist hier real nicht möglich. Der Klosterbruder nimmt in zweifacher Hinsicht eine gegenwartskritische Position zu diesem Dilemma ein: eine zivilisationskritische, indem er im Sinne der *Herzensergießungen* auf Künstler der italienischen Renaissance (Raffael und Guido Reni) und des deutschen Spätmittelalters (Dürer) verweist, die jene Diskrepanz noch bewältigen konnten, und eine ästhetische, wenn er offen läßt, ob Berglinger statt mit »unbegreifliche[r] Schöpfungskraft« vielleicht doch nur mit der »Kraft der Phantasie« begabt gewesen sei (S. 215). Hier nähert sich Wackenroder nicht nur der Moritzschen Unterscheidung zwischen »bildender Tatkraft« und »empfindender Einbildungskraft« (vgl. Schrimpf, 1964). Er erweitert den Text auch um eine autobiographische Komponente: der Jurist entsagt dem eigenen Kunstwollen nicht in Anerkennung einer väterlichen Übermacht, wohl aber aus der Erkenntnis der eigenen Beschränktheit und begnügt sich mit dem rezipierenden Kunstgenuß und dessen poetischer Ausgestaltung.

Das »erste ›Manifest‹« der deutschen Romantik?

Die Literaturgeschichte hat den *Herzensergießungen* initiatorische Funktion für die literarische Frühromantik zugeschrieben; man stützt sich hierbei in der Regel auf die beiden Motive der Mittelaltersehnsucht und der Verknüpfung von Kunst und Religion. Dem ist freilich entgegenzuhalten, daß die Entdeckung des Mittelalters bereits im Laufe des 18. Jahrhunderts (etwa durch Bodmer, Möser, Herder und nicht zuletzt durch Goethes Aufsatz *Von deutscher Baukunst*) stattgefunden hat; außerdem rezipiert Wackenroder nicht nur das altdeutsche, spätmittelalterliche Nürnberg zur Dürerzeit, sondern vor allem die Maler der italienischen Renaissance. In den Briefen, die er während seiner Reisen durch Franken an die Eltern schrieb, hat er sich sogar eher abschätzig oder mindestens distanziert über die mittelalterliche Architektur geäußert. Schließlich erweist sich Wackenroders »Mittelalter«- bzw. Renaissance-Rezeption als weitgehend unhistorisch: seine Schilderung Nürnbergs zur Dürerzeit beispielsweise bemüht sich nicht um Authentizität, sondern um ein stimmiges Kolorit für den Protagonisten und die Gestaltungsabsicht, so daß Wackenroders Toleranz gegen alle Kunstepochen unbedingt zu relativieren ist (dem Schöpfer »ist der gotische Tempel so wohlgefällig als der Tempel des Griechen«; Wackenroder, 1984, S. 179).

Ignoriert wird bei dieser Einschätzung Wackenroders als Initiator der Romantik ferner dessen intensive Auseinandersetzung mit der Dichtung und der Literaturtheorie des Neoklassizisten Karl Philipp Moritz, die den »Frühromantiker« ästhetisch in die Nähe der Weimarer Klassizismus stellt. Auch sind didaktische Aspekte (Adresse an junge Künstler) nicht gänzlich zu leugnen.

Der innovatorische Charakter der Berglinger-Erzählung liegt eher in einer Stellungnahme für eine damals umstrittene musikästhetische Position: nämlich in dem Hinweis des Klosterbruders, daß Josephs Art des Musikgenusses für kirchliche und weltliche Musik (d. i. vor allem die Symphonie) gleichermaßen Vorbildcharakter habe: »Wenn Joseph in einem großen Konzerte war, so ... hörte [er] mit eben der Andacht zu, als wenn er in der Kirche wäre .... Seine ewig bewegliche Seele war ganz ein Spiel der Töne; ... so frei und leicht ward sein ganzes Wesen von den schönen Harmonien umschlungen, und die feinsten Falten und Biegungen der Töne drückten sich in seiner weichen Seele ab.« (S. 203) Berglingers »Andacht« gilt also der Musik schlechthin – ohne Ansehen der Gattung oder des Genres. Hier wird beiläufig der säkularisierte Gehalt von Wackenroders religiöser Terminologie transparent und der bislang positiv nicht nachweisbare Einfluß Wackenroders auf die Nazarener zusätzlich in Frage gestellt. In einem Beitrag zu den *Phantasien (Das eigentümliche innere Wesen der Tonkunst, und die Seelenlehre der heutigen Instrumentalmusik)* plädiert Wackenroder für die absolute Musik, die in Johann Georg Sulzers *Allgemeiner Theorie der schönen Künste* (1771–1774) noch ganz deutlich der Vokalmusik nachgestellt worden war. Als Ideal galt Sulzer die antike Vorstellung, wonach drei Elemente unabdingbar zur hohen Musik gehören: Harmonia, Rhythmos und Logos. Verzicht auf den Logos, die Sprache, wäre nur in wenigen und klar definierten Ausnahmefällen zulässig – darüber hinaus würde die Instrumentalmusik lediglich dem Zeitvertreib dienen oder, wie es Berglingers Vater drastischer formuliert, »ausgelassene[n] Begierden und Leidenschaften« (S. 204; vgl. hierzu Dahlhaus, 1978 und Hilzinger, 1984).

Erläuterungen

S. 202 *Kantilenen:* (ital.) hier im Unterschied zur modernen Bedeutung kurze liedhafte Gesangstücke.

S. 205 *Stabat mater dolorosa:* häufig vertontes Mariengedicht ital.-franz. Herkunft, der Text stammt vermutlich von Jacopone da Todi († 1306).

S. 207 *Sympathetisch:* (griech.) hier: »geistig-seelisch mitfühlend«, »in geheimer innerer Wechselbeziehung stehend« (vgl. Grimm: *Deutsches Wörterbuch*).

S. 209 *es ließ:* hier im Sinne von »hatte den Anschein«, »schien« (vgl. Grimm: *Deutsches Wörterbuch*).

S. 210 *unbehilflichen:* hier im Sinne von »schwerfälligen« (vgl. Grimm, *Deutsches Wörterbuch,* wo die *Herzensergießungen* als Belegstelle zitiert werden!).

Literaturhinweise

Bollacher, Martin: Wackenroders Kunst-Religion. Überlegungen zur Genesis der frühromantischen Kunstanschauung. In: Germanisch-romanische Monatsschrift. Neue Folge 30 (1980), S. 377–394.

Bollacher, Martin: Wilhelm Heinrich Wackenroder: Herzensergießungen eines kunstliebenden Klosterbruders (1796/97). In: Paul Michael Lützeler (Hrsg.): Romane und Erzählungen der deutschen Romantik. Neue Interpretationen. Stuttgart 1981, S. 34–57.

Bollacher, Martin: Wackenroder und die Kunstauffassung der frühen Romantik. Darmstadt 1983 (= Erträge der Forschung. Band 202).

Dahlhaus, Carl: Die Idee der absoluten Musik. München 1978 (= dtv Wissenschaftliche Reihe 4310).

Hilzinger, Klaus Harro: Die Leiden der Kapellmeister. Der Beginn einer literarischen Reihe im 18. Jahrhundert. In: Euphorion 78 (1984), S. 95–110.

Schrimpf, Hans-Joachim: W. H. Wackenroder und K. Ph. Moritz. Ein Beitrag zur frühromantischen Selbstkritik. In: Zeitschrift für deutsche Philologie 83 (1964), S. 385–409.

Strack, Friedrich: Die »göttliche« Kunst und ihre Sprache. Zum Kunst- und Religionsbegriff bei Wackenroder, Tieck und Novalis. In: Richard Brinkmann (Hrsg.): Romantik in Deutschland. Ein interdisziplinäres Symposion. Stuttgart 1978 (= Sonderband der Deutschen Vierteljahrsschrift für Literaturwissenschaft und Geistesgeschichte), S. 369–391.

Sudhof, Siegfried: Wilhelm Heinrich Wackenroder. In: Benno von Wiese (Hrsg.): Deutsche Dichter der Romantik. Ihr Leben und Werk. Berlin ²1983, S. 88–113.

Wackenroder, Wilhelm Heinrich: Werke und Briefe. Hrsg. von Gerda Heinrich. München/Wien 1984.

H. H.

Alle Entdeckungen sind, so scheint es, auf einfache Weise geschehen: durch Aufmerksamkeit, durch die Inspiration eines Augenblicks oder die glückliche Fügung des Zufalls. Es bedurfte nur des Menschen, der genial genug war, den Augenblick und die Bedeutung der Umstände zu be- oder ergreifen. Newtons Beobachtung eines fallenden Apfels, Rousseaus Betrachtung des Landlebens in seiner unverkünstelten Naturnähe sind Beispiele solcher genialen Momente, und auch die Erfindung der Kunstgattung der Erzählung im 18. Jahrhundert scheint auf einen begabten, den Zufall und die Inspiration nutzenden Schriftsteller zurückzugehen. Es ist der französische Schriftsteller Jean-François Marmontel (1723–1799), der in seinen *Memoiren* für sich in Anspruch nimmt, der Erfinder dieser Kunstgattung zu sein; in ihnen schildert er auch den Anlaß, der ihn zur Gestaltung der ersten seiner *Moralischen Erzählungen* geführt habe. Ein Freund, der Herausgeber der unterhaltend-belehrenden Zeitschrift *Mercure de France*, habe ihn dringend um Beiträge für die Fortführung dieses Magazins gebeten, und nach einer schlaflosen Nacht sei ihm die Idee zu einer Erzählung gekommen, die dann 1755 anonym im *Mercure* erschienen sei. Inwiefern konnte eine solche »conte« eine literarische Neuigkeit sein? Gab es nicht bereits »Erzählungen« seit der Zeit der Antike, und selbstverständlich seit dem Entstehen der Prosaerzählung im Mittelalter, mit ihrem ersten Höhepunkt im *Decameron* von Giovanni Boccaccio, also eine Tradition, die als solche nie abgerissen war?

Im Zeitalter des Barock hatte die Novelle als Kunstform, die entweder in einer Sammlung oder in einem Zyklus erscheint, weitgehend ihre Eigenständigkeit verloren. Sie wird zum Vehikel eines »Exemplums«, d. h. einer Begebenheit, die tatsächlich stattgefunden haben mag, aber auch erfunden worden sein kann, deren moralischer Sinn herausgestellt werden soll. Der Wertekanon, dem die Beurteilungsnormen für den geschilderten Vorfall entstammen, ist »stereotyp« durch eine bestimmte Wertehierarchie festgelegt. Diese Wertehierarchie ihrerseits ist an die gesellschaftliche Praxis und ihre Auslegung der gottgewollten Ordnung von Natur und Gesellschaft gebunden. Das früher selbständige Prosastück, die »Erzählung« oder »Novelle«, gerät mehr und mehr in den Sog komplexerer Texte, und es läßt sich nachweisen – wie

Werner Krauss es exemplarisch für Spanien getan hat (Krauss, 1949, S. 50ff.) –, daß die Unterschiede zwischen den Gattungen der langen Prosaerzählung, dem komplexen Roman, und ihrer Kurzform, der Novelle, sich stetig auflösen. Dafür finden sich auch in Deutschland Beispiele, bei Lohenstein, Harsdörffer und Anselm von Zigler und Kliphausen (1663–1696), dessen Staatsroman *Die asiatische Banise oder das blutig = doch mutige Pegu* (1689) noch 1766 eine zehnte Auflage erlebt hatte und dessen Dramatisierung durch Friedrich Melchior von Grimm (1741; abgedruckt im vierten Teil von Gottscheds *Schaubühne)* noch den jungen Goethe beeindruckte (vgl. *Wilhelm Meisters Lehrjahre*, I. Buch, Kap. 6). Besonders deutlich wird der Übergang zwischen Roman und Novelle bzw. Prosaerzählung im Werk des Schriftstellers Johann Beer (1653–1700), der 1682 einen »Roman« veröffentlichte, der unter dem Titel *Teutsche Winter-Nächte* eine Reihe novellistisch verknüpfter Begebenheiten unter der Bezeichnung einer Lebensbeschreibung zu bieten vorgab. Der volle Titel ist hier von großer Bedeutung:

> »Zendorii a Zendoriis
> *Teutsche Winter-Nächte*
> oder die ausführliche und denkwürdige
> Beschreibung seiner Lebens-Geschicht,
> darinnen begriffen allerlei Fügnisse und
> seltsame Begebenheiten, curiöse Liebes-Historien
> und merkwürdige Zufälle etlicher von Adel
> und anderer Privat-Personen.
> Nicht allein mit allerlei Umständen und
> Discursen ausführlich entworfen, sondern auch
> mit tauglichen Sitten-Lehren hin
> und wieder ausgespicket,
> allen Liebhabern der zeitverkürzenden Schriften,
> wes Standes oder Condition dieselben
> sein mögen,
> zu sonderlicher Belustigung, nicht ohne
> dem daraus entspringenden Nutzen,
> entworfen und erstlich
> von dem Autore selbsten beschrieben,
> hernachmals aber zum bessern Gebrauch
> der Lesenden übersetzt [...]«

Die fingierte Übersetzung eines Lebenslaufs beruft sich auf eine Reihe wohlbekannter Topoi, vor allem das »Ergötzliche« der »curiösen« Vorfälle und ihren »nützlichen« Gehalt, der die moralisch zweifelhafte Tätigkeit des Lesens in den Schichten des niederen Adels und des Bürgertums zu entschuldigen vermag.

Es versteht sich durchaus nicht von selbst, daß der Roman sich nicht mehr, wie noch in der *Banise* Ziglers, oder gar wie in den höfischen Romanen Lohensteins und Herzog Anton Ulrichs, ausdrücklich an Adressaten wendet, deren Stand als belanglos bezeichnet wird. Denn in der Übereinstimmung von Gegenstand, Stil und Lesepublikum, das die Erzählmaterien, ihre Präsentation innerhalb einer bestimmten Stillage und ihren sozialen Gehalt durch einen bildungsmäßig fest verankerten Code auf sich zu beziehen und normativ auszulegen wußte, lag das systematische Element der barocken Literatur, die auf die Autoren sozusagen eine »Präventivzensur« ausübte. Gelegentliche Durchbrechungen dieser Geregeltheit des literarischen Verfahrens bedurften, wie am Falle von Andreas Gryphius' Trauerspiel *Cardenio und Celinde* (1657) ersichtlich, umständlicher Entschuldigungen (hier, weil die Personen dem Niveau, das die Tragödie forderte, nicht entsprachen). Soweit der Prosaroman sich darauf einließ, Zeitgenössisches zu schildern, wird es, wie in der *Römischen Geschichte* der *Octavia* des Herzogs Anton Ulrich von Braunschweig (1677), einem historisch-höfischen Kosmos integriert; »Privat-Personen« existieren an sich nicht. Und so schreibt Johann Beer konsequent in der Vorrede zu seinen *Winter-Nächten:* »Ehe und bevor wir zu diesem Werke schreiten, ist notwendig zu wissen, daß dieser ganze Entwurf mehr einer Satyra als Histori ähnlich siehet. [...] Und obschon durch und durch die ganze Materi satyrisch gehandelt wird, werden doch nur die Laster, nicht aber diejenigen Leute, so damit behaftet sind, gestrafet und auf einen bessern Weg gewiesen [...]. Der Nutz solcher Schriften und die daraus entspringende Lehren werden jederzeit bei denen in hohem Aufnehmen bleiben, die fähig sind, unter dem Bösen und Guten einen Unterschied zu machen. Denn was ist einem bescheidenen Gemüt anständiger, als das Gute lieben und das Böse hassen? Was ist ihm nützlicher, als den Tugenden nachstreben und vor den Lastern zu fliehen? Dieses bringet Ruhm und Ehre, und was noch das meiste ist, so stellet es auch das Gewissen in eine friedsame Ruhe, welches ein solcher Schatz ist, der nicht mit Worten kann ausgesprochen werden. Und wer siehet nicht, daß daraus die Fröhlichkeit des Herzens entspringe? Ein tugendliebender Mensch ist frei von Sorgen, fröhlich im

Geist, und was er trägt, trägt er mit Lust. *Dulce jugum amor est.* Diese Liebe zur Tugend verringert alle menschliche Zufälle, so bös auch dieselbige mögen erdacht werden« (*Winter-Nächte*, Ausg. Alewyn, 1963, S. 7–8). Die Definition einer »historischen« Erzählmaterie als »Satire« zeigt, daß Johann Beer zur Rechtfertigung seines Verfahrens sich an Normen anschließt, die universaler sind als diejenigen, die für die höfische Barockliteratur galten. Dort ging es um höfische Staats- und Weltklugheit, deren gesellige Normen vom Konkurrenzkampf um einen möglichst hochrangigen Platz unter den Trabanten des Herrschers bestimmt waren (vgl. Elias 1983, bes. Kap. V, S. 120–177). Die von Beer angesprochenen Normen sind diejenigen, die für Menschen schlechthin gelten, jenseits ihrer Standeszugehörigkeit, für den universellen Menschen des Naturrechts, dem die Empfindung des Rechten, Wahren und Ehrenhaften eingeboren ist. Dieses Empfinden beruht vor allem, wie es einer der großen Naturrechtslehrer aus England – Richard Cumberland (1632–1719), in seinem gegen Hobbes gerichteten Hauptwerk *De legibus naturae disquisitio philosophica (Philosophische Untersuchung über die Naturgesetze,* London 1672) – formuliert hat, auf der Entdeckung, daß es ein allen Menschen höchstes gemeinsames Gut gibt, das durch egoistisches und damit lasterhaftes Handeln beeinträchtigt wird. Das dem allgemeinen Nutzen dienende Handeln des Einzelnen befördert zugleich das eigene Wohl; das Glück besteht in der Erkenntnis des Maßes, das dem eigenen Verhalten auferlegt werden muß, um für das gemeinsame Wohl fruchtbar zu werden. Was über dieses Maß hinausgeht, verfällt der Kritik der »Satire« Beers. »Tugend« ist demnach von vornherein nicht mehr auf die Handlungsweise gesellschaftlich bedeutender Personen eingeschränkt, sondern ein Begriff richtigen geselligen Verhaltens, der auch den im Staatsleben unbedeutenden Privat-Mann angeht.

Das Ideal dieser geselligen Tugend kann jedoch mit den alten Erzählmaterien des höfischen 17. Jahrhunderts nicht mehr verbreitet werden, und auch nicht in dessen poetischer Formensprache. Dies gilt sowohl für den Prosa- wie den Versstil, ja dies gilt ganz elementar auch für die Publikationsmittel. Der Barockroman des Typus, wie ihn Lohenstein oder Anton Ulrich von Braunschweig gepflegt hatten, war schon allein aufgrund seines – für den Normalbürger unerschwinglichen – Preises obsolet (Martino 1975, S. 112 f.), und die Autoren der galanten Romane wie Christian Friedrich Hunold (*Die liebenswürdige Adalie,* Hamburg 1702) beschränkten sich bereits auf etwa vier- bis fünfhundert Seiten Um-

fang. Aber das Haupthindernis für den Fortbestand der Barockliteratur liegt in seinem Stil, den man als »unnatürlich« zu betrachten
begann. Die Verurteilung des barocken Stils und seiner »schwülstigen« Gravität vollzieht sich nach dem Vorbild der klassischen
französischen Literatur und ihrer Polemik gegen den »preziösen«,
übertriebenen Stil, wie ihn etwa Madeleine de Scudéry (1607–
1701) gepflegt hatte; ihm stellte man eine schöne, der natürlichen
Ordnung der Sprache folgende Sprachgestaltung entgegen (Nicolas Boileau-Despreaux, *L'art poétique*, 1674), dasselbe gilt auch für
Italien. Neben dem Philosophen Christian Wolff steht Gottsched
an der Spitze dieser Bewegung, deren Intention auch die Schweizer
Bodmer und Breitinger (jenseits all ihrer Differenzen zu dem Leipziger Kritikerpapst) folgen. Dem »guten Geschmack« sind die barocken Übertreibungen, der überladene und emphatische Stil, die
bizarren Konstruktionen seiner Grammatik – alles Mittel zur Er-
zeugung von »Erhabenheit« und Emphase – abgeschmackt. So
schreibt Johann Ulrich König in seiner Abhandlung *Untersuchung
von dem Guten Geschmack in der Dicht- und Redekunst*, die er 1727
einer Ausgabe der *Gedichte* des Freiherrn von Canitz beifügte, im
Rückblick auf diese Literaturepoche: »Wie aber [...] gantz
Welschland [...] von dem üblen Geschmack aus der Schule des
Marino [d. i. Giambattista Marino (1569–1625), Verfasser des berühmten Versepos *L'Adone* (1623)] als mit einer Pest angesteckt,
und der Italiänische Parnaß, mit schwülstigen Metaphoren, falschen Gedancken, gezwungenen Künsteleyen, lächerlichen Spitz-
findigkeiten, läppischen Wort- und Buchstaben-Spielen, seltzamen
Mischmasch, aufgeblasenen Vorstellungen, Hyperbolischen Aus-
drückungen, zweydeutigen Gegensätzen, schülerhafften Beschreibungen, weithergesuchten Allegorien, schulfüchsischen Erfindungen, uneigentlichen Redens-Arten, übelangebrachter Belesenheit,
Mythologischen Grillen, und hundert anderen kindischen und ge-
schminckten Auszierungen, als mit so viel allgemeinen Land-Pla-
gen heimgesucht ward, dessen die Gelehrtesten und Klügsten dieses Landes sich itzo schämen, und darüber in ihren öffentlichen
Büchern selbst häuffige Klagen führen; so zog sich dieses Gifft, mit
den *Marinischen* Schrifften, auch nach Teutschland. Man ward, wie
dort der männlichen Schreibart des Petrarcha, so bey uns des edlen
Geschmacks unsers Opitz müde, man suchte sich einen neuen Weg
auf den Parnaß zu bahnen, kurtz: Die Lohensteinische Schule bekam auch bey uns die Oberhand über den guten Geschmack, und
verleitete fast gantz Teutschland so wohl, als die meisten seiner
Landsleute« (König, 1734, S. 379 f.). In der Prosa fand die Manier

Marinos insofern besonders ihren Nährboden vorbereitet, als sie sich dem sogenannten »Kanzleistil« verbinden konnte, dem Stil der höfischen Amtssprache, der sich eng an das Vorbild des langatmigen, an Hypotaxen reichen Stils von Cicero angeschlossen hatte, ihn aber durch seine Häufung von Synonymen und seinen servilen Ton vielfältiger Höflichkeitsfloskeln fast zur Parodie verkommen ließ. Dagegen opponierte nun Gottsched bereits im 27. Stück des *Biedermann* vom 27. November 1727: »Ich setze zum voraus [...], daß eine gute Schreibart rein, regelmäßig, üblich und deutlich seyn müsse: und daß hergegen eine unreine, unrichtige, altväterische und unverständliche Art des Ausdrucks vor verwerflich zu halten sey. Wenn man mir dieses zugiebt, wie ich nicht anders vermuthe; so ist es leicht zu zeigen: daß der eingeführte juristische oder Hof- und Canzelley-*Stilus*, an allen vier erwehnten Tugenden der guten Schreibart einen grossen Mangel habe« (*Biedermann*, S. 107). Die Kennzeichen des Kanzleistiles, die die von Gottsched gerügten Fehler der Ordnungswidrigkeit, des Archaismus und der Undeutlichkeit (Blackall, S. 134) hervorbringen helfen, sind zunächst vor allem ein übermäßiger Gebrauch von Konjunktionen, die Satzteile aneinander fügen, die inhaltlich nicht zusammengehören (die sogenannte »connexio verbalis«, im Gegensatz zur »connexio realis«, die die Gliederung eines Satzes nach den realen, inhaltlich geprägten Verhältnissen der Satzglieder organisiert). Weiter trägt der übermäßige Gebrauch von Periphrase und Variation, die tautologische Häufung von Synonymen und schließlich die ständige Beimischung von Fremdwörtern (vor allem aus dem Lateinischen) und von französischen Redensarten (charakteristisch für die Hofsprache schlechthin) zur völligen Verstellung des Satzsinnes bei (Blackall, S. 132). Dieser Angriff, den Gottsched ausführlich in seiner *Sprachkunst* (1748) vortrug, beruhte darauf, daß ein völlig anderer Satztypus dem ciceronianischen Langsatz entgegengehalten wurde, und diesem hatte ebenfalls ein großer römischer Autor seinen Namen gegeben. Seneca hatte einen knappen, pointierten Stil gepflogen, in dem einzig die »connexio realis« Geltung besitzt, und dieser Stil kommt in Frankreich im späten 17. Jahrhundert zu einem Ansehen, das im frühen 18. Jahrhundert noch wächst und durch das Ideal der »natürlichen Ordnung« der Sprache legitimiert wird. Dieser knappe Stil (»style coupé«) der Franzosen wird nun auch von Gottsched zum Modell eines modernen, sachlichen und präzisen Stils erhoben (Blackall, S. 121–126), das sich vor allem gegen die übertriebene Abstraktion und gegen die schwülstige Bildlichkeit richtet, auch wenn er dabei in mancher Hinsicht das Kind mit dem Bade ausschüttet. Wenn auch der moderne Satztypus noch über die Jahrhundertmitte hinaus brauchte, um sich durchzusetzen – in Schnabels *Insel Felsenburg* ist der Kanzleistil noch völlig unangefochten –, so war er doch das Ausdrucksmittel eines literarischen Mediums, das die Entwicklung des 18. Jahrhunderts nachhaltig beeinflußte: der *Moralischen Wochenschriften*.

In den letzten Jahren ist diese Gattung von Periodika, die meist wöchentlich erschienen und das Werk eines einzelnen oder einer Gruppe von Autoren waren, ausführlich untersucht worden (besonders von Martens, 1968). In ihnen geht es vor allem um moralische Erbauung und Belehrung, um die Verbreitung des Ideals eines »vernünftigen« gesellschaftlichen Verhaltens, welches den Einzelnen zum »nützlichen Mitglied« der ganzen Sozietät macht. Das Vorbild dieser *Moralischen Wochenschriften* liefert England, mit *The Tatler, or, Lucubrations of Isaac Bickerstaff* (von R. Steele 1709–1711 hg.) und *The Spectator* (1711–1712 von Steele, Addison u. a. hg.). In zahlreichen Nachahmungen des englischen Vorbildes tritt dieser neue Typus neben die bis dahin einzig vorhandenen Periodika, nämlich die gelehrten Zeitschriften und die politischen Informationsblätter. Ihre Aufgabe sehen die *Moralischen Wochenschriften* in einer Mischung aus Unterhaltung (vor allem im Spiel fingierter Dialoge von Hg. und Lesern) und Belehrung, die aber keineswegs mit den staatlichen Autoritäten noch den Aufgaben der Geistlichkeit zu konkurrieren gewillt ist: »Moralische Wochenschriften haben es lediglich mit der Vernunft und ihrer Sittenlehre zu tun, – der Moral, die aus der Weltweisheit fließt, von jedermann kraft seiner Vernunft verstanden werden kann und übrigens den Forderungen der Religion nicht zuwider ist. [. . .] Die Moralischen Wochenschriften sind, so erklären sie, nur am diesseitigen, gesellschaftlichen Leben der Menschen, an ihrer Tugend und ihrem Wohlergehen interessiert. Sie sind sich ihrer Grenzen bewußt und werden ihr Ressort nicht überschreiten« (Martens 1971, S. 174 f.). Ihre religiöse Position ist durch einen Mittelweg »zwischen tugendloser, ausschweifender Weltlichkeit und frommer Weltflucht«, ihre politische Haltung durch »ein kluges Sicheinfügen in die sozialen und politischen Verhältnisse« gekennzeichnet (Martens ebd., S. 269, 333). Das Ideal der »Tugend«, das hier verkündet wird, orientiert sich noch vollkommen stereotyp an einem Wertekanon, der ganz vom Glauben an Autoritäten beherrscht ist, und trotzdem zeigt es vollkommen neue Züge. War das barocke Wertgefüge überweltlich orientiert, so handelt es sich hier um ein

»innerweltliches« Ideal, dessen Fixierung auf die »Beständigkeit« seiner Tugend eben die Preisgabe dieser Tugend durch das feudale »ancien régime« reflektiert; Ausdruck hierfür ist die radikale Stellung der Frage nach dem »Sinn« des menschlichen Lebens, die für die Träger des alten Feudalsystems nicht mehr beantwortbar, sondern nur in der Ausflucht in die Indifferenz des Willens und die Selbstentschuldigung des Einzelnen oder im Rekurs auf das bloße »Gefühl« lösbar war. Franz Borkenau hat diese Problematik schon 1934 für Frankreich an der Rezeption des Molinismus und an Pascal sichtbar gemacht (Borkenau 1976, S. 215 ff. und 483 ff.; vgl. auch Proß, 1986). Für den »Bürger« ist die Antwort auf diese Frage selbstverständlich, zumindest in der ersten, optimistischen Phase der Aufklärung: Die Vernunft schreibt Verhaltensnormen vor, die alles Nicht-Vernünftige der Lächerlichkeit preisgeben. Wenn deshalb die Autoren der *Moralischen Wochenschriften* Beispiele, Erzählhandlungen zur Erläuterung ihrer »Botschaft der Tugend« heranziehen, so sind dies Illustrationen zu der grundsätzlich optimistischen These, die aus dem Vernunftbegriff des Descartes hervorgegangen war: es sei möglich, Sittlichkeit und Weltlauf in Übereinstimmung zu bringen (Borkenau, S. 311). Der Charakter des »Erzählens«, das hier geboten wird, orientiert sich an den von der Rhetorik vorgeschriebenen Normen für den Teil der Gerichtsrede, in dem es um die Beschreibung einer Sachlage geht (»narratio«). Noch 1771 formuliert Johann Georg Sulzer in seiner *Allgemeinen Theorie der Schönen Künste* unter dem Stichwort »Erzählung« folgendes: »Der Zwek der Erzählung ist, dem Zuhörer den Verlauf der Sachen so vorzustellen, daß sein Urtheil darüber gelenkt werde. [...] Jede Erzählung muß die geschehene Sache klar und wahrhaft, oder wahrscheinlich vorstellen, damit der Zuhörer über keinen zur Sache gehörigen Umstand in Ungewißheit oder Zweifel bleibe. Zur Klarheit gehört außer dem guten und richtigen Ausdruk, wodurch die Begriffe auf das genaueste bestimmt werden, die Ordnung und die Vermeidung alles dessen, was eigentlich zur Sache nicht gehört, was keinen Einfluß, weder auf den Ausgang der Sache, noch auf das Urtheil, das man von der Sache fällt, haben kann. Bey jeder Erzählung hat man eine gewisse Absicht, aus welcher beurtheilt werden muß, was zur Sache gehört oder nicht. Der Erzähler muß den Zwek der Erzählung, die Vorstellung, die durch dieselbige in völlige Klarheit kommen soll, auf das deutlichste fassen, um zu beurtheilen, was jeder einzele [!] Umstand dazu beytragen könnte« (Sulzer 1967, Bd. II, S. 118 f.). Die Erzählung ist also ein durch eine Wirkungsabsicht gesteuerter Bericht, der detailgenau und lückenlos über eine wahre oder wahrscheinliche Begebenheit Auskunft gibt und im Zuhörer eine bestimmte, in ihrer Präzision von der Sorgfalt des Autors abhängige Vorstellung und Beurteilung des Geschehenen hervorruft. Die Verbindung der rhetorischen Kategorien mit der Insistenz auf dem Wahrheitsgehalt des genauen und lückenlosen Verfahrens des Schriftstellers ist wichtig; denn damit ist die Genauigkeit der Darstellung – die lückenlos den Beweis führt, daß das dargestellte »Exemplum« einer Vernunftnorm entspricht – durchaus in Parallele zu einer Methode der Selbstvergewisserung zu sehen, wie sie Descartes in seiner *Abhandlung von der Methode* (1637) vorgeführt hat: also zu einer autoritativ belehrenden Methode (»methodus magistralis«). Soweit Kritik angestrebt, die Verletzung einer Verhaltensnorm angeprangert wird, ist es – nach den Mustern von Boileau, Molière oder Besser, Canitz, Gottsched, und besonders in der *Sammlung satyrischer Schriften* (1751–1755) des Prosa-Satirikers Gottfried Wilhelm Rabener (1714–1771), immer ein Tadel des Lasters, nie der Person, der ausgesprochen wird. Dies ist charakteristisch für einen der berühmtesten Texte der Frühaufklärung, Richard Steeles *Inkle and Yarico (Spectator* Nr. XI, 1711). Das Fehlverhalten eines einzelnen darf das gesamte Normensystem nicht in Frage stellen; Beschämen ist, neben Verlachen, das sicherste Mittel, den Schuldigen zu einem »vernünftigen« Verhalten zurückzulenken. Dies gilt auch noch für die einzelnen Lebensgeschichten, aus denen sich Schnabels *Insel Felsenburg* zusammensetzt und für die die Erzählung der *Virgilia van Cattmers* exemplarisch ist. Allerdings ist hier der Blick auf die Gesamtgesellschaft und ihren Zustand, zumindest in den überkommenen sozialen Strukturen Europas in der ersten Hälfte des 18. Jahrhunderts, von einer Skepsis geprägt, die eine Verbesserung der Zustände als unmöglich ansieht. Schnabel ist weit entfernt, in den obrigkeitsstaatlichen Verhältnissen auch nur den kleinsten Ansatz zu einem vernunftgeordneten menschlichen Leben zu entdecken, und deshalb schildert er die »Naturgeschichte« eines Gemeinwesens außerhalb der Zivilisation, in dem sich tatsächlich eine vernunftgeleitete patriarchalische Ordnung entfalten kann. Utopie, Idylle, Satire und der Anstoß, der von Daniel Defoe und Jonathan Swift mit der Robinsonade ausgegangen war, verbinden sich hier zu einer Kritik des frühaufklärerischen Moralismus, dessen Optimismus unter den gegebenen Verhältnissen als nicht gerechtfertigt erscheinen mußte. Denn die Robinsonade thematisierte, schärfer fast noch als die Utopie und Idylle, den zentralen Streitpunkt des Naturrechts: Welche

Normen sind dem Menschen von Natur aus angemessen und unverzichtbar, müssen also auch, wenn der Mensch nicht mehr im Zustand der Natur lebt, im geselligen Zusammenleben erhalten bleiben, um das höchstmögliche gemeinschaftliche Wohl erreichbar zu machen? Damit war aber auch der Ansatz gegeben, die starre Vernunftnorm zu individualisieren.

Dies geschieht zunächst in der Wahl von Erzählstoffen, in denen die kollektiven Normen des gesellschaftlichen Lebens mit den Ansprüchen des Individuums, seinen natürlichen Neigungen in Kontrast stehen. Dies ist das zentrale Thema der *Contes moraux*, der *Moralischen Erzählungen* von Marmontel, und ihr Charakteristikum ist das Streben nach einem vernünftigen Ausgleich zwischen beiden. Freilich sind die Gestalten der Erzählungen noch typenhaft; in ihrer Charaktergestaltung und in den Situationen, denen sie ausgesetzt sind, sind sie stark an die Figuren der Komödie – auch und gerade in ihrer neuen Form, der »weinerlichen Komödie« – angelehnt. Denn dieser neue Komödientypus, in dessen Mittelpunkt nicht mehr das Verlachen des Lasters steht, sondern die Rührung des Zuschauers durch eine empfindsame, an das »angeborene« Gefühl für Gutes und Böses appellierende Rhetorik, zieht sich völlig von der Überbetonung des Handlungselements, der Komik der Aktion, der Gestik und Mimik zurück und stellt die dialogische Entwicklung von Einsichten, Gefühlen und Haltungen in den Mittelpunkt. Dies ist ein Vorgang, der sich bereits 1705 in Richard Steeles Komödie *The Tender Husband* ankündigt, und dann in der »comédie larmoyante« des französischen Autors Pierre Claude Nivelle de La Chaussée (1692–1754) zu Tage tritt (*La Fausse Antipathie*, 1733; *Le Préjugé à la Mode*, 1735; *L'École des Amis*, 1737; *Mélanide*, 1741). Goldonis Abkehr von der »commedia dell'arte« und seine Hinwendung zur bürgerlichen »Rührkomödie« sowie Gellerts Einführung dieses neuen Typus in Deutschland, den er auch in seiner Antrittsvorlesung als Professor für Dichtkunst verteidigte (*Die zärtlichen Schwestern*, 1747; *Pro comoedia commovente*, 1751), belegen den europäischen Charakter dieser Entwicklung. Das wichtigste, die beiden neuen Gattungen der »comédie larmoyante« und des »conte moral« verbindende Element ist jedoch, wie bereits gesagt, das Gespräch; es bietet den graduellen und vom Zuschauer oder Leser nachvollziehbaren Entwicklungsgang einer oder mehrerer Personen, der zur Rechtfertigung einer bestimmten Haltung oder Handlungsweise hinführt. Die Autoren versuchen das Publikum für ihre Gestalten zu interessieren, es an deren Denken und Handeln teilhaben zu lassen, wobei auf eine Belehrung, auf ein Dozieren vorgegebener Verhaltensnormen verzichtet wird. Johann Jakob Engel wird 1774 in seiner Abhandlung *Über Handlung, Gespräch und Erzählung* beide Verfahrensweisen genau unterscheiden; denn die »magistrale Methode«, das Dozieren, gibt nur Anweisungen, die zu einem bestimmten Resultat führen sollen, während das Gespräch den Leser oder Hörer gleichsam »initiiert«, aber nicht bloß in die Gedanken des Autors einführt, sondern sie als seine eigenen entstehen läßt. In Anlehnung an Francis Bacon nennt Engel dieses Verfahren »methodus initiativa«: »Es ist unglaublich, wie sehr sich die Seele den Worten einzudrücken, wie sie die Rede gleichsam zu ihrem Spiegel zu machen weiß, worinn sich ihre jedesmalige ganze Gestalt bis auf die feinsten und delikatesten Züge darstellt. Der logische Satz, oder der bloße allgemeine Sinn, aus den Worten herausgezogen, ist immer das Wenigste; die ganze Bildung des Ausdrucks, die uns genau die bestimmte Fassung der Seele bey den Gedanken zu erkennen gibt, ist alles.« Denn diese Art des Vortrages im Gespräch unterrichtet »besser und gründlicher von dem Gegenstande der Untersuchung selbst; *sie verpflanzt*, um mich mit dem Kanzler *Baco* auszudrücken, *die Wahrheit so in die Seele des Lesers, wie sie in des Schriftstellers eigenen Seele gewachsen ist; sie giebt ihm nicht bloß den abgehauenen unfruchtbaren Stamm, sondern die ganze Pflanze, mit ihrer Wurzel und ein wenig daranhängender Erde: so daß der Leser selbst, wenn er sie wartet und pflegt, die schönsten Früchte der Erkenntniß davon zu hoffen hat«* (Engel, Ausg. Voss 1964, S. 57 und 33; die Anspielung auf Bacon bezieht sich auf dessen Schrift *De augmentis scientiarum* VI,2). Ein weiteres Mittel, Erzählung intensiv in diesem Sinne zu gestalten, ist der Brief, und die Entwicklung des Prosastils ist nachhaltig mit der Pflege des Briefstils verbunden; Gellerts *Praktische Abhandlung von dem Guten Geschmacke in Briefen* (1751) war hier für Deutschland richtungweisend. Wie im Gespräch wird auch im Brief, der »initiierenden Methode« nach, der Gedankengang eines persönlich denkenden und fühlenden Menschen veranschaulicht, und nicht ein rhetorisches Exerzitium vorgenommen. So fordert Gellert für den Aufbau des Briefes: »Man bediene sich also keiner künstlichen Ordnung, keiner mühsamen Einrichtungen, sondern man überlasse sich der freywilligen Folge seiner Gedanken, und setze sie nach einander hin, wie sie in uns entstehen« (zit. nach Blackall 1966, S. 150). Der englische Roman hatte den Brief bereits als konstitutives Element des Romans erprobt, mit immensem Erfolg (Samuel Richardson, *Clarissa,* 1748; *Sir Charles Grandison,* 1754; *Pamela,* 1740); die eigentliche Hochblüte des

Briefromans sollte mit Rousseaus *Nouvelle Héloise* (1761) und Goethes *Werther* (1774) sowie Wielands *Aristipp und einige seiner Zeitgenossen* (1800/03) kommen. Zunächst aber zeigte sich der Erfolg der Erzähltechnik in dialogischer Gestaltung in der überaus breit gefächerten Nachfolge Marmontels und, parallel zu seinem Vorbild, in der Nachahmung der mehr auf philosophischen Problemen beruhenden Erzählung, wie sie Voltaire gepflegt hatte.

In jüngerer Zeit wurde versucht, die Erzählformen des 18. Jahrhunderts nach stoffgeschichtlichen Gesichtspunkten zu klassifizieren (Jacobs, 1981), wobei sich drei Typen unterscheiden lassen: die moralische, die philosophische Erzählung und schließlich das Feenmärchen. Diese Einteilung folgt dem Versuch, den Friedrich von Blanckenburg in seiner Ergänzung zu Sulzers zweitem Artikel »Erzählung«, der die Erzählung unter poesiegeschichtlichen Aspekten behandelte und als vollkommen neue Gattung rechtfertigte, unternommen hatte. Dort wird vor allem die Geschichte der französischen Prosaerzählung nach Erzählmaterien vorgenommen: die inhaltlichen Gesichtspunkte sind 1. Liebes- und Schwankerzählungen in der mittelalterlichen und der italienischen Novellentradition; 2. die eigentlichen »Novellen«, die Blanckenburg als »kleine Romane« bezeichnet und deren Vorbild er (ganz richtig im Sinne Krauss') in Spanien ansiedelt; 3. die Feenmärchen, zu denen auch die in Europa rezipierten orientalischen Erzähltraditionen gehören (die Sammlung der Erzählungen aus *Tausend und einer Nacht* hatte ihre erste europäische Version in der französischen Ausgabe J.-A. Gallands 1704–1717 gefunden); 4. die eigentlichen »Moralischen Erzählungen« nach Marmontels Vorbild; 5. schließlich die »Erzählungen vermischten Inhalts von neuen Verfassern«, als deren Muster die Erzählungen und kleinen Romane Voltaires gelten (Sulzer 1967, II, S. 141–148). Aber die Entwicklung der Erzählung in Deutschland erlaubt eine solche Einteilung eigentlich nicht. Sicher gibt es eine Dominanz des »moralischen Erzählens«; bereits 1757 veröffentlichte J. G. B. Pfeil – ein den Zeitströmungen gegenüber sensibler Autor (1732–1800), dessen *Lucie Woodvil* mit Lessings *Miß Sara Sampson* um den Ruhm des ersten deutschen bürgerlichen Trauerspiels wetteiferte – seinen *Versuch in moralischen Erzählungen;* Marmontels Werke erschienen in deutschen Übersetzungen 1766, 1769 und 1791. So öffnete Wieland seinen *Teutschen Merkur* generell für den neuen Typus der Prosaerzählung, u. a. vertreten durch Johann Heinrich Merck und Johann Carl Wezel; Wieland selbst veröffentlichte 1776 die satirische Erzählung *Bonifaz Schleichers Jugendgeschichte* in seinem Magazin, hatte dabei aber bereits 1770 in seinen *Beyträgen zur Geheimen Geschichte der Mensch-heit* die philosophisch-allegorische Geschichte *Koxkox und Kike-quetzel* – Marmontels *Anette et Lubin* aufgreifend und in Voltaires Manier gegen Rousseaus Thesen vom Naturzustand zugespitzt – publiziert. Noch 1802–05 führte seine kunstvolle Sammlung *Das Hexameron von Rosenhain* ohne Rücksicht auf formale oder stoffli-che Kriterien (Feenmärchen, Anekdote, Novelle) die Probleme richtigen geselligen Verhaltens vor (Ausg. Meier/Proß 1983, Nachwort). Die weiteren bedeutenden Autoren von Erzählungen hielten sich meist ebenfalls nicht an eines der möglichen Genres, sondern versuchten, alle Möglichkeiten der Stoffbehandlung zu nutzen: so Christian Leberecht Heyne (1751–1821), der unter dem Pseudonym »Anton-Wall« seine *Bagatellen* (1783–85) und *Erzäh-lungen nach Marmontel* (1787) publizierte, Sophie von La Roche (*Moralische Erzählungen im Geschmack Marmontels,* 1782/84), Au-gust Gottlieb Meissner (1753–1807; *Skizzen,* 14 Bde., 1778–1796), Karl von Eckartshausen (1752–1803; *Die Folgen der Tugend und des Lasters, oder moralische Grundsätze, anwendbar gemacht aufs Herz durch Erzählungen,* 1789) und schließlich August Lafontaine (1758–1831) mit seinen vielbändigen Erzählungen (*Familiengeschichten,* 12 Bde., 1794–1804; *Kleine Romane,* 8 Bde., 1799–1801). Die Gren-zen zu den Prosaformen, der Idylle Gessners, der Satire Liscows und Rabeners (z. B. bei Wezel, *Satirische Erzählungen,* 1777/78), zum Briefroman (so in Lenz' *Waldbruder* und bei F. H. Jacobis *Edu-ard Allwills Papiere,* die zweimal als Zeitschriftenpublikation in der *Iris* 1775 und im *Teutschen Merkur* 1776 erschienen) konnten jeder-zeit überschritten werden, wobei die episodäre Struktur des Ro-mans durchaus den Einschub selbständiger Erzählungen erlaubte (exemplarisch abzulesen an der *Geschichte des Prinzen Biribinker,* die das ganze sechste Buch von Wielands *Don Sylvio von Rosalva* um-faßt). Den Übergang von Prosa zum dramatischen Dialog und damit die Annäherung des Narrativen an die Dramenform leisten nicht nur Erzählungen wie Meissners in den *Skizzen* veröffentlich-te *Bianca Capello,* sondern es entsteht die Gattung des »Dialogro-mans« (F. T. Hase, *Gustav Aldermann. Ein dramatischer Roman,* 1779), eine experimentelle Form, der Wieland noch in seinem Spätwerk *Agathodämon* (1799) nachspürte. Aber es darf auch nicht außer acht bleiben, daß trotz der Ausweitung und Bevorzugung des Prosastils im 18. Jahrhundert keine Barriere zwischen diesem und der »gebundenen Rede« des Verses bestand. Beide Sprachfor-men standen gleichberechtigt nebeneinander, und die Rhythmisie-rung der Prosa durch Wieland, Herder und Goethe zielt ebenso wie die Abkehr von starren Versschemata und die variable Metrik Wielands darauf ab, einen natürlichen, aber kunstvollen Stil des Erzählens zu schaffen. So ist es durchaus kein Stilbruch, wenn Bodmer seine Fortsetzung zu Gessners *Inkel und Yariko* in einer stark rhythmisierten Prosa verfaßt, und Wielands *Musarion* ist sicher ein Glanzpunkt der Erzählkunst des 18. Jahrhunderts überhaupt, trotz - oder gerade wegen – seiner Versform.

Johann Georg Sulzer hat in seinen beiden Artikeln über »Erzählung« in der *Allgemeinen Theorie der Schönen Künste* auf die Vielfalt der Möglichkeiten aufmerksam gemacht, die die Erzählung als Form den Zeitgenossen bieten konnte; in dem ersten, unter dem Aspekt der Rhetorik geschriebenen Beitrag unterscheidet er (unter Berufung auf unechte Schriften des Redners Hermogenes aus Tarsos, ca. 160–225 n. Chr.) drei Formen dieses für ihn schwierigsten Teils der »Redekunst«, eine »einfache«, eine »ausgeführte« und eine »zierliche«. Die erste »erzählt die Sache schlechtweg, wie sie geschehen ist«; die »ausgeführte Art besteht darin, daß der Redner verschiedenes beybringt, das in der geschehenen Sache nicht offenbar liegt, indem er Ursachen davon angiebt, Absichten aufdekt, und etwa Umstände ergänzt, alles in der Absicht die Sache gut oder schlecht vorzustellen«. Von der dritten, der »zierlichen«, soll sogleich die Rede sein. Wenn nun ein Versuch gemacht werden soll, die Erzählformen des 18. Jahrhunderts zu systematisieren, dann bietet diese Einteilung Sulzers, historisch ergänzt, eine plausiblere Möglichkeit der Unterscheidung, weil sie vom Grad der Differenzierung der sprachlichen und narrativen Kunstmittel ausgeht, als die unsichere Einteilung nach stofflichen Gesichtspunkten. Auf die erste Zeit der Prosaerzählung – die von der einfachen Erzählhaltung der rhetorischen »narratio« in ihrer Wirkungsintention vom »Exemplum« eines bürgerlich-optimistischen Moralbegriffs gekennzeichnet ist, ohne dabei in der didaktischen Gattung der »Fabel« aufzugehen – folgt eine zweite Periode der Erzählkunst, die den Einschnitt durch die Ablösung der »magistralen« durch die »initiierende Methode« verdeutlicht. Die Differenzierung der erzählerischen Kunstmittel im Gebrauch des Dialogs (oder des Briefs), die Auflösung des planen historischen Erzählens in eine facettierte Darstellung der Beweggründe der handelnden Personen und ihres Milieus sind die äußeren Kennzeichen des inneren Prozesses, der Differenzierung des bürgerlichen Ethos. Dieses versteht sich zwar als universell gültig, aber es will Interessenkonflikte der Individuen untereinander und des Einzelnen mit der Gesellschaft nicht mehr nach vorgegebenen Lösungsschemata auf dogmatische Weise gelöst sehen. Es ist die Zeit der Auflösung des bürgerlichen Optimismus, die sogar Kant von einer Verherrlichung des bloßen Daseins (»Heil uns, wir sind!«) und der Einsicht wegführt, »daß das Ganze das Beste sei, und alles um des Ganzen willen gut sei« (*Versuch einiger Betrachtungen über den Optimismus,* 1759). Die alte Position, die Kant damals noch mit Wolff und Pope teilte, wird dadurch ersetzt, daß er keine Garantie mehr dafür gegeben sieht, in der Ordnung der Natur ein Zeugnis für die göttliche Gerechtigkeit und im Analogieschluß für die Gerechtigkeit der menschlichen Ordnung der Gesellschaft anzunehmen: dies vermag nur die dauernde sittliche Anstrengung des Einzelnen hervorzubringen (*Über das Mißlingen aller philosophischen Versuche in der Theodizee,* 1791; vgl. auch Günther 1984, Sp. 1284).

Während die genannten Autoren von Erzählungen diesen Weg der Differenzierung und Individualisierung verfolgen und der Typus der »moralischen Erzählung« bis weit in die Biedermeierzeit gepflegt wird, nehmen eine Reihe von Kritikern bereits um 1770 zwei Dinge wahr: erstens, daß die Kunstmittel der Erzählung eine eigene poetische Definition durchaus erlauben können, wie dies auch Blanckenburg für die neue Prosagattung, den Roman, unternimmt (*Versuch über den Roman,* 1774); und zweitens, wie für den Roman, der zum Nachfolger des heroischen Epos in einer bürgerlichen Zeit erklärt wird, treten auch für die Erzählung geschichtsphilosophische Aspekte der literarischen Entwicklung hervor. Die Erzählung ist »in der Beredsamkeit gerade das, was das historische Gemählde in der Mahlerey ist«, schreibt Sulzer (Bd. II, S. 118), d. h. ihr kommt ein spezifischer Gattungscharakter zu; und je differenzierter eine Erzählung ausfällt – und damit gehört sie zur dritten der möglichen Erzählarten –, desto stärker und vielschichtiger müssen die »Farben der Beredsamkeit« aufgetragen werden, um die Erzählung plastisch und überzeugend zu machen. Dabei insistiert Sulzer durchaus darauf, daß eine Erzählung weder von der didaktischen Absicht der Fabel noch von allegorischen Tendenzen geleitet sein solle. Das spezifisch Moderne dieser Gattung liege in der Mannigfaltigkeit des Stoffes, der auf empirischer Beobachtung des menschlichen Lebens beruht; dies ist die Hauptaussage, die Sulzer zu der kühnen Behauptung verleitet, mit der er seinen zweiten Artikel »Erzählung (Dichtkunst)« eröffnet: diese sei eine »besondere Art des Gedichts, womit die Neuern die Dichtkunst bereichert haben; denn es scheinet nicht, daß den Alten diese Dichtungsart bekannt gewesen sey« (S. 121). Blanckenburg widerspricht dieser Behauptung in seinem Nachtrag unter Hinweis auf die Episodenstruktur von Ovids *Metamorphosen*, die nichts anderes als eine Ansammlung von »Erzählungen« darstellten (S. 122); aber er übersieht dabei den Akzent, den Sulzer ganz markant auf die Beobachtung des »sittlichen Lebens der Menschen« durch den Autor legt, das sich in seiner Vielfalt in der genauen Nachzeichnung mit Hilfe der vielfältigen Kunstmittel der Prosa und des Verses wiedergeben ließe: »Diese Dichtungsart ist in Ansehung des Inhalts einer großen Mannigfaltigkeit fähig; sie kann Handlungen und Thaten, Leidenschaften, herrschende und vorübergehende Empfindungen, ganze Charaktere, Begebenheiten, Glüks- und Gemüthsumstände schildern; und in Ansehung des Tones kann sie pathetisch, sittlich oder scherzhaft seyn. Soll sie aber mehr, als zum Zeitvertrieb dienen, und mehr als vorübergehende Aufwallungen verschiedener, angenehm durcheinander laufender, Empfindungen erweken, so trifft man den Stoff dazu eben nicht auf allen Straßen an. Wenn der erzählende Dichter lehrreich seyn will, wenn seine Absicht ist, nur solche Geschichten oder Thaten zu erzählen, die in dem Verstand der Leser wol bestimmte und auf immer würksame Grundbegriffe und Grundsätze zurüklassen: so muß er sich weit und mit scharfen Bliken in dem sittlichen Leben der Menschen umsehen. Auch der fleißigste Beobachter der Menschen ist nur selten so glüklich, auf solche classische Männer seiner eigenen, oder der vergangenen Zeiten zu stoßen, deren Denkungsart und Handlungen, als canonische *Lehren* für alle Menschen, anzusehen sind. Vernunft und Thorheit, Tugend und Laster zeigen sich zwar überall, aber höchst selten in dem hellen Lichte und in der Gestalt, worinn sie zur Lehre oder Warnung sich dem Gemüth unvergeßlich und immer würksam einprägen. So müssen aber die Beyspiele seyn, die zu einer vollkommenen Erzählung den Stoff ausmachen. Es wird nämlich hier vorausgesetzt, daß die Erzählung in allen Absichten vollkommen sey, bey welcher jeder Leser von gesunder Einsicht mit völliger Empfindung sagt: *so muß ich denken – so muß ich handeln – so muß ich niemals handeln, wenn ich noch etwas auf mich selbst halten soll;* und die Erzählung muß unvergeßlich als ein Muster dem Geist eingeprägt werden« (S. 121 f.). Zu dem »scharfen Blick« des Beobachters des »sittlichen Lebens« wird ergänzend ein »exemplarischer Stoff« gefordert, der die Lektüre zu einem beeindruckenden Erlebnis werden läßt, und es ist die Kunst des Autors, die aus einem beobachteten oder gestalteten Erlebnis ein »klassisches« Werk der Erzählung entstehen läßt. Dieser Akzent auf dem künstlerischen Verfahren eröffnet eine dritte Periode der Erzählkunst des 18. Jahrhunderts, wie sie sich in den letzten vier der in diesem Band gedruckten Texten Schillers, Jean Pauls, Goethes und Wackenroders manifestiert.

Neben Sulzer sind es vor allem Friedrich von Blanckenburg, dann der bereits genannte Johann Jakob Engel, der in seiner Abhandlung *Über Handlung, Gespräch und Erzählung* (1775) äußerst differenziert über die Verschiedenheit der Kunstmittel des Erzählens reflektierte, und der Philosoph Christian Garve mit seiner Abhandlung *Über das Interessirende* (1771–72, Nachtrag 1779), die zusammen mit Herder und Lichtenberg über die Voraussetzungen einer solchen neuen Erzählkunst nachdachten. Engels Leistung liegt nicht nur darin, daß er die Eigenart des Narrativen gegenüber dem dramatischen Element des Dialogs schärfer ins Blickfeld rückte und damit noch Schiller und Goethe Anlaß zur Reflexion über den mehr »historischen« Charakter der episch-erzählenden Dichtung, im Unterschied zur alles vergegenwärtigenden Ausdruckskunst der Bühne, gab; wichtig ist vor allem, daß er gerade den Vorzug des Erzählens darin sah, daß es das sprachlich zur Erscheinung bringen konnte, was im Dialog der Bühne der gestisch-mimischen Kunst des Schauspielers überlassen bleiben mußte und sich somit dem Zugriff des Autors entzog (dies betont der Hg. von Engels Abhandlung, E. Th. Voss; vgl. Engel 1964, Nachwort S. 128*). Diese Rechtfertigung des Machtanspruches auktorialen Erzählens über den Stoff ist jedoch keine Rechtfertigung eines neuen Moralismus, mit dessen Hilfe der Autor seine vorgefertigten Anschauungen dem Leser einprägt; Engel verurteilt, wie Shaftesbury, Home, Diderot oder später Lessing (in seiner *Duplik* gegen Goeze, 1778) den vermeintlichen Besitz einer Wahrheit. Die Erzählung ist ein Mittel, dem Leser den Vorgang des Werdens einer Begebenheit oder der Handlung eines Menschen zu veranschaulichen, ohne ihn aber, wie es die Bühne mit ihrer Leidenschaftlichkeit, mit ihrer Tendenz zur Identifikation tut, der Reflexion über das Erlebte zu berauben (Voss, ebd. S. 147*). Diese Skepsis gegenüber dem Dozieren hat Herder bereits in seinen *Fragmenten über die neuere deutsche Literatur* (1766–68) dazu geführt, Lessings These, eine Fabel sei die sinnliche Veranschaulichung eines allgemeinen moralischen Satzes, zu kritisieren; seine Forderung lautet, jede Form der Fiktion müsse auf poetische Weise sinnliche Anschauung in dichterische Handlung verwandeln. Darin ruht ihre »überredende Kraft«, nicht in ihrem Charakter der Demonstration einer abstrakten Wahrheit (Herder, Ausg. Proß Bd. I, 1984, S. 317–327). Denn die Quelle scheinbar abstrakter Wahrheiten ist, wie Herder in Übereinstimmung mit Lichtenberg und Garve betonen sollte, der Schriftsteller selbst, der sich und seine Seelenregungen ebenso präzise beobachtet wie seine Umgebung. Die Darstellung eines äußeren Vorganges in einem »historischen Gemälde«, sagt Lichtenberg (1765), »erfordert ein wahres philosophisches Genie, das nicht sowohl die Logik, als die eigene Betrachtung, eine beständige Aufmerksamkeit auf sich selbst, ein tiefes Nachdenken über die Begebenheiten, wozu ich auch die gemeinsten rechne, und über die kleinsten Triebfedern der menschlichen Handlungen, und endlich der Umgang mit Leuten von allerlei Stand und Alter gebildet haben« (*Von den Charakteren in der Geschichte;* Ausg. Promies Bd. III, S. 499). Und Garve definiert seine Kategorie des »Modernen« par excellence, das »Interessierende«, als die Fähigkeit eines »großen Geistes« [...], aus der Beobachtung einer fragmentarischen Wirklichkeit deren höhere Idee in ein vollkommenes – wenn auch subjektiv gestaltetes – artistisches Gebilde zu überführen, oder, wie Garve sagt, »die allgemeine Idee von Vollkommenheit mit den Eigenthümlichkeiten eines besondern Charakters zu vergesellschaften« (Garve, *Popularphilosophische Schriften I*, 1974, S. 285).

Diese formale Diskussion über das Verhältnis des beobachtenden Schriftstellers zum beobachteten Stoff des »sittlichen Lebens« erhält seine bedeutsame inhaltliche Ergänzung durch drei wesentliche Aspekte: erstens, die Aufnahme des scheinbar Trivialen unter die darstellungswürdigen Gegenstände, die der »Sturm und Drang« im Werk von Goethe, Lenz, Jung-Stilling oder Ulrich Bräker unter dem Einfluß Diderots und Rousseaus vollzieht; Georg Büchner hat dies, viele Jahre später, in seiner Erzählung *Lenz* pointiert in einem Satz zusammengefaßt, den er der Gestalt des Schriftstellers in den Mund legt: »Ich verlange in allem Leben, Möglichkeit des Daseins, und dann ist's gut; wir haben dann nicht zu fragen, ob es schön, ob es häßlich ist, das Gefühl, daß Was geschaffen sei, Leben habe, stehe über diesen Beiden, und sei das einzige Kriterium in Kunstsachen« (Deutsche Erzählungen des 19. Jahrhunderts, 1982, S. 119). Jean Pauls archetypische Erzählung vom *Schulmeisterlein Wuz* dokumentiert in einer Zeit des formalstrengen, auf Würde bedachten Neoklassizismus das Fortleben dieser Anregung, die zunächst nur in der Beschränkung auf die Gattung der Idylle (in ihren Gestaltungen durch J. H. Voß und Mahler Müller) fortzudauern schien. Zweitens, die Individualisierung des Ethischen führt zu einer Verfeinerung des Psychologischen, ja steht mit ihr im engen Zusammenhang und ist hilfreich bei der Erschließung neuer Stoffgebiete. Schon für Herder war die

Psychologie die Schlüsselwissenschaft zu einer neu zu entwerfenden Anthropologie gewesen (Herder, Ausg. Proß Bd. II, 1987, Nachwort); nun eröffnet sich mit dem Interesse der Schriftsteller für pathologische Zustände des Gemüts, für Verbrechen und Wahnsinn als den Extremfällen eines Verhaltens, das in seiner gesellschaftlichen Genese interessant wird, ein Themenbereich, der ausführlich zur Diskussion drängt. Die extreme Variante der »moralischen Erzählung«, die hier vorliegt, findet bereits Meißners Beachtung und wird von Schiller im *Verbrecher aus Infamie* 1787 auf eine außerordentliche Höhe geführt; daneben stehen Christian Heinrich Spieß' *Biographien der Wahnsinnigen* (1795/96), denen bereits 1785 seine *Selbstmörderbiographien* vorausgegangen waren. Der Themenbereich selbst wird zum Gegenstand einer erstmals wissenschaftlichen Diskussion in dem von Karl Philipp Moritz (später zusammen mit Salomon Maimon) herausgegebenen *Magazin für Erfahrungsseelenkunde* (1783/93), das ohne Vorurteile den Geschichten individueller Seelenverirrungen nachzugehen versucht, sowohl in ihren extremen Formen wie in der Beobachtung der alltäglichen Verhaltensweisen des Menschen, die bereits als Keim zu einem Grenzverhalten gelten können. Und drittens, es entwickelt sich eine ästhetische Reflexion der künstlerischen Praxis, die unmittelbar auf die Darstellung künstlerischer Verfahren und des Künstlers als Gegenstand der Erzählung abzielt. Beides findet sich im *Märchen* Goethes und in der Lebensgeschichte des Musikers *Joseph Berglinger* von Wilhelm Heinrich Wackenroder. In der Rahmenerzählung von Wielands *Hexameron von Rosenhain* wird ausdrücklich das »Märchen« als Gattung in den Bereich des Dichterischen und der generell an den Schriftsteller zu stellenden Forderungen einbezogen: »Der Dichter ahmt also, nach seiner Weise, dem Traum nach, indem er [...] wirklich das Natürliche mit dem Unnatürlichen [d. h. dem phantastischen Element des Märchens] so fein und künstlerisch zu verweben weiß, daß man letzteres gleichsam unter dem Schutz des erstern unangefochten durchschlüpfen läßt« (Ausg. Meier/Proß, 1983, S. 74). Denn das Märchen ist »eine Begebenheit aus dem Reiche der Phantasie, der Traumwelt, dem Feenland, mit Menschen und Ereignissen aus der wirklichen verwebt, und mitten durch Hindernisse und Irrwege aller Art von feindselig entgegenwirkenden oder freundlich befördernden Mächten zu einem unverhofften Ausgang geleitet. Je mehr ein Märchen von der Art und dem Gang eines lebhaften, gaukelnden, sich in sich selbst verschlingenden, rätselhaften, aber immer die leise Ahnung eines geheimen Sinnes erweckenden Traumes in sich hat, je seltsamer in ihm Wirkungen und Ursachen, Zwecke und Mittel gegen einander zu rennen scheinen, desto vollkommener ist, in meinen Augen wenigstens das Märchen« (ebd., S. 73 f.). Aber eine solche Definition weist, wie Jacobs (1981, S. 70) bemerkt hat, schon über Wieland hinaus, auf das Märchen der Romantik und deren Kennzeichen, die Labilität von Sinnstiftungen, die Goethes symbolische Kunst noch durch die Autorität des Künstlers gestützt sehen konnte, und die Vertilgung der Sinnlichkeit durch die Ermächtigung der Innerlichkeit, welche die Außenwelt nur noch im fragmentarischen Spiegel subjektiven Erzählens zu reproduzieren vermochte. Jean Paul wird in seiner *Vorschule der Ästhetik* (1804) vom »Einsturz der Außen- in die Innenwelt« sprechen. Und die Person des Künstlers selbst gerät bereits in Wackenroders *Joseph Berglinger* in ein prekäres Licht: Das Porträt eines Künstlers, der »vielleicht mehr dazu geschaffen war, Kunst zu *genießen* als *auszuüben*«, und die Sehnsucht nach einer Kunst, die »still und heimlich wie ein verhüllter Genius« im Künstler arbeitet und ihn »in seinem Handeln auf Erden nicht stört« (S. 215), verweisen auf eine neue Epoche des Kunstverständnisses und der erzählerischen Techniken, die den Grundlagen des 18. Jahrhunderts sich entfremdet hatten.

Literatur

Primärliteratur

Beer, Johann: Die teutschen Winter-Nächte & Die kurzweiligen Sommer-Täge. Hg. von Richard Alewyn. Frankfurt/Main 1963.

Deutsche Erzählungen des 19. Jahrhunderts. Von Kleist bis Hauptmann. Hg. u. kommentiert von J. Horn, J. Jokl, A. Meier, S. v. Steinsdorff. München 1982.

Engel, Johann Jakob: Über Handlung, Gespräch und Erzählung. Faksimiledruck der ersten Fassung von 1774 aus der ›Neuen Bibliothek der Schönen Wissenschaften und der Freyen Künste‹. Hg. von Ernst Theodor Voss. Stuttgart 1964.

Garve, Christian: Einige Gedanken über das Interessirende. In: Garve, Popularphilosophische Schriften über literarische, ästhetische und gesellschaftliche Gegenstände. Im Faksimiledruck hg. von Kurt Wölfel. 2 Bde., Stuttgart 1974; vgl. Bd. 1, S. 161–347.

Herder, Johann Gottfried: Werke. Hg. von Wolfgang Proß. München 1984 ff.

König, Johann Ulrich: Untersuchung von dem guten Geschmack in der Dicht- und Redekunst. In: Des Freyherrn von Canitz Gedichte. Zweite Auflage, Berlin und Leipzig 1734.

Lichtenberg, Georg Christoph: Von den Charakteren in der Geschichte. In: G. C. Lichtenberg, Schriften und Briefe. Hg. von Wolfgang Promies. Bd. III, München 1972, S. 497–501.

Sulzer, Johann Georg: Allgemeine Theorie der Schönen Künste. Reprographischer Nachdruck der 2. vermehrten Auflage Leipzig 1792. Mit einer Einleitung von Giorgio Tonelli. Hildesheim 1970. Vgl. Bd. II

Wieland, Christoph Martin: Das Hexameron vom Rosenhain. Hg. von F. Beißner, mit einem Nachwort, einer Zeittafel und Literaturhinweisen von A. Meier und W. Proß. München 1983.

Sekundärliteratur

Blackall, Eric A.: Die Entwicklung des Deutschen zur Literatursprache 1700–1775. Mit einem Bericht über neue Forschungsergebnisse 1955–1964. Von Dieter Kimpel. Stuttgart 1966.

Borkenau, Franz: Der Übergang vom feudalen zum bürgerlichen Weltbild. Studien zur Geschichte der Philosophie der Manufakturperiode. (Unveränderter reprogr. Nachdruck der Ausgabe Paris 1934) Darmstadt 1976.

Elias, Norbert: Die höfische Gesellschaft. Untersuchungen zur Soziologie des Königtums und der höfischen Aristokratie. Mit einer Einleitung: Soziologie und Geschichtswissenschaft. Frankurt/Main 1983.

Günther, Horst: »Optimismus«. In: J. Ritter/K. Gründer (Hgg.), Historisches Wörterbuch der Philosophie Bd. 6. Basel–Stuttgart 1984, Spp. 1240–1246.

Hahl, Werner: Reflexion und Erzählung. Ein Problem der Romantheorie von der Spätaufklärung bis zum programmatischen Realismus. Stuttgart u. a. 1971.

Jacobs, Jürgen: »Die deutsche Erzählung im Zeitalter der Aufklärung«. In: K. K. Polheim (Hg.), Handbuch der deutschen Erzählung. Düsseldorf 1981, S. 56–71.

Krauss, Werner: »Novela-Novella-Roman«. In: W. K., Gesammelte Aufsätze zur Literatur- und Sprachwissenschaft. Frankfurt/Main 1949, S. 50–67.

Martens, Wolfgang: Die Botschaft der Tugend. Die Aufklärung im Spiegel der deutschen Moralischen Wochenschriften. Stuttgart 1971. (Erstdr. 1968).

Martino, Alberto: »Barockpoesie, Publikum und Verbürgerlichung der literarischen Intelligenz«. In: IASL 1 (1976), S. 107–145.

Meyer, Reinhart: Novelle und Journal. Erster Bd. Stuttgart 1987.

Proß, Wolfgang: „Die Konkurrenz von ästhetischem Wert und zivilem Ehtos. – Ein Beitrag zur Entstehung des Neokassizismus". In: Roger Bauer u. a. (Hg.), Der theatralische Neoklassizismus um 1800. Ein europäisches Phänomen? Bern u. a. 1986, S. 64–126.